인간 붓다, 그 위대한 삶과 사상

법륜法輪

법륜 스님은 평화와 화해의 메시지를 전하는 평화운동가이자 제3세계를 지원하는 활동가이며 인류의
문명전환을 실현해 가는 사상가, 깨어있는 수행자이다. 1988년, 괴로움이 없고 자유로운 사람, 이웃과
세상에 보탬이 되는 보살의 삶을 서원으로 한 수행공동체(정토회)를 설립해 수행자들과 함께 생활하고
있다.
법륜 스님의 법문은 쉽고 명쾌하다. 언제나 현대인의 눈높이에 맞추어 깨달음과 수행을 이야기 한다.
법륜 스님의 말과 글은 빙돌려 말하지 않고 군더더기 없이 근본을 직시한다. 밖을 향해 있는 우리의 시
선을 안으로 돌이킨다. 어렵고 난해한 경전 역시 법륜 스님을 만나면 스님의 지혜와 직관, 통찰의 힘으
로 살아 숨쉬는 가르침이 된다.
지은 책으로는 직장인을 위한 〈행복한 출근길〉, 즐거운 가정을 위한 법문집 〈날마다 웃는집〉, 부처님의
교화사례 〈붓다, 나를 흔들다〉, 〈붓다에게 물들다〉, 불교입문서 〈실천적 불교사상〉, 대승불교의 대표
경전인 〈금강경 강의〉, 즉문즉설 시리즈 〈답답하면 물어라〉, 〈스님 마음이 불편해요〉, 〈행복하기 행복
전하기〉, 수행지침서 〈기도_내려놓기〉, 〈깨달음_내눈뜨기〉, 젊은이들에게 꾸준히 사랑받고 있는 〈스님
의 주례사〉, 자녀 교육의 마음 지침서 〈엄마수업〉, 청춘들을 위로하는 〈방황해도 괜찮아〉, 한반도의 평
화와 통일의 비전을 제시하는 〈새로운 100년〉 등이 있다.
2000년 만해상 포교상(좋은벗들), 2002년 라몬 막사이사이상, 2007년 민족화해상, 2011년 포스코 청
암봉사상, 통일문화대상 등을 수상했다.

인간 붓다, 그 위대한 삶과 사상

초판 1쇄 | 1990년 4월 25일
초판 15쇄 | 2009년 3월 20일
개정판 1쇄 | 2010년 3월 15일
개정판 7쇄 | 2014년 9월 10일

지은이 | 법륜

펴낸이 | 김정숙
기획 | 임원영 임혜진
편집 | 김종희 이정호 이현옥
자료 | 김하열
사진 | 김재송 박영숙 이문선
마케팅 | 박영준

펴낸곳 | 정토출판
등록 | 1996년 5월 17일 (제22-1008호)
주소 | 137-875 서울시 서초구 서초 3동 1585-16
전화 | 02-587-8991
전송 | 02-6442-8993
이메일 | book@jungto.org

디자인 | 끄레 어소시에이츠

ISBN 978-89-85961-65-3 04220
ⓒ 2010. 정토출판

인간 붓다, 그 위대한 삶과 사상

법륜 지음

정토출판

부처님을 찬탄하고 공경합니다.
부처님께 간절한 마음으로 귀의합니다.

목차

서문 부처님이 지금 이 땅에 오신다면

서장 부처님이 오신 나라, 인도의 사상과 역사
인도의 자연환경과 인더스문명 16
브라만교의 역사 20
부처님 탄생 당시의 시대적 배경 30

제1장 신화의 세계에서 인간의 역사로
전생담의 배경과 역사적 의미 40
수메다 행자의 구도행 54
비둘기를 숨겨준 보살과 매 72
나찰에게 몸을 던지는 설산동자 79
도솔천의 호명보살 90

제2장 위대한 인간의 탄생과 성장
탄생에 관한 전설 106
최초의 현실 인식, 농경제 118
올바른 삶의 방향을 고민하다 132
태자의 결혼 138

제3장 위대한 출가, 왕궁을 떠나 중생 속으로

충격의 현실 인식, 사문유관 152

새로운 가치의 세계관을 발견하다 166

출가를 선언하는 싯다르타 178

새로운 역사를 시작하는 위대한 출가 188

출가의 참다운 의의와 현실 204

왕자에서 사문으로 다시 태어나다 212

스승을 찾아서 222

제4장 고행과 성도

6년 고행과 마왕의 유혹 252

진정한 수행을 찾아 고행을 포기하다 264

중도의 발견, 깨달음의 길로 280

부처의 길을 방해하는 마장들 292

이제 여래의 세계를 선포하노라 318

제5장 전도의 개시

생명계의 새로운 역사를 시작하다 340

전법륜의 대장정을 위한 준비 351

진리의 북소리를 울리다 360

교화의 첫걸음 369

초전법륜 380

야사의 출가와 차제설법 395

사부대중의 완성 414

전도의 길 426

제6장 자비와 지혜의 가르침, 교화 사례

아픔 있는 중생을 찾아 444

잃어버린 자신을 찾아라 / 삼독의 불을 끄고 열반에 들라 / 빔비사라 왕이 죽림정사를 기증하다 / 1,250 비구 대중 / 석가족의 교화 / 세계 최초의 여성 출가 / 교세의 신장과 외도의 방해 / 교화의 특징, 섭수와 절복 / 우팔리에게 마땅히 경배하라 / 가난한 여인의 작은 등불 / 니다이여, 내 손을 잡아라 / 부처님, 살인자를 구제해 주십시오 / 먼지를 털고 때를 닦아라

제7장 위대한 열반, 새로운 역사

부처님의 열반 선언 484

여래가 떠난 뒤 법을 보호하는 네 가지 길 498

춘다의 공양 509

진정한 공양이란 무엇인가 524

마지막 제자 수바드라 536

위대한 열반 549

부록

연표 564

지도 569

찾아보기 570

부처님이 지금 이 땅에 오신다면

지금 한국 사회는 정치적으로 매우 불안정합니다. 남의 말은 듣지 않고 자기주장만 하고 있기 때문입니다. 경청하고 배려하는 모습을 찾기가 어렵습니다. 남북 간에는 이보다 더 자기주장만 되풀이하고 있어 평화의 길을 찾는 데 어려움을 겪고 있습니다.

거기다 모든 것이 발전과 성장의 길로 나아가고 있다고 하지만, 환경 파괴로 인한 기후 변화는 전 지구적인 재앙이 되어 세계 곳곳에서 홍수, 가뭄, 폭설, 혹한, 혹서 등으로 우리 삶을 덮치고 있습니다. 소유와 소비의 시대, 더 많이 갖고 더 많이 쓰는 것을 행복으로 삼는 현대 사회는 오히려 행복과는 점점 더 거리가 멀어지고 있습니다.

만약 부처님께서 이 땅에 다시 오신다면 지금 우리가 어떻게 살아야 한다고 말씀하실까를 생각해 봅니다. 이것이 이 책을 다시 출간하게 된 이유입니다.

지금 새삼스럽게 2,600여 년 전 부처님의 삶을 다시 조명하고자 하는 것은 부처님의 위대함을 찬탄하기 위한 것이 아닙니다. 또한 2,600여 년 전 인도에서 살다 가신 한 성인의 일대기를 학문적으로 정리하기 위한 것도 아닙니다. 부처님의 삶을 다시 조명하는 목적은 그분의 삶을 통해 지금 여기 우리 삶의 방향을 점검하기 위해서입니다.

2,600여 년 전 인도인의 눈으로 부처님의 삶을 바라보고 부처님

께서 살아가신 길의 본질적 의미를 찾아내야 합니다. 그리고 그 의미를 되살려 오늘날 우리 사회가 갖고 있는 갖가지 문제들에 대한 해결 방법을 찾아야 합니다. '부처님이 지금 이 땅에 오신다면 어떻게 살아가실까' 하는 것이 화두가 되어야 합니다. 부처님의 가르침이 종교의 영역을 넘어 개인의 고뇌와 가족과 동료들과의 갈등 관계를 해결하는 좋은 대안이 되어야 합니다.

이 책은 부처님을 숭배의 대상이나 학문적 탐구의 대상으로 보지 않았습니다. 지금 여기 우리 삶의 문제를 해결하고 새로운 방향을 제시하는 이상적 모델로 접근하였습니다. 경전에 나타난 부처님의 삶은 사실적이고 역동적이었습니다. 이 책에서 2,600여 년 전 역사 속의 부처님이 아니라 오늘날 우리가 겪고 있는 수많은 모순과 문제점들에 대해 지혜의 눈을 열어 보여주시는 살아 있는 부처님을 발견할 수 있길 바랍니다.

부처님의 생애 전체에서 다루어야 할 내용은 너무나 방대합니다. 소리와 냄새, 모양으로서 붓다를 찾으려고 하면 절대로 만날 수 없다고 한 부처님의 가르침을 가슴 깊이 새깁니다. 그럼에도 불구하고 너무나 인간적인 붓다의 음성과 삶의 발자취는 우리를 감동시킵니다. 그래서 부처님의 삶을 신성의 세계에서가 아니라 인간의 세계에서 조명했습니다. 이 책을 통해 21세기를 살아가는 혼돈의 시대, 아주 오래된 새 길을 따라나서 보시길 바랍니다.

2010년 2월
부처님이 6년 고행하셨던 둥게스와리에서 법륜

부처님이 오신 나라, 인도의 사상과 역사

하루하루 산다는 것 자체가 고통이었던 사람들.

그들은 자신들을 고통에서 구해줄 구원자로서

부처님이 오시기를 간절히 희원했습니다.

인도의 자연환경과 인더스문명

인간과 환경

인간은 태어나서 성장하는 문화에 따라 언어나 사고의 유형이 달라지고, 환경에 따라 가치 기준과 생활 관습도 결정됩니다. 한 사람의 인격이란 그가 자란 환경의 총체적인 산물이라 해도 과언이 아닐 만큼, 자신이 태어나고 자란 주변 환경으로부터 절대적인 영향을 받습니다.

따라서 위대한 성인의 삶과 사상도 그가 살았던 시대의 사회 상황과 자연환경 그리고 역사적인 배경 속에서 이해해야 합니다. 그래야만 현대를 살아가는 우리에게 전수되는 진실이 무엇인지 올바로 찾아낼 수 있습니다.

부처님이 오신 나라 인도는 세계 4대 문명 발상지 중 하나입니다. 부처님 당시뿐 아니라 2,600여 년이 지난 지금까지도 인류가 꽃피워온 온갖 사상의 전시장으로 그 빛을 발하는 곳입니다.

인도는 아시아 남서부에 위치한 반도 국가입니다. 국토 면적이 약 328만km²로 세계에서 일곱 번째로 넓은 나라입니다. 지형적으로는 북부에 우뚝 솟은 세계 최대의 히말라야산맥과 힌두쿠시산맥이 아시아 북방 대륙과의 교통을 격리시켜 같은 동양권이면서도 페르시아나 중국과는 구별됩니다. 삼면이 인도양으로 에워싸인 반도의 특수성은 항해술의 발달에도 불구하고 서양 문화권과 독립된 인도 고유의 독특한 문화를 발달시켰습니다.

인도의 기후는 대체로 열대계절풍의 영향을 받지만, 히말라야의 한대성 기후와 서북부 사막의 건조 기후, 중동부의 온대성 기후와 남부의 열대성 기후 등 다양하게 분포되어 있습니다. 이러한 기후 풍토 때문에 비옥한 평야가 있는가 하면 광활한 고원과 황량한 사막이 펼쳐지기도 합니다. 반도가 갖는 몬순 기후의 영향으로 계절 주기 또한 비가 집중되는 우기(雨期: 6~9월)와 무더운 여름이 계속되는 건기(乾期: 3~5월)로 구별됩니다.

이러한 지형과 기후가 인도인의 생활에 큰 영향을 미친 것은 당연한 일입니다.

첫째, 정치 사회 면에서 보면 지역에 따른 기후 편차 때문에 비옥한 토지를 차지하기 위한 전쟁이 자주 일어났습니다. 일반 백성은 우기의 장마와 건기의 가뭄 등 자연재해로 시달리는 한편 잦은 전쟁 부역과 혹독한 노동으로 신음하며 살았습니다.

둘째, 철학 사상 면에서 보면 항상 자연재해의 위협에 직면하면서 자연에 대한 경외감으로 독특한 토템 신앙이 발전했습니다. 또한 끊임없이 변화하며 순환하는 자연계의 현상을 통해 전생과 내생을 잇는 윤회적 사고가 발달하게 되었습니다.

셋째, 인도의 지형과 기후는 종교 형식에까지 큰 영향을 끼쳤습니다. 무덥고 건조한 기후 때문에 목욕은 성욕(聖浴)이라 하여 중요한 종교의식으로 자리 잡았습니다. 일 년 내내 춥지 않고 숲이 우거진 자연환경은 수행자가 얇은 분소의(糞掃衣: 세속 사람이 버린 헌 옷을 주워다 빨아서 지은 가사) 하나만을 걸치고 다닐 수 있는 조건이 되었고, 활동이 불편한 우기 때에는 수행자들이 한곳에 모여 수행하는 안거(安居) 제도가 정착되었습니다.

고대 인더스문명

인도는 구석기시대 이래로 지금껏 수많은 민족의 삶의 터전이 되었습니다. 여러 민족 문화가 명멸했고 통합되면서 오늘에 이르렀습니다. 이 가운데 가장 대표적인 민족이 아리아족으로, 오늘날 인도인이 사용하는 문화어가 대부분 아리아족의 언어에서 유래했습니다.

그러나 아리아족이 인도로 침입해 들어오기 이전에도 인도에는 원주민에 의한 인더스문명이 존재했습니다. 인더스문명은 하라파와 모헨조다로를 중심으로 형성되었고, 원주민들은 농경과 목축에 종사하면서 1,000년 동안이나 정복 전쟁이나 외적의 침입 없이 발달된 문명을 지속시켰습니다. 이들 문화는 인도 전역에 존재했던 드라비다족에서도 흔적이 발견되며, 정복자인 아리아족에게도 영향을 주어 현재까지 그 잔재가 남아 있습니다. 인더스문명에선 오늘날 인도의 민간신앙에서 나타나는 지모신(地母神)과 시바 신상의 원형이 보이며 생식기숭배와 나무와 동물 숭배가 행해졌던 흔적이 보입니다.

드라비다족의 종교의식에서는 비교적 높은 수준의 사유를 엿볼 수 있으며, 이는 고대 인더스문명의 수준을 짐작하게 합니다. 이들은 사람이 죽으면 식물이나 동물이 되기도 하고 또 그것들이 죽으면 다시 사람으로 태어난다는 영혼 불멸 사상과 정령 사상이 혼합된 윤회 사상을 믿었습니다. 더 나아가 이러한 윤회를 설명하는 근거로 업(業)이라는 개념을 사용했습니다. 이는 인간의 삶과 죽음에 관한 윤회와 업 사상을 원시적으로 성립시킨 것으로 그 발달 정도가 놀랍습니다.

브라만교의 역사

아리아족의 침략과 브라만교의 전개 과정

3,500년 전 지금의 코카서스 북방 지역에 살던 유목민이었던 아리아족은 따뜻하고 비옥한 땅을 찾아 이동했습니다. 이들 중 서쪽으로 간 아리아족은 오늘날 중동 지역의 아리아계 이란인의 조상인 셈족과 함족, 그리고 유럽 지역의 게르만 및 앵글로색슨족으로 나뉩니다. 동쪽으로 간 아리아족은 인도 역사를 지배하는 인도아리아인이 됩니다. 인도아리아인은 살기 좋은 지역을 찾아 남하해 파미르고원을 넘고 힌두쿠시산맥을 넘어 펀자브 지방에까지 내려와서 그곳 원주민이었던 드라비다족과 전쟁을 벌입니다.

자연에 순응하는 농경문화를 가진 드라비다족은 자연을 정복해 온 전투적 유목 민족인 아리아족의 월등한 철제 무기 앞에서 결국 패배할 수밖에 없었습니다. 드라비다족은 아리아족의 지배를 받게 되었고 노예 계급으로 전락했습니다. 이로써 인도 사회는 아리아족으로 이루어진 자유민 계급과 원주민인 노예 계급이 존재하게 되었습니다.

아리아족은 효율적인 통치를 위해 드라비다족의 문화를 흡수해 새로운 지배 체제에 맞는 사상을 정립합니다. 이것이 바로 아리아족의 인도 사회에 대한 지배 이데올로기인 브라만교의 출발입니다. 이 시기부터 부처님 탄생 시기까지의 인도 역사를 브라만교의 역사라고 합니다.

브라만교의 역사는 베다 시대, 브라흐마나 시대, 우파니샤드 시대, 불타 시대 등 네 개의 시대로 구분해 볼 수 있습니다. 베다 시대는 신화시대, 브라흐마나 시대는 종교시대, 우파니샤드 시대는 철학시대라 부르기도 합니다.

이러한 인도 사상의 전개 과정을 보면, 같은 동양인 중국의 사상과는 큰 차이가 있습니다. 인도 사상은 사념적인 철학 체계에만 머물지 않고 종교적 의식과도 연결이 됩니다. 불교도 철학적 사상과 종교적 수행 의식, 개인 및 사회적 실천이 하나의 종교 체계로 완성되어 있다는 점에서 보면 인도 사상 전반에 나타나는 이러한 흐름에서 벗어나지 않습니다.

그러므로 서양의 이분법적 사고로 불교를 종교냐 철학이냐 구분하려 한다면 불교를 바르게 이해할 수 없게 됩니다. 마찬가지로 인도 사상의 역사도 철학적 측면에서는 종교의 이론 체계이며, 종교적 측면에서는 사상의 실천 체계로 밀접하게 융화되어 있습니다.

브라만교와 카스트제도

베다 시대

아리아족이 북인도를 침입해 정착하면서 원주민을 지배하기 위해 체계화한 사상이 베다입니다. 베다는 아리아족과 드라비다족의 전쟁을 웅장한 서사시로 묘사했습니다. 드라비다족은 피부색이 검고 코가 낮은 악마적 존재로 묘사했으며, 아리아족은 피부색이 흰 고귀한 존재로 묘사하며 그들이 인드라신의 수호 아래 정복 전쟁에서 승리하는 과정을 영웅적으로 그리고 있습니다. 그리고 이를 통해 드라비다족에 비해 종교적 체계가 열등했던 아리아족이 전쟁 승리 후 드라비다족을 종교적으로도 지배하려 했다는 것을 엿볼 수 있습니다.

브라흐마나 시대 – 브라만 계급의 형성, 카스트제도의 완성

베다 시대 말기에서 브라흐마나 시대로 접어들면서 아리아족 내에서도 계급 분화가 일어납니다. 전쟁이 계속되면서 신의 힘을 빌려오는 제사장의 영향력이 강화되었고, 부족 공동체는 이들 제사장을 지도자로 받들게 됩니다.

전쟁 때뿐만 아니라 일상생활의 모든 대소사에서 제사를 지내는 일이 당연시되었습니다. 제사의 종류와 형식이 다양해지고, 제문과 찬가도 보다 장엄해지고 복잡해졌습니다. 그리하여 제식 의례를 전담하는 제사장은 세습적인 훈련을 통해서만 가능하게 되었고, 이것이 브라만 계급이 기득권을 유지하고 강화하는 계기가 되었습니다.

그렇다면 카스트제도란 무엇이며 어떻게 형성된 것일까요? 카스트는 우리가 흔히 아는 것처럼 네 계급만 있는 것은 아닙니다. 인도에는 각각의 직업과 민족에 따른 단위 집단이 2,000여 개 이상 존재하는데 이것을 총칭해서 카스트라고 합니다.

베다 시대부터 존재했던 계급제도인 '바르나'는 아리아족과 드라비다족을 피부색으로 구분해 차별을 했습니다. 카스트가 직업적 세습에 따른 계급이라면, 바르나는 민족 차별에 의한 계급입니다. 이러한 바르나제도로부터 차츰 아리아족 내의 직업 분화와 브라만 계급 중심의 지배 체제가 확립되면서 카스트제도가 정착되어 갔습니다.

카스트제도는 브라만·크샤트리아·바이샤·수드라의 네 계급에 따라 직업과 종교적 의무까지 상세하게 규정해 놓았습니다. 『리그베다』의 문헌에는 신이 그의 대리자인 거인 푸루샤로 하여금 인간을 창조할 때 부르는 '원인의 노래'를 부르게 하고 있습니다.

"그(푸루샤)의 입은 브라만이로다. / 그의 두 팔은 크샤트리아가 되었도다. / 그의 넓적다리는 지금 바이샤라고 불리는 것이로다. /그의 양발에서 수드라가 태어났느니라."

이는 신이 인간을 창조할 때 이미 계급 차별을 규정했다는 뜻입니다.

"…그는 이 모든 창조물을 보호하기 위해 그의 입, 팔, 넓적다리, 그리고 발에서 태어난 것들에게 각각의 업을 정했다. 브라만에게는 베다의 교수와 학습과 제사, 보시하기와 보시 받는 일을 정했다. 크샤트리아에게는 인민을 보호하는 일, 보시하는 일, 제사를 지내고 베다를 배우는 일, 그리고 감각적 대상에 집착하지 말 것을 정했다. 바이샤에게는 가축을 기르는 일, 보시하고 제사 지내는 일, 베다의 학습, 장사, 돈을 버는 일, 토지 경작 등을 정했다. 그러나 수드라를 위해 정한 유일한 업은 원망과 슬픔 없이 이들 다른 삼종성(三種姓)에게 봉사하는 일이다."

말하자면 브라만은 제사장을 말하고, 크샤트리아는 무사나 왕족, 바이샤는 농업과 상업에 종사하는 평민이며, 수드라는 노예를 뜻합니다. 이들 계급 간에는 결혼은 물론이고 함께 음식을 먹는 것조차 금지했습니다. 또한 상위 계급은 그들의 경제 사정에 따라 하위 계급의 직업을 가질 수도 있고 조건이 호전되면 본래의 직분으로 복귀할 수 있지만, 하위 계급은 상위 계급의 직업을 절대로 가질 수 없었습니다.

바이샤와 수드라는 직업상 큰 차이를 보이진 않았지만, 이 계급 간의 구분 역시 매우 엄격했습니다. 즉 재생족(再生族)이라 불리는 아리아족인 브라만·크샤트리아·바이샤 계급은 종교의식의 권리와 의무가 주어졌으나, 일생족(一生族)이라 불리는 드라비다족은 수드라로서 종교적 의무와 권리가 없었습니다. 당시 인도에서는 인간이 되려면 육체적 탄생과 종교적 탄생 두 단계를 거쳐야 되는데, 수드라는 종교적 탄생을 할 수 없는 인간 이하의 존재에 불과했습니다.

그래서 만약 수드라가 베다 암송 소리를 듣거나 경전을 보거나 외웠다가는 그의 귀에 끓는 쇳물을 붓고 혀를 베어낼 정도였으니 계급 차별의 혹독함이 어느 정도였는지 짐작하고도 남습니다.

또한 브라흐마나 시대는 카스트제도를 정당화하는 사상적 논거로 원주민의 윤회와 업 사상을 지배계급의 기준에 맞게 교묘히 활용했습니다. 브라만이나 크샤트리아, 바이샤는 자기 직분에 맞는 일에 충실한 것이 선(善)이고, 수드라는 전생에 죄를 많이 지어 노예가 된 것이니 맡은 본분을 다하면 내세에는 복을 받을 것이라고 했습니다.

사실 이와 같이 왜곡된 윤회관이나 업 사상은 현대를 살아가는 불교인의 가치관에서도 많이 발견됩니다. 조선시대에 반상(班常) 차별이 당연시되었듯 오늘날에도 부와 권력, 학력이나 성별을 기준으로 사람이 사람을 차별하며 살아갑니다. '전생에 복을 짓지 않아 가난하다'든지 '전생에 죄가 많아 여자는 눈물과 한숨 속에서 살 수밖에 없다'든지 하는 것이야말로 현대판 브라흐마나 계급의 이데올로기와 다를 바 없습니다.

우파니샤드 시대 - 바이샤·크샤트리아의 사상계 진출

갠지스 강 유역을 중심으로 정복 전쟁을 계속해 나간 아리아인은 기존의 계급 질서를 뒤흔드는 새로운 사회현상들과 직면하게 되었습니다.

첫째로 정복 전쟁이 거듭되면서 그동안 엄격히 금지되었던 민족

·계급 간의 혼혈이 사회 전반에 성행했습니다. 이로 말미암아 카스트제도가 동요하게 되었고 브라흐마나 시대의 제도적 기반이 무너지기 시작했습니다.

어느 시대나 계급 질서의 동요는 그 시대의 몰락을 예고하며 새로운 질서와 사상을 가져오는 것이 역사적 법칙입니다. 그동안 인도 사회에서는 상위 계급이 몰락하는 경우는 있어도 하위 계급의 신분 상승이란 있을 수 없는 일이었습니다. 하지만 혼혈을 계기로 계급 상승과 몰락이라는 새로운 변화를 맞게 되었습니다. 이러한 계급제도의 동요는 우파니샤드, 나아가 신흥 사상의 흥기를 촉진하는 중요 배경이 되었습니다.

둘째로는 농업기술의 발달에 따른 생산력 증대로, 농업이 본업인 바이샤 내에서 계급 분화가 촉진되어 새로운 상인계급이 출현했습니다. 이들은 시장을 형성하고 화폐경제를 촉진시켰으며 해상 교역에까지 진출해 막대한 부를 창출했습니다.

그리하여 경제적 이해를 기반으로 한 상업 도시가 출현했습니다. 이들 신흥 도시국가에서는 제사를 전담한 브라만의 영향력은 약화된 반면 공정한 상거래와 재산을 보호해 줄 강력한 왕권이 요구되었습니다. 이러한 도시 발달과 상인의 출현은 브라만 세력을 중심으로 크샤트리아와 농민이 주축이 되었던 기존의 농촌공동체에 큰 변화를 가져왔습니다.

셋째로는 브라만 계급의 부패와 타락입니다. '인간 신'이라 불리던 브라만은 무분별한 부의 축적과 도덕적 타락으로 타 계급의 지탄을 받게 되었고 성직자로서의 위신이 크게 흔들렸습니다.

마지막으로 우파니샤드 시대를 여는 주체로 등장한 크샤트리아 계급의 변화를 들 수 있습니다. 전쟁이 끝나고 도시가 발달하면서 브라만의 제약에서 벗어난 크샤트리아는 새로이 등장한 상인계급의 경제적 이해와 자신들의 정치적 이해를 결합시켜 그들의 지위를 상승시켜 갔습니다. 크샤트리아 계급은 상인계급에게 도로망 확충과 화폐 통일 등 교역의 편의를 보장하며 강대한 권력과 행정력을 갖춘 통일 군주 국가를 형성해 나갔습니다. 또한 상인계급의 물적 지원을 바탕으로 새로운 침략 전쟁을 시작했습니다.

브라만 계급과 브라흐마나 사상이 몰락하면서 크샤트리아 계급은 강화된 왕권을 유지하고 확대하기 위한 새로운 사상 체계가 필요했습니다. 이러한 사회체제와 계급의 변화 추세에 따라 형성한 것이 우파니샤드 철학입니다.

급격한 사회 변화 속에서 나타난 국가조직의 통합 현상은 두 가지 새로운 철학적 쟁점을 낳는 토대가 되었습니다. 그 하나는 기존 신관(神觀)의 부정입니다. 그리고 사유재산 확대에 따른 인간 소외 현상으로 인간 자아의 본질에 대한 탐구를 시작하게 되었습니다. 또 하나는 국가조직이 통합되고 군주제가 형성되는 추세 속에서 우주의 일원적 창조 원리를 탐구하려는 경향이 생겨났다는 것입니다.

우파니샤드 사상은 차츰 통일적 군주제를 꿈꾸는 크샤트리아 계급의 정치적 목적을 관철하는 지배 이데올로기로 확립되었습니다. 여기에 신흥 상인계급이 결탁해 그들의 경제적 풍요를 보장하는 철학적 의미도 담게 되었습니다.

일반 사상계의 형성

한편 브라만은 우파니샤드 시대에 들어서면서 종래의 브라흐마나 사상의 형식적 의례주의를 버리게 됩니다. 그 대신 우주와 자아의 근원에 대한 탐구적 지식을 강조하는 우파니샤드 사상에 경도되어 그 속에서 새로운 활로를 모색했습니다.

우파니샤드 철학은 브라흐마나의 제식 의례를 부정하면서도 본질적으로는 기존 계급 질서인 카스트제도를 옹호했기 때문에 하층계급을 억압하는 지배 이데올로기의 한계를 벗어나지는 못했습니다. 그러므로 농업에 종사하는 바이샤나 노예 계급인 수드라의 입장에서는 브라흐마나 시대와 아무런 차이도 느낄 수 없었습니다.

그리하여 브라만교 사상을 기본적으로 계승하는 우파니샤드에 반하는 사상, 즉 베다의 창조론과 범신론(汎神論)의 존재를 전면 부정하는 혁신적 사상가들이 출현하기 시작했습니다. 이들을 일반 사상계라 부릅니다. 브라만교는 계급을 신이 창조한 숙명으로 주장했지만, 일반 사상계는 계급을 부정하고 인간의 자유의지를 긍정하는 경향이 강했습니다.

이러한 혁신 사상의 등장은 고통 속에 신음하던 바이샤와 수드라 계급에게 희미하나마 구원의 희망을 보여주는 한 줄기 빛이었습니다. 당시 지배계급이 우파니샤드 철학을 노래하는 동안 대다수 민중은 이러한 혁신 사상에 귀의했습니다.

부처님 탄생 당시의 시대적 배경

시대적 상황

불타 시대는 원시 공산사회에서 고대 노예제사회로 전환하는 과도기적 시대입니다. 즉 씨족공동체가 붕괴하면서 도시 중심의 국가 형태가 출현해 공화제와 세습군주제가 병존하다가 차츰 중앙집권식 전제국가 체제로 전환해 가는 시기였습니다.

경전에 등장하는 카필라바스투, 밧지, 말라 등은 부족 협의체인 공화국이었으며, 코살라, 마가다 등은 군주국가였습니다. 부처님 탄생 전의 인도는 강력한 군주국인 마가다국과 코살라국을 필두로 16개 대국이 분포되어 있었습니다. 마가다국은 후에 코살라국과의 전쟁에서 승리해 인도 통일을 이루었습니다.

이 시기는 약육강식의 전쟁이 끊임없이 계속되던 불안과 고통의 세월이었습니다. 사람들은 전쟁과 전제군주의 폭정과 수탈 속에서 참담한 삶을 살았습니다.

한편 경제적으로는 왕권과 결탁한 거부 장자들이 부를 축적해 새로운 세력으로 등장했습니다. 빈부 격차는 날로 심해졌습니다. 기아와 병으로 죽거나 노예로 전락하는 사람이 부지기수였습니다. 소수의 바이샤가 거부 장자로 변했을 뿐 대다수의 바이샤는 기근과 빚 때문에 노예로 전락했으며, 크샤트리아도 전쟁에서 지면 노예로 팔려가는 상황이었습니다. 강제 노동과 혹독한 세금 포탈이 절정에 달해 폭정으로부터 도망치기 위해 출가를 하는 사람도 적지 않았다고 합니다.

그러는 한편 경제적 부와 정치적 기득권을 누리는 거부 장자나 브라만 계급의 사치와 향락은 극도의 물질주의와 쾌락주의를 낳아 도덕적 타락을 가져왔고 급기야는 사회 전반의 가치관을 붕괴시켰습니다. 도시마다 창녀가 하나의 계층으로 성장하고, 왕위 쟁탈을 위해 자식이 아버지를 죽이고, 청소년이 가무와 술과 성에 탐닉해 병들었습니다. 특히 당시 지배계급 자녀들의 도덕적 타락상은 심각한 사회문제가 되었습니다.

사상계의 혼돈과 혁신 사문의 등장

사회적 계급 체계가 흔들리게 되자, 이 계급 체제를 뒷받침하던 브라흐마나·우파니샤드 사상과 권위에 대한 회의가 팽배해졌습니다. 당시의 지배계급은 일생을 4주기로 나누어 살아가게끔 규정되어 있었습니다. 이 4주기란, 스승에게 베다 문헌을 배우는 학습기(學習期), 결혼을 하고 가장으로서 제사를 지내고 후사를 얻는 가주기(家住期), 출가해 철학적 사색에 몰두하는 임서기(林捿期), 유행하며 살아가는 유행기(遊行期)를 말합니다. 그러나 대부분 후반기 출가 이후의 삶은 제대로 실행되지 않았습니다.

그러나 이렇게 타락한 사회에서도 순수한 수행자로 돌아가려는 소수의 브라만과 현실 사회에 문제를 제기하며 궁극적 진리를 추구하는 크샤트리아가 생겨났습니다. 또한 가혹한 계급 차별과 가치관의 혼란 속에서 바이샤나 수드라 계급에서도 사상계로 진출하는 이들이 생겨났습니다. 이들을 모두 출가 사문(出家沙門)이라고 합니다.

이와 함께 바이샤 계급의 소수 거부 장자들은 자신의 계급적 지위를 강력하게 보장해 줄 새로운 사상이 필요했습니다. 그리하여 그들은 기존의 사상계에 도전하는 출가 사문들의 신흥 사상을 적극적으로 지원하는 세력으로 부상합니다.

또한 우파니샤드 사상에 회의를 느낀 바이샤와 수드라 계급의 사람들은 기존의 계급제도까지 전면적으로 부정하는 신흥 사상가들, 즉 출가 사문을 존경하며 따르게 되었습니다. 국왕들 또한 새로운 지배 이데올로기가 필요했으므로 이들 사문에게 관대했습니다.

그리하여 신흥 제국의 정신문화는 혁신적인 출가 사문들이 대표하게 되었습니다. 특히 마가다국은 신흥 사문이 활동하는 중심 무대가 되었습니다. 부처님이 성도(成道) 전에 가르침을 받은 알라라 칼라마, 웃다카 라마풋타가 이곳에 있었고, 부처님 성도 후에 귀의한 카샤파 3형제 역시 마가다국에서 활동하는 브라만이었습니다.

이렇게 되자 사상계는 브라만교로 대표되는 전통 사상과 이에 도전하는 혁신 사문들의 신흥 사상으로 크게 갈라졌고, 신흥 사상은 사회적 혼란을 배경으로 우후죽순처럼 늘어났습니다. 당시 300여 종류가 넘는 신흥 사상 가운데 특히 영향력과 세력을 가진 사상가를 총칭해 '육사외도(六師外道)'라 부릅니다. 막칼리 고살라, 파쿠다 칼차야나, 아지타 케사캄바라, 푸라나 캇사파, 산자야 벨라티풋타, 니간타 나타풋타가 그들인데, 이들 육사외도는 저마다 다른 특성을 갖고 있지만 모두 브라만교를 강하게 부정했습니다.

기존 사상계와 신흥 사상에 대한 부처님의 비판

부처님은 혁신 사상을 포함한 당시의 사상계를 '삼종외도 오종악견(三種外道 五種惡見)'이라 해서 인간 중심의 실천론적 관점에서 통렬히 비판하셨습니다. 삼종이란 유신론인 존우론(尊祐論), 숙명론인 숙작인론(宿作因論), 그리고 우연론인 무인무연론(無因無緣論)을 말합니다. 그리고 오종이란 무인무연론을 다시 세 가지로 분류해 보다 상세히 설명한 것을 말합니다.

존우론이란 존우화작인(尊祐化作因), 즉 모든 것은 신이 만든 것이라는 주장으로 브라흐마나 사상을 말합니다. 그러나 부처님은 모든 것이 신의 의지에 따라 만들어지고 결정된다면 누가 악한 일을 하거나 선한 일을 해도 그것으로 과보를 받을 수 없으며, 인간의 어떠한 의지도 용납될 수 없다고 비판하셨습니다. 즉 모든 행위가 신에 의한 것이라면 악행을 해도 그것은 신이 시켜서 한 일이지 인간의 의지로 한 것이 아니므로 그 책임을 인간에게 물을 수 없다는 것입니다.

숙작인론이란 인간이 받는 현재의 모든 고락은 과거 전생 업의 결과라는 주장으로, 우파니샤드와 자이나교의 논리입니다. 그러나 부처님은 지금의 모든 것이 전생의 업에 따라 결정된다면 모든 행위는 자기 의지로 한 것이 아니므로 그 행위에 대한 대가를 받을 필요도 없으며, 또한 인간이 스스로 수행한다든가 노력한다는 것은 있을 수 없다고 비판하셨습니다. 즉 인간의 모든 행위가 전생의 업에 의한 것이라면 지금의 행동도 전생에 규정된 것이므로 인간 스스로의 의지로써 무엇을 한다는 것은 불가능한 것이 됩니다.

무인무연론은 모든 것은 단지 우연일 뿐이며, 인과란 인간이 지어낸 것에 불과하다는 주장입니다. 숙명론과 마찬가지로 인간의 주체 의지란 없다는 것입니다. 그러나 부처님은 모든 것이 어떠한 인과 원칙도 없이 단지 우연한 사건의 나열이라면 인간이 의지를 가지고 살아간다는 것 자체가 성립될 수 없다고 비판하셨습니다. 모든 인간의 사고나 행위가 단지 우연이라면 인간에게는 올바른 목적을 갖고 수행한다는 것이 무의미할 뿐만 아니라 불가능한 것이 되고 만다는 것입니다.

부처님이 이 세 가지 잘못된 견해를 비판하는 핵심은 그것이 신의 의지든, 전생 업의 결과든, 우연한 사건이든 간에 그러한 것이 인간의 사고와 행동을 규정한다면 인간에게 자유의지란 존재할 수 없다는 것입니다.

이를 통해 볼 때 부처님의 가르침은 인간의 자유의지를 인정하고, 그것을 가장 기본적인 인간관으로 삼고 있음을 알 수 있습니다. 인간은 결코 신이나 전생의 업 또는 물질적인 여러 요소의 결합에 의한 사건에 종속되어 살아가는 존재가 아닙니다. 인간 스스로 자신의 운명과 우주의 주인임을 밝히고 주체적인 의지로 자기 삶의 주인이 되도록 하는 데 불교 사상의 참뜻이 있다 하겠습니다.

인도 민중의 희원

정치·경제·사회 전반에 걸친 혼란에 이어 사상적으로까지 혼돈이 심화되자 하층민의 생활은 산다는 것 자체가 고통이었습니다. 하층민에게 삶이란 고통의 연속이기에 태어나는 것 역시 고통으로 인식되었습니다. 또한 노예제사회에서 노예가 늙거나 병든다는 것은 사용가치를 상실하는 것이기에 곧 죽음을 의미했습니다. 죽음 또한 자연사가 아닌 아사(餓死)·전사(戰死)·병사(病死) 등이 많았기 때문에 죽음 자체가 고(苦)로서 여겨질 수밖에 없었습니다. 카스트제도라는 보이지 않는 사회구조의 모순과 운명론적 업 사상에 길들여진 이들에게 유일한 희망은 현생의 고통을 합리화하는 내생에 대한 믿음뿐이었습니다.

그러나 당시의 지배계급은 이러한 현실을 외면한 채, 모든 것은 신의 뜻이라는 운명론적 권위주의에 젖어 제사나 지내거나, 고도의 관념 철학인 우파니샤드에 빠져 있었습니다. 그리고 여기에 반기를 들고 일어난 사문들의 신흥 사상 역시 절망적 허무주의나 극단적 고행주의, 혹은 회의주의로 빠졌습니다.

이런 상황에서 인도의 백성들은 그들의 현실적 고통을 해결해 줄 구원자를 희원하게 되었습니다. 그중 하나는 전륜성왕으로, 전쟁이 없는 평화와 빈곤과 차별이 없는 평등한 사회를 만들어줄 이상적인 정치 지도자의 출현이었습니다. 그리고 다른 하나는 삶의 진정한 가치를 제시해 주고 현실에 대한 절망으로부터 그들을 구원해 줄 구원자로서의 부처님의 출현이었습니다.

제1장

신화의 세계에서 인간의 역사로

붓다의 역사는 인간 해방의 역사

불국 정토를 성취하고자 하는

인욕과 헌신, 보살행의 역사입니다.

전생담의 배경과 역사적 의미

설화 속에서 발견되는 역사적 사실

부처님을 신적 존재가 아니라 사상과 실천이 일치된 역사적 인물로 볼 경우, 경전에 나타나는 신화적 내용을 과장된 수식 정도로만 파악해 가볍게 넘기는 경우가 많습니다.

그러나 신화란 그것이 서술된 당시 사람들의 의식을 반영합니다. 예를 들어 단군신화를 생각해 봅시다. 인간이 되고자 했던 곰과 호랑이가 동굴에서 쑥과 마늘을 먹으며 100일 동안 기도했는데, 호랑이는 참지 못해 도중에 뛰쳐나가고 곰은 끝까지 견뎌 웅녀가 되었습니다. 웅녀는 하늘에서 비·구름·바람을 대동하고 내려온 환인의 아들 환웅과 결혼해 단군왕검을 낳았습니다.

이 설화에서 우리는 우리 민족의 형성 과정을 짐작할 수 있습니다. 우리나라 선조 중에 곰을 숭상한 부족과 호랑이를 신으로 모신 부족이 있었는데, 이들이 서로 대립하다가 결국 곰 부족이 천신을 섬기는 농경 부족과 결합해 국가를 형성했다는 일련의 과정을 유추할 수 있습니다.

이처럼 우리는 경전에 기술된 신화적 내용을 통해 그 당시 시대 상황과 사람들의 의식을 알 수 있습니다. 물론 이를 통해 완전한 과거의 모습을 그려낼 수 있다는 말은 아닙니다. 그러나 우리에게 과거를 말해주는 이런 소중한 자료를 버려둔 채 달리 또 무슨 자료를 찾을 수 있겠습니까.

따라서 부처님의 삶을 조명할 때 신화적이거나 설화적인 경전 내용을 무시하고 부정해서는 안 됩니다. 경전이 그렇게 기술된 까닭, 즉 당시 시대 상황과 경전을 편찬한 의도를 파악하고자 노력하면서 그것이 주는 정서적 감동을 유지한다면 생동감 있는 부처님의 삶을 느낄 수 있게 됩니다.

부처님의 삶과 사상이 함축된 전생담

우리가 부처님을 우리와는 전혀 다른 존재로 인식하는 이유는 부처님의 삶이 너무도 완벽하기 때문입니다. 또 부처님의 가르침이 우리의 현실적 삶의 문제들을 명쾌하게 해결해 주기 때문이기도 합니다. 그러나 한편으로 생각해 보면 우리의 삶이 부처님의 가르침, 즉 진리를 추구하는 삶과 크게 유리되어 있기 때문이기도 합니다.

부처님을 신적 존재로 보는 시각은 오늘날의 우리뿐 아니라 부처님이 돌아가신 지 얼마 되지 않아 부처님의 제자들 사이에서도 있었습니다. 부처님의 세계를 천상계로부터 시작하는 경전 서술은 당시 인도의 사상적 배경과 부처님에 대한 존경과 찬탄에서 기인합니다.

예로부터 인도인은 무수히 많은 전생 동안 수행을 했어야만 훌륭한 성인으로 태어날 수 있다고 믿었습니다. 위대한 인물일수록 전생을 통해 이겨낸 고난도 많고 수행도 깊을 것이라고 생각했습니다. 석가모니 부처님도 예외는 아니었습니다. 현생에서 부처가 되어 중생을 제도하기까지는 전생의 끊임없는 구도행과 보살행이 있었으리라 생각한 것입니다.

그리하여 부처님의 전생에 대한 내용만을 묶어 경전으로 만든 것이 『본생경(本生經)』입니다. 이 경진은 부처님이 돌아가신 뒤 민중 포교에 관심을 가진 제자들이 만든 것으로, 기존 경전에 근거를 두면서도 인도의 민간설화 등과 접합하거나 새로 창작한 민중 교화용 경전입니다.

부처님이 돌아가시고 약 100년간은 부처님이 살아계실 때와 같이 승가가 운영되었으므로 걸식과 유행, 포교와 수행이 유리되지 않았습니다. 그러나 불교가 사회적 지지를 얻고 왕과 장자들에게 지원을 받게 되자 점차 포교와 수행이 분리되었습니다. 왕과 장자가 훌륭한 정사를 건립해 주고 풍족하게 보시를 하자 수행자들은 유행과 걸식을 하지 않게 되었습니다. 출가 승려들은 교학 연구와 개인 수행에 전념할 수 있었지만, 반면에 민중과 접촉할 기회가 줄어들어 대중 교화를 방기하게 되었습니다.

그러자 변화된 승가의 모습에 문제를 제기하고 대중과 함께 생활하며 교화 활동을 하는 출가 승려들이 생겨났습니다. 이들은 당시의 승려들이 열중하던 교학 연구가 논리적으로 난해할 뿐만 아니라 현실의 삶과도 유리되어 있음을 간파하고 대중을 교화할 새로운 방법을 찾게 되었습니다.

그들은 부처님이 살아가신 위대한 삶을 칭송하고 찬양하며, 부처님의 삶을 본받아 실천하는 것만이 부처님의 올바른 제자가 되는 길임을 선언했습니다. 뒷날 대승불교(大乘佛敎)의 성립에 영향을 미친 이러한 승려들을 '찬불승(讚佛僧)'이라고 하는데, 이들은 특정한 승가 조직에 속하지 않고 자유롭게 대중과 접촉했습니다.

찬불승은 대중과 쉽게 접근하기 위해 인도 민화나 전설을 소재로 부처님의 삶을 설명했고, 윤회 사상에 맞추어 부처님의 전생을 창작하기도 했습니다. 이러한 과정에서 부처님의 생애는 신화적인 표현으로 각색되었고, 윤리적이고 모범적인 내용으로 채워지게 되었습니다. 물론 이 내용들이 단지 대중과 접촉하기 위한 수단의 의미만을 갖는 것은 아닙니다. 이는 불교 사상의 핵심인 인간 해방 사상을 구체적인 실천으로 증명하기 위한 위대한 작업이었습니다.

이런 과정을 통해 『본생경』이 만들어졌습니다. 이렇게 형성된 경전들은 대승 사상이 소승(小乘)과 분리되어 '반야부'로 체계화되기 전의 경전으로 '본연부'로 분류됩니다. 그런데 오늘날 부처님의 생애를 말할 때, 흔히 실존적 인간으로서의 역사적 사실만을 기술한다는 입장에서 이 부분을 제외하곤 합니다. 그러나 부처님의 전생 자체를 부정하면 우리는 부처님의 생애를 반쪽밖에 이해하지 못하는 어리석음에 빠지게 됩니다.

찬불승은 『본생경』을 통해 종교적 신앙 고취뿐 아니라, 당시 사람들의 고통스런 현실과 지배계급에 대한 비판을 해학적으로 표현했습니다. 그리고 불교도로서 참되게 살아가는 것이 어떠한 것인지 적절한 예를 들어 명쾌하게 설명했습니다. 따라서 『본생경』은 설화적인 표현을 사용하고 있지만, 부처님의 핵심 사상을 다른 어떤 교리보다도 집약적으로 표현하고 실천적으로 설명하고 있습니다.

화신불로 중생계에 오신 부처님

수메다 행자가 발심한 이래 한량없는 겁을 지나면서 보살의 원행을 닦아, 이제 호명보살이라는 이름의 보처보살이 되어 하늘나라 도솔천에 나아갔다. 호명보살은 온갖 꽃이 미묘한 향기를 풍기고 기이한 새들이 아름답게 노래하는 동산에서 천녀가 연주하는 음악소리를 들으며 천신들을 위해 법을 설하고 있었다. 『불본행집경』

호명보살이 도솔천에 있을 때, 부처님이 나타나신다는 예고가 있었다. 그 징조는 이 세상에서 겁이 바뀐다는 예고와 전륜성왕이 출현하신다는 예고와 함께 나타났다. 이 세계를 수호하는 천인들은 "여러 생명들이여, 앞으로 천 년이 지나면 세상의 모든 어둠을 밝혀줄 지혜를 가진 부처가 세상에 나타날 것이오"라고 큰 소리로 부르짖으며 부처가 될 이를 찾아 이곳저곳을 순회했다. 이것이 부처님이 출현하신다는 예고이다.

그때 부처님이 나타나시리라는 예고를 들은 일만 큰 세계의 천인들은 이제 어떤 사람이 부처가 되리라는 것을 알고 있었으므로 온 법계의 천인들은 곧 낱낱 세계의 사대왕천·제석천·선시분천·도솔천·타화자재천·대범천 등과 함께 모두 한 세계에 모여 도솔천의 호명보살을 찾아가 부처가 되어줄 것을 간청했다.

"보살이시여, 당신이 열 가지 바라밀을 완전히 행하여 성취한 것은 제석천의 영광을 구하거나 마왕·범천·전륜왕 등의 영광을 구하기 위한 것이 아니었습니다. 세상의 모든 중생을 구제하기 위해, 중생 구제를 위한 일체의 지혜를 얻기 위한 것이었습니다. 지금이 바로 당신이 보리를 구할 때입니다. 당신이 세상에 출현할 시기가 왔습니다."

그러나 보살은 천인들의 간청을 잠시 보류하고 자기의 궁전에서 나와 신들이 모이는 법당에 드시어 정면에 있는 사자좌에 앉으셨다. 무수한 보살들도 뒤를 이어 각 무리를 거느리고 사자좌에 앉았다.

이때 보살은 하생의 시기와 대륙과 나라와 집안과 어머니 등 다섯 가지를 관찰하셨다. 이와 같이 다섯 가지를 관찰해 결정한 다음 호명보살은 천인들의 간청을 받아들였다.

"천인들이여, 내 이제 부처가 될 시기가 되었소."

그리고 보살은 다른 천인들을 전송한 후 도솔천의 천인들을 데리고 도솔천의 낙타동산으로 갔다.

호명보살은 이곳에서 하계에 태어나기 위해 그가 전생에 행한 선업의 과보를 생각하면서 날을 보내고 있었다. 「본생경」

도솔천은 경전에 나오는 수많은 천상 세계 중 하나로 착한 행의 과보로 태어나 기쁨을 누리는 곳입니다. 호명보살은 무수한 생애를 거치는 동안 끝없이 자기희생의 공덕을 쌓은 결과 도솔천에 올라가 신들을 교화하면서 부처가 될 시기를 기다리고 있었습니다.

이때 부처님이 출현하신다는 예고를 들은 수많은 천신들이 호명보살을 찾아가 부처가 되어줄 것을 간청합니다. 일반적으로 위인이 출현하면 사람들은 이를 신의 권화(權化)라고 하거나 신의 아들 혹은 신의 예언자라고 말합니다. 그러나 석가모니 부처님은 신과는 아무 관계도 없으며 오히려 인간과 신을 지도하고 교화하는 분이라고 불리고 있습니다. 뿐만 아니라 신들에게 부처가 되어달라는 요청을 받습니다.

이것은 신을 절대 권능을 가진 인간의 지배자로 보는 브라만교에 대한 정면 부정입니다. 또한 천신들이 간청한 내용은 당시 인도인들의 고통과 부처님의 출현에 대한 희원을 대변해 줍니다. 우리가 굳이 부처님의 생애를 도솔천에서 출발하는 이유가 여기에 있습니다. 부처님은 바로 고통받는 중생의 희원에 응답해 이 세상에 오신 것입니다. 전생담 이야기는 부처님께서 이 세상에 오신 목적이 고통받는 모든 중생을 구제하기 위한 것임을 설명해 줍니다.

우리는 일반적으로 부처님이라고 하면 2,600여 년 전 인도에서 태어난 석가족 출신의 고타마 싯다르타, 즉 역사 속에 실존했던 석가모니 부처님만을 생각합니다. 그러나 불교에서는 무수히 많은 부처님에 대해 말하고 있습니다. 대승 사상의 형성 이후 나타나는 그런 무수한 부처님을 셋으로 구분해, 법신·보신·응신, 또는 법신·보신·화신이라고 합니다. 이것이 불삼신관(佛三身觀)입니다.

법신불(法身佛)이란 말 그대로 진리 자체를 인격화한 것입니다. 영원히 상주하는 우주 자체를 말하는 것으로, 시간과 공간을 넘어 시작과 끝이 없는 우주 생명 자체를 법신불이라고 합니다. 그러니까 우주의 원리이며 불세계(佛世界), 즉 진리의 세계를 말합니다. 한마디로 진리의 형상화입니다.

화신불(化身佛)은 인간의 몸으로 화한 부처님으로, 진리의 인격화 혹은 진리의 체현자입니다. 화신불은 고통받는 중생을 구원하기 위해 인간의 역사 속에 진리 자체를 구현해 보인 분, 즉 인간의 몸을 빌려 실현된 법신불입니다.

보신불(報身佛)이란 부처가 되고자 큰 서원을 세우고 한량없는 보살행을 수행하고 그 과보로 받게 되는 만덕이 원만한 불신을 말합니다. 서원이란 중생을 고통에서 구하고자 하는 강한 목적과 의지이며, 서원을 통한 실천행이 우리를 부처의 세계에 들도록 인도하는 힘으로 작용합니다. 오늘날 우리가 불국 정토에 들고자 하는 것은 우리의 의지도 있지만 과거 수천 년 역사 속에서 인간을 고통에서 해방시키고자 노력했던 분들, 즉 보살들의 뜻과 실천적 성과들이 남아 우리에게 힘을 주는 것입니다.

법신불은 불국 정토를 이루고자 헌신하는 사람에게 끊임없이 부처로 현신합니다. 따라서 진리를 구하는 구도적 정열이 충만한 사람은 평범한 사람들의 말 속에서도 진리를 행하는 부처의 모습을 발견하게 됩니다. 구도자에게는 이 세상 모두가 응신불(應身佛)이 될 수 있는 것입니다. 그러므로 응신불은 과거 보살들의 서원과 실천이 남아서 우리에게 영향을 주는 것이라고 본다면 보신불의 의미를 지닌 것이고, 역사 속에 현신해 우리에게 나투었다는 면에서 본다면 화신불의 의미를 갖게 됩니다.

물론 이러한 불삼신관은 민중에게 불교를 쉽게 이해시키기 위해 브라만교의 신적 세계관을 흡수한 일면이 있습니다. 그러나 그것은 부처님을 신비화하기 위한 것이 아니라 보다 현실화하기 위한 것이며 부처님을 이해하는 데 중요한 의미가 있습니다.

석가모니 부처님에 대한 경전 기술은 화신불의 입장이라고 하겠습니다. 즉 석가모니 부처님은 법신의 힘으로 부처가 되기로 약속되어 있는 분이었으나 중생을 구제하기 위해 중생의 몸을 받아 이 세상에 오셔서 깨달음을 완성했다는 것입니다.

여기에서 우리가 보다 중요하게 인식하고 넘어가야 할 점이 있습니다. 화신불에 대한 불교의 가르침은 석가모니 부처님만이 부처가 될 수 있었던 것이 아니라 이 세상에 살아 있는 모든 생명, 즉 일체중생 모두가 화신불로 이 세상에 왔다는 것입니다. 생명은 모두 다 본래 부처의 성품을 갖고 있으므로 누구나 자신이 화신불로 이 세상에 왔다는 사실을 깨우치면, 즉 자기의 불성을 깨우치면 부처가 될 수 있다는 것입니다.

그러므로 석가모니 부처님은 미리 예정된 부처의 조건 속에서 세상에 태어난 것이 아니라, 단지 역사 속에서 가장 먼저 부처의 성품을 깨우쳐 부처가 되신 분입니다. 또한 우리의 본래 성품도 부처라는 것을 깨우쳐주어 우리가 부처가 되도록 인도해 주신 분입니다.

그러므로 부처님이 보신불이냐 화신불이냐가 중요한 것이 아닙니다. 부처님을 어떤 입장에서 바라보든, 어떠한 견해로써 부처님을 설명하든, 가장 중요한 문제는 역사 속에 나타난 부처님의 삶과 가르침에서 우리가 고통에서 벗어날 구체적인 방법을 찾을 수 있다는 데 있습니다.

부처님이 오신 이유

'보살이시여, 당신이 열 가지 바라밀을 완전히 행하여 성취한 것은 제석천의 영광을 구하거나 마왕·범천·전륜왕 등의 영광을 구하기 위한 것이 아니었습니다. 세상의 모든 중생을 구제하기 위해, 중생 구제를 위한 일체의 지혜를 얻기 위한 것이었습니다. 지금이 바로 당신이 보리를 구할 때입니다. 당신이 세상에 출현할 시기가 왔습니다.'

제신들의 권청은 불교에서 부처를 어떠한 존재로 상정하는가를 밝혀줍니다. 부처님이 세상에 오신 목적은 제석천·마왕·범천·전륜성왕이 되기 위한 것이 아니라 중생의 고통에 응답하기 위한 것입니다. 부처님의 가르침과 수행 과정은 오로지 고통 속에서 헤매는 중생을 구제하기 위한 것입니다.

부처님의 출현과 가르침은 우리에게 제석천과 같은 세속적인 영예를 주기 위한 것도 아니고, 작은 수행의 대가로 신통력을 주어 마왕처럼 혹세무민하도록 하는 것도 아닙니다. 죽은 후에 하늘에 태어나 범천의 즐거움을 누리게 하고자 하는 것도 아니고, 권력과 야합해 백성 위에 군림하는 전륜성왕의 영예를 주려고 하는 것도 아닙니다.

부처님은 우리를 고통에서 벗어나 불국 정토에 들도록 인도하고자 오신 것입니다. 그것이 불교가 이 세상에 존재하는 이유와 목적입니다. 『법화경(法華經)』에서는 그것을 다음과 같이 함축적으로 표현하고 있습니다.

'부처님이 이 세상에 오시는 까닭은 무엇인가? 그것은 일대사인연(一大事因緣)으로 오신다. 중생으로 하여금 부처님의 지견(知見)을 열어서 청정함을 얻게 하고자 이 세상에 출현하시며[개(開)], 중생에게 부처의 지견을 보이고자 이 세상에 출현하시며[시(示)], 중생으로 하여금 부처의 지견을 깨닫게 하고자 이 세상에 출현하시며[오(悟)], 중생으로 하여금 부처의 지견도에 들어가게 하고자 이 세상에 출현하신다[입(入)].'

부처님은 이 세상에 우연한 사건으로 오신 것이 아니라 일대사인연, 하나의 크나큰 인연으로 오셨습니다. 그 큰 인연이란 '불지지견개시오입(佛之知見 開示悟入)', 고통받는 중생에게 '부처님의 깨달음과 불국 정토를 열어서, 보이고, 깨닫게 해, 불국 정토에 들게 하고자' 오신 것입니다. 고통받는 중생의 희원을 듣고 응답해 그들을 구제하기 위해 오신 것입니다.

불교의 역사는 인간 해방의 역사

인간은 오늘날까지 무수한 세월을 하나의 목적을 위해 살아왔습니다. 완전한 행복 말입니다. 불교의 목적 또한 이와 같습니다. 완전한 세계인 불국 정토의 실현, 모든 고통으로부터의 해방인 해탈, 갈등과 번뇌에서 벗어난 열반, 무명의 업장을 소멸한 깨달음의 세계, 이 모두가 불교에서 말하는 완전한 행복을 뜻합니다. 한마디로 불교의 목적은, 인간을 종속시키는 모든 굴레에서 벗어나 인간 스스로 자기 삶의 주인이 되고 우주의 주인이 되는 것입니다.

불교가 역사 속에 구체적으로 나타난 시기는 일반적으로 약 2,600년 전 고타마 싯다르타가 출가수행을 해 깨달음을 얻은 순간부터라든지, 혹은 싯다르타의 출생, 또는 초전법륜 이후라는 등 몇 가지 견해가 있습니다. 이런 견해들의 공통점은 불교의 역사를 석가족의 고타마 싯다르타라는 역사적 인물로부터 출발한다고 보는 점입니다. 그러나 진정한 의미의 불교란 석가모니 부처님 한 사람으로 시작되었다고 볼 수 없습니다.

하나의 사상이나 종교는 오랫동안 수많은 과정이 쌓여 이루어진 결과입니다. 그리고 그 가르침 속에 이러한 과정이 어떤 형식으로든 포함되어 전해집니다.

불교 또한 석가모니 부처님 이전의 역사를 말하고 있습니다. 그러나 이것은 우주의 창조 등과 같은 형이상학적인 내용을 말하고자 하는 것이 아닙니다. 석가모니 부처님 이전의 기록은 불교의 본질이 무엇이며 부처님이라는 존재가 무엇인가를 명확하게 규명하기 위한 것입니다.

인간 해방의 역사는 인간이 고통에서 해방되고자 하는 역사입니다. 불교의 역사는 고통받는 모든 중생을 구제하겠다는 강력한 서원으로부터 시작된 역사입니다. 그리고 고타마 싯다르타가 부처를 이룬 이 모든 이야기는 그것이 개인 수행의 결실이 아니라 부처가 되기 위한 무수한 인간 해방의 역사 속에서 나타난 역사적 결정체입니다.

그래서 우리는 역사 속 고타마 싯다르타의 생애에 들어가기 전에, 지난한 인간 역사 속에서 고타마 싯다르타가 부처의 길로 나아갈 수밖에 없었던 불교 역사의 필연성을 찾아보고자 『본생경』에서 몇 가지 이야기를 살펴보겠습니다.

수메다 행자의 구도행

진정한 삶의 가치를 찾아서

과거 사 아승지 십만 겁의 옛날에 디팜카라, 즉 연등(燃燈)이라는 부처님이 세상에 오셨다. 이 무렵 아마라바티이, 즉 무마성 혹은 불사성이라는 도시에 수메다라고 부르는 브라만이 살고 있었다.

수메다의 아버지는 무마성의 호족인 브라만으로 대단한 재력을 가진 부호였다. 그러나 수메다의 부모는 그가 어릴 때 수많은 재산을 남긴 채 세상을 떠났으므로 그 재산은 모두 수메다에게 돌아갔다. 수메다는 7대로부터 자신에게 상속된 수많은 재물과 부모의 죽음을 보고 깊은 생각에 잠겼다.

'이 많은 재산을 모으느라고 나의 아버지나 할아버지, 그 밖의 조상님들은 얼마나 수고를 했을까? 또한 재물이 없어 헐벗은 사람은 왜 존재하는 걸까? 이 많은 재산을 모아두고도 나의 아버지나 할아버지 그리고 그 밖의 조상들은 한 푼도 가져가지 못했다. 그러나 나

는 죽음으로도 빼앗을 수 없는 복락의 종자를 심으리라.'

수메다는 또 생각했다.

'나는 욕망에 꺼들려서 생로병사에 집착해 고통 속에서 살아가는 이 같은 인생에서 벗어나 고통에서 해방된 변함없는 열반을 구하리라. 마치 몸을 청결히 하는 사람이 제 목에 걸린 송장을 내던져버리고 기분이 좋은 것처럼 나는 이 썩은 몸을 버리고 욕망이 없는 몸이 되어 기필코 열반의 성으로 들어가리라.'

이같이 뜻을 정한 수메다는 곧 국왕에게 알리어 북을 치면서 온 성안의 가난한 사람들을 모으게 하고 자기 집에 쌓아두었던 한없이 많은 재산과 보물을 거지와 나그네와 그 밖의 여러 사람에게 모두 나누어주는 큰 보시를 행했다.

그리고 수메다는 물질과 번뇌의 욕심을 버리고 출가수행의 길을 떠나 히말라야 기슭의 유법산 근처에 도원(道院)을 짓고 정진 수행했다.

그는 나무껍질로 만든 옷을 입고, 씨를 뿌려 거둔 곡식을 먹지 않으며, 주리면 과일과 풀잎을 먹으면서 정진한 결과, 이레가 되기 전에 여덟 가지 선정과 다섯 가지의 신통력을 얻었다. 『본생경』

부처님의 역사는 사 아승지 십만 겁의 옛날로 거슬러 올라갑니다. '아승지'나 '겁'은 인도에서 사용한 시간 단위로, 구체적인 시간 개념이라기보다는 상상하기조차 어려운 오랜 세월을 표현하는 개념입니다. 부처님의 역사는 이렇게 무수히 오래 전부터 시작되는데, 한 마디로 인간에게 고통이 생기기 시작한 시점으로 보는 것이 좋을 듯합니다. 인간에게 고통이 발생한 시점이 곧 고통 극복의 역사가 시작된 시점이기 때문입니다.

경제적으로 풍족하고 청정한 브라만으로 태어난 수메다는 살아가는 데 아무 어려움을 느끼지 못했고, 앞으로도 더 많은 부와 명예를 얻을 수 있는 촉망받는 젊은이였습니다. 그런 수메다에게 부모님의 갑작스러운 죽음은 세상을 다시 보게 하는 계기가 되었습니다. 인생에서 가장 중요한 것이라고 믿었던 재물과 명예가 죽음 앞에서는 아무 의미가 없음을 보고, 그것이 결코 인간의 행복을 보장하지 못한다는 것을 알게 된 것입니다.

뿐만 아니라 재물을 모으고 권력과 명예를 쌓아가는 그 과정이 무수한 사람을 고통에 빠뜨리는 행위라는 것을 알았습니다. 내가 재물을 많이 모으는 것은 다른 사람을 나보다 가난하게 만드는 것이고, 내가 누군가를 지배하려면 다른 누군가는 내 밑에서 지배당해야만 합니다. 사람들이 서로 많이 가지려 하고 남 위로 올라가려고 하기 때문에 경쟁이 치열해지고 그것이 투쟁으로 변하게 된다는 사실을 알게 되었습니다. 그 과정에서 탈락한 사람은 빈곤과 기아에 고통당하고, 이긴 사람도 그 재산을 지키고 더 많이 축적하려고 온갖 갈등과 번민으로 고통을 당하게 됩니다.

수메다는 지금까지 살아온 삶의 방식을 버리기로 결심합니다. 수메다는 수많은 재산을 가난한 사람들에게 모두 보시했습니다. 사실 그것은 다른 많은 사람들의 고통으로 이루어진 재산이었기에 그것을 본래의 주인들에게 돌려준 셈입니다. 수메다는 모든 것을 버리고 진정한 삶의 가치를 찾아 출가합니다.

부처의 세계를 위해 온몸을 던지고

수메다 행자가 신통력을 얻고 정진에 힘쓰고 있을 무렵 연등 부처님께서 세상에 나오셨다. 연등 부처님께서는 번뇌가 다한 사십만 비구들을 데리고 희락이라는 큰 도시에 이르러 선현정사에 머물고 계셨다. 연등 부처님께서 선현정사에 머물러 계신다는 소문이 번지자 도시의 주민과 사문·장자·대신·왕과 왕족들은 연등 부처님을 찾아가 예배하고 설법을 들었다. 부처님의 설법을 들은 이 도시의 모든 사람은 기쁨에 젖어 연등 부처님과 그 제자들을 공양에 초청했다.

이튿날 그들은 제호(醍醐)·숙소(宿所)·약물·의복·향료·화만(華鬘) 등을 준비하고, 물 때문에 끊긴 곳에는 흙을 채워 메우고 은판빛깔의 모래를 깔아 부처님께서 오실 길을 수리했으며, 길에는 꽃을 뿌리고 여러 가지 빛깔의 깃발을 걸어서 도시를 장식했다. 이때 마을에 내려온 수메다 행자는 많은 사람들이 기뻐하면서 이 같은 일을 하고 있는 것을 보고 사람들에게 그 까닭을 듣고는 생각했다.

'부처라는 소리조차도 이 세상에서는 듣기가 어려운 일이다. 더욱이 부처님께서 출현하심을 만나기란 하늘에서 떨어진 바늘이 겨자씨에 꽂히는 것보다 더 어려운 일이다. 하물며 눈앞에서 부처님을 뵙고 그 설법을 듣는 일이야 얼마나 어렵고 또 귀중한 인연인가! 나도 이 사람들과 함께 부처님께서 오실 길을 닦아야겠다.'

그리하여 그는 사람들에게 청했다.

"당신들이 부처님을 위해 이 길을 수리한다면 내게도 한 자리를 주십시오. 나도 당신들과 함께 길을 고치겠습니다."

사람들은 기꺼이 수메다 행자의 뜻을 받아들였다. 그리고 그에게 신통력이 있음을 알고 물이 고여서 닦기 어려운 곳을 맡아달라고 했다. 수메다 행자는 부처님에 대해 기뻐하는 마음을 일으키고 생각했다.

'나는 저들의 생각과 같이 신통력으로 이 길을 말끔히 고칠 수 있다. 그러나 그렇게 하는 것으로는 열과 성을 다한 것이 되지 못해 만족할 수 없다. 나는 성의를 다해 이 온몸으로 봉사를 하리라.'

수메다 행자는 곧 흙과 모래를 가져다가 물이 고이거나 물로 인하여 끊어진 길을 메우기 시작했다.

그러나 그가 길을 다 고치기 전에 연등 부처님과 그 제자들이 다가오고 있었다. 이때 하늘은 온갖 풍악을 울리고 천상의 아름다운 꽃을 비 오듯 뿌렸으며, 사람들은 향을 사르고 화환을 바쳤다. 수메다 행자는 진흙탕으로 다가오시는 부처님을 바라보며 생각했다.

'나는 오늘 내 생명을 던져 부처님께 공양하리라.'

그는 곧 입었던 사슴가죽 옷을 벗어 진흙탕에 깔고, 그것도 부족하자 머리를 풀어 진흙 위를 덮고, 또 땅 위에 엎드려 끊어진 길에 다리를 놓았다. 그리고 엎드려 부처님을 우러러보면서 가까이 다가오신 부처님께 사뢰었다.

"부처님, 진흙을 밟지 마시고 부디 제 머리털과 몸을 밟고 지나가십시오. 마치 마니구슬의 판자로 된 다리를 밟는다 생각하시고 사십만의 아라한과 함께 저의 등을 밟고 걸어가십시오. 그러면 그것은 저에게 영원한 이익이 되고 즐거움이 될 것입니다." 『본생경』

새로운 세계를 완성하고자 오시는 부처의 길은 당연히 거친 진흙탕일 수밖에 없습니다. 우리 인간이 나아갈 길이 잘 닦인 길이라면 부처님은 굳이 오실 필요가 없었을 것입니다.

모든 사람이 함께 어울려 부처님이 오실 길을 닦는 모습에서 우리는 부처님을 맞는 마음가짐이 어떠해야 하는지 알 수 있습니다. 그냥 앉아서 기다리는 것이 아닙니다. 우리 스스로가 그 길을 닦아야 합니다.

중생계의 진흙탕에 빠져 신음하는 우리를 불국 정토에 들게 하기 위해 오시는 부처님의 위대함은 바로 여기에 있습니다. 이렇게 부처님은 우리 인간을 불국 정토를 완성하기 위해 부처님이 오실 길을 닦는 인간의 역사로 이끌고 계십니다. 이것이 바로 부처님의 가피력입니다.

수메다 또한 불국 정토를 건설하는 위대한 역사에 동참하고자 연등 부처님이 오시는 길의 진흙탕을 메웁니다. 그런데 수메다 행자는 그 일을 할 때 수행의 결과로 얻은 신통력에 의지하지 않았습니다. 몸소 흙과 모래를 가져다 진흙탕을 메우고 돌을 날라다 끊어진 길을 이었습니다. 자신의 몸을 더럽혀 가며 일하고 자신의 온몸을 바쳐 부처님이 오실 길을 장엄합니다.

바로 이것입니다. 불국 정토는 모든 사람이 온몸을 바쳐 헌신할 때 비로소 이루어집니다. 몇몇 뛰어난 지도자나 특별한 능력을 가진 사람들이 완성하는 것이 결코 아닙니다. 신통력이나 인간의 눈을 현혹하는 환술로써 성취할 수 있는 것은 더욱 아닙니다.

수메다는 부처님의 세계가 자갈과 돌과 모래만으로는 완성할 수 없음을 깨닫고 자신의 온몸을 바쳐 부처님이 지나가실 길을 만듭니다. 수메다는 먼저 옷을 벗어 진흙탕을 덮습니다. 인도의 수행자는 옷을 하나만 입습니다. 수메다는 하나뿐인 옷을 벗은 것입니다. 자신의 몸을 가려주던 옷을 벗어버림으로써 자신을 보호하고 합리화시켰던 기존의 모든 명예와 안일을 진흙탕에 던진 것입니다. 오직 부처님의 세계를 완성하고자 하는 마음으로 모든 허물과 가식을 벗어던지고 순결한 알몸이 된 것입니다.

그리고 머리를 풀어 진흙탕을 덮었습니다. 아직도 남아 있는 잘못된 가치를 버린 것입니다. 하지만 이것으로도 부족해 알몸이 된 온몸을 진흙탕에 내던져 부처님이 자신을 밟고 가시도록 했습니다. 부처님이 진흙탕에 오염되지 않도록, 정법의 수레바퀴가 역사의 질곡에 빠지지 않도록 온몸을 바친 것입니다. 고통받는 중생의 현실 속에 자신의 모든 것을 바쳤다는 말입니다.

수메다의 행위는 불국 정토는 고통받는 중생을 위해 자신을 공양함으로써 완성될 수 있다는 것을 상징적인 비유로 보여줍니다. 불국 정토를 완성하기 위해서는 부처님께 귀의하고〔귀의불(歸依佛)〕, 진리의 역사에 귀의하고〔귀의법(歸依法)〕, 이를 위해 정진하는 모든 이에게 온몸을 바쳐 완벽하게 귀의해야〔귀의승(歸依僧)〕 한다는 것을 보여줍니다.

내 부처 되어 마지막 한 생명까지 건지리라

그리고 수메다는 진흙 위에 엎드린 채 열 가지 힘을 가진 존엄한 연등 부처님을 우러러보면서 지극한 마음으로 큰 행원을 일으켰다.

'만일 수행자에게 어떤 희망이 있다면 그것은 부처님 승단의 젊은 수행자가 되어 온갖 번뇌를 모두 불살라버리고 열반에 들고자 희락성에 드는 일일 것이다. 그러나 나는 거짓 모양을 빌어 자기의 번뇌를 소멸한 열반에 들지는 않으리라. 이 세상에는 고통받는 중생이 끝없이 많으니 나는 연등 부처님처럼 최상의 진리를 깨달은 부처가 되어 마지막 한 생명까지 법의 배에 신고 윤회의 바다에서 기필코 구제해 낸 뒤에야 비로소 열반에 들리라. 이것이 나의 유일한 희망이요, 내게 주어진 일이다.'『본생경』

　수메다는 전 재산을 가난한 사람들에게 보시하고 출가한 것으로 자신의 죄업이 어느 정도 소멸된 것으로 생각했습니다. 이제는 훌륭한 스승을 만나 열반에 드는 것이 큰 희망이었습니다. 이때 연등 부처님이 오시자 그의 희망이 이루어질 수 있다고 생각했습니다. 그러나 수메다는 부처님이 오시는 길을 닦는 과정에서 다시금 깨닫습니다.

　수메다는 승단에 들어가서 열반을 구하는 것을 '거짓 모양을 빌리는 것'이라고 말합니다. 왜 성스러운 수행자의 길을 '거짓 모양을 빌리는 것'이라고 했을까요?

　수메다는 아직도 고통받는 사람이 무수히 존재한다는 사실을 깨닫고, 세속을 떠나 행복을 찾으려 했던 것이 올바르지 않다는 것을 깨달은 것입니다. 고통받는 사람들이 존재하는 한 자신이 바라던 목적, 모든 사람이 함께 행복해지는 세상이 실현될 수 없으며, 수많은 사람들의 고통이 있는 한 자신의 열반은 성취될 수 없음을 깨달았습니다.

　모든 사람을 고통에서 해방시킨 후에야 비로소 자신의 열반이 이루어진다는 것을 알게 된 것입니다. 길을 닦고 부처님이 밟으실 진흙탕에 온몸을 던지는 구체적인 실천을 통해서 그 진실을 깨닫게 된 것입니다.

'고통받는 중생이 끝없이 많으니 나는 부처가 되어 마지막 한 생명까지 기필코 건지리라.'

이것이 석가모니 부처님의 역사가 시작되는 순간이며, 인간 해방의 역사가 시작되는 순간입니다.

불국 정토를 완성하기 위한 새로운 역사가 바로 이 발원에서 시작되었습니다. 인간 해방의 역사는 신에 의해서 이루어지거나 완성되는 것이 아닙니다.

인간 해방의 역사는 오로지 인간에 의해, 그것도 고통받는 인간을 구제하겠다는 인간의 발원으로부터 시작됩니다. 인간 해방의 역사는 인간을 구속하고 종속시켜 고통에 빠뜨리는 모든 것으로부터 벗어나고자 하는 강력한 자기 발원이 실현되어 가는 과정입니다. 인간 해방의 역사는 완전한 인간 해방을 성취하고자 자신의 모든 것을 역사 속에 던진 수많은 삶의 발자취입니다. 그리고 바로 이 역사의 과정에 의해서만 불국 정토는 완성될 수 있습니다.

이런 까닭에 이제 우리는 수메다의 서원을 석가모니 부처님의 역사가 시작하는 출발점으로 삼고자 합니다.

우리는 예불할 때 발원문을 읽습니다. 발원문은 여러 종류가 있으나 대체로 일정한 내용을 담고 있습니다. 먼저 부처님과 여러 보살님을 찬양하고 우리의 죄업을 참회합니다. 그리고 나와 타인의 고통을 해결하기 위해 타인을 위해 살아가겠다는 발원을 합니다. 이어서 이 발원을 성취하기 위해 제불보살님의 가르침에 따라 정진하겠다는 다짐을 합니다. 마지막으로 발원이 성취되면 그 성취된 공덕을 모든 중생에게 돌리겠다는 회향을 합니다.

보살의 수행 또한 발심·찬탄·참회·발원·원력·가피·회향의 과정을 거칩니다. 결국 발원문이란 내가 그런 삶을 사는 보살이 되겠다는 맹세입니다.

진정한 참회란 무엇일까요? 그것은 단지 법적이나 도덕적으로 또는 사회적으로 잘못한 행위를 반성하는 것만을 의미하지 않습니다. 보살의 참회는 지금까지의 삶이 자신의 욕망을 충족시키기 위해 죄업을 쌓는 삶이었다는 것을 깨닫고, 앞으로는 결코 그렇게 살지 않겠다고 다짐하며, 이제부터는 자신과 타인이 함께 행복해지는 타인 중심적인 삶을 살아가겠다고 맹세하는 것입니다.

따라서 과거에 자신 때문에 고통받았던 많은 사람에게 빚을 갚는 마음으로 삶의 방향을 전환하는 것입니다. 그리고 이러한 가치관과 삶의 자세가 흔들릴 때마다 자신을 점검하는 삶이야말로 진정한 참회입니다.

그리하여 모두 함께 행복한 삶을 살 수 있도록 자신의 죄업을 전부 소멸하고야 말겠다는 삶의 목표를 세우는 것이 보살의 서원입니다. 수메다는 부처님이 오시는 길을 닦으면서 자신이 지금까지 지은 죄업을 모두 청산하기 전에는 결코 부처가 될 수 없음을 깨닫고 발원합니다.

이처럼 죄업을 소멸하는 발심 서원은 그냥 열심히 하겠다는 결심이 아니라 분명하고 구체적인 목표를 세워야 합니다. 업이란 한 개인이 홀로 지은 것이 아니라 유사 이래 인류가 다 함께 쌓아온 것입니다. 물론 개인에게 해당되는 업이 있습니다. 그러나 한 개인의 업장은 사회 구성원으로서 그 사회의 공업(共業)과의 관계 속에서 형성됩니다. 따라서 자신의 죄업장 소멸과 전체 공업의 소멸은 별개의 서원이 아닙니다.

『무량수경(無量壽經)』을 보면 법장비구는 48대원을 세워, '내가 부처가 되는 세계에는 잘못된 여러 요소들을 반드시 없애고야 말겠다'고 다짐합니다. 인간을 고통에 빠뜨리는 요소를 없애고 그것이 극복된 사회를 건설하겠다는 실천 목표를 세우는 것입니다. 또 약사여래는 12대원을 세웠고, 승만 부인은 10대원을 세워놓고 수행했습니다.

우리가 법회 때마다 사용하는 '사홍서원'은 바로 모든 보살의 공통 서원입니다. 이렇게 사회와 역사 속에서 인간 모두가 공통적으로 실현해야 할 사홍서원 같은 것을 총원(總願)이라 하고, 각 보살이 각각의 조건에 맞게 구체적으로 적용해 세운 서원을 별원(別願)이라고 합니다.

부처 되는 길은 어디에 있는가

이때 연등 부처님께서 수메다 행자를 향하여 찬탄하셨다.

"장하다. 수메다여. 그대의 보리심은 참으로 갸륵하구나. 이같이 지극한 공덕으로 그대는 오는 세상에 기필코 부처가 되리니, 그 이름을 석가모니라 부르리라."

수메다 행자는 이 말씀을 듣고 하늘에 오를 듯이 기뻤다. 연등 부처님도 수메다 행자를 칭찬하신 뒤 꽃을 공양하고 오른쪽으로 세 번 돌며 예를 바치신 뒤에 떠났다. 또 사십만 비구들도 이처럼 예를 마친 뒤 연등 부처님을 따라 자리를 떠났으며 일만 큰 세계의 천인들도 다 같이 예물을 바치고 그와 같이 했다.

수메다 보살은 연등 부처님의 말씀과 일만 큰 세계의 천인들의 말을 듣고는 더욱 힘을 얻어 다음과 같이 생각했다.

'부처님의 말씀에는 거짓이 없다. 부처님의 말씀은 틀림없다. 마치 공중에 던져진 흙덩이가 땅에 떨어지고, 태어난 것은 반드시 죽고, 밤이 새면 해가 뜨는 것이 어김없는 사실인 것과 같이 부처님 말씀에는 거짓이 없다. 나는 반드시 부처가 될 것이다.'

이렇게 단정하고 수메다 보살은 다시 부처가 되는 기본법이 무엇인가 찾아보았다.

'부처가 되는 길은 어디에 있는가, 위에 있는가 아래에 있는가, 사방인가 아니면 사유에 있는가.'

이같이 온 법계를 두루 찾았으나 찾지 못했다. 수메다 보살은 선정에 들어 이번에는 옛날의 보살들이 행한 수행을 관찰했다. 그는 그 수행 가운데에서 첫째인 보시바라밀(布施波羅密)을 발견했다. 그리하여 그는 자신에게 이같이 경계했다.

'수메다여, 너는 무엇보다도 먼저 보시바라밀을 완성해야 한다. 너는 이미 쏟아진 물에 미련을 두고 아까워하지 않는 것처럼 재산과 명예와 처자와 몸과 네가 가진 모든 것, 생명까지도 아까워하지 않고 너에게 와서 구하는 모든 이에게 그 모두를 보시해라. 그리하여 아무것도 가진 것 없이 보리수 밑에 앉아라. 그러면 반드시 너는 부처가 될 것이다.'

그는 보시바라밀을 완성하기로 결심했다. 그리고 '부처가 되는 기본법은 이 밖에도 있을 것이다' 하고 계속해서 옛날의 보살들이 행한 여러 가지 수행을 관찰했다. 그리하여 두 번째로 지계바라밀(持戒波羅密)을 찾았으며, 이어 인욕(忍辱)·정진(精進)·선정(禪定)·반야(般若)와 자(慈)·비(悲)·희(喜)·사(捨)를 차례로 발견했다.

'이 세계에서 보살이 완전히 행하여 보리(菩提)를 성숙시켜 부처가 되는 길은 오직 이 열 가지 바라밀뿐이다. 이 열 가지 바라밀은 위로 허공에 있는 것이 아니며, 아래로 땅에 있는 것도 아니다. 사방이나 사유 그 어디에 있는 것도 아니며, 오직 심장이 고동치는 나의 삶 속에 있다.'

이 열 가지 바라밀을 확실히 본 수메다 보살은 그것을 두 번 세 번 거듭 관찰해 굳히고, 다시 차례를 따라 살피고 거꾸로 거슬러 올라가면서 생각했다. 끝을 잡아서는 처음을 밝히고, 처음을 잡아서는 끝을 결정했으며, 중간을 잡아서는 처음과 끝을 알고, 처음과 끝을 잡아서는 중간을 밝혔다. 그리고 보살은 이 열 가지 바라밀을 성취하기로 결심했다. 『본생경』

수메다 행자가 지나온 삶을 참회하고 온몸을 바쳐 발원하자 연등 부처님은 수메다 행자를 칭찬하며 수기(受記)를 주십니다.

"아, 장하다. 수메다여, 그대의 보리심은 참으로 갸륵하구나. 이같이 지극한 공덕으로 그대는 오는 세상에 기필코 부처가 되리니 그 이름을 석가모니라 부르리라."

그리고 수메다 행자에게 예를 표했습니다. 인도에서는 성스러운 대상의 주위를 오른쪽으로 세 번 도는 것으로 예를 표합니다. 연등 부처님은 수메다 행자가 자신과 같은 부처가 될 것을 인정한다는 뜻으로 이 같은 예를 표하신 것입니다.

수메다 행자가 부처가 되겠다고 발심 서원한 이후부터 그를 보살이라고 부릅니다. 보살이란 지금껏 자신이 살아왔던 자기중심적 가치를 참회하고, 모든 중생의 고통을 해결하고자 발원하고 이를 달성하기 위해 수행하는 사람을 말합니다.

부처가 되는 길은 인간 세계 이외의 어디에 따로 있지 않습니다. 오직 과거 역사 속에서 살아온 보살들의 치열한 실천 속에서만 발견할 수 있습니다. 수메다 보살은 불국 정토를 실현하기 위해 어떠한 수행을 해야 하는지 알기 위해 선정에 들어 과거 보살들이 행한 수행을 관찰합니다. 그리고 과거의 수많은 보살들이 보여준 자기 헌신의 실천 속에서 십바라밀행을 차례로 발견합니다.

바라밀이란 인도어의 파라미타(Paramita)를 음역한 것으로, '저 피안의 세계에 이르는 길'이라는 뜻입니다. 보살행이란 이 바라밀을 실천하는 것을 말합니다. 흔히 보시·지계·인욕·정진·선정·반야의 육바라밀을 말하며, 여기에 자·비·희·사 혹은 방편(方便)·원(願)·력(力)·지(智)의 네 가지를 더해 십바라밀이라고 합니다. 이것이 부처가 되는 길이며 불국 정토를 건설하는 길입니다. 또한 자신의 업장을 소멸하는 방법입니다.

바라밀행의 첫 항목은 보시입니다. 올바른 보시를 하려면 무주상보시(無住相布施)를 해야 합니다. 무주상보시란 상(相)에 머무름 없이 보시를 해야 한다는 뜻입니다. 보시하는 사람이 보시했다는 집착을 갖지 않는 것입니다. 집착하지 않는다는 것은 '나는 누구에게 어떠한 물건을 보시했으므로 나에게 어떤 보답이 있을 것이다'라는 기대를 갖지 않는 것을 말합니다.

어떻게 보시했다는 집착이 없을 수 있을까요? 보시는 보시 행위 그 자체로 보시하는 사람에게 이익이 되고 행복이 된다는 것을 알 때 가능합니다. 보시 행위 그 자체로써 자신의 업장이 소멸되어 부처의 세계에 한 걸음 다가간 것이 이익인 것이지, 다른 어떤 대가를 바라서는 안 되는 것입니다. 보시한 사람이 자랑을 하거나 보시했다는 상을 갖는 것은 마치 채무자가 빚을 갚으면서 '내가 빚을 떼어먹지 않고 갚았으니 자랑할 만하다'고 소리치는 것과 똑같습니다.

지계바라밀 또한 마찬가지입니다. 계를 지켰다고 자랑할 것이 없습니다. 자신이 지은 빚이 많아서 그 빚을 갚느라 열심히 일했다고 자랑할 것이 뭐가 있겠습니까?

보살행을 하다 보면 수많은 난관을 만나고 고통에 빠지고 욕됨을 당하게 됩니다. 이때 다른 사람은 남을 위해 좋은 일을 하다가 고난을 당했다고 생각할지 몰라도, 보살은 이 모두가 자신의 업장을 소멸하는 일임을 압니다. 따라서 인욕은 마치 빚을 진 사람이 채권자의 족쇄로부터 자유로워지는 과정과 같아서 그 자체로 즐거움입니다.

수메다 보살은 이렇게 열 가지 바라밀을 발견하고는 그 바라밀의 관계를 살펴보고 반드시 성취해 낼 것을 결심합니다.

바라밀은 열 가지든 여섯 가지든 각기 독립된 것이 아닙니다. 각각 다른 열 가지 빛깔의 열 개의 유리구슬은 하나하나 영롱한 빛을

냅니다. 그러나 그 열 개의 유리구슬이 하나로 꿰어져 서로가 서로를 비추면 더욱 영롱한 빛을 발합니다. 구슬 하나하나에 서로 다른 아홉 개의 구슬이 비칠 때 더할 수 없이 아름답듯이, 각각의 바라밀이 함께 어우러질 때 진정한 모습을 찾게 되는 것입니다.

예를 들어 보시행을 완성한다는 것도, 자신의 삶이 죄업장을 쌓고 있다는 올바른 지혜(반야)와, 업장 소멸을 위한 일념(선정)으로 더 이상 죄업을 짓지 않고 업장을 소멸할 수 있는 자기 원칙(지계)을 갖고, 고통과 욕됨을 참으며(인욕), 굽히지 않는 실천(정진)을 통해서만 완성될 수 있습니다. 이처럼 한 가지 바라밀은 다른 바라밀을 통해 완성될 수 있습니다. 그러므로 '끝을 잡아 처음을 밝히고, 처음을 잡아서는 끝을 확인하고, 중간을 잡아서는 처음과 끝을 알고, 처음과 끝을 잡아서는 중간을 밝힌 것'입니다.

수메다 보살은 역사 속의 보살들로부터 발견한 바라밀행만이 불국 정토를 완성하고 깨달음을 성취할 수 있는 길임을 확신하고 그것을 자신의 삶 속에 받아들입니다. 이후 수메다 보살은 무수히 몸을 나투어 끝없는 바라밀을 행합니다. 즉 부처님의 역사, 인간 해방의 역사를 완성하기 위해 장구한 바라밀행을 시작한 것입니다.

비둘기를 숨겨준 보살과 매

모든 생명은 존엄하다

옛날 자비심이 지극한 한 수행자가 있었다. 그는 언젠가는 기어코 부처가 되리라는 서원을 세우고 있었다. 어느 날 수행을 하고 있는데 난데없이 비둘기 한 마리가 비명을 지르면서 황급히 그의 품속으로 날아와 숨으며 겁에 질려 온몸을 바들바들 떨었다. 곧이어 뒤따라온 매가 수행자와 그 품안에 있는 비둘기를 보더니 나뭇가지에 앉아 수행자에게 말했다.

"수행자여, 그 비둘기를 내게 돌려주시오. 그것은 내 저녁거리요."

"네게 돌려줄 수 없다. 나는 부처가 되려고 서원을 세울 때, 모든 중생을 다 구원하겠다고 결심을 했다."

"당신은 참 어리석소이다. 모든 중생 속에 나는 들지 않소? 당신 때문에 비둘기는 살 수 있을지 몰라도 나는 굶어 죽게 되었단 말이오. 어찌 나에게는 자비를 베풀지 않고 오히려 내 먹이를 빼앗는단 말이오."

"어쨌든 비둘기는 돌려줄 수 없다. 무슨 다른 방법이 없을까? 비둘기 대신 너는 어떤 것을 원하느냐?"

"비둘기 무게만큼의 살코기를 주시오. 그렇다면 비둘기도 살고 나도 살 수 있소."

수행자는 생각했다.

'살코기라면 산목숨을 죽이지 않고서는 얻을 수 없다. 그렇다고 하나를 구하기 위해 다른 목숨을 죽게 할 수 없지 않는가. 차라리 내 허벅지 살을 잘라주고 비둘기를 살리자.'

수행자는 저울을 가져와 한쪽에 비둘기를 얹고 다른 쪽에 자신의 허벅지 살을 베어 얹었다. 비둘기가 훨씬 무거웠다. 그래서 다른 쪽 허벅지 살을 베어 얹었다. 그래도 마찬가지였다. 할 수 없이 수행자는 엉덩이, 양팔, 양다리를 다 베어 얹었으나 저울은 비둘기 쪽으로 기울었다. 수행자는 마침내 자신의 온몸을 저울대 위에 올려놓으면서 마음속으로 빌었다.

'모든 중생은 다 고해에 빠져 있다. 나는 그들을 건져내야 한다. 이 고통은 중생들이 받는 고통의 십육 분의 일에도 미치지 못하리라.' 『본생경』

'일체중생 실유불성(一切衆生 悉有佛性)'
이것은 생명의 본성인 불성의 존귀함을 깨우치는 말씀으로, 온 생명을 존중하라는 뜻입니다. 모든 생명은 그 자체로 존귀합니다. 현실 속에서 보이는 외형은 '업'이 만든 껍데기이며 관계 속에서 변화하는 조건적이고 일시적인 모습입니다. 이 외형적인 형상을 가지고 차별해서는 안 됩니다.

모든 생명은 본성에서 살펴볼 때 영원하고 자유자재하며 상호 평등합니다. 절대 자유와 절대 평등의 불국 정토를 실현하는 주체이며 부처의 성품 자체입니다. 그러므로 생명은 다른 것을 위한 수단이나 도구가 될 수 없으며 그 자체 그대로 가치 실현의 목적입니다. 생명의 존엄성은 상대적이 아니라 절대적이고, 어느 것이 더 중요하거나 덜 중요하지 않습니다. 또한 생명은 어떤 것과도 견줄 수 없는 절대적인 것이므로 어떤 이유로든 죽임을 당하거나 차별받거나 억압받아서는 안 됩니다.

부처가 되기를 서원한 수메다 보살은 자신의 원을 실현하고자 수행자의 몸으로 수많은 생을 거듭 태어났습니다. 모든 중생을 구원하겠다는 굳은 서원을 세우고 수행에 힘썼습니다. 이러한 서원은 일체 생명을 자기 목숨같이 귀중하게 여기고, 타인을 행복하게 하는 길이 궁극적으로 자신을 행복하게 하는 길임을 믿을 때 가능한 것입니다.

그러므로 수행자가 자기 품으로 날아온 비둘기를 보호해 주는 것은 당연합니다. 그런데 매는 수행자에게 다음과 같이 말합니다.

"당신은 참 어리석소이다. 모든 중생 속에 나는 들어 있지 않소? 당신 때문에 비둘기는 살 수 있을지 몰라도 나는 굶어 죽게 되었단 말이오. 어찌 나에게는 자비를 베풀지 않고 더구나 내 먹이를 빼앗는단 말이오."

매의 말은 수행자에게 큰 깨달음을 주었습니다. 매의 생명이나 비둘기의 생명이나 어느 쪽도 경시할 수 없는 존엄한 생명입니다.

매와 비둘기로 상징되는 강자와 약자는 지배자와 피지배자를 연상하게 합니다. 지배자는 피지배자가 존재함으로써 존속할 수 있습니다. 사회적 구조에서 보면 지배자는 악이요, 피지배자는 선일 수밖에 없습니다. 지배자는 피지배자의 희생과 고통을 전제로 자신의 지위를 유지할 수밖에 없기 때문입니다.

그러나 수행자는 이것을 이분법적으로 구분하지 않습니다. 양자 모두 왜곡된 사회구조 속에서 희생된 존재일 뿐이기 때문입니다. 피지배자는 지배당함으로써 인간의 존엄성을 빼앗기고, 지배자는 지배함으로써 비인간화되어 인간의 존엄성을 포기하는 것입니다.

그러므로 보살에게는 이 양자 사이에 가해자와 피해자가 없습니다. 모두가 피해자입니다. 그렇다면 궁극의 가해자는 누구일까요? 그것은 바로 그러한 사회구조를 만들어낸 관계입니다. 이 관계는 현상적으로 보면 지배자가 만든 것이지만 보살의 입장에서는 보살이 바로 가해자입니다. 자신이 기존에 지었던 업장 덩어리로 만들어진 것이기 때문입니다.

수행자는 비둘기와 매, 둘 다를 구제하기 위해 자신의 온몸을 바칩니다. 비둘기를 살리자면 매의 생명이 위험하고 매를 구하자면 비둘기가 죽어야 하는 상황에서 고민하던 수행자는 '하나를 구하기 위해 다른 목숨을 죽게 할 수는 없지 않는가. 차라리 내 허벅지 살을 베어주고 비둘기를 살리자' 하고 결심합니다. 매가 비둘기 무게만큼의 살코기를 원했기 때문입니다.

그런데 이게 웬일입니까? 수행자가 자신의 한쪽 허벅지를 베어주었음에도 불구하고 비둘기의 몸보다 무게가 가벼웠습니다. 다른 쪽 허벅지마저 베어주어도 모자랐고, 사지를 모두 베어주어도 비둘기의 무게보다 가벼웠습니다.

수행자는 마침내 자신의 온몸을 저울대 위에 올려놓으면서 다시 한 번 크게 참회합니다. 자신에게 생명의 존엄성에 대한 차별이 있었음을 깨달은 것입니다. 아무리 고귀한 보살의 허벅지나 손발이라도 비둘기 한 마리의 생명과 대등할 수는 없습니다. 보살과 비둘기의 생명은 존귀함에 있어 한 치의 차이도 없이 똑같은 것임을 깨달은 것입니다.

수행자는 비둘기와 자신의 생명 가치에 차등을 두었던 것을 참회하면서 온몸을 던져 외칩니다.

"모든 중생은 다 고해에 빠져 있다. 나는 그들을 건져내야 한다. 이 고통은 중생이 받는 고통의 십육 분의 일에도 미치지 못하리라."

수행자는 자신이 세운 서원을 실현하기 위해 살을 베어내고 팔을 자르고 목숨을 버리면서, 중생 구제의 서원은 아픔과 희생 없이는 이룰 수 없는 것임을 보여주었습니다. 그러나 그 아픔은 진리를 실현하는 기쁨이기에 주저 없이 실천에 옮길 수 있는 것입니다.

자신의 몸을 희생하는 보시는 타인에 대한 자비가 충만할 때 가능합니다. 자비는 자신의 욕망을 먼저 충족시키고 남는 것을 베푸는 식의 동정이나 일반적인 사회봉사 활동과는 구별됩니다. 자비는 모든 중생을 평등하게 보아 자신과 한 몸으로 살아가는 것을 말합니다.

자비에서 '자(慈)'는 우정에서 연유하며, 주종 관계가 아닌 대등한 관계에서의 사랑을 뜻합니다. 내가 가진 모든 것을 이웃과 함께 나누어 갖는 것을 말합니다. 나누어 가진다는 것은 내가 가진 기쁨과 부는 본래 내 것이 아니므로 그것을 나에게 맡겨둔 이웃에게 돌려주는 당연한 행위입니다.

'비(悲)'는 연민에서 연유하며, 남의 고통을 함께 가슴 아파하고 그 고통에 동참하는 것을 뜻합니다. 이웃의 고통과 가난은 본래 내것을 이웃이 대신 짊어지고 있는 것이므로 그것을 돌려받는 것은 당연한 일입니다.

재물·권력·명예 등 어떠한 면에서든지 내가 남보다 행복하다면, 현재의 내 기쁨은 고통받는 사람들이 있기에 가능한 것입니다. 내가 힘들게 일하지 않고 편히 살 수 있는 것은, 나보다 힘들게 일하면서도 어렵게 살아가는 사람들이 있기 때문입니다.

자비는 무조건적인 사랑을 말하지만 그중에서 '비'는 더 적극적인 사랑을 말합니다. 가진 것을 나누어주기는 쉽습니다. 그러나 고통에 동참하기는 어렵습니다. 고통에 동참하는 것이 가장 큰 사랑입니다.

자비는 모든 것을 이웃과 함께 나누는 것입니다. 끊임없는 사랑과, 대가를 바라지 않는 자기희생 속에서 타인과 일체가 되는 것입니다. 어떠한 자기 이익과 고통 속에서도 주저하거나 위축됨이 없이 모두와 함께하려는 평등성을 실현하는 것입니다.

나찰에게 몸을 던지는 설산동자

한 게송을 위해 생명 버리는 것을 보라

히말라야 깊은 산속에 설산동자(雪山童子)라는 어린 소년이 크게 발심하고 열심히 수행하고 있었다. 어느 날 설산동자가 깊은 삼매에 들어 있는데 제석천왕이 형상이 흉악한 나찰로 변해 히말라야 산으로 내려와 동자에게서 멀지 않은 곳에 섰다. 그때에 나찰은 지난 세상의 부처님이 말씀하신 게송의 반을 소리 내어 읊었다.

"모든 것 변천해 항상 한 것 없어[제행무상(諸行無常)] 이것을 이름 하여 나고 죽는 법이라 하네[시생멸법(是生滅法)]."

명상에 잠겼던 동자는 이 게송을 듣고 눈을 번쩍 떴다. 게송을 들은 동자의 가슴은 무한한 기쁨으로 가득 찼다. 그 게송에는 그가 찾던 진리가 담겨 있었다. 그는 게송을 읊은 사람을 찾았다. 그의 앞에는 험상궂은 나찰이 날카롭게 번뜩이는 흉악한 눈을 부릅뜨고 그를 지켜보고 있을 뿐, 주위에는 아무것도 없었다.

동자는 생각했다.

'이처럼 거룩한 말씀을 저 나찰은 하지 못할 것이다. 저 나찰이 그 같은 게송을 읊었다는 것은 마치 불 속에서 연꽃이 피어날 수 없고 따가운 햇볕에서 찬물이 날 수 없는 것과 같다. 도대체 누가 저 거룩한 게송을 들려주었는가.'

그러나 주위에는 게송을 읊었을 만한 사람이 눈에 띄지 않았다. 동자가 다시 생각했다.

'아니다. 내가 지혜롭지 못한 생각을 하고 있구나. 혹시 저 나찰은 지난 세상에 부처님을 뵙고 이 게송을 들어 알고 있는지도 모르지 않는가. 내 그에게 한번 물어보리라.'

동자는 나찰에게로 다가가 말했다.

"존자여, 당신은 어디에서 그토록 거룩한 게송을 들었습니까? 어디서 그 반쪽 여의주를 얻었습니까? 그것을 들으니 마치 봉오리 연꽃이 피어나는 것처럼 마음이 열립니다. 존자여, 그 게송은 진실로 삼세의 부처님께서 가르치신 바른 도리인 줄로 압니다. 그러나 그 게송은 반쪽 여의주처럼 아직 완전하지 않은 듯하니 나머지 반 게송을 들려주실 수 없습니까?"

나찰은 험상궂은 얼굴을 찌푸리면서 말했다.

"수행자여, 그런 말씀은 하지 마시오. 나는 먹지 못한 지가 여러 날 되어 지금 말할 기운도 없소. 먹을 것을 찾아 여러 곳을 헤매었으나 구하지 못해 기갈이 아주 심하고 어지러워 그만 헛소리를 한 것

뿐이오."

"존자여, 나는 지금 그 반 게송을 듣고 놀라고 기쁜 한편 의심하는
터이니, 부디 나의 의심을 지금 풀어주십시오. 당신이 말한 반 게송
은 글로도 끝난 것이 아니고, 뜻으로도 끝난 것이 아닙니다. 무슨 까
닭으로 마저 말하려 하지 않습니까? 재물의 보시는 다할 때가 있으
나 법을 보시하는 공덕은 다하는 법이 없습니다. 존자여, 그대가 나
에게 그 게송을 마저 일러주신다면 나는 일생 동안 당신의 제자가
되어 당신을 모시겠습니다."

나찰이 다시 말했다.

"당신은 참으로 지나치게 얄은꾀가 있소. 하지만 자기 일만을 생
각하고 남의 사정은 안중에 없는 것을 보니 자비심은 눈곱만치도 없
구려. 나는 배가 고파 죽을 지경이라 말할 기운조차 없소."

"존자여, 당신은 무엇을 먹습니까?"

"내가 먹는 음식은 사람의 더운 살이고 마시는 것은 사람의 끓는
피요. 나는 복이 없어 이 같은 것만을 먹는데 아무리 구해도 구할 수
가 없소. 세상에는 많은 사람이 있지만 천신들이 수호하기 때문에
나의 힘으로는 그들을 잡아먹을 수가 없소이다."

"당신이 나머지 반 게송을 말해준다면 나는 그 게송을 듣고 나서
이 몸으로 당신에게 공양하겠소. 존자여, 설사 내가 더 살고 죽는다
해도 진리를 크게 얻지 못한다면 나의 이 몸은 더 이상 소용이 없소.
필경은 늙어 죽거나 호랑이나 늑대 그리고 날짐승의 밥이 될 뿐이오."

"놀리지 마시오. 당신의 그런 말을 누가 믿겠소. 그까짓 게송 반쪽을 얻기 위해 하나뿐인 자신의 몸을 버리겠다니."

동자는 다시 대답했다.

"누구나 질그릇을 주고 칠보 그릇과 바꾸는 것을 좋아합니다. 나는 지금 보잘것없는 이 몸을 주고 금강 같은 몸과 바꾸려는 것입니다. 나의 이 말은 대범천왕과 제석천왕과 사천왕 모두가 증명할 것이며 천안통을 얻어 중생을 이롭게 하고자 대승행을 닦아 여섯 가지 바라밀을 구족한 보살들도 증명할 것이며, 시방세계의 부처님께서도 나를 증명하실 것입니다."

"정 그렇다면 나머지 반 게송을 읊어드릴 터이니 잘 들으시오."

설산동자는 하늘에 오를 듯 기뻤다. 동자는 몸에 걸친 사슴가죽옷을 벗어 땅에 깔아 설법하는 자리를 만들고 꿇어앉아 말했다.

"존자여, 이 자리에 앉으십시오. 원하옵나니 저를 위해 나머지 반 게송을 설해 구족하게 하소서."

나찰은 게송을 읊었다.

"생기고 소멸함이 다 사라진 그 세상은[생멸멸이(生滅滅已)] 모든 고통 떠나버린 대열반의 기쁨이다[적멸위락(寂滅爲樂)]."

동자는 게송을 듣자 환희심이 솟았다. 게송의 뜻을 마음속 깊이 되새기고 나무와 바위 등에 수없이 게송을 새긴 다음 높은 나무에 올라갔다. 동자는 높은 나뭇가지에 올라가 나찰에게 몸을 던지며 말했다.

"간탐하고 인색한 여러 사람들, 또 적은 것을 보시하고 뽐내는 사람은 모두 와서 내가 한 게송을 위해 생명 버리기를 초개같이 하는 것을 보라." 『대반열반경』

수메다 행자가 설산동자라는 수행자의 몸을 받아 정진할 때였습니다. 설산동자는 어디선가 들려오는 진리의 게송을 들었습니다. 그 게송을 말한 이가 누구인지 사방을 둘러보니 나찰만이 서 있을 뿐이었습니다. 나찰은 사람을 잡아먹는 귀신입니다. 설산동자는 나찰을 보고 '나찰이 그 게송을 읊었다는 것은 마치 불 속에서 연꽃이 피어날 수 없고, 따가운 햇볕에서 찬물이 날 수 없는 것과 같다'라고 생각합니다.

그러나 진리란 어떤 특정한 곳에 존재하는 것이 아니고 특수한 사람의 전유물도 아닙니다. 진리는 온 우주에 충만해 있으나 우리가 보지 못할 뿐입니다. 또한 진리를 볼 수 있는 길을 알아도 실천하지 않기 때문에 볼 수 없는 것입니다.

설산동자는 곧 자신이 형상에 집착했음을 참회하고 나찰에게 스승의 예를 갖추어 진리를 받들고자 합니다. 설령 나찰이 한 말이더라도 그것이 진리이기만 하다면 따를 용의가 있었던 것입니다. 진리란 불교라는 이름만을 가지고 있는 것은 아닙니다. 굳이 불교라는 이름이 아니더라도 올바른 길이기만 하면 얼마든지 따라갈 수 있는 용기가 있어야 합니다.

그러나 나찰은 배고픔으로 굶어 죽을 것 같아 무의식중에 내뱉은 헛소리라고 말합니다.

"수행자여, 그런 말씀은 하지 마시오. 나는 먹지 못한 지가 여러 날 되어 지금 말할 기운도 없소. 먹을 것을 찾아 여러 곳을 헤매었으나 구하지 못해 기갈이 아주 심하고 어지러워 그만 헛소리를 한 것뿐이오."

설산동자가 그렇게도 애타게 찾고자 했던 부처님의 법이 굶어 죽을 것 같아 지껄인 헛소리였다는 것입니다.

우리는 화려한 언어와 난해한 전문용어로 강의하는 철학교수나 대장경 구절을 인용하고 주석을 달아가며 설법하는 스님, 혹은 깨달음을 얻었다는 대선사의 말씀에서는 느낄 수 없었던 삶의 의미를 투박한 말투로 신앙 고백을 하는 어느 평범한 보살님의 말 속에서 발견하는 경우가 있습니다. 또는 화려하게 장엄된 웅장한 법당에서 보살의 수행에 대해 설법하는 스님보다 고통받는 이웃의 아픔을 함께 나누며 살아가는 사람의 모습에서 부처님의 진리와 보살의 모습을 발견하기도 합니다.

진리는 어디에나 존재합니다. 진리는 권위와 형식을 갖춘 곳보다는 그렇지 못한 곳에서 발견되는 경우가 더 많습니다. 진리는 중생의 세계를 떠나 있는 것이 아니라, 중생의 삶 속에, 그것도 처절한 고통의 현실 속에 있습니다.

『화엄경(華嚴經)』에 보면 선재동자가 불법을 구하기 위해 53명의 선지식을 찾아다닙니다. 53명의 선지식 중에는 훌륭한 스님도 있지만, 대부분 대장장이·창녀·농부·장자 같은 평범한 이들입니다. 이러한 사실은 오늘날 우리가 어디서 어떻게 진리를 구해야 하는지를 보여줍니다.

우리는 목사나 신부 혹은 스님까지도 성직자라고 합니다. 성직자는 신을 믿고 신과 인간의 관계를 대행해 주는 성스러운 사람이란 뜻입니다. 그러므로 스님을 성직자라고 말하는 것은 불교적으로 볼 때 옳은 표현이 아닙니다.

스님은 수행자입니다. 진리를 찾아가는 구도자입니다. 구도자에게는 어떤 형식적인 이름만의 불교는 용납될 수 없습니다. 부처님의 진리를 찾고자 하는 사람은 '저건 악마다, 저건 이교도다' 하는 식의 고정관념과 편견을 가져서는 안 됩니다. 또한 불교라는 이름만 가지고 있으면 무조건 옳다는 편견도 버려야 합니다. 이런 두 가지 편견이 다 극복되어야 합니다. 구도자는 설산동자와 같이 바른 법이라면 나찰에게까지도 배우려는 자세가 필요합니다.

설산동자는 나찰에게 스승의 예를 갖추어 법을 청합니다. 그러나 진리는 결코 쉽게 완성될 수 없습니다. 나찰은 진리를 설해주는 대가를 요구합니다.

"내가 먹는 음식은 사람의 더운 살과 피요."

나찰은 진리를 완성하는 대가로 설산동자의 생명을 요구합니다.

진리는 가만히 앉아서 완성되지 않을 뿐더러, 발견하는 것조차 결코 쉽지 않습니다. 신라의 성자 이차돈은 승려도 거사도 아니었습니다. 보잘것없는 벼슬을 하는 스물두 살의 청년이었습니다. 그러나 불법을 위해 순교를 자청했습니다. 이처럼 진리를 실현하기 위해서는 죽음까지도 감수해야 하는 것이 중생계의 현실입니다.

설산동자는 진리를 구하고자 몸을 버리는 것은 질그릇을 칠보그릇과 바꾸는 것이고, 금강과 같은 불멸의 몸을 얻는 길이라고 생각합니다. 그것은 한 개인이 몸을 바침으로써 무수히 많은 사람들이 진리를 알게 되고 불국 정토가 성취되는 길입니다. 중생을 고통에서 구하기 위해 생명을 바친 수많은 성인들의 서원은 결코 사라지지 않습니다.

진리를 얻은 설산동자는 세상을 향해 외칩니다.

"간탐하고 인색한 여러 사람들, 또 적은 것을 보시하고 뽐내는 사람은 모두 와서 내가 한 게송을 위해 생명을 버리는 것을 보라."

설산동자는 조그마한 선행에 자족하는 우리의 안일하고 자기중심적인 자만심을 향해 날카로운 비수를 던집니다.

보살은 혼자만이 지혜를 얻고 진리를 증득하는 사람이 아닙니다. 보살은 모든 이에게 진리를 밝히고 지혜를 얻게 해 그들과 함께 불국 정토에 들고자 자신을 희생하는 사람입니다.

인간 해방의 역사는 이러한 보살들의 역사이며, 이것이 곧 부처님의 역사입니다.

다 함께 부처님의 세계로 가고자

밀린다 왕은 나가세나 스님에게 물었습니다.

"스님, 지혜의 특징은 무엇입니까?"

"지혜는 광명을 그 특징으로 합니다. 지혜가 생길 때는 무명(無明)의 어둠을 깨뜨려 무명의 등불을 밝히고 심오한 진리를 드러냅니다. 그리하여 수행자들은 모든 것을 '무상(無相)이다, 무아(無我)다' 하여 밝은 지혜로 보려고 합니다."

"비유를 들어주십시오."

"왕이여, 잘 들으시오. 어떤 사람이 어두운 방 안에서 등불을 켰다고 합시다. 그가 어둠을 깨고 광채를 발하며 빛을 비추는 등불로 인하여 그곳의 물건을 올바로 볼 수 있는 것과 같습니다."

『밀린다왕문경(彌蘭陀王問經)』은 밀린다 왕과 나가세나 스님과의 대화 내용을 엮은 경전입니다. 이 경전은 불교 사상을 이해하는 데 필요한 윤회나 업 등 여러 가지 개념을 풍부한 예를 들어 설명하고 있습니다. 이 경전에서 밝히는 바와 같이, 지혜는 어둠을 몰아내어 삿된 가치를 소멸시키고 진리를 실현하는 데 그 의미가 있습니다. 그러므로 지혜는 아무런 비판이나 창조적 사고 없이 드러난 사실만을 기억하는 일반적인 지식과는 구별됩니다.

지혜란 끊임없이 문제를 제기해 그 어디에도 꺼들리거나 안주하지 않으며, 편견과 아집을 떨치고 모든 것을 있는 그대로 냉정하게 볼 수 있는 눈을 말합니다. 또한 지혜란 올바르게 살려는 자기반성에 근거를 둡니다. 냉철한 이성과 직관을 통한 올바른 판단력은 지혜에서 생깁니다.

지혜는 무명에 싸인 업장을 끊어버리는 날카로운 칼날이며, 우리의 고통스런 현실을 올바로 보고[고(苦)], 그 원인을 명확히 규명함으로써[집(集)], 고통이 해결된 상태를 찾아[멸(滅)], 그것을 실현시켜가는 길을 제시합니다[도(道)]. 그러므로 지혜는 암흑의 고통 속에서 헤매는 우리에게 올바른 길을 인도하는 자유와 해방의 빛입니다.

우리는 부처님을 지혜와 자비가 구족하신 분이라고 하며, 보살을 '상구보리 하화중생(上求菩提 下化衆生)', 즉 지혜를 구하고 자비를 실천하는 사람이라고 말합니다. 여기에서의 상·하는 귀천이나 우열, 선후의 문제가 아닙니다. 그럼에도 불구하고 사람들이 이것을 선후 개념으로 이해하는 이유는 전체와 자신을 분리시키는 이분법적 사고방식에 익숙해 있기 때문입니다. 그래서 흔히들 먼저 세간의 시비를 떠나 도를 깨닫고 난 후에야 세속에 나가 중생을 구제할 수 있다고 말하는 것입니다.

그러나 부처님의 진리를 볼 수 있는 지혜는 중생의 고통을 자신의 고통으로 느끼며 해결해 나가는 과정 속에서만 찾을 수 있습니다. 부처님의 진리는 인간의 고통을 올바로 보고 그 원인을 찾아 소멸시켜 모든 중생을 불국 정토에 이르게 하는 것이 목적이기 때문입니다. 그것 자체가 부처님의 진리입니다. 그러므로 이러한 목적을 잘

못 알았을 경우에는 아무리 노력해도 올바른 진리를 구할 수 없게 됩니다.

이렇게 진리 증득과 중생 구제는 선후 개념이 아니라 동시 개념이며 상호 의존적인 개념입니다. 설산동자의 발원을 보거나 모든 불보살의 서원을 보더라도 깨달음을 얻기 위한 목적은 오로지 중생을 구제하기 위한 것이었습니다. 군이 선후를 따진다면 오히려 중생 구제가 먼저입니다. 중생 구제의 길을 통해 깨달음을 성취할 수 있기 때문입니다.

부처님의 진리가 연기법 그 자체인데 인간관계를 부정하고 세간을 떠나는 것이 과연 어떤 의미를 갖겠습니까? 아무리 진리를 구하고자 할지라도 그 행위가 중생의 고통을 가슴에 안고, 그 아픔을 해결하기 위한 것이 아니라면, 그런 진리는 형이상학적인 관념론에 지나지 않습니다.

그러니 '상구보리 하화중생'의 서원을 세운 보살은 어디에 머물러야겠습니까? 중생계에 중생의 모습으로 있어야 합니다. 중생으로 화하여 중생의 아픔을 안고 살아가면서 혼자가 아니라 다 함께 부처님의 세계로 가고자 하는 사람이 보살입니다. 그러므로 불국 정토에 들기 위해서는 중생의 세계를 떠나는 것이 아니라 중생의 세계에 있으면서 끊임없이 보살행을 해야만 합니다.

도솔천의 호명보살

호명보살의 다섯 가지 관찰

그때 부처님이 나타나시리라는 예고를 들은 일만 큰 세계의 천인들은 이제 어떤 사람이 부처가 되리라는 것을 알고 있었으므로 온 법계의 천인들은 곧 낱낱 세계의 시대왕천·제석천·선시분천·도솔천·타화자재천·대범천 등과 함께 모두 한 세계에 모여 도솔천의 호명보살을 찾아가 부처가 되어줄 것을 간청했다.

"보살이시여, 당신이 열 가지 바라밀을 완전히 행하여 성취한 것은 제석천의 영광을 구하거나 마왕·범천·전륜왕 등의 영광을 구하기 위한 것이 아니었습니다. 세상의 모든 중생을 구제하기 위해, 중생 구제를 위한 일체의 지혜를 얻기 위한 것이었습니다. 지금이 바로 당신이 보리를 구할 때입니다. 당신이 세상에 출현할 시기가 왔습니다."

그러나 보살은 천인들의 간청을 잠시 보류하고 자기의 궁전에서 나와 신들이 모이는 법당에 드시어 정면에 있는 사자좌에 앉으셨다. 무수한 보살들도 뒤를 이어 각기 무리를 거느리고 사자좌에 앉았다. 이때 보살은 하생의 시기와 대륙과 나라와 집안과 어머니 등의 다섯 가지를 관찰하셨다. 이와 같이 다섯 가지를 관찰해 결정한 다음 호명보살은 천인들의 간청을 받아들였다.

"천인들이여, 내 이제 부처가 될 시기가 되었소."

그리고 보살은 다른 천인들을 전송한 후 도솔천의 천인들을 데리고 도솔천의 낙타동산으로 갔다. 호명보살은 이곳에서 하계에 태어나기 위해 그가 전생에 행한 선업의 과보를 생각하면서 날을 보내고 있었다. 『본생경』

수메다 행자는 발심한 이래 사 아승지 십만 겁의 세월 동안 547번의 몸을 받으며 오로지 중생 구제를 위한 목적에 자신의 몸을 바쳤습니다. 중생의 세계에 불국 정토를 건설하고자 수많은 자기희생을 하면서 십바라밀을 완성하고 도솔천에 호명보살로 태어났습니다.

이는 부처님의 탄생이 우연이 아니라, 중생을 고통에서 구하기 위해 생명을 바친 수많은 보살들의 헌신의 역사 속에서 이루어진 결실이라는 의미입니다. 보살이 세운 서원은 죽는다고 해서 소멸되지 않습니다. 오히려 생명을 바쳐 이루려던 그 서원의 힘은 수많은 사람들에게 전파되어 불국 정토를 보다 앞당겨 실현할 수 있게 합니다.

오늘 나의 육신이 사라지는 것은 역사 속에서 영원히 꺼지지 않는 생명의 불꽃을 얻기 위한 것입니다. 이것이 보살의 믿음이기에 무수한 세월 신명을 던져가며 부처의 탄생을 준비했던 것입니다.

천인들이 부처가 되어줄 것을 간청하자, 호명보살은 자신이 태어날 시기와 장소 등 다섯 가지를 관찰합니다.

'우선 인간의 수명이 십만 세 이상일 때는 부처님이 나타날 적당한 시기가 아니다. 왜냐하면 그때의 중생들은 나는 것과 늙는 것과 죽는 괴로움을 절실하게 느끼지 못하기 때문이다. 그러므로 그때는 적당한 시기가 아니다. 또 인간의 수명이 백 세 이하일 때도 적당한 시기가 아니다. 왜냐하면 그때의 중생들은 번뇌에 가득 차 있기 때문이다. 번뇌에 가득 차 있으면 가르침을 들어도 거기에 따르지 않고 곧 잊어버린다. 그러므로 이때도 적당한 시기가 아니다. 인간의 수명이 십만 세 이하 백 세 이상일 때가 부처가 나타나기에 알맞은 때이다.'

인간의 수명을 들어 시기를 설명하는 이 경전 내용에서 우리는 몇 가지 중요한 가르침을 발견할 수 있습니다. 우선 인간의 삶이 이상적인 상태거나 완전히 절망에 빠져 있을 때는 부처님이 오실 시기가 아니라는 것입니다. 인간의 삶이 이상적일 때 부처님이 오실 필요가 없으리라는 것은 누구나 쉽게 이해할 수 있습니다. 그러나 인간의 삶이 완전히 절망에 빠져 있을 때 부처님이 오실 시기가 아니라는 점에 대해서는 의아한 생각을 하게 됩니다.

부처님은 인간이 자포자기해 절망적일 때 인간 이외의 어떤 힘으로 세상을 바꾸러 오시는 분이 아닙니다. 사람들이 문제를 해결하고 자 노력하며 간절히 희원할 때, 그들을 올바로 인도해 주기 위해 오 시는 분입니다. 부처님은 인간이 절대 절망 속에 주저앉아 있을 때 가 아니라, 이러한 상황을 극복하고 올바로 살아보려고 노력하는 그 때 출현하십니다. 이것이야말로 인간을 고통에서 벗어나게 하는 주 체는 부처가 아니라 중생임을 밝혀주는 것입니다.

비록 태어난 것 자체가 고통이라고 여겨질 만큼 참혹한 상황이더 라도 새로운 세계를 향한 간절한 희원을 가지고 노력하는 그때가 바 로 부처님이 오시는 때입니다. 중생이 자신들의 힘으로는 도저히 불 가능하다고 여겨 노력을 포기할 때 부처님이 오셔서 중생을 구제해 주시는 게 아닙니다. 부처님은 중생이 노력할 때 중생 스스로 부처 가 될 수 있도록 그 길을 인도해 주시는 분입니다.

호명보살은 또 태어날 대륙과 나라를 살핍니다.

고대 인도에서는 세계가 네 개의 대륙으로 이루어져 있다고 생각 했습니다. 그 가운데 우리 인간 사회인 잠부드비파〔염부주(閻浮洲), 남섬부주(南瞻部洲)〕가 부처님의 출현에 제일 적당하다고 생각한 것 입니다. 이는 당시 인도인의 세계관에 근거한 것으로 그들은 인도가 세계의 중심이라고 생각했습니다. 그리하여 이 인도 대륙 가운데 카 필라바스투를 선택합니다.

그러면 카필라바스투는 어떤 나라였을까요? 그 당시 인도는 공화 제 중심 사회에서 군주제 중심인 고대국가로 전환되어 가는 시기였습니다. 인도에는 주로 공화제 정치 체제를 유지해 온 300여 개의 군소 국가가 존재했습니다. 이들 국가는 농업 중심의 경제 체제를 유지하면서 각기 정치적인 자주권을 행사했습니다. 그런데 상공업이 활성화되자 도시를 중심으로 왕권이 강화되면서 전제군주제가 점차 확대되어 가고 있었습니다.

이렇게 전제군주제 국가가 16개국 정도 있었으며, 그중 가장 큰 세력을 가진 나라가 라자그리하를 중심으로 한 마가다국과 슈라바스티를 중심으로 한 코살라국이었습니다. 이 두 나라는 14개 국가와 300여 개의 소국가에 영향력을 행사했습니다.

그중에서 부처님이 태어나신 카필라바스투는 농업 중심의 공화제를 유지하던 소국가로 코살라국의 영향 하에 있었습니다. 그러나 정치적 결정이나 외교 관계 등은 자주적이었으며 주권 의식이 강했으므로 코살라국도 함부로 하지 못했습니다. 공화제에서는 몇 개의 씨족이 모여 왕을 선출했습니다. 따라서 카필라바스투의 왕은 전제왕국의 군주가 아닌 귀족회의의 대표 책임자라는 의미를 지녔습니다.

호명보살은 카필라바스투에서 태어나기로 결정하고는 이어서 가문을 살펴봅니다.

'석가모니'는 '석가족의 성자'라는 말입니다. 석가란 인도 말로 '능하다, 훌륭하다, 어질다'는 뜻입니다. 또한 부처님을 '고타마 싯다르타'라고 하는데, '고타마'는 성이고, '싯다르타'는 이름입니다. 석가족은 '태양의 후예'라고 불렸으며, 이것으로 보아 브라만교를 받아들이기 전부터 태양신을 숭배했음을 알 수 있습니다. 태양신을 숭배하는 이들은 주로 농사를 지었는데, 이것은 슈도다나 왕의 형제들 이름이 고반·맥반·감로반 등 '밥 반(飯)' 자로 끝나는 것을 보아도 알 수 있습니다.

농경민족은 자연의 변화에 예민하고, 자연에 경외심을 가지고 있습니다. 또한 농사를 짓기 위한 협업이 발달되어 단결심이 강합니다. 타 종족에 대해서는 배타적이고 보수적인 한편, 자기 종족에 대한 보호 본능과 자긍심이 강한 편입니다.

석가족 역시 그러했습니다. 석가족은 종족에 대한 자긍심이 강해 비록 소국이지만 강대국인 코살라국도 함부로 할 수 없었습니다. 석가족은 때론 자긍심이 지나쳐 교만하기까지 하여 부처님께서도 그 점을 염려하실 정도였습니다. 부처님이 성도 후 카필라바스투에 돌아오셨을 때에도 슈도다나 왕은 석가족 사람들이 부처님을 '석가족의 긍지를 저버리고 출가한 사람'이라고 생각해 제대로 대우해 주지 않을까 봐 걱정을 많이 했다고 합니다.

석가족의 교만은 결국 뒷날 카필라바스투가 멸망하게 되는 인과를 낳습니다. 강대국인 코살라국의 프라세나지트 왕은 약소국에 대한 견제와 융화 정책으로 석가족 여인을 부인으로 삼고자 했습니다. 코살라국이 많은 속국 중에서 카필라바스투의 여인을 부인으로 삼았다는 것은 카필라바스투가 비록 속국이지만 호락호락한 위치에 있지 않았다는 것을 엿보게 합니다.

그런데 석가족은 비록 대국의 왕이라 할지라도 석가족 여인을 다른 종족에게 내줄 수 없다고 생각해 궁의 시녀를 공주로 속여 코살라국으로 시집을 보냈습니다. 그리고 그녀와 프라세나지트 왕 사이에서 비루다카 왕자가 태어났습니다. 비루다카는 어릴 때 궁술을 배우기 위해 카필라바스투에 머물렀는데 그때 석가족으로부터 천한 시녀의 자식이라는 욕설을 듣게 됩니다. 비루다카는 '내가 커서 반드시 이들에게 복수를 하리라'고 마음에 한을 품습니다. 그 뒤 비루다카는 아버지 프라세나지트 왕을 죽이고 왕위에 오른 뒤 석가족을 멸망시키기에 이릅니다.

석가족은 농경민족임에도 불구하고 무예를 즐겼으며 특히 궁술이 뛰어났다고 합니다. 석가족 젊은이들은 코끼리나 말을 다루는 기술과 병법 등을 배우며 무사로서의 기량을 길렀습니다. 경전에도 카필라바스투에서 치른 무술대회에 관한 이야기가 있습니다. 싯다르타 역시 무술대회에 참가해 뛰어난 실력을 발휘했는데 특히 궁술 실력이 놀라웠다고 합니다. 뒷날 비루다카 왕이 카필라바스투를 공격했을 때 석가족이 활로 대처하자 코살라국이 많은 병력을 잃고 잠시 후퇴했다는 기록도 있습니다.

호명보살은 끝으로 어머니가 될 마야부인에 대해 살펴보았습니다. 마야부인은 '환(幻)'이라는 뜻으로 의역되는 '마야'라는 이름에서도 알 수 있듯이 사람의 마음을 혹하게 할 만큼 아름다웠던 것 같습니다. 마야부인은 슈도다나 왕과 같은 석가족 출신으로 카필라바스투에서 그리 멀지 않은 데바다하의 성주 수프라붓다의 딸이었습니다. 마야부인은 결혼한 뒤 자식을 무척이나 기다리고 있었습니다.

호명보살이 인간 세상에 태어나기 전에 다섯 가지를 살펴보았다는 것은 부처님 당시의 시대적 상황과 가족 상황을 파악한 것으로 볼 수 있습니다. 이는 부처님의 생애를 이야기하려는 후대의 서술자가 당시의 제반 조건을 기술하기 위해 정리해 놓은 것이라 생각됩니다.

보살은 드디어 중생계로

이때에 카필라바스투에는 성안의 모든 사람이 축제 기분으로 한창 들떠 있었다. 마하마야 왕비는 축제가 시작되기 훨씬 전부터 술을 입에 대지 않고 화환과 향으로 몸을 꾸미고 조용한 마음으로 제전을 즐기고 있었다.

축제가 시작된 지 이레가 되는, 축제가 끝나는 날이었다. 마하마야 왕비는 아침 일찍 일어나 향내 나는 맑은 물에 목욕을 하고 사십만 냥의 황금을 풀어 크게 보시를 행했다.

그리고 갖가지 장식으로 몸을 꾸미고 맛난 음식을 먹되, 하루 종일 여덟 가지 재계〔팔관재계(八關齋戒)〕를 지켰다. 하루 일을 마친 왕비는 잘 꾸며진 침전에 들어 침대에 누웠다. 잠이 든 왕비는 이런 꿈을 꾸었다.

사천왕이 왕비가 누워 있는 침대를 들고 설산으로 운반해 큰 사라나무 밑으로 옮겼다. 그러자 그 천왕들의 왕비가 와서 마하마야 왕비를 아노마 못으로 데려가서 인간의 때를 씻겨주었다. 그러고는 천인의 옷을 입히고 향을 바른 뒤에 천상의 꽃으로 몸을 장식했다. 천왕의 왕비들은 백은의 산으로 둘러싸인 황금의 궁전으로 마하마야 왕비를 데려가서 이미 마련된 천인의 침대에 베개를 동쪽으로 향하게 하고 그 위에 눕혔다. 그때에 호명보살은 여섯 개의 상아를 가진 흰 빛깔의 훌륭한 코끼리가 되어 백은산에서 멀지 않은 황금산 위를 거닐고 있었다. 흰 코끼리는 은빛 찬란한 코로 흰 연꽃 한 송이를 집어 들고 우렁차게 한소리 외치고는 황금 궁전으로 들어갔다. 흰 코끼리는 마하마야 왕비가 누워 있는 침대 주위를 오른쪽으로 세 번 돈 다음 왕비의 오른쪽 갈비뼈를 헤치고 그 태 안으로 들어갔다.

이리하여 보살은 가을의 제전 마지막 날에 어머니 태 안에 드셨다.

보살이 태 안에 들자 동시에 일만 세계가 모두 진동하고 서른두 가지의 징조가 나타났다. 일만의 세계는 한없는 광명이 충만하고, 이 광명을 보기 위해 장님은 눈을 뜨고 귀머거리는 소리를 들으며 벙어리는 서로 이야기하고 곱사는 허리를 폈으며 절름발이는 바로 걷고 결박된 이는 사슬과 차꼬에서 풀려났다. 그리고 지옥의 불은 모두 꺼지고 아귀들은 굶주림과 목마름이 없어졌으며 축생들은 두려움을 느끼지 않고 중생들은 병이 없어졌으며 모든 중생이 서로 정답게 이야기하게 되었다. 사방은 밝게 트이고 부드럽고 시원한 바람이 불어와서 중생들로 하여금 즐거운 마음을 일으키게 하고 모든 악기와 장식물은 스스로 소리를 내었다. 바다와 육지의 모든 꽃은 남김없이 피어나고 나무줄기와 가지와 넝쿨에도 연꽃이 피고 반석을 깨고 연꽃이 솟아나오며 공중에는 드리워지는 연꽃이 피는 등 온갖 빛깔의 아름다운 연꽃이 흐드러지게 피었다. 사방에서 연꽃비가 내리며 공중에는 하늘의 음악이 울려 퍼지고 일만의 세계는 그 전체가 마치 하나의 화환이 된 것처럼 향기에 싸여 실로 아름다움의 극치를 이루었다. 『본생경』

카필라바스투에서는 매년 6월이면 축제가 열렸습니다. 축제 마지막 날 마야 왕비는 목욕재계하고 황금 사십만 냥을 풀어 크게 보시했으며 하루 종일 팔관재계를 지켰습니다. 하루 일을 마친 왕비는 피곤해서 잠에 빠져들었고 여섯 개의 상아를 가진 코끼리가 태에 들어오는 꿈을 꾸었습니다. 보살이 마야부인의 태 안에 들자 일만의 세계가 모두 진동하고 서른두 가지 기이한 일이 일어났습니다.

보살이 드디어 중생계로 내려와 마야부인의 태에 든 것입니다. 이때 일어난 온갖 상서로운 징조는 부처님이 앞으로 어떻게 살아갈 것이며, 부처님의 가르침이 이 세상과 중생에게 무엇을 주고자 하는지를 예시해 줍니다. 즉 경전에 서술된 서른두 가지 기이한 일이란 고통받는 중생이 그 고통에서 해방되고 안락을 누릴 수 있는 사회적 조건이 마련됨을 보여줍니다.

중생은 진실을 올바로 보지 못하고, 진리의 소리를 듣지 못합니다. 자신의 삶을 주체적으로 살지 못하고, 자신 이외의 것에 의지해 왜곡된 삶을 살아갑니다. 이러한 삶에 구속되어 두려움과 고통 속에서 헤매는 중생에게 광명을 주신 분이 바로 부처님입니다.

부처님은 서른두 가지 기이한 사건을 통해 우리의 눈과 귀와 입을 열어주십니다. 부처님은 우리가 열린 눈과 귀와 입과 몸으로 진리를 실천할 수 있도록 하기 위해 이 세상에 오셨습니다.

그러나 만약 우리가 이런 예시적 기록을 보고 부처님의 신통력과 권능에 의지한다면, 우리는 끝내 부처님의 참모습을 볼 수 없습니다. 고통이 소멸되는 순간도 맛볼 수 없습니다. 어떤 의미에서건 신통력에 의지하는 신앙은 맹신으로 흐르게 마련입니다.

신리에 대한 믿음은 맹신이 아닙니다. 진리는 장님이 눈을 뜨고 사물을 있는 그대로 훤히 볼 수 있는 것처럼 의심도 불안도 없는 확신입니다. 이것이야말로 자신이 삶의 주인이 되는 신앙의 자세입니다. 우리가 부처님을 공경하고 따르는 것은 부처님의 신통력이나 권능 때문이 아닙니다. 그것은 부처님이 우리를 종속적인 노예의 삶에서 주인의 삶으로 이끌어주신 분이기 때문입니다.

왕비에게 꿈 이야기를 전해들은 슈도다나 왕은 기뻐하면서 전국에 있는 예순네 명의 수행자에게 해몽을 부탁했습니다. 그들은 입을 모아 말했습니다.

"대왕이시여, 기뻐하십시오. 이는 태몽이 분명하며, 그 아기는 왕자일 것입니다. 만약 그 왕자가 왕위를 계승하면 전륜성왕이 될 것이며, 집을 떠나 출가하면 세상의 번뇌를 없애는 부처가 될 것입니다."

사십이 넘도록 후사를 보지 못한 슈도다나 왕에게 이 말은 최상의 축복이었습니다. 왕은 그들에게 많은 보물과 코끼리·말·마차 등으로 후하게 사례하고, 카필라바스투 안팎의 사람들에게는 재물을 베풀고 설법을 하는 무차법회를 열어 기쁨을 널리 알렸습니다.

이후 왕비는 몸가짐을 더욱 정숙하게 했습니다. 태 안의 생명에게 좋지 않은 행동과 생각을 멀리하고 깨끗한 마음으로 시간을 보냈습니다.

제2장

위대한 인간의 탄생과 성장

왜 어떤 이는 뜨거운 햇볕 아래서

고통스럽게 농사를 지으면서도 못 먹고 헐벗어야 하고,

왜 어떤 이는 편안히 놀고먹을 수 있는 것일까?

왜 세상은 이다지도 불공평한가?

다 함께 행복해지는 세상은 없는 것일까?

탄생에 관한 전설

탄생에 얽힌 세 가지 설화적 묘사

마야 왕비는 열 달이 찼을 때 슈도다나 왕에게 말했다.

"대왕이시여, 아기를 낳을 때가 되었습니다. 저는 이제 친정인 데바다하로 가서 아기를 낳고자 합니다."

슈도다나 왕은 이 말을 듣자 기쁨을 감추지 못하고 기꺼이 승낙했다.

카필라바스투와 데바다하 중간에 두 성 사람들이 똑같이 룸비니라고 부르는 아름다운 동산이 있었다. 이 동산에는 아소카나무가 우거져 있었다. 그때에 여러 나무들은 줄기에서 가지 끝까지 모두 한 빛깔이었으며 아름다운 새가 아름다운 소리로 지저귀면서 날아다니고 있었다. 룸비니 동산 전체가 마치 제석천의 유원지인 칫타라 동산의 잔치 마당과 같이 아름답기 그지없었다. 룸비니 동산을 지나던 왕비는 동산의 아름다운 모습에 끌리어 이곳에서 유희하고 싶어졌다. 왕비는 가마를 아소카나무 숲으로 옮기게 했다. 대신들은 가마를 메고 숲 속으로 들어갔다. 왕비는 가마에서 내려 많은 나무 중에서도 왕자다운 아소카나무 아래에 이르렀다. 왕비가 땅에 내려서 꽃이 활짝 핀 가지를 잡으려고 팔을 뻗어 올리자 가지는 스스로 내려와 왕비의 손 가까이에 닿았다. 왕비가 그 꽃가지를 잡자 곧 산기가 일어났다. 시중들은 왕비의 주위에 포장을 치고 그 자리에서 물러갔다. 이윽고 왕비는 그 꽃가지를 잡고 선 채 오른쪽 옆구리로 옥동자를 낳았다. 그와 동시에 청정한 마음을 가진 네 명의 대범천이 황금 그물을 가지고 와서 보살을 받았다. 『본생경』

　　바로 그때에 제석과 범왕이며 사천왕은 그의 권속들과 함께 모두 와서 보살을 호위했다. 석제 환인은 손에 보배 일산을 들고 보살을 가려주었으며, 대범천왕이 흰 불자를 가지고 좌우에 시립했다. 그리고 공중에서는 용왕의 형제 난타와 우바난타가 왼편에서 맑고 따뜻한 물을, 오른편에서 시원한 청정수를 토해 보살을 씻겨드렸다. 그러자 보살의 몸은 황금빛으로 더욱 빛나 서른두 가지의 모습을 갖추었고 큰 광명을 내쏘아 널리 삼천대천세계를 두루 비추었다. 그러자 온 세상의 광명은 모두 그 빛을 잃었다. 보살은 탄생하자마자 사람의 부축 없이 스스로 사방으로 일곱 걸음을 걸었다. 그러자 옮기는 걸음마다 수레바퀴 같은 연꽃송이가 피어올라 그 발걸음을 받쳐주었다. 일곱 걸음씩 걷고 나서 사방과 상하를 둘러본 보살은 오른손을 위로 왼손을 아래로 가리키며 사자처럼 외쳤다.

"하늘 위와 하늘 아래 나 홀로 존귀하도다. 삼계가 모두 고통에 헤매니 내 마땅히 이를 편안케 하리라." 『수행본기경』

열 달이 지나 4월이 되자 마야부인은 해산을 하기 위해 친정인 데바다하로 가고자 왕에게 청했습니다. 당시 인도는 친정에 가서 아기를 낳는 것이 풍습이었습니다. 슈도다나 왕은 이를 쾌히 승낙하고 데바다하로 가는 길을 고치고 장식한 후 왕비를 황금수레에 태워 많은 대신을 딸려 보냈습니다. 왕비는 데바다하로 가는 도중에 룸비니 동산에서 쉬던 중 부처님을 낳으셨습니다.

이제 바야흐로 부처님이 우리와 같은 육신을 가지고 구체적인 인간의 역사 속으로 몸을 나투신, 인간 '고타마 싯다르타'의 이야기가 시작됩니다.

성인 탄생에 대한 후세 기록은 대부분 신기한 사건과 신앙적 상징 등으로 장엄되기 마련입니다. 특히 한 종교 교주의 탄생은 과장되게 신비화되거나 성스러운 상징들로 꾸며집니다. 경전에 전하는 부처님의 탄생 또한 많은 상징과 종교적 수식으로 장엄되어 있습니다.

이러한 부처님의 탄생 장면을 세 가지 상징적인 사건, 옆구리에서 태어나셨다는 점, 태어나자마자 사방으로 일곱 걸음을 걸으신 점,

그리고 탄생게(誕生偈)를 통해 그 뜻을 살펴보도록 하겠습니다.

부처님이 보통 사람과 다르게 옆구리에서 태어나셨다는 것은 부처님의 고결성과 신비성을 나타내기 위한 것이라고도 합니다. 그러나 우리는 이를 통해 보다 구체적인 사실을 생각할 수 있습니다.

당시 인도는 엄격한 카스트 계급사회였습니다. 그 계급제도를 합리화하기 위해 인간은 생겨날 때부터 계급이 정해져서 태어난다고 주장하는 것이 브라만교입니다. 앞에서도 살펴보았듯이 브라만교의 성전 『리그베다』에 따르면, 신이 카스트 계급을 정했으며, 신분에 따라 태어나는 부위도 서로 다르다고 합니다. 그러므로 당시의 인도인들은 노예는 노예의 운명이 있고, 브라만·크샤트리아·바이샤 역시 각각의 운명이 정해져 있다고 믿었습니다.

당시의 이런 사고방식으로는 크샤트리아 계급인 싯다르타가 옆구리에서 태어났다고 말하는 것은 일반적이고 당연한 일입니다. 부처님이 옆구리에서 태어나셨다는 것은 부처님을 특별한 존재로 부각시키기 위한 것이 아닙니다. 그것은 철저한 계급사회였던 인도에서 부처님이.크샤트리아 계급의 구체적인 인간 모습으로 태어나셨다는 것을 말해주는 것입니다.

'하늘 위와 하늘 아래 오직 그 스스로가 존귀하도다. 삼계가 모두 고통 속에서 헤매고 있으니 내 기필코 이를 편안케 하리라〔천상천하 유아독존 삼계개고 아당안지(天上天下 唯我獨尊 三界皆苦 我當安之)〕.'

부처님의 탄생게입니다. 이 탄생게야말로 부처님이 이 세상에 오신 이유이며, 부처님이 전 생애를 통해 일관되게 추구하셨던 삶의 방향을 묘사한 말입니다. 당시 사람들은 신, 인간이 상정한 신적 존재, 그리고 권력이나 재물을 가장 존귀한 것으로 여겼습니다. 그러나 부처님은 오로지 인간 그 자체가 가장 존귀하다고 선언하신 것입니다.

'유아독존'의 '아(我)'는 단지 석가모니 부처님 개인을 말하는 게 아니라 생명 있는 모든 존재를 말합니다. '독(獨)'은 타인을 부정한 자기를 의미하는 것이 아니라 그 어디에도 종속되지 않는 주인, 독립된 주체를 의미합니다. 인간의 존엄성이 외면당하는, 신 중심적이고 계급 중심적인 사회에서 부처님은 인간의 존엄성과 주체성을 선언하신 것입니다.

'천상천하 유아독존'이란 뭇 생명이 이미 존재 자체로서 그 누구에게도 훼손당할 수 없는 존엄성을 지닌다는, 자유와 평등의 생명 해방 선언입니다. 또한 인간은 우주와 자기 삶의 주인으로서 신이나 재물이나 계급 그 어떤 것에도 종속되어서는 안 된다는 인간 해방 선언입니다. 그것이 바로 인간 본래의 올바른 모습이며 우리가 실현해야 할 삶의 목적이기도 합니다.

그러나 당시의 현실은 인간이 주인이 되는 사회가 아니었습니다. 부처님은 이러한 상황을 '삼계의 중생이 모두 고통 속에 헤매고 있다'고 규정하십니다. 인간의 존엄성이 모든 것에 우선해야 함에도 불구하고 전혀 그렇지 못한 현실을 정확히 파악하신 말씀입니다.

　인간의 존엄성이 실현된 정도를 보면, 부처님 당시나 오늘날이나 큰 차이가 없습니다. 자신의 이익 때문에 타인을 한낱 부를 획득하기 위한 수단으로 취급하거나, 경제적 이익과 명예를 얻기 위해 수많은 사람을 전쟁의 소모품으로 전락시키거나, 인간을 성적 쾌락의 도구로 상품화하는 것 등이 그렇습니다. 선진국이라고 말하는 강대국들이 약소민족을 침략하고 차별하고 지배하는 것 또한 그렇습니다. 우리의 마음가짐은 또 어떻습니까? 학력이나 재산, 직업 등에 차등을 두지 않고 평등하게 사람을 대하지 못하는 것이 우리의 현실입니다.

　우리는 다른 시대나 나라에서 일어나는 일은 잘 보면서 자신이 살고 있는 시대와 사회 속에서 일어나는 사실에 대해서는 잘 모르는 경우가 많습니다. 당시의 인도인이 인간 차별을 당연시했던 것처럼, 오늘날 우리도 타인은 물론 자신의 존엄성을 가볍게 여기고 있으며, 신이나 권력이나 재물을 인간의 존엄성보다 우위에 두고 그것을 숭배하고 있습니다.

　부처님은 당시의 이런 현실을 보고 '내 기필코 이를 편안케 하리라' 하고 말씀하십니다. 인간이 주인이 되지 못하는 현실에서 내가 고통받는 중생을 구원하겠다는 다짐을 보이신 것입니다.

　부처님이 태어나자마자 일곱 걸음 걸으셨다는 것은, '삼계개고 아당안지'에 대한 보다 구체적인 해답입니다. 불교에서는 생명 있는 모든 중생의 고통스러운 현실을 천상·아수라·인간·축생·아귀·지옥의 육도(六道)로 구분합니다. 모든 중생은 그의 업, 즉 사고방식과 행동의 결과에 따라 이 여섯 세계를 순환합니다. 이것이 육도윤회입니다.

천상은 하늘 세계로 즐거움을 상징하고, 아수라는 폭력과 전쟁 등을 일삼는 어지러운 세계를 상징합니다. 짐승의 세계로 표현되는 축생은 어리석음과 무지의 세계를 의미합니다. 또 아귀란 배가 수미산만한데 먹을 것이 부족해 항상 배가 고프고, 먹을 것이 있더라도 입이 바늘구멍만해서 늘 배고픔에 허덕이는 세계입니다. 지옥은 그야말로 모든 고통이 극대화된 세계를 상징합니다. 그리고 인간 세계는 이러한 온갖 세계가 다 펼쳐지는 세계라고 하겠습니다. 즉, 고(苦)와 낙(樂)이 상징화된 지옥과 천상, 탐·진·치(貪嗔癡)가 상징화된 아귀·수라·축생의 세계, 그리고 이 온갖 세계를 넘나드는 인간의 세계가 있음을 알 수 있습니다.

인간은 결코 완전히 충족될 수 없는 욕구를 채우기 위해 끊임없이 보다 많은 것을 소유하려 하고, 그 소유물을 지키고자 불안과 갈등으로 괴로워합니다. 이러한 탐욕은 타인을 배고픔과 헐벗음에 빠뜨릴 뿐만 아니라 자신과 타인을 함께 아귀의 고통 속으로 몰아넣습니다. 또 끝없는 탐욕을 채우기 위해 타인을 지배하고 전쟁을 일으키는 진심(嗔心)에 사로잡혀 우리 모두를 아수라의 고통 속으로 몰아넣고 맙니다. 나아가 타인을 지배하고 억압하는 약육강식이 당연한 원리인 것처럼 인식되면서, 결국 무엇이 옳고 그른지를 알지 못하는 어리석음의 수렁에 빠져 축생의 고통 속에서 헤매게 됩니다. 그리고 이러한 탐·진·치에 일희일비하는 가운데 늘 천상과 지옥을 오가는 평화 없는 삶을 살아갑니다. 이것이 인간의 삶입니다. 육도윤회의 모습은 하루하루의 생활 속에서 우리 마음에 따라 수없이 변화무쌍하게 펼쳐집니다.

이 육도에서의 천상이란 흔히 말하는 천당과 극락처럼 죽은 뒤에 가는 즐거움의 세계를 의미하지 않습니다. 여기에서 말하는 천상은 지옥에 대한 상대적인 세계이며 불완전한 세계입니다.

이러한 육도의 굴레, 즉 고통의 구조에서 벗어나는 것이 해탈입니다. 부처님께서 일곱 걸음 걸으신 것은 이런 육도의 고통스런 세계를 극복하고 해탈을 이룬다는 상징입니다. 우리는 이렇게 경전 속에 나타나는 신화나 신비한 사건을 통해 부처님의 삶이 주는 가르침을 되새길 수 있습니다.

아시타 선인의 출가 예언

이때에 태자가 태어난 지 닷새가 되자 슈도다나 왕은 태자의 머리를 씻기고 명명식을 거행하고자 했다. 『본생경』

슈도다나 왕은 브라만들에게 장차 태자에게 어떠한 이름을 지어야 하겠는가를 물었다. 여러 브라만은 함께 논의하다가 왕에게 대답했다.

"왕이시여, 태자께서 탄생하실 때 온갖 보재가 생기고 모든 사람의 소원이 이루어졌으며 갖가지 상서로움이 길하지 않은 것이 없었습니다. 이러한 연유로 태자를 이름 지어 '살바 싯다르타'라고 함이 적합할 것입니다." 『과거현재인과경』

그때에 세간 염부제 땅의 남쪽 향산에 살던 아시타 선인은 부처님이 태어나셨다는 삼십삼천의 말을 듣자, 마음에 깊은 믿음이 솟아올라 곧 시자 나라타와 함께 산에서 몸을 감추어 하늘을 날아 카필라바스투로 향했다. 『불본행집경』

그때에 아시타 선인은 슈도다나 왕에게 말했다.

"대왕이시여, 내가 여기에 찾아온 까닭은 향산에 있으면서 큰 광명과 온갖 상서로운 조짐을 보고 거룩한 아들을 낳으셨다기에 그 동자를 뵙고 싶어서 일부러 찾아왔습니다." 『방광대장엄경』

그때 아시타는 의복을 정돈해 오른 무릎을 꿇고 두 손을 내밀어 태자를 안아들고 그의 머리 위에 올려서 예를 갖춘 후 자리에 돌아와 앉은 다음 태자를 무릎 위에 올려놓고 관상을 보았다. 『불본행집경』

아시타는 태자의 관상을 자세히 살펴보고 나서, 갑자기 눈물을 흘리고 슬피 울면서 크게 원통해 어쩔 줄 몰라 했다. 이를 본 슈도다나 왕과 마하마야 왕비는 온몸을 떨면서 크게 근심하고 괴로워하기를 마치 큰 풍랑에 작은 배가 요동치듯 하다가 선인에게 물었다.

"존자시여, 우리 태자가 처음 태어날 때 갖가지 상서로운 서응이 갖춰졌으며 모든 브라만이 크게 기뻐하면서 경축했거늘 우리 태자에게 어떠한 상서롭지 못함이 있기에 대 선인께서는 그리 슬피 우십니까?"

아시타 선인은 눈물을 거두고 말했다.

"대왕이시여, 조금도 염려하지 마소서. 태자야말로 서른두 가지의 거룩한 모습을 갖추었으므로 상서롭지 못함이 없습니다. 이와 같은 몸을 갖추셨는지라 만약 집에 있으면 전륜성왕이 되겠거니와, 만일 집을 떠나 도를 구하면 일체종지(一切種智)를 이룰 것입니다.

그러나 왕의 태자께서는 반드시 도를 구하고 증득해서 무상정등정각(無上正等正覺))을 이루실 것입니다. 그리하여 청정한 법의 바퀴를 굴릴 것이며 하늘과 인간을 제도해 세간의 눈을 뜨게 할 것입니다. 그럼에도 불구하고 제가 슬퍼하는 까닭은 내 나이가 이미 백스무 살이고 머지않아 목숨이 다할 것이므로 부처님이 나오심도 보지 못하고 진리의 가르침도 듣지 못할 것이므로 이를 원통히 여겨 흐느끼면서 목메어 울었을 따름입니다." 『과거현재인과경』

부처님이 태어나시자 아시타 선인이 찾아와 예언을 합니다. 슈도다나 왕은 20년 동안 애타게 기다리던 아들을 얻은 것만 해도 기뻐춤을 출 일인데 세상에서 가장 존귀한 전륜성왕이나 부처가 될 것이라는 예언까지 있었으니 세상을 다 가진 듯이 기뻤습니다. 이 아들이 반드시 훌륭한 왕이 되어 천하를 제패하리라고 생각하니 자신의 모든 소원이 이루어진 듯했습니다.

당시 인도는 올바른 법으로 세상을 통치할 현실적 지도자로서의 전륜성왕과 진리를 제시할 부처를 동시에 요구하고 있었습니다. 그러나 카필라바스투는 약소국이었으므로 슈도다나 왕뿐만 아니라 모든 석가족 사람이 자기 나라가 인도 전역을 통치할 가장 훌륭한 나라가 되기를 원했고 새로 태어난 태자가 전륜성왕으로 성장해 주길 바랐습니다.

그런데 당시 인도인이 바라던 전륜성왕과 슈도다나 왕을 비롯한 석가족이 원하던 전륜성왕은 크게 달랐습니다. 사람들이 원하던 전륜성왕은 계급이 없는 평등한 세계, 즉 불국 정토를 건설할 수 있는 새로운 힘의 상징이었다면, 슈도다나 왕이 바라는 전륜성왕은 카필라바스투를 중심으로 주변 나라를 제패할 강력한 전제군주였습니다.

슈도다나 왕이 원하던 전륜성왕은 강력한 왕권을 확립하고 이웃 나라와의 전쟁을 통해 노예와 재보를 약탈해야지만 실현될 수 있습니다. 그리하여 전륜성왕이 갖추게 된다는 일곱 가지 보배, 금륜보(金輪寶)·상보(象寶)·마보(馬寶)·주병보(主兵寶)·거사보(居士寶)·신주보(神柱寶)·옥녀보(玉女寶) 등은 명예와 군사력과 신하 그리고 보배와 미녀들을 의미한다고 하겠습니다. 즉 권력과 재물과 쾌락을 최대한 충족시켜 줄 존재가 바로 슈도다나 왕이 원한 전륜성왕입니다. 이처럼 중생이 원한 전륜성왕과는 본질적으로 다른 전륜성왕에 대한 유혹이 부처님의 성장과 수행 과정에서 끝없이 제기됩니다.

싯다르타 태자는 불행하게도 태어난 지 7일 만에 어머니 마야 왕비를 잃고 이모인 마하프라자파티 부인을 양모로 해서 자라게 됩니다. 일부다처제 사회였던 인도에서는 자매가 같은 남자에게 시집을 가는 경우가 있었습니다. 마야부인과 마하프라자파티 부인 역시 함께 슈도다나 왕과 결혼했으므로 마야부인이 죽자 마하프라자파티 부인이 정비가 되어 싯다르타를 양육하게 된 것입니다. 싯다르타 태자에게는 많은 이복동생이 있었고 그중에는 마하프라자파티 부인이 낳은 동생도 많았습니다. 그러나 마하프라자파티는 싯다르타를 친아들 이상으로 극진하게 보살폈습니다.

싯다르타에 대한 슈도다나 왕의 배려 또한 지극했습니다. 왕뿐만 아니라 나라 안 모든 사람의 기대와 존경과 사랑도 대단했습니다. 왕이 될 수 있는 좋은 조건을 갖추었고 의미 있는 탄생 예언이 있었으니 당연한 일이었습니다. 이렇게 싯다르타는 카필라바스투의 희망이 되어 철저한 왕도 교육을 받으며 성장해 나갑니다.

최초의 현실 인식, 농경제

전륜성왕의 길을 준비하고

싯다르타는 비슈바미트라와 크산티데바의 두 높은 스승 곁에서 모든 서적과 일체의 논(論)과 군사와 온갖 술법을 배워 익혀, 4년이 지나 열두 살에 이르렀을 때는 여러 가지 기능을 두루 다 섭렵해 이미 통달했으며 세간에 따라서 눈으로 즐기고 마음에 맞추어 뜻대로 노닐고 노래와 색을 따라다녔다. 『불본행집경』

그때 슈도다나 왕은 곧 여러 대신들을 모아놓고 함께 의논해 말했다.

"태자는 이미 장대해져서 지혜롭고 용맹스러워 모든 것을 다 갖추고 구비했으니, 이제야말로 마땅히 사해의 큰 바닷물을 태자의 정수리에 부어 입태자식을 거행하리라."

때에 여러 신선이 칠보 그릇에 사해의 물을 담아 정수리에 이어

왔다. 왕은 2월 8일이 되어 사해의 물을 태자의 정수리에 붓고 칠보 도장을 맡기면서 큰북을 치며 높은 소리로 부르짖었다.

"내 이제 싯다르타를 세워서 태자로 삼노라." 『불설중허마하제경』

슈도다나 왕은 어려서부터 뛰어난 능력을 보여주는 싯다르타에게 무한한 기대를 가지고 있었습니다. 싯다르타가 여덟 살이 되자 모든 왕족이 그러하듯 훌륭한 스승을 찾아 교육을 시키고자 했습니다. 그리하여 싯다르타는 500여 명의 석가족 자제들과 함께 비슈바미트라, 크샨티데바를 스승으로 모시고 교육을 받았습니다.

브라만인 비슈바미트라는 싯다르타에게 인도에서 사용하는 각종 언어와 문학을 가르쳤습니다. 이때에 배웠던 언어와 논리학 등이 부처님이 깨달음을 이루신 후 중생을 교화하는 데 큰 도움이 되었을 것입니다. 부처님은 전 인도에 걸친 교화 과정에서 지역마다 다른 언어가 장애가 되지 않았습니다. 또한 교화 내용에서 보이는 체계적이고 치밀한 교학 체계와 논리적인 설득, 수많은 비유 구사, 그리고 아름다운 운율의 게송들에서도 그것을 유추할 수 있습니다.

슈도다나 왕의 교육열은 학문에 그치지 않았습니다. 크샨티데바는 싯다르타에게 강력한 무왕(武王)의 자질을 가르치도록 위촉된 스승입니다. 그는 마야부인과 마하프라자파티 부인의 형제로, 싯다르타의 외삼촌이었습니다. 싯다르타는 크샨티데바에게 칼과 활, 창과 방패 등 무기 다루는 법과 각종 무술, 코끼리와 말을 잘 기르고 조련

하는 기술, 수레와 마차 타는 법, 병력 지휘법, 연설로써 상대를 제압하는 비법 등 모든 병법과 무예를 배우고 익혔습니다.

싯다르타는 크샤트리아의 지배계급 문화, 소위 귀족 문화도 섭렵했습니다. 초목 기르기, 글씨 쓰기, 옥돌로 보배 만들기, 도장 조각하기, 악기 연주, 유희 등 다양한 예술적 기량뿐 아니라, 삶에 필요한 실용 수학과 향료 제조, 옷감 염색 등 여러 가지 기술을 익혔습니다. 그리고 마지막으로 제왕으로서 알아야 할 천문, 지리, 제사, 점술, 주술 등도 익혔습니다.

싯다르타는 이렇게 제왕으로서의 모든 조건을 갖추었고, 시간이 갈수록 그 능력은 더욱 심화되었습니다. 슈도다나 왕은 싯다르타가 전륜성왕으로 다가가고 있음을 믿어 의심치 않았으며 싯다르타가 출가할지도 모른다는 예언은 잊은 지 오래였습니다.

싯다르타가 열두 살이 되자 태자로서의 기본 교육이 완료되었다고 판단한 슈도다나 왕은 입태자식(立太子式)을 거행합니다. 싯다르타가 육지는 물론이고 사해 바다까지 모두 지배하는 전륜성왕이 되기를 기원하는 이 입태자식은 성인식을 대신하는 셈이기도 했습니다.

브라만이나 크샤트리아, 장자의 아들들은 어릴 때부터 스승의 집에 가서 절대 복종하며 교육을 받았고 어느 정도 교육을 마치면 집으로 돌아와 성인식을 치렀습니다. 성인식은 남자아이가 온전한 인간으로 인정받는 종교적인 의식이라 하겠습니다. 이렇게 열두 살이 되어 성인식을 치르면 이제부터는 성인 대접을 받게 됩니다.

민중이 겪는 고통의 현장

싯다르타의 나이가 열두 살이 되던 해의 어느 봄날, 왕은 농경제의 파종식을 거행했다. 왕은 이날 온 성안을 천인의 궁전처럼 꾸미고 하인과 사환들도 모두 새 옷을 입고 향과 화환으로 몸을 장식하고 궁전 안에 모였다. 왕이 일할 장소에는 천 개의 쟁기를 붙들어 매어두었다. 왕은 금으로 장식한 쟁기를 가지고, 대신들은 백여덟 개보다 한 개가 적은 은으로 만든 쟁기를 가졌다. 그리고 농부들은 장식을 하지 않은 나머지 쟁기를 가졌다. 왕이 쟁기를 몰고 나가자 다른 모든 사람도 일을 시작했다. 여기서 왕은 자신의 큰 영화를 느꼈다.

그때 그 들에 있는 모든 농부들은 발가숭이로 고생하면서 소에 보습을 매어 밭을 가는데 소가 늦으면 때때로 고삐를 후려쳤다. 해가 길고 날이 뜨거워 헐떡거리고 땀을 흘리며 사람과 소가 다 고달파서 주리고 목말라했다. 태자는 보습을 끄는 소가 피로할 대로 피로한데 또 채찍으로 얻어맞고 멍에에 목이 졸린 채 고삐로 코를 꿰어 피가 흘러내리고 가죽과 살이 터지는 것을 보았다. 또 농부도 몸이 수척해 뼈만 남아 있었으며 햇볕에 등이 타서 발가숭이 몸이 먼지와 흙투성이로 되어 있는 것을 보았다. 그리고 보습에 흙이 패여 뒤집히자 벌레들이 나왔으며 사람과 보습이 지나간 뒤에는 뭇 새들이 날아와 서로 다투며 그 벌레들을 쪼아 먹는 것을 보았다. 태자는 이것을 보고나서 크게 걱정하고 근신하기를 마치 사람들이 자기의 친족이 얽매임을 당했을 때에 큰 걱정과 근심을 내듯이 태자가 그것들을 불쌍히 여김도 또한 이와 같았다. 『본생경』

중생들은 참으로 불쌍하구나. 서로서로가 잡아먹고 먹히니 말이다.
『불본행집경』

싯다르타가 입태자식을 하던 해 봄이었습니다. 예년과 같이 슈도다나 왕은 많은 신하와 함께 農耕祭를 지냈습니다. 농경제는 군주가 농사의 첫 삽을 뜨고 풍년을 기원하는 제사로서 풍요를 기원하는 중요한 의식입니다.

이 농경제는 싯다르타가 처음으로 성인 대우를 받으며 백성이 농사짓는 모습과 왕이 백성을 다스리는 것을 관찰할 수 있는 기회였습니다. 날씨는 따뜻했으며 전원 풍경도 평화롭고 아름다웠습니다. 가끔씩 들리는 소 울음소리도 듣기 좋았고 밭 가는 농부들의 모습은 한 폭의 그림과 같았습니다.

'내가 만약 농부로 태어났다면 따뜻한 봄 날씨에 자유로이 농사나 짓고 얼마나 좋았을까.'

싯다르타는 그렇게 부러워했습니다.

그러나 바로 이 농경제에서 싯다르타는 그의 운명을 뒤흔드는 일대 사건을 맞이하게 됩니다. 멀리서 바라볼 때에는 한가한 듯 소를 모는 농부들의 모습과 가끔씩 음매 하고 우는 소 울음소리, 보습으로 땅을 갈면 노란 흙이 갈라지는 모습이 그림과 같이 평화로웠습니다. 그래서 자신도 농부나 되었으면 좋겠다고 생각했는데, 농사짓는 현장에 가까이 다가가서 직접 본 현실은 전혀 달랐습니다.

슈도다나 왕은 화려한 농경제를 통해 자신의 영화를 만끽하고, 싯다르타에게도 그의 지위에 대한 자긍심을 심어주고자 했습니다. 그러나 화려한 옷을 차려입고 황금 쟁기를 든 슈도다나 왕이 좌우에 대신들을 거느리고 걸어가는 다른 한편에서는 헐벗은 농부들이 힘겹게 쟁기질을 하고 있었습니다.

화려한 왕과 대신들의 모습과는 대조적으로 농부들은 따갑게 내리쬐는 햇볕 아래서 떨어진 넝마로 겨우 몸을 가린 채 온몸에 흙을 뒤집어쓰고 맨발로 일하고 있었습니다. 온통 주름살에 뒤덮이고 새까맣게 탄 농부의 얼굴은 땀으로 범벅이 되어 있었습니다.

'일하는 것이 얼마나 괴로우면 저렇게 인상을 찌푸리고 일을 할까. 왜 저렇게 고통스러워하면서 일을 하는 걸까?'

싯다르타 주위에는 그동안 아무도 괴로워서 인상을 쓰는 사람이 없었습니다. 시중드는 시녀나 선생이나 친구들 모두 화려한 모습으로 즐겁게 웃으며 지냈습니다. 그런데 일하는 농부들은 그렇지 않았습니다. 다 떨어진 옷을 입고 얼굴도 시커멓게 타서 괴로워하고 있었습니다. 싯다르타는 모든 인간이 자신처럼 안락하고 행복하지는 않다는 사실을 깨달았습니다.

그때 농부가 소를 마구 때리면서 일을 시킵니다. 조금 전까지 정겹게 들리던 소 울음소리가 이제는 애절하고 구슬픈 비명으로 들렸습니다.

'왜 저 소는 저렇게 힘들게 일해야 하고 농부는 저 소를 때려야만 하나. 저 소는 왜 맞으면서 일을 해야 하는가?'

태자는 그들이 받는 고통이 자신의 것인 양 가슴이 아팠습니다.

농부가 쟁기로 흙을 파니 굼벵이와 지렁이 같은 벌레가 드러나서 꿈틀거렸습니다.

'왜 저것들은 저런 모습으로 태어나야 할까?'

그때 갑자기 새들이 날아와 그 벌레들을 서로 잡아먹겠다고 싸움을 벌였습니다. 싯다르타는 처참하고 냉엄한 약육강식과 생존경쟁의 현장을 눈앞에서 목격하게 되었습니다.

'왜 강한 것은 약한 것을 잡아먹어야 하나?'

자비심이 많은 싯다르타는 끔찍한 전율을 느꼈습니다.

싯다르타는 이러한 모습을 지켜보다가 답답함을 참지 못하고 농부에게 다가가서 물었습니다.

"당신은 무엇 때문에 이토록 고생을 하고 있습니까?"

그러자 농부는 대답했습니다.

"곡식을 거둬서 국왕에게 세를 바치기 위해서입니다."

태자는 탄식하며 말했습니다.

"한 사람으로 말미암아 모든 백성이 괴로워하고 두려움에 떨고 있구나. 이들은 관청의 채찍과 벌을 받게 될 공포에 눌려 마음이 위축되고 두려움에 떨고 있구나."

싯다르타는 처음엔 자신이 보고 느낀 고통이 자신과는 직접적으로 상관이 없다고 생각했습니다. 단순히 농부와 소와 벌레들의 고통을 가슴 아파할 뿐이었습니다. 그러나 농부의 대답을 듣고는 그 고통이 바로 싯다르타 자신의 삶과 직결되어 있음을 알게 되었습니다. 내가 이렇게 풍족하게 먹고 살기 위해서는 저 농부들의 고통이 있어야 한다는 사실을 자각하게 된 것입니다.

세상은 왜 이리 불공평할까

이러한 광경을 본 태자는 큰 자비심을 내어 칸타카라는 말에서 내려 조용히 거닐며 모든 중생에게 이런 일이 있음을 생각하고 다시 부르짖어 말했다.

"아, 세간의 모든 중생이 그 같은 극심한 괴로움을 받고 있으니 나는 이제 어느 조용하고 한적한 곳을 찾아서 이러한 모든 고통을 해결할 길을 생각해야겠다." 『과거현재인과경』

그때 슈도다나 왕은 태자가 보이지 않자 모든 대신에게 사방으로 흩어져 태자를 찾도록 했다. 마침 한 대신이 멀리서 태자가 잠부나무 그늘 아래 앉아서 선정에 잠겨 있는 것을 보았다. 그리고 여러 나무의 그늘은 다 옮겨갔으나 오직 잠부나무 그늘만은 홀로 태자를 가리고 있음을 보았다. 이를 본 대신은 급히 왕의 처소로 달려 나아가 태자가 그 나무 사이에서 가부좌를 맺고 있음을 보니, 마치 어두운 밤 산마루에 큰 불덩어리가 이글거리고 불꽃을 올리는 것같이 위덕이 드높게 빛났다고 말했다. 그때 왕은 이것을 보자 매우 희유하고 장한 마음이 나서 자기도 모르게 태자의 발에 정례하며 말했다.

"희유하고 희유해라. 우리의 태자에게 이렇게 큰 위덕이 있음이여. 나는 이로써 그대에게 두 번째 몸을 굽혀 정례하노라." 『불본행집경』

싯다르타는 전에는 한 번도 느껴보지 못한 충격에 휩싸였습니다. 이제는 귀하게 차려입은 대신이나 지애로운 슈도다나 왕의 행복한 모습이 이상해 보였습니다. 어째서 아버지 슈도다나 왕과 대신들은 농부들의 고통을 보고도 아무렇지도 않은가 의심이 들었습니다.

'왜 세상은 이렇게 불공평한 것일까?'

조금 전까지는 아름답고 평화로워 보였던 모든 것이 한순간에 전혀 다른 모습으로 다가왔습니다. 모든 세계가 거꾸로 된 것 같았습니다.

'도대체 무엇이 나를 이렇게 혼란스럽게 만드는 것일까?'

싯다르타는 부왕과 대신들 곁을 떠나 나무 그늘에 홀로 앉아 놀람과 슬픔으로 혼란스런 마음을 진정시키려 했습니다. 그러나 조금 전에 보았던, 보습에 걸려 땅 밖으로 내던져져 살겠다고 꿈틀거리는 작은 벌레들, 그것을 잡아먹는 새와 또 그 새를 잡아먹고 사는 매의 모습이 머릿속에서 떠나질 않았습니다.

'왜 강한 것은 약한 것을 잡아먹고 약한 것은 강한 것에게 잡아먹히는가? 왜 이 세상은 이렇게도 살벌하단 말인가. 왜 조금의 관용도 없이 서로 먹고 먹힌단 말인가. 왜 누구는 뜨거운 햇볕 아래서 고통스럽게 농사를 지으면서도 못 먹고 헐벗은 채 굽실거리며 살아야 하고, 왜 어떤 사람은 편안하게 나무 그늘에서 놀면서도 배불리 잘 먹고 잘 입고 살 수 있는 것일까?'

싯다르타는 자연계의 약육강식과 인간 사회의 불평등한 관계를 보면서 세상에 대한 의문이 봇물 터지듯 쏟아져 나왔습니다. 평화롭게만 여겨지던 농경제가 한순간 약육강식의 현장으로 뒤바뀌자 싯다르타는 카필라바스투의 행복도 거짓이며 환상으로만 느껴졌습니다. 또한 지금껏 당연하다고만 여겼던 자신의 풍족한 생활을 비롯한 모든 것이 온통 의문투성이가 되었습니다.

소년 싯다르타는 잠부나무 아래에서 깊은 생각에 잠깁니다. 싯다르타는 세상의 고통스러운 삶과 그 고통이 발생하게 된 원인을 찾고자 했습니다.

부처님이 깨달음을 성취하는 데 있어서 이 잠부나무 아래에서의 명상은 매우 중요한 의미를 갖습니다. 출가수행을 하던 싯다르타가 고행으로는 진리를 증득할 수 없음을 알게 되자 바로 이 잠부나무 아래의 명상을 떠올리고 그 방법을 실행합니다. 즉 고통받는 현실을 직접 확인하면서 그 고통의 원인을 추구(追究)하는 수행을 통해 비로소 깨달음을 성취할 수 있었던 것입니다.

싯다르타는 난생 처음 부딪친 여러 가지 현실 문제를 풀고자 깊은 명상에 들어 시간 가는 줄도 몰랐습니다. 이렇게 깊은 사색에 빠져 있는 태자를 발견한 슈도다나 왕은 너무도 장엄하고 거룩한 모습에 감동해 자신도 모르게 아들에게 예배를 했습니다. 태자의 모습은 어떤 브라만에게서도 볼 수 없었던 거룩한 것이었습니다.

슈도다나 왕은 태자의 거룩한 모습에 도취되어 생각했습니다.

'아마 부처님이 오신다면 저런 모습일까? 그 누구도 태자의 장엄함을 갖지는 못할 것이다.'

슈도다나 왕은 여기에까지 생각이 미치자 소스라치게 놀랐습니다. 그간 까맣게 잊고 있던 12년 전의 예언이 생각났기 때문입니다.

'태자는 집에 있으면 전륜성왕이 될 것이요, 출가하면 부처님이 될 것입니다. 그러나 세속의 욕망을 탐하지 않고 출가해 부처님이 될 것입니다.'

슈도다나 왕은 저렇게 훌륭한 태자가 자신의 후계자가 아닌 출가사문이 된다고 생각하자 걷잡을 수 없는 불안감에 휩싸였습니다.

함께 행복할 수는 없는가

싯다르타 태자는 농경제를 계기로 깊은 사색에 잠기는 일이 많아 졌습니다. 명상의 주된 내용은 '왜 생명들은 불공평한 관계 속에서 고통받아야만 하는가'라는 것이었습니다. 그중에서도 가장 중요한 의문은 '왜 모두 함께 행복할 수 없는가'였습니다.

그가 스승들에게 배운 것은, 백성을 어떻게 통치할 것인지, 장례 는 어떻게 치르는지, 전쟁은 어떻게 해야 하는지, 여자는 어떻게 다 루는지 하는 것들뿐이었습니다. 자연의 생명체들이 왜 저런 고통을 받는지, 왜 모든 사람이 함께 행복할 수는 없는지에 대해서는 누구 도 가르쳐주지 않았습니다.

태자는 누구보다도 월등한 스승들에게 모든 학문을 배웠습니다. 하지만 그가 배운 학문의 내용에는 남을 지배하는 방법만 있을 뿐, 사람들이 겪는 고통의 원인이나 해결 방법은 없었습니다. 서로 지배 하지 않고 함께 행복할 수 있는 방법도 없었습니다. 싯다르타는 자 신이 받은 왕도 교육으로는 이러한 문제에 대한 해답을 얻을 수 없 다는 사실을 깨달았습니다.

태자는 이제까지 자신이 옳다고 믿었던 가치들에 대해 '이것이 반드시 옳은 게 아닐 수도 있다'는 생각을 하게 됩니다. 자신의 삶에 회의를 하게 된 것입니다. 이런 구체적인 계기를 마련해 준 것이 바 로 농경제였습니다. 누가 가르쳐준 것도 아니고 책을 통해 얻은 것도 아니었습니다. 현실 속에서 스스로 부딪치며 자각한 것이었습니다.

우리의 현실을 생각해 보아도 그렇습니다. 학교 교육은 경쟁 속에서 어떻게 출세할 것인가를 가르치지만 함께 행복할 수 있는 길에 대해서는 가르치지 않습니다. 어떻게 하면 다른 사람을 제치고 대학에 합격할 수 있는가를 가르치고, 어떻게 하면 남보다 적게 일하고 많은 돈을 벌 수 있는가를 가르칩니다. 다 함께 노력해서 같이 행복해지는 길은 가르치지 않습니다.

남보다 많이 갖기 위해서 남을 더 많이 착취하는 것이 인생의 성공 비결이라는 가치 기준에서 보면 싯다르타 태자는 성공 가능성이 가장 큰 존재였습니다. 사회적인 지위와 명성이 높은 사람일수록 그만큼 더 많은 사람을 딛고 올라서야만 합니다. 한 개인의 성공은 그만큼 많은 사람을 고통 속으로 몰아넣는 결과를 낳게 됩니다.

싯나르타는 자신이 지금까지 인정받아 왔던 것과 자신의 바람, 즉 제왕으로서의 지배와 모든 사람이 함께 행복해지는 것은 결코 양립할 수 없는 문제임을 깨달았습니다. 생각이 여기에 이르자 싯다르타는 기존의 가치관이 모두 허물어지는 것을 느꼈습니다. 이렇게 농경제야말로 싯다르타가 지난한 보살행의 역사 속에서 중생을 고통으로부터 해방시키기 위해 스스로 인간 세상에 온 존재임을 자각할 수 있는 최초의 계기를 마련해 준 셈입니다.

싯다르타를 도솔천 호명보살의 화현으로 본다면, 싯다르타 태자가 이 세상에 온 것은 고통받는 중생을 구제할 구원자로서 온 것입니다. 그런데 인간의 몸을 받아 이 세상에 나올 때 어머니 뱃속에서 그 사명을 잠시 잊어버린 것입니다. 중생의 업을 빌어 오다보니 깜박 잊고 우리와 똑같이 살아가신 겁니다. 그러다 농경제를 통해 자신이 중생과 똑같이 살고자 이 세상에 온 게 아니라는 사실을 어렴풋이 느끼게 된 것입니다.

올바른 삶의 방향을 고민하다

삼시전의 쾌락적 유혹

그들은 곧 왕에게 아뢰었다.

"대왕이여, 이제 빨리 태자를 위해서 따로 궁실을 짓고 모든 미희들과 즐겨 놀도록 하소서. 그러면 태자는 출가하시 않을 것입니다. 이러한 방편으로 우리 석가족이 흥성하면 일체가 공경 존중하고 조무래기 왕들에게 업신여김을 당하지 않을 것입니다."

그때 태자는 점점 장성해 나이 열여섯 살이 되매 슈도다나 왕은 태자를 위해 삼시전을 지었다. 첫째는 난전이니 겨울을 지내려는 것이요, 둘째는 양전이니 여름 더위에 쓰려는 것이요, 그 셋째 전각은 봄가을 두 철에 거처하려는 것이었다. 이 삼시의 궁전은 모두 온갖 칠보로 장식해 마치 가을 구름이 서리어 노을이 진 것같이 미묘하게 참으로 난사의하게 꾸몄으며, 일체 때를 따라 쾌락을 받게 했다. 또 그 궁궐 및 동산 가운데에는 봇물이 도랑에 흘러 못과 늪을 만들고 가지가지 명화를 재배했으니 우발라꽃 파두마꽃 구물두꽃 분타리꽃 등이며 태자를 기쁘고 즐겁게 하기 위함이었다. 『불본행집경』

농경제 이후 슈도다나 왕은 걱정이 많아졌습니다. 변해버린 태자의 모습에 불안을 느끼게 된 것입니다. 세상일에는 도무지 관심이 없고 놀이에도 흥미를 잃었을 뿐만 아니라 골똘히 생각에 잠겨 사문이나 할 만한 질문을 하는 태자 때문에 슈도다나 왕은 잠시도 마음이 편하지 못했습니다.

슈도다나 왕뿐만이 아니라 모든 석가족 사람들이 싯다르타의 출가를 우려했습니다. 왕은 태자가 다시 세상일에 관심을 갖게 할 방법을 대신들과 연구하다가 싯다르타를 성적 쾌락에 빠뜨리기로 했습니다.

부처님이 깨달음을 이루기 전에 찾아온 마군(魔軍)이 성적 유혹이었던 것에서도 보여주듯, 성적 쾌락은 인간의 사고를 마비시키는 데 큰 영향을 미칩니다. 그래서 계율을 만들 때 가장 먼저 제정된 계율이 불음계(不淫戒)입니다.

슈도다나 왕은 태자가 열여섯 살이 되자 아방궁과 같은 삼시전(三時殿)을 짓고 태자를 세속의 쾌락에 젖게 만들어 출가의 길을 막고자 했습니다.

그대 나이 젊을 때 출가해 숙세 발원 이루시오

그때 한 천자가 있었으니 이름을 작병이라 했다. 그 천자는 이 태자가 10년 동안 궁 안에 있으면서 오욕(五慾)을 받고 있음을 보고 생각했다.

'호명보살은 비록 오랫동안 궁중에 있으면서 모든 오욕락을 받아도 탐착하지 말아야 한다. 이 오욕 때문에 마음이 취해 거칠고 미혹하며 정을 놓아 넘쳐흐르니, 백 년이 빠르고 때는 사람을 기다리지 않는다. 호명보살은 이제 마땅히 각성해 빨리 버리고 출가해야 할 것이다. 내가 만일 먼저 그를 위해 싫어하고 떠나게 할 상을 짓지 않으면, 그는 곧 탐닉에서 깨어나 출가할 마음이 나지 않으리라. 그러니 나는 이제 응당 그 일을 찬조해 성취하게 하리라.'

작병천자는 곧 밤중에 게송을 읊었다.

"그대 나이 젊을 때 출가해 숙세의 발원을 이루시오.

세간의 중생은 오욕락에 빠져 헤어날 길이 없는데

그대는 어서 빨리 정각을 이루어 그들을 구하시오.

미녀가 타는 현가(絃歌)는 욕(欲)으로써 사람을 미혹케 하네.

그러나 무구한 사람은 그것을 법의 소리로 들으니,

성자여 일찍이 고해에 빠져 허덕이는 중생을 보고 발원해

행을 거듭하신 옛일을 생각하시라.

출가하실 때는 바로 지금이니 큰 자비로써

삼독(三毒)의 중생을 건지소서.

참으로 이 세상은 고(苦)라, 맹화(猛火)에 타고

어리석은 자는 젊음을 탐착하지만 멀지 않아 노·병·사(老病死)에

부서지리라.

성자는 옛적에 부처를 만나 진리를 깨치셨으니

감로의 비를 뿌리실 때가 지금이시네." 『불본행집경』

싯다르타 태자는 기존의 가치관과 새롭게 부딪치는 현실과의 괴리로 방황했습니다. 기존의 가치관에 한계가 있다는 것은 알았지만 자신이 이제까지 믿고 쌓아온 가치관을 스스로 부정하는 것은 쉽지 않은 일이었습니다. 또한 사회구조에 문제가 있다는 것을 알게 되었지만 '어떻게 그것을 풀어갈 것인가' 하는 문제에 부딪쳐서는 해결 방향을 찾지 못하고 방황했습니다.

싯다르타는 문제의 뿌리를 밝히고자 깊은 명상에 들어보기도 하고, 삼시전에서 화려하고 세속적인 쾌락에 빠져 자신의 갈등을 잊으려고도 했지만 그것은 쉽게 잊을 수 있는 문제가 아니었습니다. 만취해서 미희들과 뒤섞여 놀다 아침에 일어나서 본 너저분한 모습에 환멸을 느끼기도 했습니다. 미희들에 휩싸여 무악을 즐길 때에도 갑자기 농경제 때 울리던 음악이 생각나고, 땀에 젖은 농부의 얼굴과 입에 거품을 문 소, 꿈틀거리는 벌레, 이것을 쪼아 먹는 새들이 눈앞에 어른거렸습니다.

싯다르타는 자신의 한계와 기존 학문의 허구성과 모순에 방황하면서 쾌락에 몸을 맡겼습니다. 하지만 쾌락으로는 결코 어떤 문제도 해결할 수 없었습니다. 환락에 빠지면 빠질수록 그러한 문제점이 더욱더 선명하게 자각될 뿐이었습니다.

그러던 어느 날 새벽 싯다르타는 홀로 일어나 맑은 공기를 쐬며 여명을 맞다가 벼락같이 내리치는 소리를 들었습니다.

"그대 나이 젊을 때 출가해 숙세의 발원을 이루시오. 세간의 중생은 오욕락에 빠져 헤어날 길이 없는데 그대는 어서 빨리 정각을 이루어 그들을 구하시오."

이것은 싯다르타가 사문의 세계, 즉 출가를 생각하게 됨을 말합니다. 싯다르타가 현재 자신의 모습을 부정하며 스스로에게 한 질책이었습니다. 그리고 또한 싯다르타가 이 세상에 종속적인 범부로서 온 게 아니라 중생의 고통을 구제해 줄 보살의 서원을 이루기 위해 왔다는 사실을 자각하게 만드는 보신불의 감응이었습니다.

그런데 2,600여 년 전 인도의 싯다르타 태자만이 이러한 의무를 갖고 이 세상에 온 것은 아닙니다. 바로 우리도 부처로서 이 세상에 왔습니다. 다만 우리가 그것을 모르고 있을 뿐입니다.

누구는 중생의 업으로 이 세상에 오고, 누구는 보살의 업으로 이 세상에 온 게 아닙니다. 자신이 처한 현실에 종속적으로 끌려 살아간다면 그는 스스로 자신의 삶을 중생의 삶으로 규정한 것일 뿐입니다. 아무리 고통스럽더라도 현실을 주체적으로 수용해 삶의 주인으로 살아가고자 노력한다면, 그러한 삶은 부처의 삶을 회복해 가는 길입니다.

우리가 알아채지 못할 뿐, 우리는 하루에도 무수히 많은 보신불의 감응을 받고 있습니다. 그러나 마치 라디오와 텔레비전의 수많은 전파도 수신기가 없으면 아무 소용이 없듯이, 우리의 삶에 수없이 많은 보신불의 감응을 우리가 깨닫지 못하고 있을 뿐입니다.

과거 생에 살았던 불보살의 원력이 오늘에 남아 우리에게 감응을 줄 수도 있고, 이 땅의 고통받는 사람들의 염원과 신음소리가 그것일 수도 있습니다. 싯다르타는 이러한 감응, 즉 진리를 향한 내면의 끝없는 속삭임을 들으며 자신이 나아갈 삶의 방향을 구체적으로 고민하기 시작합니다.

태자의 결혼

이상적인 여성상의 고피카

그때에 태자는 이미 장대했다. 어느 때에 여러 석가족 대신들이 슈도다나 왕에게 아뢰었다.

"대왕이시여, 태자의 나이가 점차로 많아져서 이미 장성했습니다. 한량없는 신선들과 관상을 잘 보는 이들이 모두 말하기를 '태자께서 만약 집을 떠나면 반드시 부처님이 될 것이요, 만약 집에 있으면 당연히 전륜성왕이 되어 사천하를 다스리게 될 것'이라고 했습니다. 대왕이시여, 만약 태자가 출가하면 전륜성왕의 종자가 끊어질 것입니다. 그러므로 대왕께서는 응당 태자의 혼처를 구해 결혼을 시킴으로써 세속에 물들고 집착하게 하여 태자가 집을 떠나지 않게 해야 합니다." 『방광대장엄경』

슈도다나 왕은 싯다르타 태자가 쾌락적인 생활을 하면서도 표정은 수심에 가득 찬 것을 보며 불안해했습니다. 대신들도 태자가 비록 쾌락에 빠져 있는 듯이 보이지만 현실의 욕망에 탐착해 있지 않다는 것을 눈치 채고 있었습니다.

침략 전쟁이 끊이지 않는 속에서 카필라바스투 또한 안정적일 수는 없었습니다. 학문과 무예가 출중한 싯다르타 태자에게 카필라바스투의 운명을 걸고 있던 대신들은 태자가 출가할 마음을 갖지 않도록 결혼시킬 것을 왕에게 건의했습니다. 결혼해서 가정을 가지면 세상일에 보다 관심과 애착을 갖게 되리라고 생각한 것입니다. 그리하여 싯다르타는 일련의 절차를 거쳐 결혼을 하게 됩니다.

싯다르타 태자의 부인이 야소다라 한 사람이라고 기술한 경전도 있지만, 『불본행집경(佛本行集經)』이나 『수행본기경(修行本記經)』 같은 경전에는 셋이라고 쓰여 있습니다.

첫 번째 태자비는 고피카입니다. 고피카는 석가족의 단다파니라는 부호의 딸로 매우 아름다웠으며 싯다르타 태자가 열일곱 살 때 결혼했습니다. 그러나 수년간의 결혼 생활에도 자식이 없자 싯다르타 태자는 둘째 부인을 맞이하게 되었고, 그녀가 야소다라였습니다. 그러나 야소다라에게서도 자식이 없자 또 다시 세 번째 부인을 맞이했다고 합니다.

싯다르타 태자가 결혼을 세 번 한 것은 슈도다나 왕과 대신들의 일방적인 결정으로 보입니다. 늦게야 자식을 본 슈도다나 왕의 특별한 애착도 있었지만, 그보다는 싯다르타가 온전한 가정을 꾸려야 세상일에 관심과 애착을 갖게 되리라는 생각과, 혹시 태자가 출가했을 때의 후사를 염려해서 더욱 결혼을 종용했던 듯합니다.

첫 번째 태자비 고피카는 싯다르타 태자가 그리던 이상적인 여성으로 매우 아름답고 학식과 인덕이 높았던 것 같습니다. 『불설보요경(佛說普曜經)』에는 그녀를 태자비로 얻게 된 경위가 다음과 같이 나와 있습니다.

슈도다나 왕이 속히 태자비를 정하고 싶어서 태자에게 의향을 물었습니다. 태자는 결혼할 뜻은 없었으나 슈도다나 왕이 실망할 것을 염려해 실현되기 힘든 무리한 조건을 말했습니다. 태자는 금세공사에게 아름다운 황금 여인상을 만들게 하고, 그 위에다 태자비의 자격을 낱낱이 새겨 넣었습니다.

슈도다나 왕은 이를 보고 몇몇 브라만에게 그러한 여성을 찾아달라고 부탁합니다. 왕의 부탁을 받은 브라만들은 고피카를 발견하고는 그녀가 태자의 이상에 부합한다고 판단해 슈도다나 왕에게 알렸습니다. 슈도다나 왕은 고피카의 아버지에게 결혼을 신청하고, 고피카뿐 아니라 여러 명의 처녀들을 궁에 초청해 간택 형식을 취해 고피카를 태자비로 맞습니다.

그런데 싯다르타와 고피카의 결혼 이야기에는 재미있는 전생 설화가 있습니다. 앞에서 우리는 싯다르타 태자가 전생에 수메다 행자로 있을 때 진흙탕에 몸을 던져 부처님과 제자들이 밟고 지나가도록 했다는 이야기를 했습니다.

그런데 『불본행집경』에는 수메다 행자가 진흙탕에 몸을 던지기 전에 부처님께 푸른 연꽃을 공양하는 이야기가 나옵니다. 연등 부처님이 세상에 오셔서 희락이라는 도시의 선현정사에 머물자 왕과 백성들이 갖가지 음식과 꽃을 공양했습니다. 수메다 행자도 부처님께 꽃을 공양하고자 했으나 모두들 부처님께 공양할 꽃이라고 팔지 않았습니다.

수메다 행자는 꽃을 구하려고 성을 헤매던 중 한 궁녀가 푸른 연꽃 일곱 송이를 감추어 가는 것을 보았습니다. 이 궁녀는 왕의 명을 받고 푸른 연꽃을 구해 왕성으로 돌아가던 길이었습니다. 수메다 행자는 부처님께 공양하고자 한다며 은전 오백 냥을 줄 테니 연꽃을 팔라고 했지만, 궁녀는 왕명을 거역할 수가 없다고 거절했습니다.

그러나 수메다 행자가 간곡하게 연꽃을 팔 것을 부탁하자 궁녀는 수메다 행자의 훌륭한 모습을 보고는 자신을 아내로 맞아주면 꽃을 주겠다고 제안했습니다. 수메다 행자는 자신은 세속의 부와 명예는 물론 가족의 인연도 끊고 수행하는 사람이므로 그 청은 무리라고 말했습니다. 궁녀는 수메다 행자가 범상한 인물이 아님을 알고는, 이번 생에서 불가능하다면 다음 생에 아내로 삼아줄 것을 맹세한다면 연꽃을 나눠주겠다고 했습니다. 수메다 행자는 그러겠다고 맹세하고는 궁녀에게 감사의 예를 한 후 부처님께 연꽃을 공양했습니다.

이때의 궁녀가 바로 고피카의 전생이었다는 것입니다. 이 전생담은 싯다르타 태자와 고피카의 결혼이 전생에서부터 이미 맺어져 있었다는 것을 말해줍니다. 이처럼 부처님 생애의 많은 부분을 전생과 연결해 의미를 부여하려는 경우가 경전 곳곳에서 나타납니다.

수메다 행자와 궁녀의 일화는 불교인이 결혼식을 할 때 신부가 꽃 일곱 송이를 준비해 그중 다섯 송이를 신랑에게 주고 함께 부처님께 나아가 꽃 공양을 올리는 의식의 유래가 되었습니다. 이는 결혼 후에도 항상 도반으로 살아가며 비록 죽더라도 좋은 인연을 맺어 부부의 연이 이어지도록 기원하는 뜻 깊은 의미가 있습니다.

고피카는 그 후 야소다라가 정비로 정해진 다음에도 태자를 정성껏 섬겼을 뿐 아니라 태자가 출가한 뒤에는 야소다라를 수호했다는 기록으로 보아 여장부다운 성격이었던 것 같습니다. 그녀는 평생 아이를 갖지 못했으며 부처님이 성도하고 카필라바스투로 돌아오시기 전에 세상을 떠났습니다.

라훌라를 낳은 정비, 야소다라

보배 기물이 이미 다했을 무렵에 마지막으로 석가족 대신인 마하나마의 딸 야소다라가 궁전으로 들어왔다. 야소다라는 멀리서 태자를 보되 꼿꼿하게 눈길을 쏟고 자태가 단정하고 맵시 있게 걸으며 눈을 들어 똑바로 보고 눈을 옆으로 비키거나 밑으로 내리지도 않고 점점 앞으로 걸어서 태자에게 가까이 다가왔다. 그리고는 서로 아는 사이같이 조금도 부끄러움이 없이 태자에게 말했다.

"태자여, 이제 나에게 온갖 보배의 무우기(無憂器: 노리개)를 주소서."

"그대는 너무 늦게 왔소. 보배 기물은 모두 다 주고 내 손에는 이미 한 개의 무우기도 없소."

"태자여, 저에게 어떤 허물이 있기에 당신은 내게 보배 기물을 주지 않으며 나를 속이고 모욕하려 하십니까?"

"나는 그대를 속이는 것이 아니요. 다만 그대가 너무 늦게 와서 보배 기물이 다했을 뿐이오."

그때에 태자는 자신의 손가락에 낀 보배 가락지를 발견했다. 그 가락지는 값이 만량 금이나 되었다. 태자는 그 가락지를 손가락에서 빼어 야소다라에게 주었다. 그러자 야소다라는 태자에게 말했다.

"내가 당신에게는 겨우 이 정도의 가치밖에 없나이까?"

태자는 자신을 장엄하고 있던 여러 가지 보배 영락을 모두 벗어서 야소다라에게 주었다. 그러자 야소다라는 태자에게 말했다.

"태자여, 내 어찌 태자의 장엄한 보배를 빼앗겠나이까. 오히려 나의 모든 것과 이 몸으로써 태자님의 몸을 장엄해 드리고 싶을 뿐이옵니다."

그때 슈도다나 왕은 칙명을 내려 카필라바스투 네거리 길목마다 요령을 흔들고 북을 치며 칙령을 외치게 했다.

"지금으로부터 7일에 이르러 싯다르타 태자께서 모든 기예를 다 나타내려 하니 만약 그런 기예를 할 줄 아는 이가 있거든 모여서 함께 겨루어 시험하라."

그때 대신 마하나마는 태자의 일체 기술과 승묘한 지혜의 능함이 가장 상수가 됨을 보고 모든 석가족 앞에서 고했다.

"나는 이제 나의 딸을 태자비로 삼고자 하오니 원컨대 제 딸을 거두어주소서."

그때 태자는 좋은 날 길한 날에 대왕의 세력을 가지고 대왕의 위엄을 가지고 야소다라를 맞아들여서 모든 영락으로써 그 몸을 장엄하고 또 오백의 미희들과 함께 즐겨 오욕락을 받았다. 『불본행집경』

경전에서 말하는 싯다르타 태자의 부인은 대부분 야소다라를 지칭합니다. 아마 라훌라를 낳은 생모이기 때문일 것입니다. 싯다르타 태자와 야소다라 비와의 관계 역시 고피카의 경우처럼 경전의 많은 곳에 전생담이 남아 있습니다.

야소다라의 결혼 과정에 대해서는 서로 다른 두 가지 기록이 있습니다. 하나는 태자 쪽에서 간택을 공고한 후 싯다르타 태자와 슈도다나 왕 쪽에서 야소다라를 태자비로 결정했다는 것입니다. 다른 하나는 야소다라 쪽에서 무술대회를 개최해 싯다르타 태자를 결혼 상대자로 결정했다는 경우입니다.

첫 번째 경우는 일반적으로 태자가 결혼할 경우에 사용되는 간택 형식입니다.

그런데 두 번째 경우는 조금 특별한 형식을 취하고 있습니다. 이 이야기는 슈도다나 왕이 태자비를 물색하던 중에 수프라붓다에게 천하에 보기 드문 단정하고 고결한 딸이 있다는 소문을 듣고 야소다라를 태자비로 맞고자 하는 데서부터 시작됩니다.

그러나 야소다라의 미모와 품성은 주변에 이미 소문이 나 있었으므로 슈도다나 왕이 야소다라를 태자비로 맞이하고자 했을 즈음에는 주변 8개 나라의 왕들 역시 아들들을 위해 결혼을 신청한 뒤였습니다. 그러므로 슈도다나 왕의 청에 확답을 못 하고 돌아온 수프라붓다는 곤혹스러운 나머지 음식도 먹지 못할 만큼 몹시 근심을 했습니다.

왕가의 결혼은 정략적인 의미가 강했으므로 수프라붓다 스스로 어느 나라를 선택해 혼인을 맺는 것은 간단한 문제가 아니었습니다. 만약 그중 한 나라와 혼인 관계를 맺으면 나머지 나라들은 무시당했다고 여길 것이기 때문입니다.

그러자 총명한 야소다라는 아버지의 고민을 해결할 좋은 방법을 생각해 냈습니다. 무술대회를 개최해 가장 뛰어난 사람을 남편으로 선택하는 것입니다. 싯다르타는 이 무술대회에 참가해 뛰어난 실력으로 다른 경쟁자를 제치고 우승해 야소다라를 아내로 삼게 된 것입니다. 태자비를 고르기 위해 간택 행사를 치르는 것뿐만 아니라 신랑감을 고르기 위해 무술대회를 여는 것 또한 고대 인도 왕가의 결혼에서 종종 사용하는 형식이었던 것 같습니다.

그런데 데바다하의 수프라붓다라면 싯다르타 탄생에 즈음해서 들어본 이름입니다. 즉 슈도다나 왕의 첫째 부인이며 싯다르타 태자의 생모인 마야부인과 양모인 마하프라자파티 부인의 아버지 이름입니다. 그러니까 싯다르타의 외할아버지인 수프라붓다의 아들이 데바다하의 성주가 되어 그 당시 풍습대로 수프라붓다라 불리었던 것입니다. 따라서 그는 싯다르타의 외삼촌입니다.

야소다라는 매우 아름다웠고 가문에 대한 자긍심이 높았으며 때에 따라서는 자기주장을 굽히지 않는 여인이었던 것 같습니다. 야소다라는 슈도다나 왕이 보배 노리개를 받으러 오라고 하자 아버지에게 "우리 집에도 보물은 충분한데 왜 남의 집에 가서 받아옵니까"라며 가지 않겠다고 말합니다. 뿐만 아니라 결혼 안 한 여인은 반투명의 얼굴 가리개를 하는 것이 왕가의 예법인데도 그녀는 얼굴을 가리지 않았다고 합니다. 그때 주변에서 왕가의 예법을 지키라고 충고하자 야소다라는, "내 얼굴이 가려야 할 만큼 못생겼단 말인가. 내 얼굴에 흉터가 있는 것도 아니거늘 어찌 얼굴을 가리라고 하는가"라고 말했다고 합니다. 참으로 대단한 호기입니다.

그의 이러한 성격은 후일 싯다르타가 출가했을 때 남편에 대한 푸념과 원망 속에서도 잘 나타납니다. 싯다르타가 출가를 한 뒤 마부 찬다카가 태자의 말을 끌고 돌아오자 야소다라는 이렇게 한탄합니다.

"무정한 양반, 내가 아내로서 할 일을 다 하고 있는데 어찌 나를 두고 가버렸습니까. 옛날 사람들이 숲 속에 들어가 수도 생활을 할 때, 처자를 데리고 가더라도 수도 생활에는 방해가 되지 않았다고 들었습니다. 뿐만 아니라 부부가 똑같이 머리를 깎고 서로 도우며 출가수행을 했다고 합니다. 또 무차대회(無遮大會)를 부부끼리 행하면 둘 다 미래세에 좋은 과보를 얻을 수 있다고 하지 않습니까. 그런데 당신은 이 세상의 기쁨에 만족하지 않고 그것도 모자라 자기 한 몸만 수행해 그 공덕으로 도리천에 오르려 하시는 것입니까. 그리하여 천녀들과 함께 쾌락을 누리려 하시는 것입니까. 어찌해 나만 남겨두고 가셨습니까."

이 말 속에는 싯다르타가 출가한 것이 혹시 자신이 부인으로서 잘못한 것이 있어서가 아닌가 하는 겸손 어린 한탄이나, 나 혼자 어찌 살란 말인가 하는 자기 연민이 없습니다. 오히려 자신은 아내로서 조금도 모자람이 없을 뿐만 아니라, 아내를 함께 데리고 출가하지 않은 남편에 대한 비난 섞인 원망이 들어 있습니다. 이것은 야소다라의 강한 자긍심의 표현이라고 할 수 있습니다.

경전을 통해 볼 때, 처음 결혼 요구는 슈도다나 왕이 했다고 해도 싯다르타 태자가 억지로 결혼한 것 같지는 않습니다. 두 사람은 서로에게 상당한 호감을 느꼈으며 깊이 사랑한 것 같습니다. 싯다르타 태자는 그 뒤 세 번째 결혼을 하지만, 경전에는 셋째 비에 대한 기록은 거의 전해지지 않습니다.

태자가 결혼을 통해 잠시 안정을 찾은 것은 사실인 것 같습니다. 그러나 결혼한 지 10여 년이 지나 태자 나이 이십구 세가 되어서야 세 명의 비 가운데 야소다라가 라훌라를 낳은 것으로 보아 자식을 얻는 것만은 회피했던 것 같습니다.

슈도다나 왕이 태자를 세속에 묶어두려는 온갖 노력을 했음에도 불구하고 싯다르타는 끝없는 번민으로 갈등했습니다. 태자는 브라만의 수행법을 몸에 익혀 명상과 요가, 주문을 외우는 일과 성스러운 목욕으로 마음을 닦는 일 등 수행을 꾸준히 해나갔습니다. 그러나 그렇게 몇 년이 지났건만, 싯다르타의 갈등은 아무것도 해결되지 않았습니다.

제3장

위대한 출가, 왕궁을 떠나 중생 속으로

큰 서원을 일으켜 세간을 건지리라.

구할 이 없는 중생에게 구호가 되며

양육할 이 없는 사람에게 귀의할 데가 되고

집이 없는 중생에게 집이 되리라.

이제 해야 할 일이 내 앞에 나타났으니 기필코 이 뜻을 이루리라.

충격의 현실 인식, 사문유관

사문유관에 담긴 출가의 동기

그때에 태자는 대왕의 위신을 가지고 드높은 세력으로써 성의 동쪽 문으로 나와 동산 숲으로 향했다. 이때 작병천자는 길거리에서 몸을 변해 늙은이로 화하여 태자 앞에 나타났다. 태자는 그 노인의 몸이 상서롭지 못하고 처참한 모습으로 괴롭게 걸어가는 것을 보고 전율했다. 태자는 그것을 보고 말을 끄는 어자에게 물었다.

"저것은 무엇인가? 어째서 저렇게 고통스러운 모습을 하고 있는가?"

그때 어자는 작병천자의 신통력에 끌려서 말했다.

"저자는 노인이며, 늙어서 저렇게 된 것입니다."

"세간 가운데서는 무엇을 늙었다 하는가?"

"무릇 늙었다 함은 기력이 쇠하고 정신이 혼미해지며 모든 기관이 점점 쇠퇴해 음식을 소화하지도 못하고 뼈마디는 서로 어긋나게 되며 눈은 흐리고 귀는 어둡고 문득 돌아서면 곧 잊어버리고 하찮은 말을 들어도 갑자기 슬퍼지며 앉거나 서는 데 있어서도 혼자서는 힘이 들고 눕더라도 편하지 않습니다. 노인이 되면 아무 일도 할 수 없기에 친척에게 구박받으며 의지할 곳을 잃고 남아 있는 목숨도 오래지 않아서 아침 아니면 저녁에는 마치게 됩니다. 이것을 늙음이라고 합니다."

태자는 또 어자에게 물었다.

"그렇다면 이 사람만 홀로 이렇게 된 것이냐, 아니면 일체세간이 다 이런 것이냐?"

"태자여, 일체세간의 중생도 다 이렇게 되는 법입니다."

"그렇다면 이 몸 또한 장차 이 늙는 일을 받게 되는가?"

"그렇습니다, 태자시여. 귀하고 천함은 비록 다르지만 무릇 태어남이 있으면 모두 이처럼 늙는 법을 면할 수 없나이다. 사람의 몸에는 처음부터 이러한 늙고 쇠퇴하는 상을 갖추고 있으나 다만 나타나지 않았을 뿐입니다."

태자는 어자에게 일렀다.

"내 몸 또한 늙게 되어 이러한 추하고 더러운 쇠악상을 면치 못한다니 나는 이제 동산 숲에 가서 놀고 웃을 겨를이 없다. 빨리 수레를 돌려 궁으로 돌아가라. 내 이제 마땅히 어떤 방편으로든지 이 괴로움을 멸할 도리를 생각해 보리라."

그때에 태자는 다시 남쪽 문으로 나가 길에서 고통스럽게 신음하는 병자를 만났으며, 서쪽 문으로 나가 죽은 사람의 시체를 발견했다. 태자는 그때마다 어자에게 묻고 답을 들은 후 성으로 돌아왔다. 그때마다 슈도다나 왕은 수심이 깊어만 갔다. 『불본행집경』

석가모니 부처님에 대해 조금이라도 알고 있는 사람에게 부처님이 출가하신 이유를 물으면 대부분 '생로병사(生老病死)의 고통을 보고 출가하셨다', '윤회의 고통에서 벗어나기 위해 출가하셨다'고 대답합니다. 그리고 그 근거로 '사문유관(四門遊觀)'을 듭니다.

즉 싯다르타 태자는 사문유관을 통해 '세상에 태어난 것은 언젠가는 모두 늙고 병들어 죽게 된다. 이것은 고통이다. 나 또한 결국에는 늙고 병들어 죽을 것이다'라는 사실을 알게 되었고, 이 고통에서 벗어나 생사에서 해탈하고자 출가했다는 것입니다.

그러나 이것은 부처님이 출가하신 동기의 일부분에 불과합니다. 사문유관의 의미를 죽음으로 대표되는 인간의 실존적 고통을 인식하게 된 계기로만 파악한다면, 자칫 부처님의 출가를 지극히 개인적이고 관념적이며 현실도피적인 행위로 전락시키는 오류를 범하게 됩니다.

'세상사가 허무하고 무의미해서', '죽고 나면 모두 허망해지므로', '인간의 살아가는 모습이 혐오스러워서' 등의 이유로 출가를 한다는 것은 허무주의적이고 현실도피적인 생각과 근본적으로 다르지 않기 때문입니다. 부처님은 다가올 죽음이 두렵거나 세상 사람들의 타락한 모습이 역겨워서 현실을 떠나기 위해 출가한 것이 아닙니다.

그렇다면 부처님은 무엇 때문에 출가하셨을까요?

부처님이 출가하신 원인을 바르게 인식하려면 사문유관의 의미를 정확하게 알아야 합니다. 그리고 이를 위해서는 사문유관에 대한 경전 내용을 보다 주의 깊게 살펴볼 필요가 있습니다.

사문유관 장면을 유심히 살펴보면 의아한 부분이 몇 군데 있습니다. 그중 하나는, 싯다르타 태자가 늙고 병들고 죽은 사람들을 만난 곳이 길거리나 숲 속이었다는 것입니다. 일반적인 상식으로, 늙거나 병들어서 몸을 가누지 못할 만큼 고통스러워하는 사람이나 죽은 시체를 길거리에서 보았다는 것이 과연 자연스러운 일인가 하는 의문이 듭니다. 늙어 거동을 못 하거나 병이 심하면 집이나 병원에 있어야 하고, 죽은 시체는 땅에 묻거나 화장을 하는 것이 일반적인 일이기 때문입니다.

그리고 또 이해가 가지 않는 것은, 싯다르타가 사문유관 전까지는 인간은 반드시 늙거나 병들어 죽으며 자신 또한 결국에는 늙거나 병들어 죽어야 한다는 사실을 몰랐다는 것입니다. 또한 심지어는 늙고 병들고 죽는 것 자체가 무엇인지조차 몰라서 마부 찬다카를 통하여 알게 되었다는 것입니다.

싯다르타는 십대 초반에 그 누구도 견줄 수 없는 총명한 지혜로 모든 학문을 두루 섭렵하고 통달했습니다. 그런데 스무 살이 넘은 싯다르타가 생로병사를 사문유관을 통해, 더구나 마부 찬다카로부터 알게 되었다는 것은 결코 자연스럽지 못합니다.

이러한 몇 가지 의구심에 대해 일반적으로 두 가지 입장이 있을 수 있습니다. 그중 하나는 경전의 설화적 내용을 그대로 인정하는 것입니다. 즉, 천신의 신통력으로 노인과 병자와 죽은 이를 길가에 나타나게 해 마부의 입을 빌어 싯다르타를 깨우쳐주었다고 보는 것입니다. 그러나 경전을 이러한 식으로 읽고 이해한다면 사문유관의 의미는 물론이고 부처님의 생애와 가르침을 현실적으로 이해할 수가 없게 됩니다.

다른 하나는 부처님의 출가 동기를 극적으로 묘사하기 위해 기술한 것이므로, 중요한 것은 싯다르타가 생로병사의 고통을 알게 됐다는 사실이라는 입장입니다. 그러므로 그것을 인식하게 되는 구체적인 부분까지 사실로 받아들이고 규명하고자 하는 것은 문제가 있다고 보는 것입니다. 그러나 이런 입장으로 보아도 싯다르타가 인식한 인간의 고통이 어떠한 것이었나 하는 구체적인 부분을 간과하게 됩니다.

앞에서도 보았듯이 경전 기술은 그 의미를 상징적으로 함축한 경우가 많습니다. 사문유관 역시 마찬가지입니다. 사문유관에서 나타나는 몇 가지 의아한 내용 또한 단순한 설화적 표현이나 비현실적인 극적 묘사가 아닙니다. 이것은 보다 구체적인 현실을 표현하기 위한 방법입니다.

노예 계급의 비참한 현실상을 깨닫고

그럼 위에서 말한 두 가지 의문을 풀어나가는 것을 중심으로 사문유관을 살펴보겠습니다. 우선 경전에서 싯다르타가 목격한 사람들의 모습을 어떻게 묘사하고 있는지부터 보겠습니다.

처음 싯다르타가 동쪽 문으로 나갔을 때 본 노인의 모습을『수행본기경』에서는 이렇게 묘사하고 있습니다.

'그 노인의 머리와 귀밑과 수염은 서리같이 세었고, 검은 얼굴은 주름으로 구겨져 있었으며, 눈에서는 눈물, 코에서는 콧물을 흘리고, 이는 모두 빠져 있었다. 온몸은 검게 주름지고 살빛은 검은 점으로 얼룩져 있었으며 오직 뼈와 껍질뿐 살이 없어서 늘어진 목덜미가 밑으로 축 처져 있었다. 옷은 다 떨어져 몸을 제대로 가리지도 못했으며, 가래가 끓고 숨이 차서 목 안에서 그렁거리는 소리는 마치 톱질하는 것과 같았고, 사지는 부들부들 떨고 숨이 끊어질 듯 할딱거렸다. 허리는 굽어 비딱거리며 걷고 기운이 쇠해 지팡이에 겨우 의지해서 걷다가 제 풀에 넘어지고 혹 붙들며 겨우겨우 태자 앞을 걸어갔다.'

이번에는 남쪽 문으로 나갔을 때 만난 병자의 모습을 살펴보겠습니다.

'병자의 몸은 야위어서 피골이 상접했으며 배만 유독 불렀고 안색은 누렇다 못해 푸르렀다. 기침을 하고 구역질을 심하게 했으며,

모든 뼈마디는 격심하게 쑤시고, 쓰레기 더미 위에 버려진 채 아홉 개의 구멍에서는 썩은 물이 흐르고 대소변을 그대로 싸고 그 위에 앉거나 누워 악취가 심했다. 눈으로는 사물을 보지 못하고 귀로는 소리를 듣지 못하고 거칠게 숨을 쉬며 손과 발로 허공을 더듬으며 부르짖되 아버지 혹은 어머니 하고 애타게 찾으며, 내 아내여, 내 아들아 하고 슬퍼하고 그리워했다.'

또 싯다르타는 서쪽 문으로 나갔을 때 시체를 발견하게 됩니다.

'사자는 정신이 떠나 사대(四大)가 흩어지려 하면서 혼신이 편안하지 못해 바람 기운이 떠나가서 숨이 끊어지고, 불기운이 꺼져서 몸이 차갑게 식고 빳빳하게 굳어지며, 다시는 아는 것이 없어진다. 10여 일이 지나기 전에 살이 허물어지고 피가 흐르며 온몸이 띵띵 부풀고 문드러져 썩은 냄새가 나며 취할 만한 것은 하나도 없다. 그리고 몸 안엔 벌레가 있어서 육신을 뜯어먹으며, 힘줄과 근육이 짓무르고 뼈마디는 어긋나고 해골·등·갈비·팔·지라·종아리·발·손가락이 각각 서로 제자리에서 떨어지게 된다. 게다가 날짐승이나 길짐승이 다투어 그것을 뜯어먹으며, 썩어서 악취를 풍기고 사람의 형태를 잃어간다.'

정말 참혹하고 비참한 모습이 아닐 수 없습니다. 오늘날 우리의 현실로 볼 때 늙거나 병이 들어 거동이 불편한 사람은 집에서 자식들의 보호를 받거나 병원에서 간호를 받습니다. 그리고 죽으면 화장을 하거나 매장을 합니다. 그러므로 경전에서 묘사한 것과 같은 이들을 길거리나 숲에서 볼 수가 없습니다. 그렇다면 이것은 사실이 아닌 설화에 불과한 이야기일까요?

그렇지 않습니다. 당시의 인도에서는 실제로 길이나 숲에서 늙고 병들고 죽은 사람을 흔히 볼 수 있었습니다. 노예제사회에서는 노예는 한갓 두 발로 걷는 동물이나 말하는 도구에 불과했으므로 젊을 때에는 노예로서 가치가 있지만 늙어 노동을 할 수 없게 되면 아무 쓸모가 없으므로 길에 내다버렸습니다. 병이 든 노예도 마찬가지입니다. 노예가 병에 걸려 일할 수 없게 되면 병을 고쳐주느니 그 돈으로 새 노예를 사는 게 훨씬 이익이었습니다.

이렇게 버려진 노예들은 죽을 때까지 길거리에서 먹고 살아야 했습니다. 단적으로 말해서 늙고 병든 노예는 고장 난 도구에 불과했습니다. 고장 난 도구는 수리해서 사용할 수 있으면 수리를 하고, 수리해도 또 고장 날 우려가 있거나 오래 사용해 너무 낡았으면 내다버리듯이, 노예는 인간 형상을 하고 말을 하는 도구로 취급되었던 것입니다.

또 천민은 죽으면 화장을 할 형편이 안 되었으므로 숲에 버렸습니다. 그 시체를 까마귀가 먹고 살았습니다. 늙거나 병들긴 했지만 아직 살아 있는 사람을 버리기도 했습니다. 이렇게 죽은 사람을 갖다 버리는 숲을 시타바나라고 합니다.

부처님이 성도 직전 수행을 하신 곳도 바로 시타바나였습니다.

'남자나 여자들이 혼자서는 기동할 수도 없을 만큼 중병이 들어서 침상에 드러누워만 있으되 가난해 치료할 수도 없고 낫기도 어려워서 그 사람이 오래지 않아 목숨이 다할 것 같으면 미처 기운이 끊어지지 않은 사람일지라도 숲 가운데 내다버리고 장사를 지냈다. 보살이 고행할 때 그 숲 안에 죽어가는 한 부인이 있었으니 이름이 라사야였다. 기운이 아직 다 끊어지지 않았음에도 그 권속들이 그녀를 데려와 보리수의 맞은편에서 그리 멀지 않은 곳에 버리고 갔다.'

이는 『불본행집경』에 나오는 내용입니다.

싯다르타 태자는 휘황찬란하게 꾸며진 상여가 아니라 시타바나에 버려진 시신, 그런 죽음을 본 것입니다. 평민들은 너무나 가난했기 때문에 늙은이나 병자를 부양할 능력이 안 되었습니다. 더구나 흉년이 들거나 전쟁으로 젊은 사람이 죽거나 빚으로 집을 잃게 되면, 늙은이들은 거리에서 구걸을 하며 생명을 유지하는 경우가 허다했습니다. 싯다르타 태자는 부잣집 늙은이가 아닌 길거리의 늙은이, 병자, 그리고 무덤이 아닌 길거리에 버려진 시신을 보고는 인생을 새롭게 생각하는 계기를 맞은 것입니다.

인간에게 생로병사는 자연스러운 현상이며, 싯다르타 역시 그것을 잘 알고 있었습니다. 그러나 싯다르타가 길거리에서 본 생로병사는 자연스러운 현상이 아닌, 가난한 이들과 노예들의 비참한 삶의 모습입니다. 이렇게 싯다르타는 사문유관을 통해 천민들의 처절한 현실을 접하게 된 것입니다.

그렇다면 사문유관에서 싯다르타 태자가 마부 찬다카에게 묻고 답변하는 장면이 말해주는 뜻은 분명해집니다. 싯다르타는 많은 스승에게 제왕의 학문과 무예를 배웠습니다. 그러나 그들의 가르침에서는 천민들의 고통과 비참한 생활상은 배울 수 없었습니다.

싯다르타는 천민들의 고통스런 현실을 직접 목격하고, 실제로 노예의 삶을 사는 찬다카와의 대화를 통해 그들의 삶에 대한 새로운 진실을 알게 됩니다. 누구보다 뛰어난 싯다르타 태자가 노예 찬다카를 통해 노예사회의 숨겨진 모습과 인간 삶의 진실을 알게 된 것입니다.

중생이 겪는 고통의 근본 원인을 찾아

새로운 진실을 접하게 된 싯다르타는 그러한 현실의 고통에 대해 깊은 회의를 하기 시작했습니다.

'그 노인은 왜 그렇게 고통스러워야 하는가? 똑같이 늙었는데 왜 그들만 고통을 받아야 하는가?'

슈도다나 왕도 늙었고 스승과 대신들도 늙었지만 그들은 그렇게 괴로워하지 않았습니다. 오히려 나이가 들수록 학문의 경지가 높아지고 덕을 쌓아 많은 사람으로부터 존경을 받았습니다.

인간은 누구나 늙습니다. 늙으면 젊을 때보다 기력이 떨어지고 여러 가지로 힘이 듭니다. 그러나 경제적인 여유가 있고 사회적으로 인정받는 지위에 있는 사람은 나이가 들수록 오히려 주변에 대한 영향력이 커집니다. 학자는 학문의 세계가 깊어지고 종교인은 종교적인 영감이 높아지고 존경을 받게 됩니다. 육체의 기력은 떨어질지언정 지혜가 생기고 경거망동하지 않으며 사려 깊게 됩니다.

옛날 우리 조상을 보면 나이 드신 분들은 스스로 무덤자리를 보러 다니기도 하고 미리 관을 맞춰서 안방에 들여놓고 사시는 분도 있었습니다. 죽음을 한탄하거나 서러워하지 않았습니다. 세상 걱정이 없다는 신선도 어린아이의 모습이 아닌 호호백발 할아버지로 표현됩니다. 불교에서는 사실 늙음 자체를 고통으로 보지 않습니다.

우리의 가슴을 아프게 하는 것은 늙었는데도 아무도 돌보아주지 않아 보호받지 못하는 사람들입니다. 육체적인 늙음이 고통이 아니라 늙어서 보살펴줄 사람이 없어 천대받고 생존 유지가 어려운 것이 고통입니다.

병도 마찬가지입니다. 태자가 병자를 보지 못했던 것은 아니었습니다. 성안에도 병든 사람이 있었지만 그들은 훌륭한 의사와 좋은 약으로 치료를 받았고, 편안한 침대에서 간호를 받으며 휴식을 취함으로써 완쾌되었습니다. 태자는 생각했습니다.

'왜 저들은 병이 들어 저렇게 길거리에 내버려져 고통을 당해야 하는 것일까?'

사람이 병들었다고 무조건 고통스럽기만 한 것은 아닙니다. 병에 걸려서 누워 있는 것 자체를 고통이라고 하지는 않습니다. 그런데 같은 병에 걸렸어도 치료비가 없어 치료받지 못하고 죽어가는 경우라면 다릅니다. 의술이 발달하지 못해서 못 고치는 것이 아니라 돈 때문에 병을 치료받지 못하는 것이 고통스러운 것입니다.

죽음 역시 마찬가지입니다. 싯다르타 태자는 전에는 죽음이 그렇게 큰 고통으로 다가오지는 않았습니다. 귀족들도 죽었지만 그들은 훌륭한 장례식과 제사를 지냄으로써 천상에 나거나 더 훌륭한 신분으로 윤회할 것이라 믿었습니다. 생명은 왜 태어나고 죽어야만 하는가에 대한 의문은 있었지만 죽음 자체를 고통으로 생각하지는 않았습니다.

'그런데 왜 저들의 죽음은 끔찍한 고통으로 느껴지는가?'

싯다르타가 길거리에서 본 것은 안락하게 노후를 보내는 노인이나 자상한 간호를 받고 있는 환자, 성대하게 장례를 지내는 이들의 모습이 아니었습니다. 길거리에 버려져 고통받으며 죽어가는 늙은 이와 병자, 그리고 썩어가는 시체였습니다. 싯다르타에게 다가온 그들의 모습, 계급제도 하에서 살아가는 천민의 삶은 그 자체가 비참함과 고통이었습니다. 그러므로 태어난다는 것 자체가 바로 고통의 시작일 수밖에 없었습니다.

싯다르타는 성 밖의 사람들이 이렇게 큰 고통을 받고 있다는 사실을 예전에는 상상도 못 했습니다.

'저들은 왜 고통받아야 하는가. 왜 인간의 삶은 이다지도 불평등하고 부당할까.'

싯다르타는 거리에 버려진 사람들의 고통 위에서 자신의 안락하고 풍요로운 삶이 유지되어 왔다고 생각되자 가슴이 답답해졌습니다. 농경제에서 본 동물들의 약육강식과 인간계의 불평등이 똑같은 모습이며, 거리에 버려진 노예의 고통이 자신의 존재와 연관되어 있음을 깨닫고 한탄했습니다.

뿐만 아니라 자신의 삶도 언젠가는 그들과 같은 고통을 겪게 될지도 모른다는 두려움이 엄습했습니다. 전쟁이 나서 지게 되면 카필라바스투도 무너집니다. 부처님 당시에는 전쟁에서 지면 크샤트리아든 수드라든 관계없이 이긴 나라의 노예가 되었습니다. 실제로 뒷날 코살라국의 비루다카 왕이 카필라바스투를 침략했을 때 카필라바스투의 석씨들은 몰살당하거나 코살라국의 노예로 끌려갔습니다. 결국 전쟁에 지면 누군가의 노예가 되어야 했고, 내가 살기 위해서는 전쟁에 이겨 남을 노예로 삼아야 했습니다.

싯다르타는 먼저 자신의 삶을 참회했습니다. 세속의 영화와 부귀를 누리던 생활이 소의 울음, 농부의 고통, 노예들의 비참한 삶으로 유지되는 것임을 알았을 때 참을 수 없는 죄의식이 몸을 죄어왔습니다.

또한 얼마 안 있어 썩어갈 자신의 육신을 생각하니 그동안 사치와 향락으로 젊은 날을 허송세월한 것이 부끄럽고 후회스러워 견딜 수가 없었습니다. 그리하여 싯다르타는 이제 과거의 환락과 사치를 거부하고, 고통의 원인이 무엇인지 찾아보기 시작했습니다.

당시 왕들은 영토를 확장하고 재물과 노예를 늘리려고 전쟁을 일삼았으며, 돈이 많은 이는 왕에게 뇌물을 주고 여러 가지 이권을 차지했습니다. 그 결과 빈부의 차이는 극심해져 상층민의 사치와 향락은 극도의 쾌락주의와 물질 만능주의를 낳았고, 하층민은 전쟁터에 끌려가거나 재산을 모두 빼앗겨 빈곤과 병고에 시달렸습니다. 그야말로 사는 것 자체가 고통이었습니다.

싯다르타는 노예제도가 지속되는 한 고통의 근원은 사라질 수 없음을 깨달았습니다. 그러나 당시 상황으로는 노예제도가 없어진다는 것은 불가능한 일이었습니다.

싯다르타는 끊임없는 사색을 통해 문제의 해결점을 찾으려 했고, 스승과 여러 브라만을 찾아다니며 해답을 얻고자 했습니다. 그러나 그들은 올바른 답을 가르쳐주기는커녕 개인적인 탐욕을 채우는 데 급급했고, 나름대로 청정하게 수행한다는 브라만 역시 노예제도를 합리화해 주는 역할을 할 뿐이었습니다.

싯다르타는 더 이상 자신을 지탱하기 힘들 만큼 고민했고, 갈수록 웃음을 잃고 절망에 빠져들었습니다.

새로운 가치의 세계관을 발견하다

사문과의 만남

그때 태자는 어자를 불러 칙명을 내려 일렀다.

"착한 어자여, 탈 것을 급히 장엄하라. 내 이제 동산에 나가고자 하노라."

이 소식을 늘은 슈도다나 왕은 칙명을 내려 가지가지로 카필라바스투 안팎을 청정하게 하고 장엄하기를 전날과 다름없게 했다. 때에 어자가 좋은 보배 수레를 마련하자 태자는 곧 수레 위에 올라앉아 존중한 위덕으로 카필라바스투의 북쪽 문으로 나왔다.

그때 작병천자는 신통력으로 수레와 멀리 떨어지지 않은 곳에 사문으로 화하여 나타났다. 그 사문은 머리와 수염을 깎고 분소의를 입었으며, 오른팔을 걷어 드러내고 손으로 석장을 짚고 왼손에 발우를 든 채 걸식을 하고 있었다. 태자는 이것을 보고 어자에게 물었다.

"어자여, 저 사람은 내 앞에 있으면서도 위의가 당당하고 걸음걸이가 정숙하며 눈은 맑고 안정되어 있고 눈길은 한 길 앞만을 보되 좌우로 헛보지 않으며 마음을 흐트러뜨리지 않고 걸어가는 모습이 예사롭지 않구나. 또 머리와 수염을 깎았고 옷 빛이 온통 붉은 나무 빛으로 물들어 있으며 걸식하는 그릇이 보랏빛으로 마치 흑연과 같구나. 저 사람은 어떤 사람이냐?"

그때 작병천자는 신통력으로써 그 어자로 하여금 태자에게 말하게 했다.

"태자여, 저 사람은 사문이라 하며 출가한 사람입니다."

태자는 또 어자에게 물었다.

"출가 사문이란 어떤 행을 하는 사람이냐?"

"출가 사문이란 세상의 악한 법을 떠나서 선한 법을 행하고, 욕망으로부터 모든 근(根)과 자신의 집착을 잘 조복하고 모든 두려움을 없앴으며 일체 모든 중생에게 평등행과 보시행을 수행하는 사람입니다. 일체 모든 중생에게 큰 자비를 내어 모든 중생을 공포로부터 구제하며 모든 중생을 살해하지 않으며 모든 중생을 잘 보호하고자 생각하는 사람이기에 이러한 사람을 출가 사문이라 하나이다."

태자는 이 말을 듣고 나자 마음이 뛰놀듯 기뻐서 즉시 수레에서 내려 사문에게 다가가 물었다.

"어진이여, 그대는 무엇 때문에 출가 사문이 되었습니까?"

"내가 일체 세간의 모든 일을 보매 모든 것이 다 고통입니다. 이렇게 세상을 관하고 나서 일체 세속의 모든 영화와 안락에-집착하지 아니하고 권속들을 떠나 영원한 안락을 구하고, '어떤 방편을 행하여 모든 고통받는 생명을 살릴 것인가' 하는 길을 구하고자 출가해 사문이 되었습니다. 그러므로 이 일에 족함을 알고 언제나 맑은 행을 닦고 굳건하게 계율을 지켜서 번뇌를 등지고 감관과 의식을 조복받아 망령된 생각을 내지 않고 진실한 행을 법답게 수행해 일체의 모든 생명을 고통에서 구하고자 합니다. 태자여, 이러한 까닭에 나는 출가해 사문이 되었습니다."

태자는 이를 듣고서 찬탄했다.

"거룩하십니다, 사문이시여. 그 흐린 세상을 잘 조복했고 바른 길을 구하셨습니다. 이야말로 참된 길이며, 그대야말로 참된 선한 벗입니다."

그때 대자는 사문의 법을 공경하는 까닭에 출가 사문의 앞에 다가가서 머리와 얼굴로 정례하고, 그의 주위를 오른쪽으로 세 번 도는 예를 한 후 궁중으로 돌아왔다. 『불본행집경』

부처님 당시를 전후해 인도에는 브라만교에 반하는 새로운 종교와 철학이 우후죽순처럼 번성하였습니다. 이렇게 새로운 사상을 추구해 집을 떠나 수행하는 일반 사상계의 사람을 사문이라 하였습니다.

브라만교에서는 신이 이 세상을 만들었고, 인간 계급 또한 신이 만들었다고 주장합니다. 그러므로 브라만에게 많이 보시하는 것이 선이고, 브라만 신을 섬기는 것이 가장 올바른 행위이며, 브라만의 계급제도를 잘 지키는 것이 인간의 도리였습니다. 또한 인간의 운명도 신이 좌우하므로 신에게 제사를 지냄으로써 행복을 얻을 수 있다고 했습니다.

그러나 일반 사상계의 사문들은 신의 존재와 계급의 권위를 부정했으며 신에 대한 제사나 브라만에 대한 보시나 종교의식 등으로는 결코 인간이 행복해질 수 없다고 주장했습니다. 이들은 브라만교의 가치가 지배하는 세속을 떠나 산야에 살며 무소유를 지키고 걸식을 하면서 수행했습니다.

그동안 싯다르타는 환락의 늪에 깊이 빠지지는 않았지만 슈도다나 왕이 마련해 주는 것을 굳이 거절하지는 않았습니다. 그러나 노예들의 고통스런 삶과 자기 자신의 모순된 삶을 깨닫게 되자 슈도다나 왕이 베푸는 온갖 향락에 응하지 않았습니다. 그 대신 자신의 고민을 풀어줄 무엇인가를 찾아 백성들의 삶의 현장을 찾아갔습니다. 바로 이러한 과정 속에서 싯다르타는 사문과 만나게 됩니다.

싯다르타는 성 밖에서 만난 사문의 모습에서 어렴풋이 고민을 해결할 실마리를 찾게 됩니다. 비록 초라한 옷과 마른 몸이지만 형형하게 빛나며 평온한 사문의 눈빛을 보고 존경의 마음이 일었습니다. 사문은 왕자인 싯다르타 앞에서도 조금도 비굴하지 않았고 당당했습니다. 때로는 권력과 환락에 젖어 있는 태자의 삶을 비웃으며 도

전적인 발언을 하는가 하면 연민을 표하기까지 했습니다.

지금까지 싯다르타를 그렇게 대하는 사람은 아무도 없었습니다. 궁 안의 재상이나 수행을 많이 한 브라만, 학식이 높은 스승조차도 언제나 태자를 존경하는 태도로 받들었던 것입니다. 싯다르타의 학식과 기예와 품위를 보고 누구나 머리 숙여 존경의 예를 표하였습니다.

싯다르타는 사문들과의 만남에서 기존의 가치관이 뿌리째 뽑혀나가는 것을 느꼈고, 새로운 가치관으로 전환되는 자신의 모습을 보았습니다.

물론 태자는 농경제 이후 브라만 사상에 한계를 느끼고 회의를 느꼈지만 그것을 완전히 부정하지는 못했습니다. 그것은 그 한계를 대체해 새롭게 자신의 가치 기준으로 삼을 만한 기둥이 없었기 때문입니다. 또한 브라만 사상을 부정하는 것은 결국 현재 자신의 위치를 부정하는 것이었기 때문입니다.

태자는 한편으로는 불안한 마음이었지만 오랜 친구를 만난 듯이 사문에게 고민을 이야기하기도 했습니다. 태자의 성 밖 출입은 이렇게 백성들의 현실을 관찰하는 것과 사문들을 만나 대화를 나누는 것으로 채워졌습니다.

새로운 희망을 발견하다

이때에 슈도다나 왕은 '나는 모름지기 이제 따로 방편을 베풀어서 태자에게 집을 떠나려는 뜻을 끊게 하리라' 생각한 후 싯다르타에게 말했다.

"가리사가라는 마을은 나라에서도 중히 여기는 땅이다. 너는 이제 거기로 가서 나를 대신해 어루만져 주어서 한 지방의 백성들을 평화롭고 기쁘게 할지니라."

그때 태자는 점점 앞으로 나아가서 가리사가 마을의 전답에까지 이르렀다. 그곳에는 많은 사람이 저마다 애쓰면서 소를 몰고 쟁기를 끌며 밭갈이하고 씨를 뿌리되, 손발은 추악하고 먼지로 흙투성이가 되어 있으며 옷은 다 해지고 굶주려서 힘이 없어 보였다. 태자는 이렇게 갖가지로 괴로워하며 시달리는 것을 보고 인자함과 가엾이 여김을 품고 있는데 좌우에서 말했다.

"이곳이 바로 태자께서 관할하는 곳이고, 저들이 바로 이곳에서 밭갈이하고 씨 뿌리는 사람들입니다."

태자는 이 말을 듣고서 곧 일러 명했다.

"장정과 소를 놓아 보내서 멋대로 스스로 살아가게 하고, 관리들에게 다시는 얽매거나 가두지 않게 해라."

그때 태자는 바로 수레를 타고 카필라바스투로 돌아가다가 시타바나를 지나면서 그 숲 속에 죽은 사람들이 있음을 보았는데, 벌거숭이에서 냄새가 나고 온 몸뚱이가 문드러져 있는지라, 세간의 고통에 대해 깊이 가슴 아파하며 카필라바스투로 돌아왔다. 『불설중허마하제경』

그때에 궁중에 한 여인이 있었으니 이름을 '사슴 아가씨'라고 했다. 그녀는 누각 위에 있다가 멀리서 태자가 궁으로 돌아오는 것을 보고 애욕의 게송을 읊었다.

"참으로 행복하겠네, 저이의 아버지.

참으로 근심 없으리, 저이의 어머니.

저이와 같은 남편을 둔 여인은 참으로 열락 속에 살겠네."

태자는 이 소리를 듣자 온몸이 떨리고 눈물이 비 오듯이 흘렀다. 마음속에는 문득 진정한 열반의 즐거움을 사랑하는 마음이 생기고, 모든 근이 청정해지며 열반에 대한 게송을 읊었다.

"나는 이제 응당 저 열반을 취할 것이요,

나는 이제 응당 저 열반을 행할 것이요,

나는 이제 응당 저 열반에 머물 것이다." 『불본행집경』

싯다르타가 제왕의 길을 잇기 위한 노력은 하지 않고 성 밖으로 나가 사문들과 만나면서 현실에 대한 회의가 깊어가는 것을 본 슈도다나 왕은 갈수록 불안해졌습니다. 그래서 왕은 싯다르타가 권력의 맛을 보게 되면 세속 일에 애착을 갖게 되지 않을까 생각했습니다.

왕은 싯다르타가 백성의 고통에 가슴 아파하는 것을 알고 태자에게 직접 카필라바스투 영토 안의 한 지방을 다스리게 합니다. 싯다르타는 왕명을 받아 백성을 다스리며 고통받는 사람들을 위해 자신이 할 수 있는 최대한의 일을 합니다. 노예를 노예 신분에서 해방시켜 주고 강제 동원된 농민에게는 은전을 나누어주며 선정을 베풉니다.

그러나 싯다르타는 그러한 것으로는 삶의 문제가 근본적으로 해결될 수 없음을 절감합니다. 자신이 아무리 선정을 베푼다 해도 수많은 이의 현실적인 고통을 모두 해결해 줄 수는 없었기 때문입니다. 모든 고통의 근본 원인은 인간이 인간을 지배하는 현실 자체에 있으므로 쉽게 해결될 일이 아니었습니다.

태자는 사문들을 만나면서 급속히 자신의 문제를 정리했습니다.

'내가 왕자로서 또 지배계급으로서 누리는 이 지위도 결국은 노예들의 고통 위에 있는 것이다. 진정으로 모든 인간을 행복하게 하기 위해서는 남을 지배하고 남 위에 선다는 생각, 남의 고통을 딛고 유지되는 나의 행복의 길을 벗어나야 한다. 진정으로 남의 아픔을 내 아픔으로 느끼고 타인을 행복하게 하는 길이야말로 나의 행복을 찾는 길이다.'

싯다르타 태자는 새로운 사상가들을 만나면서 문제를 해결할 수 있다는 희망을 갖게 되었습니다. 싯다르타는 확신을 갖고 자신의 앞날을 결정했습니다.

'그렇다. 사문이 되는 것이다.'

우리는 부처임을 약속받은 존재

사문유관뿐 아니라 부처님의 생애 전반에 나오는 천신의 등장 부분을 생각해 봅시다. 앞에서도 말했듯이 경전에 등장하는 신화적 표현이나 신비한 장면 속에 암시되어 있는 진실을 우리가 오늘날 어떻게 받아들여야 하는가가 중요합니다.

부처님은 무수한 전생을 통해 보살행을 하신 결과로 이 세상에 오신 것이며, 인간의 몸을 받을 때 이미 인간을 구원할 부처로 내정되어 왔다는 것을 일깨워주기 위해 경전에서는 자주 천신과 제신을 등장시킵니다. 또 부처님의 위대함을 강조하고자 '중생을 구원하는 구원자'로서 부처님의 모습을 상정했습니다.

그러나 아무리 부처님이 위대한 분이고, 또 당시 인도인의 정서에 맞게 기술한 것이라 해도, '이미 부처가 될 인물로 내정된 존재'라는 논리에는 큰 문제가 있습니다. 왜냐하면 불교의 가장 중요한 핵심 사상은, '모든 중생이 부처가 될 수 있다'는 것이기 때문입니다. 불교를 믿는 궁극적인 목적도 우리가 부처가 되고자 하는 것이며, 석가모니 부처님이 위대하신 것도 우리와 똑같은 중생으로 태어나 부처를 증득했기 때문입니다.

그러므로 어떠한 이유에서든 '모든 중생이 부처가 될 수 있다'는 원칙을 파기하거나 훼손하면 이미 부처님의 가르침에 위배되는 것입니다. 그렇다면 우리는 석가모니 부처님을 '부처가 될 인물로 내정된 존재'로 기술한 경전들을 다시 살펴보아야 할 것입니다.

부처님의 생애를 기술한 사람들은 우리 모두가 부처될 수 있음을, 아니 부처가 되어야 함을 강조한 대승의 영향을 받은 사람들입니다. 그러므로 그들이 강조한 '일체중생 실유불성' 원칙을 스스로 파기했을 리 없습니다.

그러면 '이미 부처가 될 인물로 내정된 존재'라는 논리를 어떻게 받아들여야 할까요?

우리가 어떠한 삶을 살아가고자 하느냐에 따라, 평범하고 일상적인 상황이나 조건이 때로는 특별한 사건으로 비춰지는 경우가 있습니다. 마치 어떤 신적 존재가 나를 깨우치고자 일으킨 의미 있고 의도적인 사건으로 인식되기도 합니다.

살아가면서 자신과 이웃에 얼마나 관심과 애정을 갖느냐에 따라, 또 사소한 문제라도 얼마만큼 신중하고 책임 있게 자기 문제로 성찰하느냐에 따라 주변의 모든 것이 자신의 삶에 중요한 의미를 가질 수도 있고 그렇지 않을 수도 있습니다. 이러한 생각의 차이에 따라 우리 삶의 모습은 여러 가지 방향으로 변하게 됩니다.

뉴턴은 사과가 떨어지는 것을 보고 만유인력을 발견했습니다. 모두가 당연한 것으로 여기던 사실에 의문을 제기하고 끊임없이 고민했기에 이 사소한 사건이 역사적인 발견이 될 수 있었던 것입니다. 뉴턴에게 있어서 어느 날 땅에 떨어진 그 사과는 여느 사과와는 전혀 다른 사과입니다. 그 사과가 땅에 떨어진 사건을 신화적인 표현으로 적는다면 소위 '신의 의도'라고 할 수도 있습니다.

만약 우리가 길가의 걸인을 보고 현실 사회의 잘못된 구조를 인식하고 그들의 고통을 자기 삶의 일부로 받아들이면, 경멸과 비웃음의 대상이었던 걸인에 대한 지금까지의 마음가짐이 근본적으로 달라집니다. 그 걸인을 통해 불국 정토를 건설하고자 하는 발원을 굳게 다지게 된다면, 그 걸인은 신의 화현(化現)일 수도 있는 것입니다.

삶의 방향을 불국 정토 건설에 두게 되면, 주변의 모든 것이 나를 일깨워주는 제신의 의도로 받아들여지며 주변의 모든 것을 제불보살의 원력으로 받아들이게 됩니다. 그럴 때 우리 삶의 방향은 부처의 세계로 한 걸음 나아가게 됩니다.

이런 측면에서 둘러보면, 우리 주위는 우리를 부처의 세계로 이끌고자 하는 제신들의 의도적인 사건들로 가득 차 있습니다. 우리 내면에 불세계로 가고자 하는 욕망이 강해질 때 그 제신들의 의도가 하나하나 밝혀집니다. 또한 우리 삶이 부처의 세계와 다른 방향으로 갈 때에도 제신들의 의도는 변함없이 계속되지만 우리가 이를 인식하지 못해서 마군의 음모에 빠지는 것입니다.

우리 모두는 부처가 될 수 있으며 불성을 지닌 존재입니다. 제불보살과 제신들은 우리가 부처가 되고자 이 땅에 온 것임을 알고 있기에 언제 어디서나 우리가 부처이며 보살임을 자각할 수 있도록 상황을 만들어주고 있습니다.

우리 모두는 과거 수억 겁 동안 중생제도를 위해 신명을 바쳐 보살행을 해온 존재입니다. 우리는 부처가 될 것을 약속받은 존재로서 중생 구제를 위해 이 땅에 내려온 것입니다. 그러므로 '일체중생 실유불성'은 불성이라는 어떤 실체가 우리 몸 어딘가에 있으니 찾으라는 것이 아니라, 우리는 과거세에 이미 부처가 될 것이라는 수기를 받고 이 세상에 온 것임을 자각하라는 뜻입니다. 우리는 이미 부처인데 그것을 모르고 있을 뿐이므로 자신이 부처라는 사실을 깨달아야 합니다. 석가모니 부처님조차도 현실 속에서 자신이 부처임을 알지 못하고 방황하다가 제신들의 등장으로 그것을 자각하게 되면서 부처의 길로 나아가신 것입니다.

보다 현실적으로 말한다면, 주변의 모든 문제를 자신의 문제로 받아들이고, 타인의 고통을 자신의 고통으로 알아, 자신과 타인을 고통에서 해방시키기 위해 살아가고자 다짐하고, 잘못된 주변 상황을 바로잡고자 끊임없이 노력하는 과정 속에서 우리는 자신이 바로 그 문제를 풀고자 이 땅에 온 부처이며 보살임을 자각하게 된다는 것입니다.

이제 싯다르타는 자신이 중생 구원을 위해 주체적으로 이 세상에 왔음을 자각합니다. 그리고 자신이 세상에 태어난 본래 목적을 성취하기 위해 새로운 삶의 길로 들어가고자 합니다.

출가를 선언하는 싯다르타

출가를 허락해 주소서

이때 태자는 '인자하신 부모님께서 사랑으로 보살펴 기르신 은혜'를 생각하다가, '만일 하직 인사를 올리지 않는다면 효행에 모자람이 되리라'고 생각했다. 태자는 곧 슈도다나 왕이 머무는 궁으로 들어가서 오른쪽으로 한 바퀴 돌고 합장한 후 아뢰었다. .

"대왕이시여, 오직 원하옵나니 제가 집을 떠나서 도를 구할 수 있도록 허락해 주소서. 일체중생은 은혜와 사랑이 모이더라도 반드시 이별이 있는 것 아닙니까. 원컨대 반드시 허락하시고 만류하지 마소서."

태자의 말을 들은 슈도다나 왕은 마치 금강으로 산을 깎고 깨뜨리는 것과 같이 마음이 크게 괴로웠는지라, 코끼리가 나무를 흔들 듯 온몸이 벌벌 떨리고 팔다리에서 맥이 빠져, 태자의 손을 붙잡은 채 말을 못 하고 눈물을 흘리며 슬피 울어 목이 메었다. 슈도다나 왕은 한참이나 이렇게 있다가 작은 소리로 태자에게 말했다. 『과거현재인과경』

　내 아들 태자여, 너는 그 생각을 거두어라. 너는 지금 출가할 때가 아니다. 나이 어릴 때는 마음과 뜻이 정하지 못하고 모든 근이 능히 조복되지 못하나니, 저 열반에 머물고자 하나 때로 고행을 감당하지 못하리라. 나 또한 얼마 안 있어 때가 이르면 마땅히 나라를 버리고 왕위를 네게 전하고는 고요하고 한적한 데 들어가 고행을 하려 하노라. 『불본행집경』

　태자여, 진정코 네가 원하고 바라는 것이 무엇인지 자세히 말하라. 나는 왕위와 나라와 모든 재물과 온갖 것을 버리더라도 네가 집 떠나는 일을 그만둔다면 아까울 것이 없다. 네가 집 떠나는 일만 그만둔다면 네가 원하는 것은 무엇이든 들어주리라.

　태자는 즉시 부드러운 말로써 왕에게 아뢰었다.
　"왕이시여, 저에게 몇 가지 소원이 있사오니 만일 이를 들으시고 곧 자재롭게 하신다면, 제가 이 소원을 얻은 뒤에는 결코 출가하지 않겠나이다. 이 네 가지 소원이라 함은 첫째, 언제까지나 늙지 않음이요, 둘째, 병듦이 없음이며, 셋째 죽지 않음이요, 넷째 서로 이별하지 않는 것입니다. 만일 부왕께서 이 소원을 들어주신다면 다시는 출가하고자 하지 않겠습니다."

슈도다나 왕은 이를 듣고 거듭 슬퍼하면서 말했다.

"태자여, 그 같은 소원은 옛날이나 지금이나 얻은 이가 없다. 누가
이 네 가지 환난을 없앨 수 있겠느냐. 나 또한 그와 같이 얻을 수 있
다면 함께 권하고 도울 것이다." 『불설보요경』

슈도다나 왕은 또 태자에게 말했다.

"나는 옛날에 이미 아시타의 예언과 뭇 관상쟁이의 말이며 아울러
여러 가지 신기하고 상서로움을 보았는지라 너는 반드시 출가하게
될 것을 알고 있었다. 그러나 나라의 왕위를 계승하는 일은 매우 중
요한 것이므로 이제 오직 나의 소원은 나를 위해 네가 부디 아들 하
나만 낳아주는 것이다. 그러한 뒤에 세속을 끊겠다고 하면 너의 뜻
을 다시는 반대하지 않으리라."

태자는 슈도다나 왕의 말을 듣자 '대왕께서 나의 출가를 그렇게
만류하신 까닭은 나라에 후사가 끊길까 염려하신 것이로구나' 하고
생각한 후 왕에게 대답했다.

"왕이시여, 그렇게 하겠나이다. 분부대로 하겠사옵니다." 『과거현재
인과경』

출가를 결심하자 싯다르타 태자에게는 새로운 갈등이 생겼습니
다. 자신이 출가하면 자신을 바라보며 미래를 꿈꾸는 아버지 슈도다
나 왕과 마하프라자파티 왕비의 슬픔, 그리고 홀로 쓸쓸하게 지내야

할 부인 생각에 마음이 아팠습니다. 뿐만 아니라 자신을 믿고 기대하는 성안의 모든 사람에게 실망을 줄 것을 생각하니 그것 역시 안타까웠습니다. 세파에 시달려보지 않은 자신이 과연 집을 떠나 제대로 해낼 수 있을까 하는 불안감도 있었습니다.

여러 보살의 삶을 살펴보면 싯다르타만이 이런 고민에 빠진 것은 아닙니다. 수천 년 인류 역사 속에서 역사를 올바른 방향으로 이끌고자 노력했던 사람은 누구나 겪어야 했던 갈등이며, 개인의 이익을 버리고 인류를 위해 헌신하기 위해서는 필연적으로 나타날 수밖에 없는 아픔이었습니다.

싯다르타는 오랜 고민 끝에 슈도다나 왕을 찾아가 자신의 결심을 말했습니다. 슈도다나 왕은 두려워하던 그때가 오고야 말았다고 생각하니 가슴을 저미는 슬픔에 말문이 막혔습니다. 태어날 때부터 온 나라의 기쁨이었고 슈도다나 왕의 희망이었던 태자였습니다. 자신에게 과분한 자식이라는 생각이 들 만큼 훌륭하고 자랑스러운 아들이었습니다. 농경제 이후 그렇게도 신경을 쓰고 주의를 했건만 결국 태자는 슈도다나 왕에게 사형선고라도 내리듯 끔찍한 출가 선언을 한 것입니다.

슈도다나 왕은 태자가 왕위에 올라 나라를 통치하면 전륜성왕이 되어 모든 소원을 이룰 수 있지 않느냐고 설득했습니다. 왕위를 물려주고 모든 소원을 다 들어줄 테니 제발 출가만은 말아달라고 부탁합니다.

그러나 싯다르타는 자신이 왕위에 오른 후에 할 수 있는 일을 이미 알고 있었습니다. 예전에 노예들을 풀어준 일도 있지만, 결과적으로 그것이 그들에게 어떠한 결과를 초래했는가를 생각했습니다. 주인이 풀어준 노예라 하더라도 사회 자체가 변화하기 전에는 그들의 문제를 근본적으로 해결할 수 없다는 것을 안 것입니다. 타인의 고통 위에 서서 행사하는 권력으로는 모두가 행복한 세계를 건설할 수 없다는 사실을 싯다르타는 이미 알고 있었습니다.

싯다르타는 아버지 슈도다나 왕에 대한 연민으로 괴로워하다 만약 아버지가 자기 소원을 들어준다면 출가를 포기할 수도 있다고 말합니다.

"왕이시여 제가 원하는 것은 전륜성왕의 권력이나 명예가 아닙니다. 우리는 모두 같은 인간이지만 어떤 사람은 평생 제 마음대로 쾌락과 욕망을 즐기는가 하면 또 어떤 사람은 병들고 늙어 길거리에 버려진 채 죽어가고 있습니다. 그들의 고통을 없애주십시오. 언젠가나 자신 혹은 우리 석가족이 그러한 운명에 처하게 될지도 모릅니다. 또 우리 석가족이 다른 종족을 침략해 수많은 사람을 죽일지도 모릅니다. 이렇게 서로 죽고 죽이는 세상의 구조를 없애주십시오. 또 우리 인간은 무엇이 옳은지도 모르고 평생을 살다가 결국에는 늙고 병들어 죽고 맙니다. 이러한 혼돈과 미망, 생사의 고통에서 벗어날 수 있는 길을 열어주십시오. 모든 사람이 함께 행복할 수 있는 진리의 가르침을 제게 일러주십시오. 이 네 가지가 저의 소원이며 출가하고자 하는 이유입니다. 이 목적을 이룬다면 굳이 출가를 할 필요가 없습니다."

그러나 그것은 슈도다나 왕으로서는 도저히 할 수 없는 일이었으며 전륜성왕이라도 할 수 없는 일이었습니다. 결국 슈도다나 왕은 싯다르타의 의지를 꺾을 수 없음을 절감하고 마지막으로 한 가지 청을 합니다. 싯다르타가 부인을 셋씩이나 얻었지만 후사가 하나도 없음을 상기시키고는 후사를 낳아달라고 간청합니다.

싯다르타는 일국의 왕으로서, 한 가족의 장자로서 최소한의 의무를 지키려는 슈도다나 왕에게 연민을 느끼며 그것을 받아들입니다.

이제 슈도다나 왕은 더 이상 싯다르타를 말리지 못했지만 마하프라자파티 부인은 싯다르타의 무릎에 매달리며 눈물로 하소연했습니다. 가족을 떠나려고 할 때 가장 뿌리치기 힘든 것이 어머니의 눈물입니다.

흔히 전쟁에 자식을 내보낸 부모는 아들이 영웅적인 수훈을 세우고 장렬히 전사하기보다는 비겁하게 숨어서 혹은 탈영을 해서라도 살아 돌아오기를 원합니다. 나라가 전쟁에 패하더라도 자식만은 살아 돌아오길 바라는 것이 부모의 마음이라고 합니다. 그런 애달픈 부모의 만류 앞에 설 때, 비록 자신이 가고자 하는 길이 아무리 올바른 길이라 해도 망설이고 갈등하게 됩니다.

그러나 오늘날이 있기까지는 이 같은 갈등을 극복해 낸 수많은 분들의 눈물겨운 결단과 가족들의 가슴 아픈 희생이 있었습니다. 지금

이 순간에도 많은 사람이 이러한 고민을 하고 있을 것입니다.

우리는 흔히 자기와 맺어진 인간관계를 중심으로 사고합니다. 그래서 '나'나 '내 것' 등 나와의 관계만을 생각하게 되고, 그를 위해서는 타인의 고통을 외면하는 것이 일반적인 삶입니다. 만약 내 부모와 다른 사람이 함께 물에 빠졌다면 누구를 먼저 건지겠습니까? 당연히 내 부모를 먼저 건질 것입니다. 뿐만 아니라 다른 사람이 죽고 사는 문제에 당면해 있더라도 내 부모 손가락 하나 다친 것을 더 중요하게 여깁니다. 그러나 한번 생각을 돌이켜 타인의 가족 입장에서 보면 어떻습니까?

부모에게 효도한다든지 무엇을 해드린다 하는 것도 근본적으로 보면 이기심의 소산입니다. 이러한 모든 이기심을 끊어버리지 않으면 진리를 볼 수 없습니다. 새로운 삶을 위해 가족 관계를 끊고 출가하는 이유노 여기에 있습니다. 가족에게 냉정하자는 게 아니라 관계 맺은 모든 사람을 객관화하는 것이 필요하다는 말입니다.

집단적 이기심인 내 가족, 내 나라, 내 민족이라는 아상(我相)과 인상(人相)을 가지고 사물을 보는 게 아니라, 사물을 있는 그대로 볼 때만이 진리를 발견할 수 있습니다. 따라서 진리를 찾아 출가할 때에는 이러한 가족 중심의 가치관을 새로운 차원의 가치관으로 전환하지 않으면 안 됩니다.

슈도다나 왕은 싯다르타에게 후사를 잇고 출가하라고 말하긴 했지만 실은 태자가 출가한 이후 왕권을 계승할 손자에 대한 기대보다는 싯다르타의 출가를 조금이라도 유보하고자 한 것이었습니다. 슈도다나 왕은 싯다르타의 출가가 언제 실행으로 이어질지 몰라 항상 불안했습니다. 슈도다나 왕은 군사를 동원해 성의 경비를 강화했으며, 마하프라자파티 부인은 궁녀들에게 싯다르타가 출가하지 못하게 하라고 다짐을 시켰습니다.

오! 라훌라

그때에 태자비 야소다라가 아들을 낳았다는 말을 들은 슈도다나 왕은 기뻐하면서 태자에게 사자를 보내어 그 소식을 전하게 했다. 태자는 이 소식을 듣고 말했다.
"오. 라훌라. 장애가 생겼구나."
이 말을 전해들은 왕은 손자의 이름을 '라훌라'라고 지었다. 『본생경』

어느 날 싯다르타는 성 밖으로 나갔다가 돌아오는 길에 아들이 출생했다는 소식을 듣습니다. 싯다르타는 한편으로는 반가우면서도 또 한편으로는 넘어야 할 장애가 하나 더 생긴 것 같았습니다. 부모님과 부인의 인연을 끊기도 힘들어 이제 겨우 출가를 단행하려는데 또 새로운 장애가 생겼다는 생각에 자기도 모르게 '라훌라'라고 탄식했습니다. 이는 인도말로 '속박·장애'라는 뜻입니다.

그러나 아들의 탄생은 오히려 싯다르타가 출가를 결행하는 결정적인 계기가 됩니다. 싯다르타는 이제 후손을 남겼으므로 대가 끊길 염려가 없어졌고, 야소다라가 새로운 삶의 의미를 찾을 수 있을 터이니 아들과의 연이 깊어지기 전에 속히 출가해야겠다고 생각합니다.

하지만 슈도다나 왕은 싯다르타가 라훌라 때문에 출가를 포기할지도 모른다는 희망을 가졌습니다. 왕은 카필라바스투 전체에 큰 잔치를 열고 성안의 모든 사람에게 술과 고기를 베풀어 라훌라의 탄생을 축하했습니다.

라훌라가 태어난 시기와 이름을 짓게 된 연유에 대해서는 경전에 따라 내용이 조금씩 다릅니다. 『본생경』에서는 싯다르타가 출가 전에 아들을 낳았고, 그 아들이 또 하나의 은애(恩愛)로 다가옴을 느끼고 '장애로다'라고 외친 것으로 되어 있습니다. 하지만 다른 경전에는 싯다르타가 출가하기 전에 아들이 태어났다는 내용이 없습니다. 그런데 만약 싯다르타가 출가한 이후에 라훌라가 태어났다면 태자의 탄식으로 라훌라라는 이름이 지어졌다는 것은 합당치 않게 됩니다.

그래서 어떤 사람은 라훌라라는 이름의 연유를 태어난 날의 월식과 연관해 설명하기도 합니다. 본래 라훌라의 라후(Rahu)는 악마를 의미합니다. 당시의 인도인은 일식이나 월식이 생기는 것을 악마가 해와 달을 삼켜버렸기 때문이라고 믿었습니다. 그러므로 싯다르타는 야소다라 비의 임신을 확인한 후에 슈도다나 왕에 대한 최소한의 의무를 다했다는 생각에 출가를 단행하고, 훗날 월식이 있었기에 라홀라라는 이름이 지어지지 않았나 하는 것입니다. 이렇게 생각하는 것이 여러 경전을 살펴볼 때 사실에 가까울 것 같습니다. 그러나 여기에서는 그 자체가 그리 중요하지는 않으므로 『본생경』에 입각해서 설명해 나가겠습니다.

새로운 역사를 시작하는 위대한 출가

세간에는 큰 우환이 있도다

그때에 태자는 문득 잠에서 깨어 궁전 안을 살펴보았다. 주먹덩이와 같은 등불과 팔뚝과 같은 촛불이 휘황한 광명을 내며 조용히 타고 있는데 뭇 미희들이 추하게 늘어져 자는 몸을 보았다.

어떤 미희는 용모가 단정하고 평소 행동에 부끄러움을 잘 알고 모든 예절이 단정했으나 이제 깊은 잠 때문에 옷을 버리고 팔다리며 몸의 은밀한 곳을 드러낸 채 눈을 부릅뜨고 자는 것이 마치 죽은 시체와 다름없어 산 사람이라는 생각도 못 갖게끔 되었으며, 혹 어떤 미희는 코를 골고 이를 갈며 침을 흘리고 얼굴이 창백해 매우 추하게 자며, 혹 어떤 미희는 대소변의 부정한 것을 흘리면서 얼굴을 땅에 대고 엎드려 자는 것이 마치 무덤 사이의 시체와 같았다. 제석천의 궁전과도 같던 태자의 큰 누각도 온갖 해골이 사방에 어지러이 뒹구는 묘지와 다름없어 보이고 세계는 마치 불이 붙은 집처럼 생각되었다. 『본생경』

태자는 근심을 안고 크게 한탄했다.

"아, 세간에는 큰 우환이 있도다. 두려움이구나."

태자는 자애로운 마음을 갖고 중생을 불쌍히 여긴 까닭에 크게 한
탄했다.

"여기에 어리석은 사람을 얽매는 것은 마치 백정이 모든 짐승을
잡아놓고 목숨을 끊어버리는 것과 같다. 여기에 독이 있는데 이를
어리석은 사람이 사랑하고 탐착하는 것은 마치 고기가 낚시의 미끼
를 삼킴과도 같다. 여기는 헛된 거짓뿐, 어리석은 사람이 함부로
염착을 냄이 마치 개가 살 없는 뼈다귀를 물어뜯는 것과 같다."

"나는 이제 이러한 모양을 명확히 보았다. 마땅히 기뻐하고 용맹
하고 부지런해서 정진하는 마음을 내어 복덕을 기르고 큰 서원을 일
으켜 세간을 건지리라. 구할 이 없는 중생에게 구호가 되며 양육할
이 없는 사람에게 귀의할 데가 되고 집이 없는 중생에게 집이 되리
라. 이제 해야 할 일이 이미 내 앞에 나타났으니 미구에 결정코 이 뜻
을 이루리라."

태자는 이렇게 말하고서 시종 찬다카를 불러 말했다.

"찬다카여, 너는 속히 일어나 나를 거역하지 말라. 종마 칸타카를

끌고 속히 내 앞으로 데려오되 성의 모든 권속이나 일체의 석가족이 그 말의 소리를 듣지 못하게 하라." 『불본행집경』

태자는 찬다카를 보낸 뒤에 어린 아기가 한번 보고 싶었다. 자리에서 일어나 라훌라의 어머니가 있는 곳으로 가서 방문을 열었다. 그때에 방 안에는 향기로운 등불이 타고 있었다. 라훌라의 어머니는 수마나며 말리카 등의 꽃을 깔아놓은 침대 위에서 아기의 머리에 손을 얹고 자고 있었다. 태자는 문턱에 서서 그것을 바라보고 생각했다.

'만일 내가 부인의 손을 제치고 아기를 안는다면 부인은 깰 것이다. 그렇게 되면 내 이번 걸음에 방해가 될 것이다. 나는 부처가 된 뒤에 다시 돌아와 만나보리라.'

그리하여 태자는 궁전에서 내려와서 찬다카가 데려온 칸타카에 올라타고 성을 나왔다. 『본생경』

온 성안에 축제가 벌어졌고 특히 태자의 궁에는 여느 때보다 화려한 주악이 펼쳐졌습니다. 잠깐 잠이 들었다 깨어난 싯다르타의 눈에 미희들의 추한 모습이 들어왔습니다.

"성안에 있으면 끊임없이 이들의 모습을 보고 소리를 들어야 한다. 그럴수록 문제의 본질 탐구는 쉽지 않으리라. 과거에도 술에 취했다가 한밤중에 깨어나 얼마나 큰 자책감에 시달리고 불안에 떨었던가?"

싯다르타는 다짐했습니다.

"내 다시는 그 같은 방황과 혼돈 속에 빠져들지 않으리라."

그때 싯다르타 태자 앞에 환영이 나타납니다.

'그때에 천신들은 여러 궁전을 모두 무덤으로 만들고 미희들은 모두 시체가 되게 해 뼈마디가 흩어지고 해골이 떨어져 함부로 굴러다니며 온몸은 띵띵 부어 문드러져서 냄새가 나고 푸르뎅뎅한 피고름이 뒤섞여 줄줄 흐르게 만들었다. 싯다르타가 살펴보니 제석천의 궁전과도 같던 누각이 사방에 해골이 어지러이 뒹굴고, 올빼미와 승냥이들이 그 사이를 날고 거닐며 시체를 뜯어먹는 시타바나와 같이 변해 있었다.'

이것은 바로 사문유관 때에 보았던 시타바나의 광경 그대로였습니다.

"저 아름다운 미희들의 모습이 시타바나의 썩어가는 시체로 보이는 것은 왜일까?"

태자의 눈앞에는 농경제 때의 광경과 사문유관 때 보았던 고통스런 모습이 선연하게 떠올랐습니다.

"아, 세간에는 큰 우환이 있도다. 아, 두려움이구나."

싯다르타는 마치 불난 집에 앉아 있는 것처럼 불안해 잠시도 지체하지 못하고 높은 전각을 내려왔습니다.

성안은 잔치의 여흥으로 지쳐 모두 잠들어 있었습니다. 싯다르타는 궁녀도 관졸도 모두 잠든 이날 출가하기로 작정합니다. 이미 출가를 결심한 태자의 눈에는 모든 것이 출가를 재촉하는 것으로 보일 뿐입니다.

"내가 이제 모든 중생을 고통 속에 빠뜨리는 원적을 항복받고, 탐·진·치의 침략과 번뇌의 도둑을 쳐부수고 항복시켜, 모든 고통과 핍박에서 일체중생을 구제하려 하노라."

출가 직전에 싯다르타는 라훌라를 보기 위해 야소다라의 침실로 들어갑니다. 싯다르타는 한 번만이라도 안아보고 싶었던 아들을 물끄러미 바라보기만 하고 돌아섭니다.

왕궁을 버리고 중생 속으로

태자는 성문에서 나와 바깥에 이르자, 몸을 돌려 카필라바스투를 바라보면서 사자처럼 외쳤다.

"나는 이제 차라리 스스로 절벽 위에서 이 몸을 던져 큰 바위에 떨어질지언정, 모든 독약을 마시고 목숨을 끊을지언정, 또한 스스로 아무것도 먹고 마시지 않아 죽을지언정, 만약 내가 마음에 다짐한 대로 중생을 고통의 바다에서 해탈시키지 못한다면 결코 카필라바스투에 다시 돌아가지 않으리라." 『불본행집경』

그때에 마왕은 태자를 돌려보내고자 성문 위의 공중에 선 채로 외쳤다.

"태자여, 우매한 출가를 그만두고 꽃다운 궁전으로 돌아가라. 그리하면 지금부터 이레 뒤에 당신에게 윤보(輪寶)가 나타나서 구만 이천 개의 작은 섬들에 둘러싸인 사대주를 다스리는 전륜성왕이 되리라."

"마왕이여, 부질없는 소리 마라. 나는 내게 윤보가 나타날 것을 알고 있다. 그러나 지금 내게는 왕위가 필요 없다. 나는 결단코 일만 세계를 구제하는 부처가 될 것이다."

태자는 자기 손에 들어오는 전륜성왕의 지위를 가래침처럼 아낌없이 떨어버리고, 칸타카를 재촉해 길을 떠났다. 『본생경』

성문을 나오는 싯다르타에게 마왕의 외침이 들려왔습니다.

"태자여, 우매한 출가를 그만두고 꽃다운 궁전으로 돌아가라. 그리하면 지금으로부터 이레 뒤에 당신에게 윤보가 나타나서 구만 이천 개의 작은 섬들로 둘러싸인 사대주를 다스리는 전륜성왕이 되리라."

전륜성왕에 대한 미련, 권력과 재물에 대한 미련이 발목을 잡는 것입니다. 그러나 싯다르타 태자는 그것을 단칼에 자르고 어둠 속으로 칸타카를 몰아갑니다.

"마왕아 물러가라. 악마야 물러가라. 나에게 세상의 권세가 무슨 소용이랴. 내 원은 다만 마지막 중생까지 구원할 도를 얻는 데 있다."

부처님이 중생의 고통을 구제하기 위해 이 세상에 오셨다는 것은,

중생의 회원에 응답했다는 뜻입니다. 그러나 중생의 모습으로 오신 부처님, 즉 싯다르타 태자는 출가 전에는 지배자 교육을 받고 세속의 가치관을 따라 살아온 중생이었습니다. 중생을 구제하기는커녕 오히려 중생을 끊임없이 고통스럽게 하는 위치에서 살아왔습니다. 게다가 자신이 중생을 고통스럽게 하고 있다는 사실조차 모르고 살았던 것입니다.

그런 싯다르타 태자가 고통스럽게 살아가는 중생의 삶을 목격하면서 지금까지 자신이 갖고 있던 생각, 자신이 살아온 삶이 잘못된 것이었음을 자각합니다. 그러나 그런 자각을 했다고 해서 곧바로 중생 구제를 위한 삶을 살아갈 수 있는 것은 아닙니다. 좋은 것이든 나쁜 것이든 하나의 새로운 업이 생겼을 때 기존의 것을 버리는 일은 간단한 일이 아닙니다.

그것은 개인의 의지만으로 해결되기보다는 부모나 형제, 친구 등 개인이 처한 사회적 조건에 크게 영향을 받습니다. 그러나 진리를 찾고자 하는 목표 의식만 확고하다면 주변의 어떤 장애도 극복하고 바른 길로 나아갈 수 있습니다. 그렇게 되기 위해서는 지금까지 잘못 살아온 자신의 삶을 반성하고, 새롭게 발견한 진리를 찾아가는 방향 전환의 계기가 있어야 합니다. 그 계기를 우리는 출가라고 합니다.

'집'이란 자기를 보호하고 안주하게 해주는 곳입니다. 그러나 한편으로는 자신을 가두고 얽매는 곳이기도 합니다. 우리를 관습에 의한 업의 테두리에 가두고 그 이상의 것을 볼 수 없게 만듭니다. 이러한 곳을 박차고 나오는 것이 출가입니다.

따라서 불교에서의 '출가'는 단지 주거지를 나온다는 형식적인 의미를 말하지 않습니다. 기존의 관습, 즉 자기 중심적인 사고방식과 안일한 삶의 태도로부터 탈출하는 것을 말합니다. 출가는 이제까지 갖고 있던 거짓된 가치관을 버리고 부처의 길을 향해 삶의 방향과 자세를 전환할 때 가능합니다.

싯다르타의 출가를 유성출가(踰城出家)라고 합니다. 이것은 단순히 성을 뛰어넘은 것을 말하는 게 아닙니다. 사실 태자는 조심조심 몰래 성을 빠져나갔지 성을 뛰어넘지 않았습니다. 유성출가는 싯다르타 태자의 출가 장면을 말하는 것이 아니라 출가의 의미를 상징적으로 표현한 말입니다.

보통 성이라고 하면 권위·부·명예·권력 등을 생각합니다. 즉, 성은 세속적 욕망을 상징합니다. 또한 그 세속적 욕망을 충족시켜 줄 조건이 되기도 합니다. 성을 뛰어넘었다는 것은 바로 이러한 것을 뛰어넘었다는 것입니다. 자신에게 주어진 부귀·권력·명예 등 모든 기득권을 버리고 보다 높은 세계, 진리의 세계를 찾아 중생의 삶 속으로 뛰어들었음을 말합니다.

나도 이제 부처님 법을 의지하리라

싯다르타는 말을 몰아 단 하룻밤 동안에 세 왕국을 지나 삼십 유
순쯤 떨어진 아노마 강가에 도착했다. 싯다르타는 강가에 말을 멈추
고 찬다카에게 물었다.

"찬다카여, 이 강의 이름이 무엇이냐?"

"이 강의 이름은 아노마라고 합니다."

"그렇구나 찬다카여, 그렇다면 나의 이 출가도 아노마일 것이다.
성스럽고 훌륭하고 고귀함으로 충만한 것이다." 『본생경』

싯다르타는 말에서 내려 찬다카에게 말했다.

"말의 행보가 빨라서 마치 큰 금시조와 같았거늘 너는 한결같이
따르면서 나의 곁을 떠나지 않았구나. 나는 이제 원하는 수행처에
이르렀으니 너는 이제 곧 칸타카와 함께 궁으로 돌아가거라."

찬다카는 이 말을 듣자 슬피 울부짖고 눈물을 흘리면서 말했다.

"태자께서는 지금까지 궁중에 계실 때는 항상 침상과 이부자리가
포근하고 부드럽지 않은 것이 없었거늘, 어찌 하루아침에 가시덤불
과 돌 부스러기며 진흙을 깔고 나무 아래에 거처를 삼겠사옵니까.
또 이곳이야말로 여러 험난함이 많고 호랑이와 이리 등의 사나운 짐
승과 독충들이 길에 함부로 돌아다니거늘, 제가 어찌 태자를 버리고
혼자 궁중으로 돌아가겠습니까?"

"찬다카여, 진실로 너의 말과 같되 만일 내가 궁중에서 머문다면 이런 가시덤불의 환난은 면할 수 있겠으나 늙고 병들어 비참하게 죽어가는 고통의 침범만은 결코 면할 수 없으리라. 과거의 부처님들께서도 무상정등정각을 이루기 위해서는 세속의 화려함과 안락을 버리셨나니, 나도 이제 모든 부처님의 법을 의지하리라." 『과거현재인과경』

싯다르타와 찬다카의 대화는 기존의 가치와 새로운 가치의 갈등을 의미합니다. 또한 싯다르타 내면의 갈등을 다시 한 번 표출한 것이라 하겠습니다. 그러나 싯다르타는 이를 통해 마음을 정리하고 출가 목적을 상기하면서 앞으로 있을 가시덤불과 같은 환난이 올바른 길임을 다짐합니다. 아니, 올바른 길은 고통을 수반할 수밖에 없음을 인식합니다.

성을 떠나온 싯다르타는 아노마 강가의 숲을 수행처로 정하고 찬다카를 돌려보냅니다. 그리고 자신의 행위가 잘못된 것이 아님을 증명하고자 과거에 중생을 고통에서 구제하고자 했던 제불보살의 길을 들어 보입니다.

"과거의 부처님들께서도 무상정등정각을 이루기 위해 세속의 화려함과 안락을 버리셨나니, 나도 이제 모든 부처님의 법을 의지하리라."

우리가 부처님의 생애를 살펴보는 목적도 바로 싯다르타의 이러한 다짐을 우리의 삶 속에서 찾기 위해서입니다. 우리의 삶이 곤경에 처했을 때, 혹은 선택의 기로에서 스스로의 뜻으로는 결정하기가 어려울 때, 부처님의 삶을 되돌아볼 필요가 있습니다. 그리고 생각해 보아야 합니다. '부처님은 이러한 갈등과 고민에 처했을 때 어떻게 행동하셨던가?', '만일 부처님이 이러한 처지라면 어떠한 결정을 내리실까?', '만일 부처님이 지금 곁에 계신다면 어떠한 결정을 내려주실까?' 이렇게 문제를 풀어간다면 바람직한 방향으로 나아갈 수 있을 것입니다.

그리고 '옳은 것은 알지만 그게 그리 쉬운가'라는 생각에 머뭇거릴 때에도 우리는 부처님의 삶을 통해 힘을 얻을 수 있습니다. 싯다르타 태자 역시 진리를 알지 못해 방황하던 시절뿐 아니라 올바른 삶의 길이 무엇인지를 확인하고 기쁨의 눈물을 흘린 뒤에도 또 얼마나 갈등했습니까.

싯다르타 태자는 과거 제불보살의 삶을 상기하고 그 본원력이 자신에게 힘을 주고 있음을 확인하고는 제불보살의 원력을 자신의 원력으로 받아들입니다. 자기 혼자만이 아니라 무수한 사람이 부처가 되는 길을 향해 정진해 왔고, 또 지금도 정진해 가고 있음을 확인함으로써 실천의 힘을 얻은 것입니다.

누구든 부처님의 길을 걷고자 할 때 많은 외로움을 느낍니다. 이해해 주는 이도 없고 욕설과 질시를 당하는 경우도 많습니다. 심지어 가족조차 등을 돌리고 외면하기도 합니다. 그럴 경우 혼자 힘으로는 도저히 갈 수 없다고 여겨 주저앉기도 합니다.

그러나 사실 그렇기 때문에 우리는 이 길을 걷는 것입니다. 만약 부처님의 길이 옳다는 것을 세상 사람 모두가 알고 있다면 부처님의 가르침을 굳이 전할 필요도 없을 것입니다. 부처님이 가신 길을 좇아 고독하게 정진하는 사람들의 목적은 바로 모든 사람이 부처의 길로 나아가 끝내 불국 정토를 이루기 위해서입니다.

부처님의 결단을 우리 삶에 받아들일 때 비로소 우리는 불자로서의 자격이 생깁니다. 수많은 난관에 부딪힐 때마다 결코 좌절하지 않고 제불보살의 원력을 자신의 원력으로 받아들여 주체적으로 정진할 때 부처의 길로 한걸음 더 다가서게 되는 것입니다.

법의 재물로 은혜를 갚으리

그때에 찬다카는 온몸이 불타는 듯 괴로워하며 얼굴 가득히 눈물을 흘리며 합장하고 태자를 향해 말했다.

"태자시여, 어찌 태자님을 잠시인들 떠나 홀로 궁으로 가겠습니까? 그럴 수 없습니다."

태자는 찬다카가 이렇게 근심하고 슬퍼하고 고뇌하는 말을 듣고 또 찬다카에게 일렀다.

"찬다카여, 너는 이제 마땅히 이별하는 괴로움을 버리고 근심과 걱정을 하지 말라. 왜냐하면 일체중생에게는 모두 태어남도 있고 늙음도 있고 이별함이 있느니라."

찬다카는 또 말했다.

"설령 궁중으로 돌아가더라도 왕은 반드시 저를 책망하실 터인데 어떻게 태자를 버리고 혼자 돌아가서 무슨 말로써 대왕에게 대답을 올리게 하려 하나이까."

그때 싯다르타는 머리의 천관과 상투에서 마니보배를 풀어서 찬다카에게 주면서 말했다.

"찬다카여, 내 이제 이 마니보배를 주노니 너는 부왕 앞에 가서 이 것을 바치고 나의 말을 이렇게 아뢰어라.

'부왕이시여, 제가 이제 출가한 것은 어떤 사람의 속임을 받거나 노여움과 원한으로 인한 것도 아니며, 또한 재물과 권력과 봉록이 적어 이를 구하고자 함도 아니며, 천상에 나기 위해 부왕의 슬하를 떠나는 것도 아니옵니다. 저는 세속적인 욕망이 없사오며 오직 일체 중생이 어둡고 미혹해 삿된 길에서 헤매며 괴로워하는 것을 보고 광명이 되어 고통을 구제하고자 함이오며, 세간을 이익 되게 하는 법을 찾고자 출가했습니다. 이렇게 즐겨 출가함을 아시고 부디 근심을 거두소서. 그러므로 저는 반드시 무상정등정각을 증득해 곧 집으로 돌아가 부왕을 뵙겠습니다' 라고 전하라.

또한 안팎의 모든 권속들이 나에게 은혜와 애정이 있을 터이니 너의 뜻으로써 잘 이해를 시켜야 하리라."

싯다르타는 다시 몸에 걸쳤던 영락과 보배꾸미개를 벗어 찬다카에게 주면서 마하프라자파티 왕비와 야소다라 부인에게 전해달라고

부탁했다. 또한 각각에게 싯다르타의 뜻을 전하는 말을 해주고 찬다
카가 대신 전해줄 것을 부탁했다. 『불본행집경』

    찬다카는 태자로 말미암아 가슴 아파할 권속들의 슬픔을 환기시
키면서 귀가를 종용합니다.

    "태자시여, 어찌 태자님을 떠나 홀로 궁으로 가겠습니까? 그럴 수
없습니다. 태자께서 늙으신 부왕을 배반하고 출가하심은 합당치 않
으며, 그 법 또한 옳지 않습니다. 낳아주신 부모에게 효성으로 공양
하는 것보다 더 낫고 뛰어난 묘법은 있을 수 없습니다. 또한 왕비님
도 등질 수 없습니다. 그렇다면 태자께서는 젖을 먹여 양육하시던
은혜를 저버리는 것이 됩니다. 또한 야소다라 부인께서도 정결한 여
자로서 모든 덕이 구족하오니 역시 버리거나 떠남이 합당치 않습니
다. 뿐만 아니라 태자께서 이미 모두에게 대자비를 행하고 항상 부
드러운 말로 중생을 달래고 위로하셨는데 이제 모든 친척을 버리심
은 옳으신 일이 아닙니다. 이런 까닭에 태자께서는 마음을 돌이켜서
집으로 돌아가 낙을 받으소서."

    찬다카는 세간의 소리와 부모 권속의 입장을 대변합니다. 찬다카
는 효성을 다하는 것이 부모님 은혜를 갚는 길이라고 말합니다. 찬
다카의 말은 싯다르타에게 가슴 아픈 말이 아닐 수 없습니다. 그러
한 생각 때문에 주저했던 날이 얼마나 많았습니까? 일찍부터 출가를
결심했지만 차마 단행하지 못한 것도 바로 그 때문이었습니다.

모든 중생을 구제하겠다는 분이 왜 가장 먼저 위해줘야 할 부모와 처자 권속을 편안하게 해주지 못하느냐고 질책하는 찬다카의 목소리는 오늘날에도 많이 들을 수 있습니다. 싯다르타는 찬다카가 이해해 주기를 바라기보다는 자신의 마음에 다짐하듯이 말합니다.

"내 이제 참으로 부왕과 권속의 은혜가 깊음을 알고 있으나 그 은혜를 저버리는 것이 아니다. 보다 큰 은혜를 갚고자 하느니라. 세상의 많은 부모들이 자식을 낳아 재물을 구해 양육하듯 자식도 재물로써 은혜를 갚되, 부모에게 법의 재물을 베풀어 은혜를 갚는 이는 세상의 자식 중에 없었노라. 내 이로써 은혜를 갚으리라."

싯다르타는 부모님을 곁에서 직접 모시는 것만이 보은은 아니라고 말합니다. 오히려 더 큰 보은은 사람들이 자신과 같이 현실에 문제를 느끼고 출가하지 않을 수 있는 세계, 모든 사람이 늙고 병들어 비참하게 버려져 고통스럽게 죽어가지 않는 진리의 세계, 불국 정토를 건설하는 것이 진정한 보은이라고 생각합니다.

뿐만 아니라 자식을 전쟁과 기근으로 잃거나 빚에 몰려서 노예로 팔 수밖에 없는 사람들, 그리고 병이 걸리거나 나이가 들어 시타바나에 버려질 수밖에 없는 많은 이들을 위해 법의 재물을 찾으러 출가한다고 말합니다.

싯다르타의 의지를 꺾을 수 없다고 생각한 찬다카는 이제 자신의 처지를 생각하며 어쩌면 좋으냐고 한탄합니다. 그러자 싯다르타는 부왕과 양모 마하프라자파티와 부인 야소다라, 그 외 권속들에게 자신이 남기는 마지막 물건과 함께 당부의 말을 전해달라고 합니다.

부왕에게는 개인적인 불만으로 출가하는 것이 아님을 분명히 밝힙니다. 누구에게 속은 것도 아니고 순간적인 감정으로 출가하는 것도 아니며 왕위를 빨리 물려주지 않아서 출가하는 것도 아니라는 것을 분명히 말합니다. 자신의 출가 목적은 오로지 중생을 제도하기 위한 것임을 밝힙니다. 싯다르타는 부왕에게 자신의 출가가 철없는 혈기 때문이 아니며 심사숙고해 주체적으로 결정한 것임을 알려주고자 했습니다.

출가의 참다운 의의와 현실

출가의 의의

  그때 싯다르타는 찬다카에게 마니로 장식한 칠보의 칼을 찾아서 곧 왼손으로 짙푸른 우발라 빛 소라상투의 머리털을 잡고 오른손에 날카로운 칼을 들어 베어내고 이어 수염도 모두 잘라버렸다. 싯다르타는 스스로 그 몸의 일체 영락과 천관을 벗고 머리와 수염을 깎은 뒤 몸을 돌아보니 오직 천의뿐, 이것을 보고 생각했다.

  '이 옷은 출가한 자의 옷이 아니다. 출가한 사람은 산간에 있는 것이니 누가 나에게 누더기로 기운 옷을 줄 것인가.'

  그때 정거천은 싯다르타의 이러한 마음을 알고 때를 맞추어 사냥꾼으로 몸을 화해 누더기로 기운 옷을 입고 손에 활과 살을 쥔 채 점점 태자 앞에 이르러 멀지 않은 곳에 말없이 섰다. 싯다르타는 누더기를 걸친 사냥꾼을 보고 그에게 다가가 말했다.

  "산과 들에 있는 어진이여, 그대는 그 누더기로 기운 옷을 나에게 줄 수 있겠소. 그대가 만약 나에게 준다면 나는 그대에게 카시국에서 만든 비단옷을 주리라. 이 옷은 값이 백천억 금이나 되고 또 가지가지 전단향을 풍기는 것이니 그대의 이런 추하고 떨어진 누더기와는 비할 바가 못 되오. 이 옷과 바꿔 입읍시다."

사냥꾼은 기꺼이 누더기와 비단옷을 바꿔주었다. 싯다르타는 사문이 입기에 적당한 누더기를 받고 마음이 크게 기뻐서 곧 몸에 입고 있던 비단옷을 벗어 사냥꾼에게 주고 누더기를 걸쳤다. 싯다르타는 삭발하고 몸에 누더기로 기운 옷을 입자 왕자의 형용이 고쳐지고 훌륭한 사문으로 변했다. 차림을 마치고 나서 이런 큰 서원을 내었다.

'나는 이제 비로소 정말 출가라 이름 하리라.' 『불본행집경』

권속들에게 자신의 뜻을 전하고 세속의 것을 정리한 고타마는 새로운 시작을 위해 사문의 모습을 갖추고자 합니다. 먼저 지금까지의 잘못된 가치관을 소멸시킨다는 뜻에서 치렁치렁한 머리카락을 잘라 버립니다.

"이로써 저는 이제 출가의 뜻을 반석같이 했습니다. 제 손으로 수염과 머리털을 깎아 떨어뜨린 것이 그 증거입니다. 일체의 번뇌를 끊어 모든 생명 있는 것들을 건지게 하소서."

그리고 세속의 권위를 상징하던 태자의 옷을 사냥꾼에게 주고 사냥꾼이 입고 있던 옷을 받아 입었습니다. 당시 사문들은 특별한 격식 없이 단지 누더기를 입고 다녔습니다. 가장 가난하고 천한 사람들조차 입지 않았던 낡은 천 조각을 기워서 몸에 걸쳤을 뿐입니다. 고타마는 천민 사냥꾼의 옷을 입음으로써 가장 낮은 신분의 사람들과 똑같은 모습을 하게 되었습니다.

고타마는 현실의 고통을 피해 세상을 버리고 떠난 것이 아니라 가장 고통받는 천민의 모습으로 그들의 고통과 하나가 되기 위해 모든 기득권을 버린 것입니다. 고타마의 출가 장면을 보면 참다운 출가의 의의가 무엇인지 알 수 있습니다.

첫째, 기존의 가치를 부정했습니다. 기존의 가치란, 욕망을 충족시키는 것을 삶의 목적으로 삼는 것을 말합니다. 우리는 자신의 욕망이 얼마나 많이 충족되는가에 따라 행복이 좌우된다고 믿습니다. 그것이 재물이든 권력이든 명예든 혹은 쾌락이든 관계없이 말입니다.

그러나 이러한 삶의 태도는 결코 충족될 수 없는 욕망을 위해 탐욕과 투쟁과 어리석음의 노예가 됨으로써 올바른 삶의 가치를 찾을 수 없게 합니다. 자신의 행복을 추구하는 것이 타인뿐만 아니라 결국에는 자신도 고통을 받게 되는 결과를 초래합니다. 중생이 생각하는 이런 가치를 '전도된 가치'라고 합니다. 고타마의 출가는 이런 욕망을 충족시키는 삶이 자신과 타인 모두에게 궁극적인 행복을 줄 수 없다는 사실을 확인하고, 최대의 욕망 충족이 최대의 행복이라는 잘못된 가치에 입각한 삶 자체를 부정한 것입니다.

둘째, 고타마는 출가를 통해 새로운 길을 찾을 수 있는 객관적 조건을 갖추게 되었습니다. 그 조건이란, 자신이 누리던 사회적 기득권을 모두 포기했다는 것을 의미합니다. 고타마가 비록 기존의 가치관에 문제를 제기하더라도 그 잘못된 구조 덕분에 형성된 기득권을 누리고 있다면 자신의 올바른 가치관을 지속적으로 추구하기란 어려운 일입니다. 고타마는 왕자의 지위에 있으면서 모두가 함께 행복할 수 있는 삶을 실현하고자 나름대로 최선의 노력을 기울였습니다. 그러나 그것은 가능한 일이 아니었습니다. 사회에서 말하는 도덕적이고 양심적인 삶은 살 수 있을지 몰라도 근본적으로 모든 인간이 행복을 누리는 삶을 실현할 수는 없었습니다.

출가는 이처럼 기존에 가지고 있던 가치관과 기득권을 모두 버리는 것입니다. 욕망의 가치로 형성된 그 어떤 고정화된 형식도 거부하는 것, 진실을 가리는 그 어떤 환상도 용납하지 않는 것, 탐·진·치에 길들여진 색안경을 과감하게 벗어던지는 것, 그것이 바로 출가입니다. 세속에서 형성된 가족 관계, 학문적인 지식, 사회적 지위 등 모든 것을 버리고 백지 상태의 인간으로 돌아가지 않으면 진리의 길로 들어설 수 없습니다.

수행자의 출발점은 출가입니다. 출가는 사제의 길, 성직자의 길이 아니라 진리를 추구하는 구도자의 길입니다. 출가는 종속과 고통인 중생의 길에서 자유와 안락인 부처의 길로 나아가는 것입니다. 억압과 불평등의 세계를 조장하고 방조하던 삶에서 불국 정토 건설을 위한 삶으로 노선을 변경하는 전환점인 것입니다. 그러므로 출가는 삶의 기반과 목적이 근본적으로 전환됨으로써만 가능합니다.

우리가 보통 새로운 가치관을 받아들일 때, 바뀐 가치관에 따른 삶의 모습은 다양하게 나타납니다.

첫째, 기존 가치관에 회의를 갖고 새로운 가치관을 받아들이기는 하지만, 아직까지 실천이 따르지 않는 경우입니다. 이런 경우 새로운 가치관은 '심정적 동조 혹은 논리적 정리에 의한 가치관'으로 하나의 이론에 불과합니다.

둘째, 새 가치관을 앞으로 자신이 살아가야 할 삶의 당위로 받아들이고 그렇게 살고자 노력하지만 아직까지 과거에 형성된 욕망 중심의 가치관으로 갈등하고 괴로워하는 상태입니다. 만약 이런 상태에 있는 사람에게 "왜 이렇게 힘들게 사느냐"고 묻는다면 아마 그는 "그렇게 사는 것이 올바른 삶이기 때문"이라고 대답할 것입니다. 이런 가치관은 '당위적 삶으로서의 가치관'이라고 할 수 있습니다.

셋째, 욕망 중심적인 삶의 가치관을 극복해 갈등이 완전히 제거된 경우가 있습니다. 이런 사람에게 "자신에게 직접 이익이 돌아오는 것도 아닌데 왜 남을 위해 그렇게 힘들게 사느냐"고 물어보면, 그 사람은 아마 이렇게 대답할 것입니다. "나는 이렇게 살면서부터 비로소 나를 위하는 것이 무엇인지를 알게 되었습니다. 나는 이 같은 삶을 통해 비로소 진정한 행복이 무엇인가를 확인하고 있습니다." 이런 사람의 가치관이야말로 '삶이라는 현실에서 진정으로 행복을 주는 가치관'이라고 말할 수 있습니다. 불교에서 가치관의 변혁은 바로 이러한 상태가 완성되는 것을 말합니다.

대부분의 사람은 남이야 고통스럽게 살든지 말든지 자신의 욕망에 따라 보다 많은 재물과 권력을 누리고 쾌락을 즐기는 것이 행복이라고 여기며 살아갑니다. 그러나 이치에 따라 생각해 보면, 모든 사람이 함께 행복하게 사는 것이 올바른 삶이라는 것은 누구나 알 수 있습니다.

새로운 출가 정신이 요구되는 현실

오늘날 우리 사회에는 인간을 고통 속으로 몰아넣는 현실의 가치관이나 사회구조에 문제를 제기하면서 보다 나은 세계를 만들기 위해 불교운동이나 사회운동을 하는 사람이 많습니다. 그러나 이처럼 신념을 가지고 보살의 길을 간다고 해도 과거의 욕망 충족 가치관에 길들여진 업의 지배를 받고 행동하는 경우가 많습니다.

'나는 대기업에 취직해서 남부럽지 않게 잘살 수 있는 조건을 갖고 있다. 한편으로는 남이야 어찌되든 그렇게 살고 싶은 마음이다. 그러나 이 사회가 잘못되어 고통을 받는 사람이 너무나 많기 때문에, 이 사회에 사는 한 사람으로서 이러한 어려운 삶을 감수해야 한다.'

이런 생각을 지닌 채 사회운동에 헌신하는 사람이 있습니다.

이런 삶은 기득권을 포기했다는 점에서는 고타마의 출가와 다름이 없습니다. 그러나 욕망을 추구하는 가치관을 버렸는가 하는 점에서는 고타마의 출가와는 전혀 다른 삶입니다.

이런 사람은 자신이 활동하는 공동체 내에 있거나 공적인 일을 할 때에는 자신의 이념에 입각해 생활할 수 있습니다. 그러나 가치관의 전환이 완전히 이루어지지 않았기 때문에 개인적이고 일상적인 삶에서는 기존의 자기중심적으로 욕망을 좇아 생활하고, 또 언제든지 다시 그런 삶으로 돌아갈 가능성이 있습니다. 그렇기 때문에 자신이 지향하는 신념과 자신의 다른 한편에서 요구하는 욕망 충족의 삶 사이에서 갈등하고 회의합니다. 물론 우리의 삶이 이렇게 갈등하고 방황하면서 이를 극복하며 살아가는 과정이라고 말할 수 있습니다.

개인의 이기심을 버리고 타인을 위해 헌신하며 사는 사람은 그러한 삶이 올바른 삶이기에 '비록 나는 현실적으로 불행해지거나 불이익을 당하더라도 이를 참아내야 한다'고 생각합니다. 그래야만 여러 가지 역경이나 어려움을 이겨낼 힘이 생기기 때문입니다.

그러나 이 문제를 다시 한 번 잘 생각해 볼 필요가 있습니다. 타인을 위해 사는 것이 올바른 삶이라 해도 그 삶이 자기에게 일방적으로 고통만 준다면 그 삶은 바람직한 삶이 아닙니다. 누구에게나 인생은 소중합니다. 그런데 그 소중한 삶을 고통스럽게 몰고 간다면 분명 크게 잘못된 일입니다. 또한 타인을 위한 삶을 사는 사람이 자신의 삶에 대해 '내 자신은 현실적으로 불행해지거나 불이익을 당하더라도 이를 참아내야 한다'는 생각에 머문다면 자신의 삶에 대한 확신이 흔들리게 되는 것은 당연합니다.

출가로 이루어지는 가치관의 전환이란 타인을 위한 삶이 자신을 위한 삶이라는 확신이 있을 때에만 이루어집니다. 욕망을 좇는 삶은 결국 자신을 파멸로 이끌 뿐이라는 확신이 섰을 때에만 가능합니다. 타인과 나의 삶을 하나로 보게 될 때, 이미 타인을 위해 산다는 생각은 그 근거조차 없어지게 됩니다.

출가란 불행을 자초하면서 고통 속으로 뛰어드는 것이 아니라 욕망의 노예에서 벗어나 주인의 길을 걷는 일입니다. 출가자는 불국정토가 이루어진 다음에야 자유와 행복을 누릴 수 있는 게 아닙니다. 출가를 한 그 시점부터 이미 그의 삶은 대자유 속에서 행복을 만끽하게 되는 것입니다.

그러한 사람은 어떠한 유혹과 고난이 오더라도 그 유혹에 휩쓸리거나 고난에 굴복하지 않습니다. 다시 말하면, 또 다시 욕망의 가치에 종속된 노예가 될 것이 두려워서 출가의 길을 되돌려 돌아가지 못하는 것입니다.

왕자에서 사문으로 다시 태어나다

중생에겐 고행, 보살에겐 기쁨

고타마의 삶은 출가하자마자 바로 고행의 길로 이어집니다. 출가 이후의 고행은 필연적인 것입니다. 왜냐하면 출가는 이제까지 자기가 살았던 삶과는 정반대의 방향으로 나아가는 것이기 때문입니다. 탐욕의 거친 격류와 쾌락의 소용돌이 속에서 물 흐르는 대로 휩쓸려 내려가는 것이 우리의 삶이라면, 출가의 길은 이러한 오탁(五濁)의 물결을 거슬러 굳건한 대지로 올라가는 것입니다.

세속의 삶은 곧 다가올 폭포에서 고통을 겪을지언정 물 흐르는 대로 자신을 맡겨버리는 것이지만, 부처의 길은 세속의 흐름에 맞서서 물결을 거스르는 것입니다. 출가는 기존 삶의 방향과 반대 방향으로 가기를 요구합니다. 우리의 바람은 세속의 욕망과 쾌락에 자신을 맡기는 것인데 그것을 거스르자니 출가는 고통일 수밖에 없습니다.

그러나 지금까지 가던 길과 정반대의 길을 감으로써 진정한 행복을 얻을 수 있다면 그것은 고통이 아닙니다. 따라서 출가 이후 6년 동안의 고타마의 삶이 우리의 가치관에서 보았을 때에는 고행임이 분명하지만 부처님의 입장에서는 그것이야말로 참다운 행복의 길입니다.

우리는 부처님께서 버리라고 한 기득권들을 행복의 조건이라고 생각하며 살아왔기에 그것을 버리면 세상의 낙오자가 될 것 같은 불안을 씻을 수가 없습니다. 급기야는 부처님을 믿고서 편해지려고 했는데 오히려 고생만 하는 것이 아닌가 하는 생각도 들 수 있습니다. 기존의 전도된 가치관이 아직 부처님의 진리로 전환되지 않은 상태에서는 수행의 길이 고행으로 느껴지는 것은 당연합니다.

그러나 진정으로 부처님의 가르침을 따르는 가치관으로 전환된 이후에는 그 삶이 고행으로 받아들여지지 않습니다. 완전한 깨달음을 이루어 이 세계의 주인 자리를 얻었을 때만 즐거운 것이 아니라, 깨달음을 향해 나아가는 과정 하나하나가 기쁨이 되는 것입니다. 구도의 길, 수행의 길 자체가 행복의 길로 다가오는 것입니다.

중생의 아픔을 자신의 아픔으로

이때 마왕이 나타나 속삭였다.

"왕자여, 어서 궁중으로 돌아가는 것이 좋을 것이오. 가서 때를 기다리시오. 그러면 이 세상 모두가 그대의 것이 될 것이오."

고타마는 소리 높여 꾸짖었다.

"마왕이여, 어서 물러가라. 지상의 모든 것은 내가 구하는 바가 아니니라." 『본생경』

고타마는 출가만 하면 곧바로 중생을 구제하는 진리를 획득할 수 있으리라고 생각했습니다. 자신이 결단만 내린다면 곧바로 진리를 증득해서 중생 구제의 길이 열리리라고 생각한 것입니다. 그래서 그는 출가하자마자 스승을 찾아가 제자가 되는 형식을 따르지 않고, 스스로 머리를 깎고 사냥꾼과 옷을 바꿔 입고 숲 속에서 혼자 문제를 풀고자 했습니다.

그러나 금방 잡힐 듯하던 해답은 며칠이 지나도 보이지 않았습니다. 이제까지 자기 속에 있던 수많은 업장이 사문이 되면 모두 소멸하리라고 믿었는데 그렇게 되지 않았습니다. 아무리 결심이 강한 고타마도 배고픔은 견디기 어려웠습니다. 순간적이나마 집에서 먹던 따뜻한 밥과 진수성찬이 눈에 아른거렸고, 편안한 궁중 생활이 그리웠습니다.

사람은 자기가 안주하던 곳에서 나왔을 때 불안해집니다. 노예가 주인에게서 해방이 되었을 때에도 갑자기 의지할 곳이 없어지니 불안해져서 다시 노예 생활로 돌아가고 싶은 생각이 든다고 합니다.

'노예로 있을 때에는 몸은 괴롭지만 먹을 것과 잠잘 곳이 마련되었다. 노예로 있으면 최소한 굶어 죽지는 않는데 지금은 어떠한가. 당장 자유의 몸이 되었다 해도 일자리도 못 얻고 집도 없어 잘못하면 굶어 죽을 수도 있다. 비록 혹독한 매질을 당할망정 굶기지 않는 주인에게 감사하면서 살아가는 게 차라리 좋지 않을까? 왜 모든 것을 부정적으로만 보고 극단적으로만 생각하느냐?

수행자 역시 자기 운명의 주인이 되고자 할 때 이런 문제에 부딪칩니다. 자기 삶의 주인이 된다는 것은 그만큼의 결단과 책임이 따르는 일입니다. 우리는 태어나면서부터 종속적이고 피동적인 삶의 방식에 젖어왔습니다. 그러므로 주인의 위치를 불안해합니다. 이런 불안과 유혹을 극복할 때 진정한 주인이 될 수 있습니다.

고타마도 이런 갈등을 겪습니다. 이때 마왕이 나타나서 속삭였습니다.

"왕자여, 어서 궁중으로 돌아가는 것이 좋을 것이오. 가서 때를 기다리시오. 그러면 이 세상 모두가 그대의 것이 될 것이오."

고타마는 소리 높여 꾸짖었습니다.

"악마여, 물러가라. 지상의 모든 것은 내가 구하는 바가 아니다."

그는 출가 전이나 출가 후나 오로지 중생을 고통에서 구제하겠다는 일념으로 자신과 싸우면서 주인이 되는 길을 걸어갔습니다. 그러나 일주일도 안 되어서 갈등을 느끼는 자신의 모습을 발견하고 고타마는 중생의 아픔을 보다 깊이 느끼게 됩니다. 사문유관 당시에도 중생이 겪는 생사의 고통을 자신의 아픔으로 느끼기는 했지만 그 고통은 자기가 실제로 굶거나 늙거나 병들면서 느낀 것은 아니었습니다. 그런데 지금 처음으로 경험한 일주일의 고행 생활을 통해 그 아픔이 비로소 자신의 아픔이 된 것입니다.

지금 이 순간에도 굶어 죽어가는 중생이 있고, 집 없이 떠돌아다니는 중생이 있고, 보호받을 곳이 없어 공포에 떠는 중생이 있고, 지금의 나보다 수천 배로 고통받는 사람이 부지기수로 존재한다는 것을 깊이 자각한 고타마는 그동안 자신의 생활이 얼마나 안일했던가를 알게 됩니다. 고타마는 중생의 아픔이 자신의 아픔과 하나로 연결되면서 마왕의 유혹을 아무런 미련 없이 물리칠 수 있었습니다.

가장 천한 걸인의 모습으로

그때에 고타마는 몇 집을 차례로 걸식한 후 여러 가지를 뒤섞은 음식을 보면서 '이만하면 내 목숨을 보전하기에 충분하겠다'고 생각했다. 그리고 들어갔던 성문으로 나와 판다바산 기슭에서 동쪽을 향해 앉아 식사를 시작했다. 그러자 고타마는 내장이 뒤집히는 듯 음식이 곧 입으로 나올 것 같았다. 고타마는 그런 음식을 본 일조차 없었기 때문이다. 고타마는 그 보기도 싫은 음식에 괴로워하는 자신에게 스스로 훈계했다.

'싯다르타여, 너는 지난 3년 동안 음식을 얻기 쉬운 집에서 냄새

좋은 쌀밥에 여러 가지 맛난 반찬을 곁들여 먹고 지내면서, 누더기 옷을 입은 사문들을 보며 나는 언제나 저런 모양으로 행걸하면서 살아갈 수 있을까, 내게도 그런 시기가 있을까 하고 생각하던 끝에 출가하지 않았던가? 그런데 지금 이 꼴은 무엇이냐.'

고타마는 이렇게 스스로 훈계하고 조용히 식사했다. 『본생경』

하루가 지나고 이틀이 지나면서 고타마는 마음이 안정되어 가는 것을 느꼈습니다. 그것은 처음으로 수행하는 그에게 기쁨이 아닐 수 없습니다. 바로 주인이 되는 기쁨입니다. 고통을 이겨내는 데 희열을 느끼며 앉은 채로 밤을 새웠습니다.

지난날 고타마는 산해진미를 먹고 미녀들의 시중을 받으며 부드러운 침상에서 살면서도 무엇인가 늘 부족했습니다. 수많은 군사에게 보호를 받으면서도 언제나 무엇에 쫓기듯 불안했습니다. 그의 명령 하나면 누구든 부릴 수 있고, 그가 하고자 하는 일은 아무도 막을 수 없었음에도 불구하고 항상 갇혀 있는 것같이 답답했습니다. 그러나 이제는 아무도 보호해 주는 이가 없어도 두렵지 않고, 거친 땅 위에서 밤을 지새우고 시냇물로 굶주림을 달래지만 부족함이 없었으며, 그 무엇보다도 자유로웠습니다.

고타마는 출가 후 일주일 동안 수행을 했지만 사실 그것은 전에 보았던 사문들의 모습을 보고 흉내 낸 것에 지나지 않았습니다. 브라만교의 수행 방법에 따라 나름대로 열심히 수행했지만 가만히 생각해 보니 무엇을 어떻게 해야 할지조차도 잘 모르고 있었습니다. 사문들의 수행에 대해 구체적으로 알지 못했던 것입니다.

고타마는 자신이 얻고자 하는 것이 혼자서는, 그리고 단시간에 쉽게 이루어질 수 없는 것임을 깨달았습니다. 그래서 자신을 이끌어줄 사람을 찾아가 공부해야겠다는 생각으로 자리에서 일어났습니다.

8일 만에 숲에서 나온 고타마는 심한 허기를 느꼈습니다. 7일 동안 제대로 음식을 먹지 못했기 때문입니다. 평생 하인들이 차려주는 음식을 먹던 고타마가 끼니를 걱정한 것은 처음이었습니다. 숲 속에서의 7일 수행 중 처음 이삼 일은 배고픔으로 정신이 혼미해지기도 했지만 사오 일이 지나면서부터는 오히려 음식에 대한 욕망이 없어지고 정신이 맑아졌습니다. 그러나 숲을 나서자 다시금 공복감이 고타마를 괴롭혔습니다.

고타마는 허기를 때우기 위해 어떻게 해야 하나 잠시 생각했습니다. 수행자로서 허기를 해결할 수 있는 방법은 걸식밖에 없다는 사실을 상기했습니다. 그래서 스승을 찾아 나서기 전에 기력을 되찾기 위해 걸식을 하러 마을로 내려왔습니다.

잠도 제대로 못 자고 음식도 먹지 못했을 뿐 아니라 햇볕과 찬바람에 몸을 드러내고 7일 낮밤을 지낸 고타마는 다른 사람으로 착각할 만큼 변해 있었습니다. 비록 외모는 거칠고 야위었지만 온몸에서 굳은 의지가 빛났습니다.

고타마는 이제 누가 보아도 훌륭한 수행자의 모습을 갖추었습니다. 비록 남에게는 모든 부귀와 영화를 버리고 한낱 걸인이 된 모습이 불쌍해 보일지 몰라도 고타마 자신은 그렇지 않았습니다. 출가수행은 행복을 포기하고 고통을 선택한 것이 아니라, 행복으로 착각하고 있는 고통에서 벗어나 진정한 행복을 찾아가는 길이었기 때문입니다.

그러나 고타마가 출가수행자의 자격을 완전히 갖추기 위해서는 아직 한 가지 관문이 남아 있었습니다. 그것은 걸식해 온 음식을 먹는 일이었습니다. 고타마는 조용한 산기슭에 자리를 잡고 앉아 온갖 것이 섞여 있는 음식을 먹기 시작했습니다.

마음의 다짐을 굳게 한 고타마였으나 음식을 입에 넣자마자 구토가 일어났습니다. 왕자였던 고타마에게 배고픔보다 힘든 것은 걸식해 온 음식을 먹는 일이었습니다. 고타마는 자신의 가치관과 마음가짐이 사문과 다름없다고 생각했으나 오랜 궁중 생활에 길들여진 그의 육체는 사문을 좇아가기에는 시간이 더 필요했던 것입니다.

고타마는 내장이 뒤집힐 듯한 역겨움보다도 아직도 자기 몸에 궁중 생활의 습이 남아 있음을 보고 순간적인 좌절을 맛보았습니다. 모든 것을 버리고 고통받는 중생의 삶과 하나가 되고자 했지만 그들의 삶은 자신이 생각했던 것보다 훨씬 더 견디기 힘든 것이었음을 알게 된 것입니다. 그는 스스로를 크게 질책한 후 마음을 다졌습니다.

"싯다르타여, 너는 지난 3년 동안 음식을 얻기 쉬운 집에서 냄새

좋은 쌀밥에 여러 가지 맛난 반찬을 먹으면서, 누더기 옷을 걸친 사문들을 보고 '나는 언제나 저런 모습으로 행걸하면서 살아갈 수 있을까. 내게도 그런 시기가 있을까' 하고 생각하던 끝에 출가하지 않았던가? 그런데 지금 이 꼴은 무엇이냐?'

더욱 크게 마음을 다진 고타마는 먹던 음식을 계속 먹었습니다. 걸식해 온 음식을 모두 먹고 난 고타마는 전과는 다른 새로운 자신감이 생겼습니다. 음식을 먹던 중에 생겼던 구토는 자신이 지금까지 살아오면서 누렸던 부와 쾌락의 삶이 새로운 삶을 거부하는 것이었습니다. 삶의 기본적인 필요조건이 의식주라고 할 때 고타마는 궁중에서 누렸던 옷과 집에 대한 조건은 이미 극복을 했습니다. 그리고 마지막 남았던 먹는 것까지 극복하게 된 것입니다. 이제 비로소 사문의 모습과 생활을 모두 자신의 것으로 받아들이게 된 것입니다.

'석가모니는 출가해서 어디로 갔는가?'라는 질문을 받으면 사람들은 대부분 입산을 연상합니다. 과연 부처님은 세속을 떠나 중생과는 인연을 끊고 살아가셨던 것일까요?

잠깐 눈을 감고 걸식해 온 음식을 먹고 있는 고타마 싯다르타를 상상해 보십시오. 그는 낡고 더러운 옷으로 몸의 중요한 부분만을 겨우 가리고 산기슭 나무 아래 바위에 앉아 있습니다. 그의 몰골은 말랐고 피부는 햇볕에 그을리고 제대로 씻지 못해 새까맣고 지저분합니다. 그리고 여러 가지 것들이 뒤섞여 있는 음식을 손으로 집어 먹고 있습니다.

그 모습은 영락없는 거지입니다. 눈빛이 맑고 위세 당당하다고는 하지만 결국 거지의 모습임에는 틀림없습니다. 고타마는 바로 이런 거지의 모습과 생활을 자신이 살아갈 세계로 선택한 것입니다. 사문유관 때 보았던 헐벗고 굶주리고 병들고 늙어 죽어가는 사람들의 삶이 자신의 삶이 된 것입니다.

고타마는 출가하면서 왕자로서의 모든 삶의 기반과 기득권을 버렸습니다. 그리고 이제 왕자의 생활 습관과 사고방식조차도 극복했습니다. 고타마는 비로소 완전한 출가를 한 것입니다.

스승을 찾아서

바르가바의 고행주의

고타마는 아노마 마을에서 점점 바이샬리 쪽으로 향했다. 그 길에 한 선인의 거처가 있었으니 그는 옛 선인으로서 이름을 바르가바라 했다. 고타마가 그 선인의 처소에 들어갈 때는 광명이 빛나 그 산 숲을 비추었다.

그때 고타마가 그 숲 가운데 들어가 선인이 거처하는 곳에 이르러 동서남북으로 그들의 여러 가지 고행하는 처소를 돌아보고 그들의 가장 뛰어난 것을 구하고자 하여 모든 선인을 살펴보았다. 어떤 이는 풀이나 나무껍질로써 옷을 삼고, 혹은 사슴 가죽이나 흩어진 머리털로 옷을 만들어 입고, 혹은 죽은 사람의 몸을 감쌌던 천이나 걸레로 몸을 가리고 있었다. 어떤 이는 오직 풀과 나무의 꽃과 열매만을 먹기도 하고 혹은 쇠똥을 먹기도 했으며, 어떤 이는 하루에 한 끼를 먹기도 하고 혹은 이틀이나 사흘에 한 끼를 먹기도 하여 스스로 굶주리는 법을 행하고 있었다. 어떤 이는 발가벗고 가시 위에 누우며, 어떤 이는 개미집에 머물러 마치 뱀과 같이 살며, 혹은 먼지와 흙을 끼얹고 쓰레기 위에 누웠으며, 혹은 뜨거운 불 곁이나 물속에 누워 있기도 하고, 혹은 한 다리로 며칠간 서 있기도 했다. 어떤 이는 물과 불을 섬기기도 하고, 혹은 해와 달을 받들기도 했다. 『불본행집경』

고타마는 유성출가를 한 후 일주일 동안 스스로 문제를 해결하려고 애쓰다가 그것이 뜻대로 안 되자 그 다음에 스승을 찾아갔습니다. 처음 찾아간 스승은 바르가바입니다.

바르가바는 바이샬리의 숲에서 수행하고 있었는데, 문제를 극단적인 방법으로 풀어가는 고행주의자였습니다. 고타마가 처음 본 것은 바르가바 밑에서 수행하는 수행자들이었습니다. 그들은 정말 끔찍한 고행을 하고 있었습니다. 고타마는 자신이 일주일쯤 굶은 것을 대단한 고행이라고 생각했는데 그들의 수행 방법을 보고는 저럴 수가 있을까 싶어 탄복합니다. 그는 바르가바를 찾아가 예를 올린 후 고행의 목적을 묻습니다. 바르가바는 천상에 나기 위해 지금의 고통을 참아내는 것이라고 했습니다.

바르가바 같은 고행주의자는 누구에게나 고(苦)와 낙(樂)이 같은 비율로 주어진다고 생각했습니다. 그러므로 지금 쾌락에 빠져 주어진 낙을 탕진하면 다음에 언젠가는 그 대가로 고통을 받게 되고, 지금 주어진 낙을 소비하지 않고 고통으로 받으면 언젠가는 그 보상으로 즐거움을 받게 된다고 봅니다. 그래서 주어진 현생의 삶을 고통으로 받아들이면 그것이 쌓여서 후세에 큰 즐거움으로 돌아온다는 것입니다.

뿐만 아니라 강도가 큰 고통일수록 그에 대한 선의 보상은 더욱 커진다고 주장했습니다. 육체에 고통을 가중시키고 남이 하지 않은 고행과 남이 따를 수 없는 고행을 할수록 후세의 안락은 더 많이 보장된다는 것입니다. 그러므로 고행이 극심할수록 존경을 받았습니다.

나는 하늘에 태어나기를 원치 않는다

고타마는 이를 보고 바르가바 선인에게 물었다.

"당신들이 지금 닦으시는 고행은 매우 대단합니다. 그런데 대체 무엇을 구하고자 이러한 고행을 하십니까?"

"이런 고행을 겪어서 천상에 태어나기를 원하며 혹은 또 인간으로 나고자 고행을 하는 것입니다."

고타마는 말했다.

"여러 하늘이 비록 즐겁기는 하나 복이 다하면 떨어져서 여섯 갈래를 윤회하므로 마침내 괴로움의 무더기이거늘 당신들은 어째서 모든 괴로움의 원인을 닦아서 괴로움의 과보를 구하십니까? 당신들이 하는 일들이 지극한 고행이 아님은 아니로되, 그러나 구하시는 과보가 마침내 괴로움을 여의치 못할 것이오."

그리고 고타마는 마음속으로 스스로 한탄했다.

'장사하는 사람은 보배 때문에 바다에 들어가고 왕은 국토를 위해 군사를 일으켜 상대방을 치거늘, 이제 저 선인들은 하늘에 나기 위해 이런 고행을 닦는구나.' 『과거현재인과경』

그때 고행하는 선인들은 다시 이치를 고집해 고타마에게 말했다.

"어진이여, 그렇지 않사옵니다. 고행을 함으로써 뒤에 다시 괴로움을 얻지 않습니다. 다만 우리는 이 몸을 괴롭히는 까닭에 후세에는 결정코 쾌락을 얻나이다."

고타마는 또 대답했다.

"이와 같은 말은 역시 지혜가 없습니다. 왜냐하면 마치 어떤 사람이 이익을 구하고자 하되 그 속에 큰 손실이 있음을 알지 못함과 같으니 손실을 알면서 이익을 구하려는 이는 지혜로운 사람이 아닙니다."

고타마는 또 이런 말을 했다.

"괴롭고 괴로운 세간에서 죽음의 귀신을 미워하면서 후생을 구하는 것은 큰 어리석음입니다. 당신들이 구하는 법은 하늘에 나는 과보이지만 나는 그렇지 않습니다. 나는 지금 뜻에 해탈을 구함이요, 있음을 취하고자 함이 아닙니다."

그때 그 대중 가운데 한 브라만 선인이 고타마의 이런 말을 듣고서 고타마를 향해 기쁜 마음으로 찬탄해 말했다.

"당신의 말은 매우 미묘하고 가장 위대한 서원입니다. 만약 당신께서 이런 뜻이 있어 결정코 해탈을 구하고자 한다면 당신은 지금 빨리 가소서. 여기서 멀지 않은 곳에 한 선인의 거처가 있으니 일천장이라 부르고 그 선인을 알라라라 이름 하나이다. 그 선인은 이미 결정된 바른 지혜와 청정한 눈을 얻었습니다. 당신이 그에게 가서 묻는다면 응당 지극히 참된 방편의 길을 듣게 될 것입니다. 당신께서 이런 방편을 들으면 반드시 그 진리에 이를 것입니다."

그때 고타마는 그 선인들이 은근히 만류함을 등지고 알라라 처소로 향했다. 『불본행집경』

고타마는 그들의 수행법을 곰곰이 생각해 보았습니다.

'내일의 즐거움을 위해 오늘의 고통을 견디는 것은 있을 수 있는 일이다. 그런데 현생의 고통을 참아서 내세에 천상에 태어났다고 하자. 그 즐거움이 다하면 이젠 어쩔 것인가. 천상에 태어나서도 다음 생의 즐거움을 위해 고행을 해야 할 것이다. 그러면 언제 고통에서 해방될 수 있을 것인가? 고통의 보상으로 받은 즐거움이 없어질까 늘 불안에 떨어야 할 것이다.'

그렇다면 결국 그들의 고행은 고통을 극복하기 위한 고행이 아니라 고행 그 자체를 위한 고행이 되고 마는 것입니다.

고타마는 현실적인 삶과 죽음, 그리고 중생의 고통을 해결하고자 출가했습니다. 그런데 그들은 다른 이의 고통 해결에는 관심조차 두지 않았으며, 현실이 아닌 죽은 뒤의 세계를 얘기하고 있었습니다.

가시나 못에 찔리면서도 참는 것은 도의 입장에서 볼 때 그리 중요한 게 아닙니다. 도의 척도는 자신과 다른 사람에게 어떤 이익을 주는가입니다. 고통을 많이 참고 특별한 방법으로 고행하는 것이 대단하다고 생각할 수도 있지만 그것은 단지 하나의 능력에 불과할 뿐입니다.

어려운 곡예를 하는 사람은 그것을 위해 무수한 고통을 감내하고 보통 사람은 도저히 따르지 못할 묘기를 부립니다. 우리는 이런 사람에게 갈채를 보내지만 도인으로서 존경하지는 않습니다. 고행승에게는 이처럼 고행이 하나의 능력이 되어버린 것입니다. 결국 그들의 수행은 모든 사람을 구제하고 진정한 행복으로 이끄는 길은 아니었습니다.

그래서 고타마는 다시 마음을 다집니다.

'나는 하늘에 태어나기를 원치 않는다. 일체중생이 생사의 수레에 매여 고통받고 있지 아니한가.'

길거리에 버려져 병들고 늙고 죽어가는 사람들이야말로 가장 큰 고통을 당하는 사람들이었습니다. 천상의 복락을 구하는 것으로는 그들을 고통에서 구할 수 없다고 생각한 고타마는 바르가바에게 말했습니다.

"고행하는 것은 충분히 존경합니다. 그러나 보상을 바라고 고행한다면 괴로움은 영원히 떠나지 않을 것입니다. 고와 낙은 영원히 되풀이될 것입니다."

그렇다고 고타마가 그들에게서 아무것도 얻은 게 없었던 것은 아닙니다. 육신을 가진 인간이 그렇게 큰 고통을 견뎌낼 수 있다는 점에 놀랐으며, 인간의 능력에 대한 보다 큰 가능성을 생각하게 되었습니다. 그리고 지난 일주일의 수행을 대단한 것이라고 생각했으나 그것은 편안했던 생활과 비교했을 때 대단한 것이지 자신이 이루어야 할 길에 비하면 아무것도 아니었음을 알았습니다.

결국 고타마는 자신이 얼마나 편안한 생활에 젖어 있었던가를 반성하며 자신이 수행을 너무 단순하게 생각해 왔음을 깨달았습니다. 다시한 번 마음을 굳게 다진 고타마는 새로운 스승을 찾아 떠났습니다.

태자 출가 이후의 카필라바스투

그때 고타마는 바르가바 선인을 떠나 라자그리하로 가던 중에, 한 나무 아래 단정히 앉아 수행을 하고 있었다. 그때 국사 브라만과 대신 두 사람은 슈도다나 왕의 칙명을 받고 태자의 발자취를 쫓아 바르가바 선인의 처소에 이르렀다. 그곳에서 경위를 들은 국사 일행은 바르가바 선인의 말에 따라 급히 서둘러 태자를 찾아가던 중에, 한 나무 아래에 사문의 형상을 하고 앉아 있는 고타마를 발견했다. 국사 일행은 고타마에게 나아가 예를 올린 후 왕명을 전하고 여러 가지 변설로써 환궁하기를 원했으나, 고타마는 이를 모두 물리치고 말했다.

"나는 내 일신만의 안락을 위해 출가한 것이 아니라 고통받는 모든 중생을 구제하려는 큰 서원을 세우고 출가한 것입니다. 모든 중생을 가엾이 여기어 출가했기에 여기 이렇게 나무 아래에 몸을 두는 것입니다. 왜냐하면 해탈을 구하는 사람이 궁중에 있으면 다섯 가지 욕락에 물들 것이요, 밖으로 다스리자면 반드시 채찍으로 때리고 죄를 물어 벌주어야 할 것이니, 이런 마음 가운데서 해탈을 구한다는 것은 있을 수가 없기 때문입니다." 『불본행집경』

카필라바스투에서 싯다르타 태자가 사라진 것을 가장 먼저 발견한 것은 미희들이었습니다. 미희들의 말을 들은 야소다라는 놀라서 울부짖었습니다. 슈도다나 왕도 이 소식을 듣고 마구간으로 달려가 보았습니다. 태자의 애마 칸타카도 없고 태자의 충복인 찬다카도 찾을 수 없었습니다. 슈도다나 왕은 혼절했다가 깨어났으며 온 석가족 대신과 군대를 동원해서 태자를 찾도록 명을 내렸습니다. 그러나 아무리 찾아도 태자를 찾을 수 없었습니다. 태자가 떠난 후 카필라바스투는 마치 국상을 당한 것 같았습니다.

찬다카가 칸타카를 끌고 카필라바스투로 돌아온 것은 싯다르타 태자가 출가한 지 8일이 지나서였습니다. 태자가 말을 타고 성을 나갈 때는 불과 몇 시간밖에 안 걸렸으나 찬다카가 돌아올 때는 8일이나 걸려 카필라바스투에 이를 수 있었다고 합니다.

찬다카는 나름대로 고민했을 것입니다. 카필라바스투의 권속들이 자기에게 잘해주었던 것은 싯다르타 태자 때문이었으며 자신의 역할은 태자를 잘 보필하는 것이었습니다. 그런데 태자의 출가를 도운 결과가 된 지금, 왕에게 죽임을 당할지도 몰랐습니다. 그러니 떨어지지 않는 발걸음으로 카필라바스투로 돌아온 것입니다.

찬다카가 카필라바스투로 들어올 때 칸타카가 크게 울어대니 온 성의 사람들이 그 소리를 알아듣고는 싯다르타 태자가 돌아온 줄 알고 기뻐하며 뛰쳐나왔습니다. 그러나 찬다카가 빈 말만 끌고 오는 것을 보고는 실망해 눈물을 흘렸습니다.

찬다카로부터 모든 이야기를 들은 마하프라자파티 왕비와 야소다라는 홀로 돌아온 찬다카를 탓하며 원망했습니다. 마하프라자파티 왕비는 울며 한탄합니다.

"내 아들아, 네 몸은 온갖 향으로 문지르고 바르고 씻고 닦아 위신과 큰 덕으로 장엄했거늘 이제 산골에 있으면서 모기와 등에, 자질구레한 독한 벌레들에게 쏘이는 괴로움을 어찌 참으며 빈 벌판에 머물겠느냐. 어찌 추하고 떫고 차고 슴슴한 음식을 차마 먹으며 맨밥이 목에 내려가겠느냐. 맨땅 위에서 혹은 가시밭 억센 풀 위에서 어떻게 누워 잔단 말이냐. 아, 슬프다. 내 아들아, 집에 있을 때는 꽃답고 아름다우며 단정한 미희들이 무리를 지어 에워싸고 쾌락을 받았는데, 너는 지금 어째서 황량한 산에서 들짐승처럼 공포 가운데 홀로 앉고 홀로 행하며 마음이 즐겁단 말이냐."

어머니의 마음은 그 무엇보다도 행여 자식이 아플세라 안타까울 뿐입니다. 그러나 태자비 야소다라의 한탄은 조금 다릅니다.

"아, 슬프다. 내 주인이여, 어째서 나는 법대로 행하며 남편에게 효순했는데 나를 버리고 갔단 말입니까. 만약 세간의 부인과 은애의 정이 있음을 안다면 어찌 나를 버린단 말입니까. 저 33천에 나서 옥녀를 탐하려 함인가. 내 생각에는 이런 일을 볼 때 그 하늘의 옥녀들은 무슨 탐낼 것이 있으며 무슨 단정함과 무슨 오욕의 환락할 일이 있겠는가. 나는 인간에 있든지 천상에 있든지 오직 당신 같은 남편을 법답게 섬기기가 소원입니다. 내 지금 남편 없는 여자라. 주인이 집에서 나가 숲에 간 것을 보았으며, 나로 하여금 외로이 홀로 빈 집에 있게 하니 어찌 마음이 찢어지지 않겠습니까. 가장 높고 훌륭한 장부를 보지 못하니 나는 모든 동산 숲과 샘물과 못과 전당을 보아도 모두 티끌과 흙이 차서 마치 광야와 다름이 없습니다. 카필라바스투에는 성자가 없는 까닭에 일체 궁전이고 누각은 모두 정기와 빛이 없어 마치 자갈 무더기와 같습니다."

야소다라는 남편에 대한 원망과 의지할 이가 없어진 허망함을 한탄했습니다. 그리고 자신이 과부가 되었음을 넋두리하며 내생에서나마 남편과의 부부 인연을 바랐습니다. 야소다라는 싯다르타 태자가 출가한 후에 자신도 욕락을 좇지 않고 수행하겠다고 다짐합니다.

"찬다카야, 나의 주인은 지금 어디 계시느냐. 마침내 나를 무단히 외로운 과부가 되게 했구나. 지금부터는 좋은 옷도 입지 않을 것이고, 맛있는 음식도 먹지 않을 것이다. 향과 꽃과 영락도 나의 몸과는 영원히 끊어졌다. 비록 집에서 산다 해도 항상 숲만 생각할 것이다."

야소다라는 이후 실제로 고행을 하면서 살았다고 합니다.

슈도다나 왕은 특히 왕위 계승자를 잃은 데 대한 슬픔이 컸습니다.

"나의 아들아, 카필라바스투 모든 석가족의 재산이며 금은 진보와 곡물 창고며 그 밖의 재물을 다 버리고 마치 침을 뱉듯이 등지고 출가했구나. 내 이제 힘이 다해 의기가 없으며 손발도 다 꺾이어 마치 부러진 나무 등걸과 같다. 나는 지금 사랑하는 아들을 이별했기에 나무에 가지가 없고 오직 뿌리와 줄기만 남은 것 같다. 밖의 모든 나라에게 경멸을 당해도 나는 단신이라 아무것도 할 수 없으니 나무가 우박을 맞아 모든 어린이가 희롱함이 되는 것과 같다."

그러나 슈도다나 왕은 다른 한편으로는 기왕 출가를 했으니 반드시 그 뜻이 이루어지도록 신에게 기원합니다.

"나는 지금 마음으로 원하노니 사방의 모든 호세신왕들이여, 이제 내 아들을 위해 이익을 이루도록 항상 도와주소서. 내 아들이 집을 버리고 출가해 위없는 극히 묘한 성과(聖果)를 사모하나니 그가 구하고자 하는 대로 속히 무상정등정각을 이루어 빨리 증명하도록 해주시기 바라나이다."

그러나 슈도다나 왕 또한 자식을 그렇게 간단히 단념할 수 없기에, 찬다카에게 길을 물어 태자를 찾아오라고 국사(國師)를 보냈습니다. 국사는 브라만 사상과 일반 사상에 대한 뛰어난 식견을 가진 사람이었습니다.

국사 일행은 수소문 끝에 바르가바 교단에 들러 태자의 소식을 듣고 급히 말을 몰았습니다. 태자의 자취를 쫓아가던 국사 일행은 나무 밑에 앉아 있는 사문을 보고 말을 멈추었습니다.

국사 일행은 머리를 깎고 누더기에 맨발 차림으로 변해버린 태자의 모습에 한참 흐느껴 울었습니다. 그러고는 부모님의 슬픔과 야소다라의 고통을 얘기하고 성으로 돌아가기를 눈물로 호소했습니다. 그러나 고타마의 마음을 돌릴 수는 없었습니다.

국사는 슈도다나 왕이 곧 왕위를 건네준다는 것과 태자가 왕위를 계승하면 원하는 것을 다 이룰 수 있다는 것, 그리고 지금의 출가가 무의미하다는 것을 논리적으로 설득했습니다. 그러나 고타마는 조용하면서도 결연한 어조로 자신의 굳은 결심을 다시금 밝힙니다. 국사 일행은 사문으로서 전혀 흔들림이 없는 태자와 작별하고 카필라바스투로 돌아갔습니다.

빔비사라 왕과의 만남

고타마는 다음날 이른 아침에 판다바산에서 조용히 걸어 라자그리하에 이르렀으니, 걸식을 하기 위함이었다. 그때 라자그리하의 모든 사람 중에 고타마를 본 사람은 모두가 크게 기쁜 마음을 내어 고타마 주위에 몰려들었다. 고타마는 사람들에게 에워싸여서 모든 사람이 보는 가운데 조용히 걸음을 옮겨서 라자그리하의 안을 돌며 걸식을 했다. 그때 신하의 소식을 들은 빔비사라 왕은 그 산에 이르러 고타마를 멀리서 바라보고 크게 기쁜 마음을 내었다. 왕은 곧 수레에서 내려 고타마 곁에 다가와 예를 갖춘 후 아뢰었다.

"당신은 용모도 아름답고 귀한 왕족 태생인 것 같습니다. 나는 당신의 태생을 알고 싶으니 일러주기 바랍니다."

"왕이시여, 저 히말라야 중턱에 지혜와 부를 갖춘 용맹스런 한 민족이 있으니, 석가족이라 이르며, 성은 '태양의 자손'이라 합니다. 내 선조들은 예로부터 코살라국의 주민으로서 카필라바스투를 다스리는 크샤트리아입니다. 왕이시여, 나는 그런 집에서 출가했습니다."

빔비사라 왕은 이를 듣고 다시 말했다.

"어지신 사문이여, 내 이제 당신을 보니 한창 젊은 나이로, 당신의 두 손은 세간을 다스리고 가르칠 것이며 환락을 즐기기에 어울릴지언정 발우를 들고 밥을 빌어먹기에는 적당치 않습니다. 지금 무슨 연유로 왕실을 떠나 사문의 행을 짓고 계십니까? 당신께서 만약 부왕을 위하는 까닭에 왕위를 버리고 출가했다면 나는 당신에게 욕락을 누리게 해주고, 만약 나를 돕는다면 내 마땅히 당신에게 나라의 절반을 주어 다스리게 하겠으니 내 경계에 있으면서 나의 왕위를 받으소서. 만약 부족하다면 나는 당신을 섬기고 받들어 모자람이 없게 하리다. 만약 또 저의 이 나라도 갖지 않겠다면 네 가지 군사를 드릴 터이니 몸소 다른 나라를 쳐서 가지십시오." 『불본행집경』

고타마는 왕에게 일렀다.

"나는 이제 전륜성왕의 자리도 버렸거늘 새삼 무슨 일로 왕의 나라를 받으리가. 또한 왕의 나라도 받지 않겠거늘 어찌 군사로써 남의 나라를 쳐서 정복하겠습니까? 세간의 다섯 가지 욕망은 타오르는 불더미와 같아서 모든 중생을 불사르며 고통 속에 몰아넣게 하거늘 어찌해 내게 욕락을 권하십니까? 내 이제 나라와 왕위를 버리고 부모를 떠나 사문이 된 까닭은 모든 중생의 늙고 병들어 죽어가는 고통을 구제하기 위해서일 뿐 욕락을 구하기 위한 것은 결코 아닙니다. 내 이제 여기까지 온 까닭은 훌륭한 두 선인이 있어 해탈을 구하는 으뜸가는 길잡이라 하기에 그를 찾아 해탈의 도를 구하기 위해 왔을 뿐 여기에 오래 머물러 있지는 않을 것입니다." 『과거현재인과경』

그때 빔비사라 왕은 고타마 앞에 합장 예배하고 아뢰었다.

"사문 고타마시여, 그대는 반드시 무상정등정각을 증득해 부처를 성취할 것입니다. 사문이시여, 원컨대 당신이 도를 이룰 때 제게 먼저 가르침을 주소서. 나는 당신의 곁에서 공경 공양하겠사오며 당신의 법을 듣고는 곧 당신의 성문 제자가 되겠나이다."

고타마는 기꺼이 미소하고 빔비사라 왕에게 이렇게 대답했다.

"어지시도다, 대왕이시여. 내 왕의 청정한 서원을 받겠습니다. 원컨대 왕이시여, 마음을 항상 안정되게 가지며 육체의 꺼들림을 삼가해 번뇌를 심지 말되 방일하지 말며, 항상 바른 법을 행하여 나라를 다스릴 것이며, 바르지 못한 법으로 백성을 고통스럽게 하지 마소서. 만약 이렇게 하면 왕은 편안함을 얻고 이 나라는 길하고 이익됨을 많이 받을 것입니다."

그때 빔비사라 왕은 고타마의 두 발에 정례하고 세 번 돈 뒤에 그곳에 서서 고타마를 바라보다가 조금 뒤에 궁으로 돌아왔다. 『불본행집경』

당시 마가다국은 인도에서 가장 강한 나라였으며 기술과 생산성이 높았을 뿐만 아니라 문화의 중심지이기도 했습니다. 수도인 라자그리하 근처에는 큰 숲이 있는데 자연환경과 기후가 수행하기에 적합했습니다. 마가다국의 빔비사라 왕도 다른 국가의 왕들처럼 신흥 사문에게 관대했으므로 많은 우수한 사문들이 이 숲에서 교단을 이루어 수행하고 있었습니다. 고타마가 바르가바를 떠나 새로운 스승을 찾아 향한 곳이 바로 이곳이었습니다.

고타마는 라자그리하에서 걸식을 했습니다. 성안 사람들은 모두 수승한 위엄을 갖춘 고타마를 보고 칭찬을 했습니다. 빔비사라 왕 역시 라자그리하로 온 고타마 싯다르타에 대한 이야기를 듣게 되었습니다.

빔비사라 왕은 카필라바스투의 태자가 출가했다는 소문을 듣고는 그가 정말 출가했는지 확인하고 싶었고, 또 출가했음이 분명하다면 그가 부처가 될 수 있을지 확인해 보고 싶었습니다. 빔비사라 왕이 찾아가 보니 그 사문은 신체가 빛나고 위의가 대단했습니다. 빔비사라 왕은 존경심을 갖고 그가 정말 카필라바스투의 태자인 고타마 싯다르타인지 확인했습니다. 그리고는 그 인품에 욕심이 나서 자신의 밑에 두고 싶어 권력으로 유혹합니다.

이때 빔비사라 왕이 고타마에게 "당신이 만약 부왕을 위하는 까닭에 왕위를 버리고 출가했다면 내가 욕락을 주겠다"고 말하는데 이것은 무슨 뜻일까요?

일반적으로 태자가 부왕을 위한다면 부왕의 뒤를 이어 속히 왕위를 계승해야 될 것으로 생각하기 쉽습니다. 그러나 당시의 인도에서는 왕의 장자 혹은 차기의 왕위 계승자가 성장해서 왕권을 물려받을 나이가 되었음에도 왕이 살아 있으면, 그때부터 왕과 아들 사이에 치열한 왕권 쟁탈이 벌어졌습니다. 많은 경우 아들이 부왕을 살해하고 왕위를 차지했습니다. 실제로 빔비사라 왕도 뒷날 그의 아들 아자타샤트루에게 왕위를 빼앗기고 석실에 갇혀 굶어 죽는 비참한 최후를 맞게 됩니다. 이런 상황에서 볼 때 카필라바스투에서 국민의 신망을 얻고 있던 싯다르타 태자가 아버지의 왕권을 유지시켜 주기 위해 출가한 것으로 보일 수도 있었던 것입니다.

빔비사라 왕은 고타마에게 아직은 권력욕이 있을 것으로 판단하고 자기 나라의 반을 준다거나 혹은 전부를 준다거나, 군사를 줄 테니 다른 나라를 침략해서 스스로 왕이 되어보라고 유혹했습니다. 자기 밑에서 몇 개의 성을 다스리게 하는 것은 몰라도 마가다국 전체를 통치하라고 제안했다는 것은 조금 과장인 것도 같습니다만, 어쨌든 당시 북인도의 정치적 상황에서 보면 빔비사라 왕은 고타마를 놓치고 싶지 않았을 것입니다.

당시 마가다국은 코살라국과 경쟁 관계에 있었습니다. 그러면서도 겨우 화평을 유지할 수 있었던 것은 정략결혼 때문이었습니다. 빔비사라 왕의 비는 코살라국 파세나디 왕의 누이동생으로 '코살라에서 온 왕비'라고 불리었고, 지참금으로 카시국을 가져왔습니다. 그러나 이런 정략결혼도 두 나라의 긴장 관계를 완전히 해소하지는 못했습니다. 양국은 부처님이 살아계실 때에도 무력 충돌을 일으키다가, 부처님께서 열반에 드신 후 결국 마가다국이 코살라국을 침략해 정복하게 됩니다.

마가다국의 빔비사라 왕의 입장에서 보면 코살라국의 종속국인 카필라바스투와 동맹을 맺어 군사와 경제면에서 원조를 주고 코살라국을 협공하고 싶었을 것입니다. 빔비사라 왕이 고타마에게 나라를 주겠다, 또는 군과 재보를 원조하겠다 등의 제의를 한 것은 그러한 정략적 고려 때문이라 짐작됩니다.

그러나 고타마는 자신이 출가한 목적을 밝히면서 빔비사라 왕의 제의를 거절합니다.

"내 이제 나라와 왕위를 버리고 부모를 떠나 사문이 된 까닭은, 모든 중생이 늙고 병들어 죽어가는 고통을 구제하기 위해서일 뿐 욕락을 구하기 위한 것이 결코 아닙니다."

그는 이미 세속을 버린 출가자이므로 어떤 유혹도 그의 결심을 번복시킬 수는 없었습니다. 빔비사라 왕은 고타마의 굳은 신념과 구도 정신을 존경하며 진심으로 부탁합니다.

"사문 고타마시여, 그대는 반드시 무상정등정각을 증득해 부처를 성취할 것입니다. 원컨대 당신이 도를 이룰 때 제게 먼저 가르침을 주소서. 나는 당신 곁에서 공경 공양하겠사오며, 당신의 법을 듣고 당신의 성문 제자가 되겠나이다."

고타마는 빔비사라 왕의 소원을 받아들이면서 왕에게 충고합니다.

"원컨대 왕이시여, 마음을 항상 안정되게 가지며, 육체의 꺼들림을 삼가해 번뇌를 심지 말고, 방일하지 말며 항상 바른 법을 행하여 나라를 다스릴 것이며, 바르지 못한 법으로 백성을 고통스럽게 하지 마소서. 만약 이렇게 하면 왕은 편안함을 얻고 이 나라는 길하고 많은 이익을 받을 것입니다."

고타마는 빔비사라 왕이 물러가자 조금 더 그곳에 머문 뒤에 새로운 스승을 찾아 떠나갑니다.

알라라 칼라마의 무소유처

고타마는 점점 앞으로 나아가 조용히 바이샬리 성으로 향했다. 그 성에 이르기 전 중도에 한 선인의 도 닦는 곳이 있으니 이름은 알라라요, 성은 칼라마였다. 『불본행집경』

그때 고타마는 곧 나아가 그 알라라 선인의 처소에 이르렀는데, 때에 그 선인은 얼마 안 되어 고타마가 보이므로 곧 나가서 받들어 영접하면서 찬탄해 말했다.

"잘 오셨습니다. 사문 고타마시여."

알라라 선인은 기뻐하며 이어 말했다.

"옛날의 여러 왕들은 한창 때에는 다섯 가지 욕심을 마음껏 받다가 감관이 늙어짐에 이르면 그런 후에야 나라와 즐거움의 도구를 버리고 집을 떠나서 도를 배웠으므로 이는 기특할 거리가 못 되었거니와, 태자께서는 이제 한창 나이에 다섯 가지 욕심을 능히 버리고 멀리 여기까지 오셨으니 참으로 장하십니다. 부지런히 힘써 정진하시어 속히 저 언덕을 건너셔야 하리다."

이를 듣고 고타마는 말했다.

"당신의 말씀을 들으니 매우 기쁩니다. 당신이 저를 위해 늙고 병들어 죽어가는 고통을 끊는 법을 말씀하시면 저는 이제 즐거이 듣겠습니다." 『과거현재인과경』

"그 사람은 이런 일을 생각하고 나서 삼매에서 일어나 그 몸의 빛에 여러 가지 허물과 근심이 있는 것을 보고 색신을 버리고, 이 일체 색상이나 또는 색상 안에 나무 등 모든 물건에서 다 가없는 허공이라 분별하나니 이렇게 일체 색처를 밝게 분별해 가없는 허공을 얻고 나서는 곧 수승한 곳〔무소유처(無所有處)〕을 증득하나이다. 당신께서는 이미 큰 지혜의 장부이시니 이 법을 감행하실 만합니다. 이 법을 행하고 나면 능히 좋은 곳 해탈의 과보를 얻으실 것입니다."

그때 고타마는 알라라 선인 곁에 나아가 이렇게 말했다.

"나는 존자를 따라 이 법을 듣고서 존자의 말대로 내 믿어 알고 행하여 이 법을 증득했으니, 만약 지혜 있는 이가 알고 행하는 경계를 가진다 하더라도 또한 이런 법을 버리지 아니하겠습니다. 다만 내가 본 바로는 이 법이 비록 묘하나 구경(究竟)을 다한 것은 아닙니다. 존자가 비록 '나는 청정한 해탈을 얻었노라'고 말하지만, 만약 분별해 관하면 이것은 인연법이라. 인연을 만나면 도로 나므로 참 해탈이 아닙니다."

그때 알라라 선인은 이 말을 듣고 나서 고타마에게 말했다.

"어지신 고타마여, 내가 해득한 법을 당신께서도 또한 알았습니다. 내 오늘 대중의 스승이 되듯 당신도 또한 이와 같이 스승이 될 만합니다. 고타마여, 이제 나와 마음을 같이하여 우리 두 사람은 함께 이 대중을 이끌어 교화하고 나타내 보이십시다."

이때 알라라는 비록 스승이란 이름이었으나 다만 고타마와 평등하게 하고자 스스로 반 자리를 고타마에게 나누어주고 고타마를 공양했다. 그때 고타마는 이렇게 생각했다.

'이 법은 능히 사람을 열반에 이르게 하지 못하고, 스스로 깨치고 남을 깨치게 해 사문행을 지을 수 없으며, 모든 악의 번뇌를 멸할 수 없도다. 이 법을 행하면 오직 비상천에 나서 모든 업을 짓는 까닭에 이 법으로써는 중생을 고통에서 구제할 수 없도다.'

이 생각을 하고서 곧 알라라를 등지고 떠나갔다. 『불본행집경』

고타마는 전부터 알라라 칼라마에 대한 평판을 듣고 있었으므로 그를 찾아 나섰습니다. 고타마는 걸음을 재촉해서 알라라가 살고 있는 곳에 이르렀습니다. 경전에 보면 알라라 칼라마는 16세에 출가해 104년 동안 수행 정진한 선인으로 300명의 제자를 거느리고 있었다고 합니다. 고타마는 알라라 칼라마에게 스승의 예를 다한 후 인간이 고통받는 원인과 열반에 이르는 방법을 물었습니다.

나이가 120세가 되도록 자신의 도가 최고의 경지에 달하지 못했음을 안타깝게 여기며 후계자를 기다리던 알라라는 범상치 않은 모습의 고타마가 찾아오자 크게 기뻐했습니다. 그는 고타마에게 자신의 사상 체계와 수행 방법을 가르쳐주었습니다.

고타마는 생각했습니다.

'알라라 스승에게만 확신이 있는 것은 아니다. 나에게도 확신은 있다. 근면하고 정진하며 산란하지 않는 마음과 지혜가 있다. 알라라 스승이 설하는 법, 아무것도 없는 경지를 나 스스로 증득하고 몸소 나타내도록 노력하리라.'

그리고 고타마는 오래지 않아 그 법을 스스로 알고 증득해 그 경지에 머무르게 되었습니다. 알라라는 고타마를 칭찬하며 말하였습니다.

"그대와 같은 사람을 만날 수 있다니 얼마나 다행한 일인가. 내가 깨달아 실현한 법을 그대로 깨달았소. 그대가 알고 있는 법은 내가 알고 있는 그 법이며, 내가 알고 있는 법은 그대가 알고 있는 그 법이오. 이제 둘 사이에는 아무런 차이도 없소. 이제 우리 둘이서 같이 교단을 지도합시다."

알라라는 제자인 고타마를 자기와 대등하게 존중했습니다.

그러나 고타마는 생각했습니다.

'이 법으로 틀림없이 무소유처의 선정 삼매에 도달할 수는 있었다. 그러나 내가 구하는 것은 삶의 문제의 궁극적인 해결이다. 최고의 깨달음이요, 열반이다. 이 법으로는 내 목적을 이룰 수 없다.'

고타마는 알라라 칼라마의 만류를 뿌리치고 보다 높은 이상을 찾아 다시 떠났습니다.

웃다카 라마풋타의 비상비비상처

그때 이 염부제 땅에 또 다른 큰 도사가 한 사람 있었으니 이름을 나마라 불렀으며 그가 세상을 떠나자 나마의 큰아들 웃다카가 대중을 영도했다.

웃다카는 항상 대중을 위해 법을 설했으며 라자그리하 가까운 아란야 숲 가운데 머물렀다. 그는 무소유처를 넘어 갖가지 생각을 떠나서 생각도 생각 아님도 아닌 곳[비상비비상처(非想非非想處)]을 가르쳤다. 그때 고타마는 그를 찾아가서 배우고 정진해 그 경지에 이르렀으나 이 또한 모든 중생을 구제할 진정한 해탈을 가르치는 법이 아님을 알고 곧 그를 떠났다. 『불본행집경』

고타마는 라자그리하 교외에 있는 웃다카 라마풋타를 찾아갔습니다. 웃다카는 700명의 제자를 거느리고 있었으며 천하에 명성이 자자한 선인이었습니다.

고타마가 웃다카에게 스승의 예를 올리며 제자 되기를 청하자, 웃다카는 고타마에게 비상비비상처의 선정 삼매를 가르쳐주었습니다. 고타마는 웃다카가 가르쳐준 대로 정진한 끝에 비상비비상처의 선정 삼매에 들었습니다.

고타마는 알라라의 도량에서와 같이 이곳에서도 오래지 않아 그 법을 스스로 알고 증득해 그 경지에 머무르게 되었습니다. 그러자 웃다카도 알라라와 마찬가지로 고타마에게 둘이서 같이 교단을 지도하자고 제안했습니다. 그러나 고타마는 이것으로도 자신이 출가한 목적이 달성되지 않았음을 알고 다시 다른 방법을 찾아 떠났습니다.

현실을 외면한 선정주의

알라라와 웃다카는 선정을 통한 수행을 주로 했습니다. 각기 무소유처와 비상비비상처에 도달했다고 자처하는 사람이었습니다. 무소유처는 외계의 일은 물론 자기 마음의 움직임까지도 완전히 초월해 무념무상의 평온한 상태에 도달하는 것을 말합니다. 비상비비상처란 무소유처보다 한 단계 더 높은 것으로, 일상적인 사고를 모두 초월해 오로지 순수한 사상만이 남는 상태로 인도에서는 일반적으로 선정 삼매의 최고라고 여깁니다.

그들의 수행 방법은 기존 방법에 비해서는 긍정적인 듯했으며 그들이 말하는 교의는 수긍 가는 부분이 많았습니다. 또한 두 스승이 도달한 경지는 상당한 것이었으나 고타마는 그것에 만족할 수 없었습니다. 그 수행 방법으로는 수행자 자신이 그 경지에 이르렀을 동안에는 평안이 있을지언정 세상 고통의 원인과 그 해결 방안을 찾을 수는 없기 때문입니다. 그것은 홀로 세상의 고통에서 떠나 있는 것이지 그 고통을 해결함으로써 얻어지는 평안이 아니었습니다. 그들은 현실을 떠나 지극히 개인적이고 심리적인 희열을 추구하는 선정주의자였던 것입니다.

고타마는 이를 알고 스승을 떠나려 했습니다. 그러자 두 스승은 고타마에게 머물러 있기를 부탁하며 함께 교단을 이끌자고 제안합니다. 수십 년간 자신을 가장 뛰어난 스승으로 여기며 따르는 수백 명의 제자를 거느린 사람으로서 힘든 부탁을 한 것입니다. 두 스승은 진실로 도를 구하는 수행자였던 것 같습니다.

동서고금을 막론하고 소위 수행자라는 사람이 자신의 명예와 기득권을 지키기 위해 진실을 외면하거나 왜곡하는 경우가 종종 있습니다. 그런데 알라라 칼라마는 16세에 출가해 100년 이상 수행한 백발이 성성한 늙은이였습니다. 그런 그가 겨우 6개월 남짓 수행한 삼십도 안 된 젊은이에게 자기와 동등한 위치에서 교단을 운영하자고 하는 것입니다. 이는 도의 세계가 아니면 있을 수 없는 일입니다.

그러나 고타마는 그들에게 존경의 예를 올리며 자신이 원하는 바가 아님을 간곡하게 알립니다. 고타마가 출가한 것은 어떤 지위나 명성을 위해서가 아니라 인간의 모든 고통을 해결하기 위해서였기 때문입니다.

이 두 수행자는 고타마가 만난 사람 중 가장 뛰어난 수행자였습니다. 그래서 훗날 성도 이후 부처님은 이 두 사람이라면 자신이 얻은 진리를 듣고 곧 깨달을 거라고 생각합니다. 그러나 그때는 이미 두 사람 모두 죽은 뒤였습니다.

두 스승을 떠난 이후에도 고타마는 몇몇 스승을 찾아 수행 편력을 더 했던 것 같습니다. 그러나 결국 자기 힘으로 깨달음을 얻을 수밖에 없다는 결론에 도달합니다. 누구에게 지도받아서 되는 것이 아니라 궁극적으로는 수행으로 스스로 찾아 나가는 것이라는 교훈을 얻게 된 것입니다.

고타마가 웃다카 라마풋타의 문하에 있을 때 그를 줄곧 지켜보며 함께 수행하던 다섯 명의 수행자가 있었습니다. 그들은 새로운 수행의 길을 떠나는 고타마를 보고는 의견을 나눕니다.

"우리도 함께 가자. 고타마처럼 성실하고 투철한 수행자라면 우리가 본받고 함께 공부할 만하다."

그리고 웃다카 교단에서 나와 고타마를 따라다니며 수행을 계속했습니다.

제4장

고행과 성도

이제 어둠의 세계는 타파되었다.

내 다시는 고뇌의 수레에 말려들지 않으리.

이것이 고뇌의 최후이며,

여래의 세계를 선포하노라.

6년 고행과 마왕의 유혹

항상 죽음과 함께 있었다

그때 고타마는 라자그리하를 떠나서 다섯 수행자와 함께 나이란
자나 강이 굽이쳐 흐르는 가야산에 머무르면서 산꼭대기의 한 나무
아래 풀을 깔고 앉아 생각했다.

'세간에 사문이거나 브라만들이 몸과 마음이 방일해 타오르는 욕
망에 집착하면 번뇌가 따르므로 비록 고행을 하더라도 도에는 이를
수 없다. 또한 몸을 제어해 욕락을 행하지는 않더라도 마음은 오히
려 쾌락에 집착하면, 비록 고행을 닦더라도 도에는 이를 수 없다. 그
러나 몸을 제어해 욕락에 탐착하지 않고 마음이 순일해 타오르는 번
뇌를 소멸하고 부지런히 고행을 닦아 행하면, 곧 스스로 이익이 되
고 남에게도 이익이 되는 도를 증득할 수 있으리라.'

고타마는 가야산을 나와서 차례로 돌아다니다가 우루벨라 못 옆
의 동편에 이르러 나이란자나 강가에 닿았다. 『방광대장엄경』

고타마는 이미 외도들이 삿되게 해탈을 구함을 보고 발심해 가히 두렵고 괴로운 행을 행하고자 했다. 고타마는 풀 옷을 입거나 무덤 사이에 버려진 천으로 몸을 감싸거나 혹은 걸레로 옷을 지어 입었다. 또 고타마는 무더위 속에서도 시원함을 찾지 않고 추위가 와도 따뜻함을 찾지 않았고 그의 자세는 한결 같았다. 소나기가 쏟아져서 몸을 씻어내려도 그는 앉은 자리에서 움직이지 않았다. 파리와 모기가 몸에 붙어 피를 빨아도 쫓지 않았다.

또 고타마는 시체와 인골이 흩어져 있는 묘지에서 야숙을 했다. 그럴 때에 양치는 아이들이 침을 뱉고 진흙을 던지며 귀에 나뭇가지를 쑤셔 박았다. 그래도 고타마는 움직이지 않았으며 아이들에게 손톱만큼도 진심(嗔心)을 일으키지 않았다.

고타마는 입을 다물어 이를 악물고 혀를 입천장에 대고 한 생각으로 아픔을 섭수한 후 몸과 뜻을 조복해 수행하자 겨드랑이 밑에서 땀이 흘렀다. 또 들숨과 날숨을 제어했다. 입과 코로 쉬는 숨을 막자 귓구멍에서 풀무 소리를 내며 바람이 나와 마치 예리한 송곳으로 귀를 뚫는 듯했다. 귀로 숨 쉼도 그치자 속바람이 굉장한 기세로 정수리로 치솟아 마치 날카로운 도끼로 정수리를 치듯 했다. 그때 고타마가 입과 코와 귀와 정수리의 숨을 모두 멈추자 바람이 벼락같은 소리를 내며 늑골 사이에서 소용돌이 쳐서 마치 백정이 날카로운 칼로 몸을 가르듯 했다.

고타마는 또 하루에 한 알의 과일을 먹거나 대추를 먹고, 팥·콩을 먹거나 쌀·보리를 한 알씩만 먹었다. 그리고 하루에 한 번만을 먹었고, 이틀에 한 번 사흘에 한 번을 먹었으며, 이윽고 이레에 한 번을 먹고, 드디어는 보름에 한 번을 먹었다. 『불본행집경』

고타마는 몸이 점점 더 여위어 갔다.

살갗은 익지 않은 오이가 말라비틀어진 것 같았으며 수족은 갈대와 같았고 드러난 갈비뼈는 부서진 헌 집의 서까래와 같았으며 척추는 대나무 마디와 같았다. 뱃가죽을 만지면 등뼈가 만져지고 몸을 만지면 몸의 털이 말라 떨어졌다. 해골이 드러나고 눈이 깊이 꺼졌으며 일어서려면 머리를 땅에 박고 넘어졌다. 그러나 오직 눈만은 깊은 우물 속의 별과 같이 반짝이며 빛나고 있었다. 『방광대장엄경』

이러한 고타마를 보고 어떤 사람은 '고타마는 죽었다' 혹은 '고타마는 죽지 않았다' 혹은 '고타마는 죽지 않았으나 칠 일을 지나지 못하고 죽을 것이다'라고 말했다. 『불본행집경』

고타마는 머물러 정진할 곳을 찾아 우루벨라로 갔습니다. 그곳은 마가다국의 보드가야 근처 숲으로 나이란자나 강이 숲 허리를 감돌아 흐르고 있습니다. 나이란자나 강은 갠지스 강의 지류로 백사장이 깨끗하기로 유명합니다.

우루벨라 숲은 흔히 고행림이라고 해서 주로 격한 고행을 하는 사문이 많았고 또 훌륭한 수행자도 많았습니다. 후일 부처님이 정각을 성취하신 뒤 교단의 육십여 비구에게 전도 선언을 하고 직접 전도를 하기 위해 가신 곳이 바로 이 우루벨라입니다.

고타마는 우루벨라의 고행림에서 이전에도 없었고 이후에도 그 누구도 할 수 없는 극심한 고행에 들어갑니다. 고행은 육체가 원하는 것을 역행하는 것입니다. 육체가 원하는 것을 따르면 악업을 쌓는 것이라고 보았습니다. 그래서 고행을 하는 데 가장 필수적인 것은 의식주의 결핍을 극도로 하는 것입니다.

옷은 육체를 가릴 수 있는 최소한의 것으로 인간의 조작이 가해지지 않은 것이나 버린 것을 걸쳤습니다. 그래서 풀이나 나무껍질, 혹은 시체를 쌌던 천을 입었습니다.

사는 곳은 말 그대로 수하석상(樹下石上)이었습니다. 움막도 없이 기후에 대한 대비는 물론이고 동물이나 벌레로부터도 보호받을 수가 없었습니다. 더위와 추위, 비와 이슬을 그대로 받으며 지내고 벌레나 모기 등에 뜯겼습니다.

먹는 것은 갈수록 줄여서 거의 음식을 끊었습니다.

인간의 다섯 가지 욕구 중 재물욕과 명예욕은 이미 버렸고, 성욕과 식욕은 물론이고 수면욕조차 버렸습니다. 그리고 오로지 하나 남은, 인간의 생명을 유지해 주는 숨 쉬는 것조차 멈추고자 했습니다. 먹지도 자지도 않으면서 육체를 괴롭히자 형상은 갈수록 끔찍하게 변해갔습니다.

'살갗은 익지 않은 오이가 말라비틀어진 것 같았고 수족은 갈대와 같았다. 드러난 갈비뼈는 부서진 헌 집의 서까래와 같았으며 척추는 대나무 마디와 같았다. 뱃가죽을 만지면 등뼈가 만져지고 몸을 만지면 몸의 털이 말라 떨어졌다. 해골이 드러나고 눈이 깊이 꺼졌으며 일어서려면 머리를 땅에 박고 넘어졌다.'

육체가 이런 상태이니 운신인들 제대로 할 수 있겠습니까. 불상 중에서 가장 인상적인 불상이 바로 부처님의 고행상입니다. 이 고행상을 보면 사람 해골에다 비닐을 한 겹 입혀놓은 것과 다르지 않습니다.

고타마는 이러한 상태에 이르도록 고행을 했습니다. 그래서 죽은 시체와 같은 육신이 되었지만 단 하나 살아 있는 것이 있었습니다. 오직 눈만은 깊은 우물 속의 별과 같이 빛났습니다.

부처님의 고행을 가장 잘 표현해 주는 말이 '항상 죽음과 함께 있었다'입니다. 사람들은 부처님이 눈을 뜨면 살아 있는가 보다 했고, 눈을 감으면 죽은 줄 알았습니다.

잠을 사나흘 안 자면 어떻습니까? 눈만 깜빡 감아도 완전히 정신을 잃어버립니다. 잠으로 굴러 떨어지지 않으려면 눈을 뜨고 깨어 있어야만 합니다.

고타마는 순간적으로 정신을 잃으면 곧바로 죽음에 이를 수 있는 상태였습니다. 순간에 죽고 사는 문제가 바로 자기 눈앞에 있는 것입니다. 죽음이 항상 살아 있는 고타마와 함께 존재했습니다.

우리는 생(生)은 내 곁에 있고, 사(死)는 저 멀리 떨어져 있는 것으로 생각합니다. 그러나 누구에게나 죽음은 바로 생의 뒷면에 있습니다. 비유하자면, 사람의 인생을 책 한 권이라고 할 때, 생의 시작은 첫 페이지이고 생의 끝은 마지막 페이지가 아닙니다. 홀수 페이지가 생이라면 짝수 페이지는 사입니다. 이처럼 생과 사는 앞면과 뒷면의 관계입니다. 생과 사가 나란히 함께 붙어서 계속 반복되는 것이 인생입니다.

우리는 생과 사를 생각할 때 죽음을 떠난 생, 생이 다한 죽음만을 생각합니다. 그러나 죽음을 떠난 생은 있을 수 없고, 생과 관련 없는 사는 아무 의미가 없습니다. 죽음이 항상 생의 뒤, 혹은 옆에서 생의 본래 의미를 확인시켜 줍니다. 죽음은 자신의 삶의 방향이 올바른가를 점검하게 합니다. 죽음을 배제한 삶은 올바른 의미를 가질 수 없습니다.

우리는 죽음이 갑자기 자기 앞에 다가오면 삶의 문제를 다시 돌아보게 됩니다. 자신이 일 년밖에 살지 못한다면 현재 자신이 하고 있는 일을 계속할 사람은 거의 없을 것입니다. 그것은 지금의 삶이 자기에게 주어진 한정된 시간을 소비할 만큼 의미 있는 것이 못 된다는 뜻입니다.

고타마는 죽음을 앞에 놓고 결코 뒤로 물러서지 않고 죽음을 직시하며 수행을 지속했습니다. 그는 자신의 길이 올바른 삶의 길임을 확신했습니다. 고타마는 생과 사의 문제가 종이 한 장 차이로 뒤바뀔 수 있는 상태에서 하루하루 고행을 계속했습니다.

마왕의 유혹

그때 마왕 파피야스가 고타마에게 조심스럽게 다가와서 은밀하고 부드러운 말로써 유혹했다.

"당신의 몸은 이미 쇠진해 죽음이 가까웠소. 세간에 생명만큼 소중한 것은 없소. 살아 있어야만 수행도 온전히 할 수 있으리. 당신은 이제 살아날 가망이 천에 하나도 안 되오. 보리도를 얻기는 불가능한데 차라리 브라만과 같이 불을 섬기고 제사를 지내면 손쉽게 공덕을 쌓아 생명을 얻고 큰 과보를 얻을 수 있을 것이오."

그러자 고타마가 대답했다.

"파피야스여, 탐욕과 진에(瞋恚)와 치암(癡暗)의 권속이여, 어둠의 아들아. 그대는 세속의 욕망으로 유혹해 나의 수행을 부수려 하지만 나의 서원은 결코 허물어뜨리지 못하리라. 내 이미 죽음의 고통을 삶과 같이 보아, 죽음의 두려움을 깨뜨린 지 오래이니라. 비록 모든 중생계가 다 멸해 없어져도 나의 서원은 멸하지 않으리. 바람이 강물을 말리게 하듯이 고행을 계속해 살과 피와 모든 진액을 마르게 하리라. 육신을 조복받을수록 안정되는 나의 마음과 정신의 청정함을 보라. 온 육신이 꺼지고 껍질만 남아 기력이 쇠했을 때, 나는 신명을 바쳐서 더욱 정진해 결단코 깨달음의 세계로 들어가리라. 나의 서원은 신념으로 뭉쳐 있고 지혜로써 장엄되어 결코 그대가 깨뜨릴 수 없으리라.

나는 차라리 싸워 죽을지언정 패장이 되어 욕된 삶은 살지 않으리라. 명장은 두려움 없이 모든 원적을 깨뜨리나니, 내 이제 목숨을 걸고 너의 군세와 맞서 싸워 기필코 항복받으리라. 너의 군세 중 제일은 탐욕이요, 둘째는 원망이고, 셋째는 굶주림과 춥고 더움이며, 넷째는 애착이고, 다섯째는 권태와 수면이며, 두려움과 공포는 그 여섯째 군세이다. 일곱째 군세는 의심이요, 여덟째는 진에와 분노, 아홉째는 시기와 질투이고, 어리석고 무지함이 그 열 번째이며, 열한 번째는 교만과 허영이고, 열두 번째는 비난과 질시이다. 파피야스여, 내 이제 너희 군사들을 보매 묘한 지혜의 군사로써 쳐부수어 남김없이 항복받으리라." 『불본행집경』

이런 상황에서 마왕 파피야스가 나타났습니다. 파피야스는 파순(波旬)으로 음역되는데, 베다의 서사시에 나오는 악마입니다. 원시불교에서는 파피야스를 사신(死神)과 동일시했습니다.

경전에 보면 마왕 파피야스는 부처님의 출가 직후와 수행할 때, 성도 직전과 직후에 나타나 부처님을 방해합니다. 그뿐만 아니라 대중을 교화할 때도 끊임없이 나타나 수행과 전도를 가로막습니다. 특히 부처님이 보리수 아래에서 깨달음을 얻기 직전에는 악마의 방해가 극에 달합니다. 천둥과 번개 그리고 온갖 악귀로써 공포를 주고, 신통력과 권력으로 유혹하고, 아름다운 여인들을 보내어 애욕을 자극하기도 합니다.

깊은 수행으로 업장을 소멸하려 할 때 이것을 방해하거나 또 다른 악업을 쌓게 만드는 것이 악마입니다. 이 악마를 마장(魔障)이라고 하는데 이는 업장의 극단적인 모습입니다. 우리가 올바른 삶을 살고자 할 때 우리 내부에 남아 있는 그릇된 가치관, 쾌락과 애욕을 원하는 마음, 그리고 세속을 거슬러가는 데 따르는 고통 등이 바로 이 마군의 모습으로 나타나는 것입니다.

그래서 마장은 내면의 갈등과 주변의 고통과 장애, 그리고 신통력 등으로 우리에게 다가옵니다. 이것은 부조리한 사회구조와 왜곡된 현실을 합리화하고 유지시키며 지배 이데올로기와 상호 의존적인 관계를 갖습니다.

우리 중생은 업의 덩어리입니다. 업으로 형성된 것이 중생입니다. 그것이 선업이든 악업이든 자신의 일부인 것입니다. 그런데 그 업이 소멸된다면 중생은 자신의 일부가 빠져나간 듯 허전하고 안타까워서 얼마 동안은 고통을 느끼게 됩니다.

이것은 자신이 느끼건 느끼지 못하건 상관없습니다. 공통된 업은 업끼리의 흡인력이 있기 때문에 업이 소멸되려 할 때 업장 덩어리는 이를 잡아당기게 됩니다. 지금까지 그 업장을 자신의 본래 모습인 줄 아는 무명과 욕망이 남아 있으므로 업이 떨어져 나가지 않으려고 자기 내부에서 싸움이 일어나는 것입니다. 이로 말미암아 생기는 갈등이 곧 마장으로 형상화되는 것입니다.

마장은 내부에서뿐만 아니라 외부에서도 옵니다. 세속적 가치의 허구성을 꿰뚫고 부처님의 길을 따르고자 하면 과거의 악업으로 얻었던 세속적인 이익을 잃게 되는 경우가 생기게 됩니다. 이러한 주변의 일들이 마장이 됩니다. 개인의 업장뿐만이 아니라 세속의 업장을 소멸시키려는 수행과 기도를 할 때 세속의 거대한 업장은 자신의 업이 떨어져 나가는 것이 두려워서 방해를 합니다. 경제적인 손실, 정치적인 압력, 주변 사람들의 유혹 등이 바로 마장으로 나타나는 것입니다.

차라리 죽을지언정 욕된 삶은 살지 않으리라

그런데 참 묘한 것은 이 마군은 항상 인간적인 유혹을 한다는 것입니다. 물론 여기에서 인간적이라는 것은 세속의 가치를 의미합니다. 진리의 실천과 불국 정토 건설을 위해 주변의 아픔과 자기희생을 감수해야 하는 것에 비하면 마군의 목소리는 달콤한 인간적인 소리일 수밖에 없습니다. 그래서 그것이 악마의 속삭임인 줄 모르고 넘어가는 경우가 많습니다. 가장 인간적인 것이 실은 가장 비인간적인 상황을 합리화하는 지배 이데올로기일 수도 있다는 것입니다. 고타마를 유혹하는 악마도 여기에서 크게 벗어나지 않습니다.

"당신의 몸은 이미 쇠진해 죽음이 가까웠소. 세간에 생명만큼 소중한 건 없소. 살아 있어야만 수행도 온전히 할 수 있소. 당신은 이제 살아날 가망이 천에 하나도 안 되오. 보리도를 얻기는 불가능한데 차라리 브라만과 같이 불을 섬기고 제사를 지내면 손쉽게 공덕을 쌓아 생명을 얻고 큰 과보를 얻을 수 있을 것이오."

이러한 마군의 목소리는 당시 인도 사회의 지배 이데올로기의 외침입니다. 창검과 군마보다도 더 무서운 브라만의 지배 이데올로기와의 싸움입니다. 또한 고타마에게 29년 동안 쌓여 있던 지배계급으로서의 사고와 가치 구조가 뿌리 깊은 곳에서부터 파괴되어 가는 과정입니다. 고타마는 그들의 정체를 분명하게 밝혀내고 있습니다.

"파피야스여, 탐욕과 진에와 치암의 권속이여, 어둠의 아들아."

마군은 탐욕에 물든 세간의 목소리이고, 부조리한 사회구조를 유지하고자 하는 음모이며, 무명에 싸인 인간의 목소리입니다.

이러한 마장은 완벽한 참회가 되지 않고 탐욕과 아집이 남아 있을 때, 진리에 대한 확신이 흔들려 의심하고 사량 분별로 따질 때, 절실한 일념이 아니라 삿된 세속의 유혹에 고개를 돌릴 때, 그리고 육신의 한계 내에서 적당히 살아가려 할 때 끊임없이 다가옵니다. 그러나 이는 한편으로는 우리의 업장을 소멸하고 세상의 고통을 제거하기 위해서는 필연적으로 겪어야 하는 장애입니다. 그러므로 도피해서는 안 되며 반드시 싸워 이겨야 합니다.

고타마는 죽음이 자신의 길을 막을 수 없음을 선언합니다.

"내 이미 죽음의 고통을 삶과 같이 보아, 죽음의 두려움을 깨뜨린 지 오래이니라. 비록 모든 중생계가 다 멸해 없어져도 나의 서원은 멸하지 않으리라."

죽음을 삶과 같이 살겠다는 고타마의 이 다짐만이 부처를 성취할 수 있습니다. 그리고 고타마는 파피야스에게 재차 다짐하며 단호하게 호통 칩니다.

"명장은 두려움 없이 모든 원적을 깨뜨리나니, 내 이제 목숨을 걸고 너의 군세와 맞서 싸워 기필코 항복받으리라. 나는 차라리 싸워 죽을지언정 패장이 되어 욕된 삶은 살지 않으리라."

진정한 수행을 찾아 고행을 포기하다

출가 이후 수행을 되돌아보며

고타마는 힘써 닦고 정진해 고행하기를 6년 동안 계속한 후 생각했다.

'나는 가장 극진한 고행을 했지만 세상을 뛰어넘는 훌륭한 지혜를 증득할 수 없었다. 과거 현재 미래의 모든 사문이나 브라만들이 도를 구할 때에 몸과 마음을 괴롭혀서 고통을 받는 이러한 고행은 다만 스스로의 몸과 마음을 괴롭힐 뿐이요, 도무지 이익이 없는 줄 이제야 알겠다. 반드시 다른 법이 있어서 나고 늙고 병들고 죽음을 끊어 없애게 되리라.' 『방광대장엄경』

고타마는 또 이런 생각을 했다.

'이 세상에는 출가수행자가 받들어서는 안 되는 두 개의 극단이 있다. 그 두 가지 극단이란 무엇인가?

그 하나는 관능이 이끄는 대로 애욕의 기쁨에 탐닉해 욕망과 쾌락에 빠지는 것이다. 이는 어리석은 범부들이 찬탄하는 것이며 출가인의 숭고한 목적을 위해서는 무익한 것이다. 또 하나는 자신의 육체를 스스로 괴롭히는 것에 열중해 고행에만 빠지는 것이다. 이것은 심신이 모두 고통스럽기만 할 뿐이다. 이는 목적과 수단을 전도한 출가자가 하는 것이며 출가인의 숭고한 목적을 위해서는 무모한 것이다. 이 두 가지는 스스로의 이익을 얻지 못하고 남에게도 이로움을 주지 못하는 것이므로 반드시 버려야 한다.

나는 이 두 가지의 극단을 버리고 중도(中道)의 길을 찾았다. 이 중도는 모든 것을 바르게 보고 바르게 알 수 있는 통찰력과 직관이므로 지혜를 낳아 범부의 눈을 뜨게 하고 이를 통해 중도의 마음의 평화와 진리의 체험과 크나큰 깨달음으로 열반을 성취케 하리라.'

『불본행집경』

고타마는 6년 동안 죽음 직전까지 갈 만큼 극심한 고행을 했습니다. 또 한 번 죽음의 고비를 넘긴 어느 날 새벽, 악마를 물리치고 정신을 차린 고타마는 잠시 고행을 풀고 몸을 편하게 쉬면서 생각에 잠겼습니다. 그는 이제 자신이 육체의 욕망 때문에 수행을 포기하거나 정신이 흐려지지 않을 정도의 경지에 이르렀음을 느꼈습니다. 그리고 자신의 고행은 더 이상 높은 경지에 이를 수 없는 것임을 알았습니다.

'과거의 어떤 수행자라도, 현재의 어떤 수행자라도, 또 미래의 어

떤 수행자라도 이보다 깊은 고행을 닦은 자도 없고 닦을 자도 없으리라.'

그동안 고타마는 극한적이고 무리한 고행을 통해 육체를 정복하려 했고, 그러한 고행은 쾌락주의적 삶을 극복하게 했습니다. 그러나 그가 출가하면서 얻고자 했던 중생의 고통을 해결할 수 있는 깨달음은 아직 얻지 못했습니다.

고타마는 자신의 수행이 부족한 탓이라고 생각했습니다. 그래서 다시 가능한 모든 방법을 다해 번뇌를 이기고 해탈의 경지를 찾았습니다. 때로는 해탈의 삼매경에 들어간 듯했지만, 삼매는 곧 깨지고 현실의 고통은 여전히 고타마의 뼈와 살을 파고들었습니다.

고타마는 심한 혼돈에 빠졌습니다.

'더 이상의 고행은 있을 수 없다. 그렇다면 열반이란 없는 것인가? 나는 최상의 고행을 했음에도 열반은 보이지 않는다.'

고타마는 출가를 하면서부터 지금까지의 길을 차분하게 관조하며 현재 자신의 위치가 과연 올바른가를 점검해 보았습니다.

쾌락주의에 대한 비판

고타마는 처음에 출가하던 때의 목적에 비추어 자신이 수행해 온 길을 다시 살펴보았습니다.

가장 먼저 전제되어야 할 것은, 출가 목적이 정당하고 옳은가입니다. 그는 자신이 출가하던 밤에 뭇 중생을 고통에서 구하지 못한다면 결코 돌아오지 않겠다고 다짐했던 것을 기억해 냈습니다. 중생이 겪고 있는 고통의 근본적인 원인을 밝혀 그들을 고통에서 구원할 방법을 찾고자 했던 것입니다. 이런 기준에서 볼 때 고타마의 출가 전 생활은 그에 상응하는 길이 아니므로 그의 출가 목적은 올바른 것이었습니다.

다음에는 그 목적을 달성하기 위한 방법이 올바른 것이었는가를 점검했습니다. 출가하기 전의 궁중 생활은 쾌락적인 삶의 대표적인 모습이었습니다. 모든 사상은 쾌락의 내용과 쾌락 추구의 방법이 다르다 하더라도, 결국 행복을 얻는 것을 삶의 최고 목표로 하기 때문에 어느 정도 쾌락주의에 부응한다고도 볼 수 있습니다. 그런 의미에서 어떤 사람은 불교 또한 공중적 쾌락주의라고 보기도 합니다.

그러나 '최대 다수의 최대 행복'을 추구하는 서양의 공중적 쾌락주의는 불교와 근본적으로 다릅니다. 쾌락주의는 인간이란 본래 보다 많은 소유를 지향하며, 소유 욕구를 충족시키는 것이 삶의 목적이라고 봅니다. 하지만 불교에서는 인간의 행복이 욕망 충족에 있다는 허구를 극복하고, 무소유를 통해 함께 행복해지는 것을 기본적인 가치관으로 삼고 있습니다.

그리고 부처님 당시의 사상에서 말하는 쾌락주의는 넓은 의미의 쾌락주의보다는 좁은 의미로서 '감성의 만족과 욕망의 충족에서 오는 유쾌한 감정'을 삶의 중요한 목적으로 추구하는 것을 의미합니다. 간단히 말하면, 재물을 보다 많이 모으고, 보다 강력한 권력을 장악하고, 보다 깊은 성적 쾌락을 즐기는 것을 최고의 목표로 삼았다는 것입니다.

당시의 상황에서 쾌락주의는 크게 두 가지 경향으로 나타났습니다. 브라만교에서 보여주는 쾌락주의적 경향과 사문들이 보여주는 쾌락주의적 경향이 그것입니다. 이 둘을 수평적으로 비교하는 데에는 문제가 있으며 당시의 사회적 계급 관계 속에서 보면 둘 사이에 큰 차이가 있음에도 불구하고, 인간의 감각적인 욕망과 소유하려는 욕구를 충족시키는 것이 최고의 행복이라고 보는 점에 있어서는 공통점을 가집니다.

당시의 브라만교는 지배계급의 욕망 충족을 극대화하기 위한 지배 이데올로기였습니다. 지배계급은 대부분 퇴폐적 쾌락주의에 경도되었으나 피지배계급에게는 고통을 감내할 것을 요구했습니다. 브라만교의 도덕과 윤리는 오로지 카스트제도를 유지하기 위한 이데올로기에 불과했습니다.

각 계급은 그 계급의 본분을 지켜야만 했습니다. 모든 계급이 브라만 계급에게 보시를 하고 제사를 위한 희생 공물을 올려야 했습니다. 누구든 자신의 욕망을 충족시키기 위해 제사를 지내는 것이 '선행'이었습니다. 지배계급의 쾌락주의적 지배 구조를 위해 피지배계급에게 고통을 강요한 것입니다.

여기에 반기를 들고 일어난 사람들이 사문입니다. 즉 '인간의 행복은 신이 주재하거나 제사나 희생 공물이 좌우하는 것이 아니며 윤리나 도덕으로 얻어지는 것도 아니다. 그러한 것은 모두 허상이며, 우리가 살아가는 데 있어서 감각기관에 와 닿는 구체적 현실만이 진실이므로, 이러한 구체적이고 현실적인 요구에 부응해 살아가는 것이 인간의 행복이다' 라는 것입니다.

브라만교가 지배계급의 쾌락을 위해 피지배계급의 고통을 강요했다면, 사문들은 지배계급의 쾌락을 공격하고 피지배계급의 쾌락의 권리를 주장한 것이라고 할 수 있습니다. 이것은 당시의 브라만교에 반기를 들고 일어난 인간 중심적이고 혁신적인 모습이었으나 궁극적인 인생고를 해결하지 못한 채 애욕과 실리만을 추구해 퇴폐적인 쾌락주의 경향을 띠기도 했습니다.

고타마는 자신이 궁중에서 즐겼던 퇴폐적인 쾌락은 물론, 기존의 브라만교나 이에 반대했던 사문들의 쾌락주의적 경향 또한 인간에게 행복을 줄 수 없음을 확인했습니다. 현실 속에서 필요한 욕구를 충족시키는 것은 당연하나 욕망 충족 자체를 목적으로 하면 욕망의 노예가 되고 맙니다. 이런 측면에서 볼 때 쾌락주의를 떠난 고타마의 출가는 올바른 것이었습니다.

선정을 위한 선정주의를 부정

그 다음에 경험한 것은 선정주의(禪定主義)였습니다. 선정이란 정신을 집중해 통일하는 것으로, 가장 기본적인 수행 방법입니다. 브라만교의 선정주의자들은 신과의 교감을 위해[범아일여(梵我一如)] 선정 수행을 했으나, 그들의 실제 생활은 쾌락주의적인 삶을 추구했습니다.

또한 이들은 신의 계시를 통한 신과의 일치를 추구했으므로 수행 목적에서부터 근본적인 한계를 가지고 있습니다. 브라만교의 선정 수행을 불교의 참선 수행과 구별해 흔히 '수정주의(修定主義)'라고 합니다. 결국 고타마는 여기에서도 한계를 발견했습니다. 그것은 수행 방법 자체의 문제이기보다는 브라만교와 우파니샤드의 입장에 대한 반대를 표명한 것이었습니다.

고타마는 수행 초기에 선정주의적 입장을 가진 두 스승 알라라 칼라마와 웃다카 라마풋타를 만납니다. 그들은 기존 브라만교의 선정 수행이 신과의 교감을 추구한 데 반해 신을 거부하고 인간 스스로의 정신 집중을 통해 마음의 동요가 없는 경지를 획득해 해탈을 성취할 수 있다고 보았습니다.

그들의 교의를 보아도 인간의 고통은 무지에서 비롯되는 것으로 파악하고 인간 중심적인 입장을 갖습니다. 고타마는 선정주의 수행으로 곧 그들이 말하는 경지에 도달했습니다. 그 경지에서는 육체의 욕망에 끌리지 않았으며 어떠한 마음의 움직임도 없는 고요의 상태, 적멸의 상태였습니다. 그러나 이러한 상태는 정신 통일이 풀리면 곧 이전의 상태로 돌아갔으므로 적멸의 상태를 지속적으로 유지하려면 끊임없이 선정을 해야만 했습니다.

결국 그들이 말하는 열반은 이와 같은 망아지경(忘我之境)에 이르러서 갈등과 혼란을 잊는 것에 불과했습니다. 이것은 고타마가 생각하는 열반이 아니었습니다. 이것은 문제 해결이 아니라 도피에 불과한 것입니다.

고타마는 생각합니다.

'열반을 얻기 위해 선정을 하는데, 과연 그 열반이란 무엇인가. 단지 망아의 상태에 불과한 게 아닌가. 열반이 우리의 구체적인 삶과 유리되어 있다면 이것도 내가 바라던 것이 아니다.'

이들의 수행은 지극히 개인적이고 현실도피적인 것에 불과하다는 면에서 브라만교의 선정과 근본적으로 다르지 않습니다. 적멸의 경지를 위해 끊임없이 선정을 유지하는 것은 결국 열반을 위한 선정이 아닌, 선정을 위한 선정이 됨으로써 선정이 목적이 되어버린 것입니다. 목적과 수단이 전도된 것이었습니다. 이러한 문제로 고타마는 선정주의도 부정했습니다.

더 이상의 고행은 있을 수 없다

그 다음에 고타마가 선택한 것이 고행주의였습니다. 고행은 선정과 마찬가지로 많은 유파에서 하고 있던 수행으로 당시 대부분 수행자들은 강도의 차이는 있을지언정 모두 이를 받아들였습니다. 어떤 의미에서는 걸식하고 노숙하는 사문 생활 자체가 고행이기도 합니다.

고타마는 크게 두 가지 유형의 고행주의를 경험했는데, 바르가바의 고행과 자이나교 중심의 고행입니다.

고타마가 출가 후 처음으로 찾아갔던 바르가바는 사문이 아니라 브라만 계급의 청정한 수행자였습니다. 그는 제사와 보시 등의 선행과 브라만 신의 은혜로 인간의 운명이 좌우된다는 브라만의 입장을 부정하지는 않았습니다. 하지만 그보다는 개인적인 욕망에 묶이지 않고 내세의 평안을 위해 고행을 하는 것이 더 올바른 것이라고 보았습니다.

바르가바는 '인간은 고통과 쾌락을 항상 같은 비율로 받게 되어 있어 고통을 받으면 다음에는 그만큼 즐거움을 누리고, 지금 쾌락에 빠져 있으면 후에 그만큼 고통을 받게 된'고 했습니다. 고타마는 바르가바를 만나고 금방 그 한계를 간파했습니다. 즐거움을 위해 고행한다면 언젠가 다시 닥쳐올 고통 때문에 또다시 고행을 지속해야 하므로 결국 즐거움이라는 것은 결코 이룰 수 없는 것이었습니다.

그러므로 즐거움을 얻기 위한 고행이 오히려 고행 그 자체가 목적인 고행으로 둔갑하는 것입니다. 고타마는 하룻밤 만에 그곳을 떠났습니다.

이후 우루벨라에서 한 6년 고행은 주로 자이나교의 입장에 근거한 것으로 보입니다. 자이나교에선 인간은 정신과 육체로 구성되어 있는데 정신은 육체의 업에 속박되어 현실과 같은 고통을 받고 있다고 보았습니다. 그러므로 여기에서 벗어나기 위해서는 업을 소멸시키고 새로운 업의 유입을 막아 영혼을 정화해야 한다고 본 것입니다. 그러기 위해서 육체에 고통을 주는 것이 가장 바람직한 것으로 보았습니다.

육체의 요구를 현실적으로 따라가는 게 행복이고 복락이라는 것이 쾌락주의라면, 고행주의는 육체의 욕망은 정신을 혼탁하게 하고 이것이 곧 인간을 고통으로 이끈다고 보았습니다. 그러므로 육체가 쾌락을 즐기는 것을 경계하고 육체에 고통을 줌으로써 욕망에 빠지지 않고 정신의 순수성을 극대화해 나갈 때 열반이 성취된다고 믿습니다. 따라서 그 욕구를 끊임없이 거절하고 억제하면 할수록 결국에는 정신적 안정이 이루어진다는 것입니다. 즉 고행주의는 육체적 욕구를 억압함으로써 정신적 안정을 얻을 수 있다는 주장입니다.

고타마는 이러한 주장이 가슴에 와 닿았습니다. 쾌락 속에서 살던 궁중 생활은 육체의 욕구에 끌려 다니며 정신이 흐려지기 일쑤였습니다. 육체의 욕구를 제어하자 조금씩 정신의 안정을 찾고 육체를 자신의 의지대로 움직일 수 있었습니다. 고타마는 이러한 고행을 통해 자신의 잘못된 업을 소멸시키고 열반에 이르고자 했습니다.

'업에 길들여진 육체의 습을 극복하기 위해서는 고행이 큰 도움이 되었으나 과연 언제까지 이 고행을 해야 되는가.'

만일 육체가 정신의 장애가 된다면 정신의 완전한 해방은 육체가 없어지지 않고는 불가능합니다. 결국 죽기 전까지 고행을 해야만 하는 것입니다.

육체가 욕망에 이끌릴 때는 정신이 순일하게 모아지지 못하고 잡념이 무성해졌습니다. 하지만 또 한편 육체가 극한 고통 속에 있으면 고통으로 말미암아 순일한 사고로 모아지기 힘들었습니다. 어느 정도 고통이 몸에 익어서 이제는 고통에 신경을 쓰지 않게 되면 마음이 해이해지기 때문에 더 높은 강도의 고행을 해야 한다는 것이 고행주의자들의 입장이었습니다. 그러나 이러한 순환 과정은 정신 집중을 방해했습니다.

고타마는 이제 중요한 것은 육체를 괴롭히는 것이 아니라 육체가 정신의 순일을 방해하지 않는 것, 즉 육체의 욕망에 휘둘리지 않는 것임을 알았습니다. 그러니까 육체를 망각하는 것이 목적이 아니라, 마음이 스스로 맑아져야만 올바른 수행이 이루어진다는 것을 깨달았습니다.

전통과 타성의 굴레, 양 극단을 떠나서

기존 수행법은 결국 본말이 전도되어 있었습니다. 목적을 위해 사용하던 수단, 즉 수행 방법에만 얽매여 점점 형식화되어 마음을 청정하게 하는 데에는 무관심하게 된 것입니다.

고타마는 이러한 상황이 계속된다면 지독한 고통으로 오히려 정신의 안정을 얻을 수가 없으며, 열반을 위한 방법이던 고행이 고행을 위한 고행으로 전도되어 끝내 열반을 얻을 수 없게 된다고 판단했습니다. 결국 그가 6년 동안 몰두했던 고행도 결과적으로 보면 역시 바르가바의 경우와 같이 본말이 전도된 것이었습니다. 생로병사의 고에서 벗어나 무상안온(無上安穩)의 열반을 현실의 삶에서 얻기에는 분명 한계가 있는 수행 방법이었던 것입니다.

사람은 누구나 전통이라는 굴레와 과거의 타성에 얽매이기 쉽습니다. 그리하여 전통과 타성의 부조리와 모순 속에 빠져들고 맙니다. 그 속에 한번 휘말려들면 모순과 부조리를 합리화해 그것만을 절대적 진리로 신봉해 버리기 쉽습니다. 그래서 거기에 비판을 가하거나 반성하는 것을 오히려 죄악시하기도 합니다.

그렇기 때문에 인도의 종교인들은 오랫동안 변함없이 전통적 선정 수행을 했고 또 고행을 했던 것입니다. 그들 각자가 자신이 속해 있는 단체에서 주장하는 사상과 수행을 최고의 것으로 믿고 조금도 의심하지 않았기 때문에 대대로 그 방법을 되풀이해 왔던 것입니다.

그런데 고타마는 그 모순점을 정확하게 관찰하고 전통의 맹점과 관습적 타성에서 용감하게 벗어났습니다. 전통과 타성을 합리화한 종래의 수행 방법을 실천하면서 그 모순점을 예리하게 비판하고 기존 종교와 수행 방법으로부터 완전히 결별했습니다.

'이 세상에는 출가수행자가 받들어서는 안 되는 두 개의 극단이 있다. 그 두 가지 극단이란 무엇인가. 하나는 관능이 이끄는 대로 애욕의 기쁨에 탐닉해 욕망과 쾌락에 빠지는 것이다. 이는 어리석은 범부들이 찬탄하는 것이며 출가인의 숭고한 목적을 위해서는 무익한 것이다. 또 하나는 자신의 육체를 스스로 괴롭히는 것에 열중해 고통에만 빠지는 것이다. 이것은 심신이 모두 고통스럽기만 할 뿐이다. 이는 목적과 수단이 전도된 출가자가 하는 것이며 출가인의 숭고한 목적을 위해서는 무모한 것이다.'

고타마는 삶의 방식에서 쾌락주의와 고행주의의 문제점을 지적하면서 출가수행자의 수행 방법으로서의 선정주의와 고행주의를 비판했습니다. 그러나 인간의 욕망 자체를 부정하거나 고행의 의미 자체를 부정한 것은 아닙니다. 또한 선정이나 고행 자체가 나쁘다는 것은 아닙니다. 그것의 본말이 전도되어 수단이나 방법이 목적이 되는 경우 이것을 극단이라고 하는데 이 극단을 떠나야 한다는 것입니다.

현실의 모순을 직관하면서

고타마는 자신이 수행했던 과정을 되짚어보다가 다시 또 이러한 생각을 했다.

'내 생각하건대 지난날 출가하기 전에 카필라바스투를 나와서 농부들이 고통스럽게 밭 가는 것을 보았다. 그때에 한 그루의 잠부나무가 만들어준 시원한 그늘 밑에 앉아 있으면서 모든 욕망으로 물든 마음을 여의고 일체의 고통을 주는 법을 극복하고 중생을 구제하고자 하는 마음을 일으킴으로써 적정한 상태를 얻어 초선(初禪)을 증득했다. 나는 이제 다시 그 선정을 생각하리라. 이 길이 바로 보리에 향하는 길이로다.'

고타마는 이런 생각을 하고서 법답게 바로 관해 일심으로 그 적정에 들었으며 이 길로 인해 보리에 이르기를 바라며 곧 게송을 읊었다.

"이 고행은 이미 욕을 여윔도 아니요
또 바로 보리에 나아감도 아니며
또 해탈의 뛰어난 원인도 아니니라.
다만 이 몸과 마음이 괴로운 근본이로다.
만약 내 지금 닦아 배우려 하면
응당 옛날 밭갈이함을 볼 때와 같이
그 잠부나무 그늘에 앉아 물듦을 여의고

곧 초선 2선 3선 4선을 증득하리라." 『불본행집경』

고타마는 출가수행의 본래 목적을 상기하면서 독자적인 방법을 찾았습니다. 육체의 욕망에 굴하지 않는다는 의미에서 쾌락주의는 아니지만 고행 자체가 목적이 되어버린 고행주의를 부정하고, 육체를 쫓아다니는 혼란스러운 마음을 극복하는 의미에서 쾌락주의를 부정하면서 선정 자체를 목적화하지 않는 선정을 받아들여 새로운 수행을 준비했습니다.

고타마는 먼저 수행 방법을 점검하고 곧이어 수행의 자세를 점검하던 중 큰 발견을 하게 됩니다.

'내 생각하건대, 지난날 출가하기 전에 성 밖에서 농부들이 고통스럽게 밭 가는 것을 보았다. 그때에 한 그루 잠부나무가 만들어준 시원한 그늘 밑에 앉아 모든 욕망으로 물든 마음을 여의고 일체 고통을 주는 법을 극복하고 중생을 구제하고자 하는 마음을 일으킴으로써 적정한 상태를 얻어 초선을 증득했다. 나는 이제 다시 그 선정을 생각하리라. 이 길이 바로 보리에 향하는 길이로다.'

출가 이래 무수한 수행을 해왔지만 잠부나무 아래에서의 선정만큼 자신의 수행이 올바로 된 적은 없었다는 것입니다. 당시는 출가도 하기 전이었으며 처음으로 세상의 고통과 직면한 때였습니다. 아직 수행이나 여러 가지 사상을 알지도 못할 때였습니다. 뿐만 아니라 조용한 밤에 혼자 있는 누각이 아니라, 농경제의 혼잡스러움과 중생들의 구체적인 고통이 눈에 보이는 곳에서 가졌던 경험이었습니다. 이 농경제의 선정이 중요했다는 것은 고타마가 깨달음을 얻어 부처님이 되신 후에도 가끔 말씀하시곤 했습니다.

'초발심시 변성정각(初發心時 便成正覺)'이란 말이 있습니다. 처음의 발심은 어떠한 사심도 없으며 장애에 대한 고려도 없습니다. 단지 순수한 마음만 있습니다. 정각의 성취는 바로 이러한 마음으로만 뭉쳐진 것이며 이러한 마음으로만 가능합니다. 바로 이 마음이 부처를 성취하는 것입니다.

농경제 때 일으킨 순수한 마음이 고타마의 초발심이었습니다. 농경제의 참상은 고타마의 가슴에 깊이 와 부딪쳤고, 고타마는 무엇을 바쳐서라도 반드시 그들을 구해야겠다는 절실한 마음으로 선정에 들었던 것입니다.

그때 고타마는 중생의 고통을 어떤 사상으로 가늠해 보거나 추측한 것이 아니라 모순된 현실 그 자체를 두 눈으로 확인했었습니다. 고타마는 이제야 길이 보이는 듯했습니다. 햇볕에 그을린 고통스러운 농부의 얼굴, 소의 등을 후려치는 채찍과 소의 울음소리, 죽지 않으려 꿈틀거리는 굼벵이의 몸짓 등 온몸을 저리게 하는 그런 상황에서 느꼈던 문제의식만이 모든 문제를 풀어갈 수 있으리라고 깨달았습니다. 현실의 모순을 있는 그대로 관(觀)할 때 무엇인가 발견할 수 있다고 판단한 것입니다.

중도의 발견, 깨달음의 길로

민중의 힘을 기반으로

고타마는 몸을 일으켜 앞으로 나아가려 했으나 기력이 모자라서 앞으로 나아갈 수조차 없었다. 곧 물을 조금 마시고 잠을 자서 몸과 마음을 편안히 알맞게 했더니 조금 힘이 생겼다. 『불설중허마하제경』

이때에 고타마는 생각했다.

'나의 육신은 이제 말할 나위 없이 허약해져 있다. 이 육신으로는 도를 성취할 수 없을 것이다. 비록 신통력으로써 몸을 회복할 수 있다 하더라도 이는 일체중생을 속이는 일이 될 것이며 이는 모든 부처님이 도를 구하는 법이 아니다. 나는 이제 육신의 힘을 얻기에 좋은 음식을 받아서 체력을 회복한 이후에 보리장에 나아가리라.' 『방광대장엄경』

이때에 여러 하늘은 고타마가 마음속으로 작정한 것을 알고 아뢰었다.

"존자이시여, 굳이 음식을 구하실 필요 없습니다. 우리가 이제 신통력으로써 존자의 모공을 통해 자미(滋味)를 주입해 기력을 본래와 같이 회복시켜 음식을 드시는 것과 다름없이 하겠습니다."

그러자 고타마는 이를 거절해 말했다.

"나는 이미 음식을 먹지 않은 지가 오래되었으며, 그것은 모든 이가 알고 있는 바이오. 이제 만약 내가 이 파리한 몸으로서 도를 얻는다면 저 외도들은 굶주림의 고행이 바로 깨달음의 원인이라고 말할 것이오. 그것은 모든 중생을 기만하는 일이므로 그로써는 도의 결과를 취득하지 않으리라. 나는 세간의 음식을 받아먹은 후에야 도를 이루리라." 『과거현재인과경』

이때에 고타마는 또 생각했다.

'6년의 고행 끝에 옷이 모두 해어져 발가숭이와 같구나. 내 이제 분소의를 갖추리라.'

고타마는 시타바나 속에 누더기 천이 있음을 보고 주워서 나이란자나 강가로 내려가서 그것을 빨고자 했다.

그때에 제석천이 다가와 고타마에게 말했다.

"존자여, 제가 존자를 위해 이 헌 옷을 빨겠사오니, 오직 원컨대 허락하소서."

그러나 고타마는 이것을 거절했다.

"모든 사문은 남을 시켜서 옷을 빨지 않소. 누더기를 스스로 빠는 것이 출가 사문의 법이오."

분소의를 빨아 나뭇가지에 넌 고타마는 강에 들어가 목욕을 했다. 고타마는 목욕하기를 마쳤으나 몸이 쇠약한지라 물결에 밀려 혼자서는 기슭으로 올라올 수가 없었다.

그때 강가에 있는 아사나나무의 신이 나뭇가지 하나를 휘어 낮게 드리우자 고타마는 그것을 잡고 언덕으로 올라올 수 있었다.

이때에 고타마는 걸식을 하기 위해 분소의를 걸치고 가야산을 내려와 우루벨라 마을로 들어갔다. 고타마가 마을에 이르자 수자타라는 여인이 우유죽을 발우에 담아 고타마에게 바치며 기원했다.

'이 우유죽을 받아 드시고 반드시 무상정등정각을 이루소서.'

그때 고타마는 우유죽을 들고서 마을을 나와 나이란자나 강가에 나아가 언덕 위에 발우를 놓고 수염과 머리를 감은 후 우유죽을 먹었다. 그러자 고타마는 옛날과 같이 젊고 아름다운 모습을 되찾았다. 그리하여 보살의 특색인 32상을 다시 볼 수 있게 되었다.

이때에 고타마는 몸을 깨끗이 씻고 다시 우유죽을 먹어 기력이 회복되자 보리도량을 찾아 나아갔다.

고타마는 마치 최후의 결전장에 나가는 장수와 같이 마음을 다지고 사자왕과 같이 당당하게 그리고 소의 왕과 같이 굳건한 걸음으로 나아가 이윽고 핍팔라나무에 이르렀다. 그때 고타마는 생각했다.

'과거의 부처님들은 무엇을 자리로 하여 무상정등정각을 성취하셨을까?'

그때에 제석천왕은 그 뜻을 알고 목동으로 몸을 변해 고타마의 오른편에서 풀을 베고 있었다. 그 풀은 푸르고 아름다웠으며 공작의 깃털과 같이 부드럽고 매끄러웠다. 그 풀은 오른쪽으로 나선을 그리며 돌아 말렸고 향기가 풍겼다.

고타마는 목동에게 다가가서 물었다.

"당신의 이름은 무엇입니까?"

"저의 이름은 길상입니다."

고타마는 그 이름을 듣고 생각했다.

'내 이제 나와 남의 길하고 상서로움을 구하고자 하는데, 이 목동으로부터 길상함을 얻는구나. 이 길상함이 내 앞에 있으니 내 결정코 무상정등정각을 성취하리라.' 『방광대장엄경』

경전을 보면 고타마가 고행을 중단하고 새로운 수행에 들어가면서 발원하기 전까지 많은 비유와 상징이 나타납니다. 이러한 비유와 상징이 일관되게 설명하는 것은, 기존의 신적 가치 체계에서 중생의 품으로 돌아와 중생의 도움을 받음으로써 새로운 수행을 하게 되었다는 것입니다.

고타마가 고행을 포기하자 제석천은 신의 신통으로 자미를 주겠다고 합니다. 하지만 고타마는 이를 거절합니다. 그것은 세간을 기만하는 일이므로 중생의 도움을 받겠다고 합니다. 중생 속으로 들어가 그들의 힘에 의지하겠다는 것입니다. 깨달음을 위한 최소한의 에너지를 중생에게 의지하겠다고 한 것은 단순하게 보아 넘길 문제가 아닙니다. 진정한 깨달음은 중생의 삶과 유리되어서는 존재할 수 없다는 것을 증명하는 것입니다.

걸식을 위해 분소의를 구할 때도 마찬가지입니다. 제석천이 주려는 옷도 거절하고 제석천이 옷을 세탁해 주는 것도 거절합니다. 수행자란 현실과 유리되어 수행만 하는 사람이 아니라, 분소의를 구해 세탁하는 생활 자체가 수행임을 보여줍니다. 우리는 스스로 자신의 옷을 세탁하는 고타마의 모습에서 올바른 수행의 의미를 찾아야 합니다.

고타마는 나이란자나 강에서 목욕을 함으로써 예전의 잘못된 수행의 흔적조차 물에 씻어버리고자 합니다. 목욕을 마친 고타마는 나뭇가지를 잡고 겨우 언덕으로 올라옵니다. 이때 고타마에게 도움을 준 신은 천계의 신이 아니라 나무의 신입니다. 고타마에게 공양하라고 수자타에게 가르쳐준 신 또한 천신이 아닌 우루벨라 마을의 수호신이라는 것도 흥미로운 일입니다.

이때 소 치는 소녀 수자타가 우유죽을 공양한 것은 그 후 45년의 세월이 지나 부처님께서 입멸하실 때에 대장장이 춘다가 수카라 맛다바라는 음식을 공양한 것과 함께 가장 큰 의미를 지닌 공양으로 꼽습니다. 수자타의 공양은 부처님이 정각을 얻기 위해 보리도량으로 가시는 데 큰 몫을 했고, 춘다의 공양은 부처님의 가르침 중에서 가장 깊은 의미를 갖는 멸도(滅度)에 드시는 데 큰 몫을 한 공양입니다.

후에 결혼해 평범한 생활을 하던 수자타는 어느 날 안자나 숲 정사에서 설법하고 계시는 부처님을 멀리서 뵙게 되었습니다. 그녀는 부처님이 옛날 자기가 우유죽 공양을 했던 바로 그분임을 알고 그 위의에 놀라 합장 예배한 후 부처님 곁에 앉았습니다.

그러자 부처님은 설법을 멈추고 그녀의 선근을 위해 새로 설법을 하셨습니다. 수자타는 그 자리에서 즉시 최상의 진리를 깨달아 아라한과를 얻었고 곧 집으로 돌아가 남편과 양친의 허락을 받고 출가해 비구니 교단에 참가했습니다. 수자타의 우유죽은 비록 많은 양은 아니었지만 단식으로 피폐해진 고타마의 육체에 활력을 불어넣어 주었습니다.

기력을 회복한 고타마는 핍팔라나무의 넓은 그늘 아래 습하지 않은 평평한 바위를 수행처로 삼았습니다. 핍팔라나무는 중인도와 벵골 지방에 번식하는 상록교목으로 세존께서 이 나무 아래에서 성도하셨기에 후에 보리수라 불리게 되었습니다.

그 바위 위에 앉으니 살이 없이 뼈만 남은 허벅지가 돌에 배겨서 아팠습니다. 예전 같으면 오히려 좋은 고행의 조건이라고 생각했겠지만 이제는 달랐습니다. 이런 육체의 고통을 참는 것은 수행에 도움이 되지 못했습니다. 올바른 수행을 위해서는 정신이 육체에 꺼들리지 않아야 했습니다. 육체의 욕망에 마음이 꺼들리는 것과 육체의 고통을 참기 위해 온 정신이 육체에 쏠려 있는 것은 다른 것이 아니었습니다.

고타마는 자리를 편하게 하기 위해 목동에게 부드러운 풀을 얻었습니다. 목동에게 이름을 묻자 목동은 '스바스티카'라고 대답합니다. 이는 길상, 즉 '좋은 징조' 혹은 '경사스럽다'는 뜻입니다. 고타마는 자신의 수행의 의미와 그 결과를 예견하는 듯해 흐뭇해하면서 새로운 확신을 갖게 됩니다.

길상이라는 목동은 고타마의 위의에 감동해 자신이 벤 풀을 한 아름 안아다가 핍팔라나무 아래에 정성껏 깔았습니다. 그 인연으로 그 풀은 길상초라고 불리게 되었습니다. 고타마는 길상에게 감사의 뜻을 전하며 핍팔라나무 주위를 세 번 돌았습니다. 이것은 인도의 전통으로 '거룩한 것' 또는 '성스러운 것'에 대한 예법입니다.

이 자리는 단순한 자리가 아니라 뭇 중생의 도움으로 만들어진 자리입니다. 의식주를 구하는 데 중생의 은혜를 받았으니, 이 어찌 감사하고 성스러운 자리가 아니겠습니까. 고타마는 수행의 목적과 방법을 다시 한 번 음미하며 핍팔라나무 아래 길상초 위에 앉았습니다.

중도로서의 창조적 수행법

그때에 고타마는 길상에게서 받은 풀로 자리를 만든 후 줄기를 등에 지고 동쪽을 향해 앉되, 백 개의 벼락이 한꺼번에 떨어지더라도 부서지거나 움찔하지 않을 자세로 앉으며 크게 다짐했다.

'비록 내 온몸의 살과 피가 다 마르고 피부와 힘줄과 뼈가 다 마르고 부서지더라도. 내 기필코 무상정등정각을 이루기 전에는 결단코 이 가부좌를 풀지 않으리라.' 『방광대장엄경』

이때에 고타마를 따르던 다섯 수행자는 이를 보고서 함께 말했다.

"사문 고타마는 그처럼 극심한 고행을 했음에도 아직 무상정등정각을 이루지 못했거늘, 하물며 이제 멋대로 좋은 음식을 먹고 몸을 씻으며 즐거움을 받고자 타락하고서 어찌 깨달음을 얻겠는가. 이제 그의 곁에 머물 필요가 없다. 듣건대 바라나시의 녹야원에는 훌륭한 고행 선인들이 많이 머무른다고 하니 그곳으로 가세."

다섯 수행자는 고타마를 등에 두고 바라나시로 떠났다. 『본생경』

고타마가 새로운 다짐을 할 때 이러한 고타마를 보고 아쉬움과 배신감에 실망을 느끼고 비난하는 사람들이 있었습니다. 고행 기간 동안 고타마를 쫓아다니던 다섯 명의 수행자들입니다.

당시 고행 수행자에게는 반드시 지켜야 할 몇 가지 원칙이 있었습니다. 육체에 조그마한 배려도 해서는 안 된다는 조건들이었습니다.

첫째, 반드시 분소의를 입고 목욕을 하지 않습니다. 당시 사회는 계급제도가 철저했습니다. 계급의 지위 고하는 복장으로 구분되었습니다. 농민이나 노예는 다 떨어진 누더기로 몸을 가려 거의 알몸이나 마찬가지였으나 귀족은 화려한 옷에 온갖 보물과 영락으로 장식했습니다. 그리고 우유와 향수로 목욕하며 육체를 가꾸었습니다. 사문들은 이에 대한 거부로 분소의를 입고, 육체를 완전히 무시하는 풍조로 목욕을 금지한 것입니다. 당시 고행자에게 목욕은 곧 수행을 포기하는 것이었습니다.

둘째, 달콤하거나 부드러운 음식을 먹지 않습니다. 당시 일반 백성은 자신들이 생산한 식량을 모두 빼앗기고 극심한 빈곤에 허덕이며 거친 음식으로 연명했습니다. 반면에 귀족들은 식량이 풍족했으므로 맛과 향기에 탐닉하며 배를 채웠습니다. 사문들은 향기와 맛에 끌려서 그것을 탐하게 되면 정신이 맑아지지 못한다고 보고 이를 거부했습니다. 부드러운 음식을 먹는 것 자체를 타락의 길로 간주해 수행자에게 금했습니다.

셋째, 나무나 돌 위에 앉아 수행하거나 숙식을 해야 하며 절대로 지붕이 있는 곳에 살거나 몸을 편하게 하기 위해 무엇을 깔고 앉을 수 없습니다.

이것이 수행자가 지켜야 하는 세 가지 원칙이었습니다. 즉 의식주에 있어서 철저하게 육체의 고행을 요구한 것입니다.

목욕물에 향수나 우유를 부어 몸을 씻는 것은 잘못된 일이지만 흘러가는 물에서 목욕한다고 해서 수행이 안 된다는 법은 없습니다. 우유 한 그릇 정도 얻어먹을 수도 있고 비단 방석은 아니지만 풀잎이나 나뭇잎 정도는 깔아놓고 수행을 할 수도 있습니다.

그러나 우리는 통상적으로 살던 대로 살아가다가 그것을 파기하고자 할 때 마치 큰일이라도 나는 것처럼 생각합니다. 이러한 경우는 특히 종교 생활에서 많이 나타납니다. 특정한 금기 사항이 없으면 종교 생활에서 맥이 빠지는 것같이 생각되기도 합니다. 그러나 종교에서 금기하는 형식이나 지시하는 내용은 나름대로 의미가 있으나 그 형식과 말 자체에 얽매일 때에는 교조적이고 형식적이 되어 본래의 좋은 의도를 상실하게 됩니다. 우리 사회의 여러 분야에서 특히 종교에서 그 형식 때문에 사람을 행복하게 하기보다는 오히려 억압하는 경우가 많습니다. 불교에서도 이런 모습은 자주 보입니다.

예를 들면 주지 않는 남의 물건을 갖지 말라는 계율을 지켜야 하지만, 물에 빠진 사람을 구하기 위해 막대기가 필요하다면 막대기의 주인이 보이지 않아 허락을 받지 못했더라도 우선 가져다 사람을 구해야 됩니다.

극단이란, 끔찍하게 고행을 하거나 쾌락만을 추구하는 것을 말하기보다는, 목적을 성취하기 위한 수단에 매달려서 목적을 상실하고 수단에 얽매이고 마는 경우를 극단이라고 합니다. 고타마는 이것을 꿰뚫어본 것입니다. 또한 끊임없이 변해가는 현실 속에서 한번 결정된 내용이나 형식화된 틀에 매달려 현실과 맞지 않음에도 불구하고 그 형식에 현실을 억지로 끼워 맞추려는 형식주의의 문제점도 간파했습니다.

고타마는 이제껏 열심히 수행을 하면서도 목표를 달성하지 못하고 아쉬움과 답답함 속에서 살아야 했던 원인을 발견한 것입니다. 구체적인 현실 속에서 목적에 맞추어 창조적으로 문제를 해결해야 함을 느낀 것입니다. 그리고 이제 그 새로운 방법을 발견하고 시작하려는 것입니다.

그러나 다섯 수행자들은 형식화된 기존의 수행 방법을 고수했습니다. 그들은 목적이 상실된 수행관을 갖고 있었으므로 고타마가 타락한 것으로 보일 수밖에 없었습니다. 그래서 고타마가 목욕하는 것에 실망한 다섯 수행자는 고타마가 강 언덕에서 쓰러지려 해도 도와주지 않았습니다. 그리고 우유죽을 먹고, 앉을 자리를 위해 풀을 까는 모습을 보고는 완전히 배신감을 느꼈습니다. 그리하여 다섯 수행자는 우루벨라 숲을 뒤로 하고 바라나시로 떠났습니다.

고타마는 이들의 동향을 알고 있었지만 그렇다고 당장 어떻게 설득할 수 있는 문제가 아니었습니다. 그리고 새롭게 발견한 수행 방법으로 조금이라도 빨리 수행해 나가는 것이 시급했습니다.

이 수행의 발견을 중도(中道)라고 합니다. 『금강경(金剛經)』에서는 중도를 '아뇩다라삼먁삼보리'라고 합니다. 즉 '정함 있음이 없는 법'이라는 말입니다. '이것이다'라고 고집할 만한 진리가 이 세상에 없듯이 '정해진 법이 없다'는 것입니다.

중도는 아무 방법이 없다는 뜻이 아닙니다. 현실에 대한 목표가 뚜렷하면 최선의 방법은 하나밖에 없습니다. 하지만 자기 위치가 바뀌면 그 목표를 향해 가는 방법도 변해야 합니다. 자기 위치가 바뀌었는데도 기존의 방법에 매달리는 것이 극단으로 빠지는 것이며, 그 새로운 조건에 대응해 올바른 길을 찾아가는 것이 창조이고 중도입니다. 고타마는 그것을 깨달은 것입니다. 수행의 최고의 길은 바로 중도, 즉 정해진 길이 아니라 '정함 있음이 없는 법[무유정법(無有定法)]'인 것입니다.

고타마는 동쪽을 향해 가부좌를 하고 앉았습니다. 육체가 가장 안정되고 정신이 가장 맑게 유지될 수 있는 상태, 한 자세로 오래 앉아 있어도 몸의 안정이 흔들리지 않는 상태로 앉아 고타마는 자신을 향해 그리고 세상을 향해 결심합니다.

'비록 내 온몸의 살과 피가 다 마르고, 피부와 힘줄과 뼈가 다 마르고 부서지더라도 내 기필코 무상정등정각을 이루기 전에는 결단코 이 가부좌를 풀지 않으리라.'

부처의 길을 방해하는 마장들

마왕의 궁전을 흔들다

고타마가 핍팔라나무 아래 앉아서 대원을 세웠을 때, 하늘이며 용의 모든 신들이 함께 기뻐하며 공중에서 뛰놀면서 찬탄했다. 그때 욕계의 제6천에 주하고 있는 마왕 파피야스의 궁전이 크게 흔들렸다.
『과거현재인과경』

고타마는 보리좌에 앉아 생각했다.

'나는 이제 곧 정각을 이루리라. 욕망 세계의 주인인 마왕 파피야스는 욕계에 살고 있는 이 가운데서 가장 높고 가장 뛰어났다고 하니, 내 이제 그를 여기로 불러와서 항복을 시키리라. 또 욕망의 세계에 있는 하늘과 마군의 모든 권속들을 모두 항복시키고 섭수해 교화를 이루리라.'

고타마는 양미간의 백호상 가운데로부터 마왕의 광휘를 제압할

한 줄기 광명을 발휘했다. 그 광명은 삼천대천세계를 두루 가득 채우고, 나아가 마왕의 궁전에까지 비추었다. 그때 그 광명 속에서 게송이 울려나왔다.

"세간에서 가장 뛰어나고 청정한 이, 고타마여.
욕망 세계의 탐·진·치를 모두 항복받고서
이제 보리도량의 금강좌에 앉아 곧 부처를 성취하고
나와 남을 함께 제도해 불국 정토를 이루리라." _{방광대장엄경}

고타마는 불퇴전의 다짐을 하면서 목숨을 건 수행에 들어갔습니다. 처음에는 순일하게 마음이 정리되는 듯했습니다. 그러나 수행이 깊어지면서 마장이 고개를 들고 일어났습니다. 마장과의 싸움은 필연적인 것입니다. 마장은 자신의 업장과 그 업장을 만든 사회의 그릇된 이데올로기이므로, 완전한 해탈과 중생 구제의 정법을 얻기 위해서는 반드시 싸워 이겨야만 하는 과제입니다.

세속의 탐·진·치 업장이 쌓여 있으면 그 업장은 스스로 소멸되지 않고 하나의 세력으로 남게 됩니다. 이 세력은 나의 외부에 있는 것이 아니라 내부에 있는 것이며 인간계 밖에 있는 것이 아니라 인간계의 세속 가치 속에 있습니다. 업장은 스스로 생명력을 갖고 있으므로 수행이 깊어질수록 소멸되지 않으려고 더 세게 발버둥을 칩니다.

고타마는 수행이 깊어질수록 내면의 갈등과 번뇌가 잦아들면서 20여 년 동안 배어 있던 업장이 소멸되어 갔습니다. 업장은 하나의 자기 운동력을 갖습니다. 그래서 비록 힘든 조건에 처하더라도 수행이 깊어지면 수행의 힘으로 이를 극복해 나갈 수 있습니다.

고타마에게 마군은 수행에 장애를 일으키는 요소로 의미를 갖습니다. 그러나 경전 내용으로 볼 때나 기존의 수행으로 볼 때, 오히려 자신의 부정한 업과 세속의 이데올로기를 점검한다는 의미도 가질 수 있습니다. 고타마는 고행을 할 때 이미 마군의 정체를 간파했기에 이번에는 아예 그 욕망 세계의 지배자 마왕에게 먼저 도전합니다.

욕계란 아래로는 지옥으로부터 위로는 신의 세계 일부에까지 미칩니다. 온갖 욕망을 벗어날 수 없으므로 욕계(欲界)라고 하는 것입니다. 욕계에 속하는 천상 중에서 최고의 것이 타화자재천(他化自在天)인데 마왕 파피야스는 그곳의 왕입니다.

어느 날 갑자기 마왕의 세계가 지진이 난 듯 진동하며 지축이 흔들렸습니다. 마왕이 아래의 사바세계를 내려다보니 보리수 아래에서 한 사문이 정진하고 있는데 그 정진의 힘이 대단히 강해서 마왕의 세계 전체가 뿌리째 흔들리는 것이었습니다. 이 마왕의 궁전은 탐욕과 투쟁과 혼돈이라는 우리의 세속적인 가치관으로 기둥을 세우고 지배 이데올로기로 대들보를 이은 것입니다. 이 세계는 이제껏 그 누구도 감히 부정할 수 없는 곳이었는데, 그것을 지금 한 사문이 송두리째 흔들고 있는 것입니다.

왕궁의 기와가 몇 장 떨어지는 정도가 아니라 철옹성 같던 계급

중심의 가치 체제가 흔들리고 있는 것입니다. 마왕이 존립할 수 있는 기반 자체가 뿌리째 붕괴되려는 것입니다.

모든 욕락을 버려 공중의 바람처럼 자유로우니

그때에 마왕 파피야스는 그의 궁전에서 스물두 가지의 불길한 꿈을 꾸고 있었다. 파피야스는 고타마의 광명을 받고 악몽에서 깨어나 게송을 듣자 걷잡을 수 없이 마음이 불안하고 두려워서 독을 마신 듯 번민하고 몸을 벌벌 떨었다. 파피야스는 그의 대신들과 일천 명의 아들과 모든 권속을 불러 모아놓고서 말했다.

"세간에 있는 사문 고타마가 지금 보리좌에 앉아 있다. 그는 오래지 않아 무상정등정각을 성취해 나의 세계를 무너뜨릴 것이다. 지금 사문 고타마는 법의 갑옷을 입고 욕망을 제압할 활을 들고서 지혜의 화살을 쏘아 중생을 항복시켜서 나의 경계를 무너뜨리려 한다. 그가 만약 부처를 성취한다면 중생들은 모두 그를 믿고 귀의해 나의 세력을 잠식하고 나의 성을 무너뜨리며 나의 세계를 파멸시킬 것이다. 그러므로 아직 그의 도가 이루어지기 전에 달려가서 그를 쳐부수리라. 너희들은 이제 모두 한마음으로 힘을 합하여 어떤 수단을 써서라도 모든 방법을 동원해서 반드시 그를 항복시켜라."

마왕에게는 세 딸이 있었는데 큰 딸의 이름은 염욕(染欲)이요, 둘째는 능열인(能悅人)이요, 셋째 딸의 이름은 가애락(可愛樂)이었다. 이 세 딸은 미녀들이어서 그 요염하고 교태로운 아름다움이 모든 천녀들 가운데 으뜸이었다. 『과거현재인과경』

마왕은 그 딸들에게 명하여 말했다.

"아름다운 나의 딸들아, 너희들은 모두 함께 저 핍팔라나무 아래로 내려가서 사문 고타마를 유혹해 애욕의 덕을 찬미해 그의 청정한 수행을 무너뜨려라."

그때에 마왕의 딸들은 갖가지 요염한 몸짓으로 교태를 부리며 달콤한 목소리로 고타마를 유혹했다.

"꽃피고 새 우는 아름다운 봄날에 나무도 풀도 한창이어라. 청춘은 두 번 다시 돌아오지 않는 것, 젊었을 때 모든 욕락을 즐겨야 하리. 우리의 고운 얼굴과 아름다운 몸매를 보소서. 몸이 늙기 전에 쾌락을 받는 것이 어떠리. 열반의 길은 멀고도 먼 것, 또한 깨달음을 얻은들 무엇하리. 자, 우리와 어울려 열락을 누립시다."

고타마는 마음과 몸의 자세를 조금도 흐트러뜨리지 않으며 조용히 그러나 단호하게 말했다.

"칼날에 발린 꿀은 혀를 상하게 하고, 오욕은 뱀의 머리와 같아 쾌락을 즐김은 불구덩이에 들어감과 같다. 나는 이제 모든 욕락을 버려 공중의 바람처럼 자유로우니, 너희는 결코 욕락으로 나를 묶어두지 못하리라. 너희의 육체는 비록 아름다우나 마음이 요사스럽고 추악해, 마치 아름답게 채색한 항아리 속에 독이 들어 있음과 같구나. 가죽주머니에 똥을 가득 담은 물건들이 와서 무엇을 하려 하느냐. 떠나거라. 나는 기뻐하지 않노라." 『방광대장엄경』

마왕 파피야스는 크게 분노해 모든 군사들에게 명령했다.

"마군들아, 크게 모여서 끝이 없는 힘으로 싸워야겠다. 나는 예부터 지금까지 아직 이런 자를 보지 못했도다. 너희들은 온 힘을 합쳐 저 사문을 쳐 없애라."

18억의 마군 무리가 흉측한 악마와 추악한 괴물 형상을 하고 온갖 무기를 들고서 사문 고타마를 향해 공격했다. 천지는 어둠에 싸이고 뇌성벽력이 요란하게 울렸다. 『불설보요경』

깜짝 놀란 마왕은 불안에 떨면서 허겁지겁 자식들을 불러 모읍니다. 자식들에게 사태의 심각성을 알리고 고타마를 쳐부술 계략을 의논합니다.

이때 모인 마왕의 아들은 모두 1,000명인데 500명은 흑조(黑組)로서 마왕의 오른쪽에 앉고 또 다른 500명은 백조(白組)로서 왼쪽에 앉아 치열한 논쟁을 합니다. 경전에 보면 1,000명의 아들 가운데 흑조인 500명의 이름은 악구(惡口)·악혜(惡慧)·백비(百臂)·엄위(嚴威)·오만(傲慢)·가포(可怖)·구악(求惡)·부적정(不寂靜)·악사(惡思) 등으로 소위 마군의 권속다운 이름입니다. 그런데 백조의 500명은 도사(導師)·미음(美音)·묘각(妙覺)·선목(善目)·유신(有信)·공덕장엄(功德莊嚴)·법혜사자후(法慧獅子吼)·선사(善師) 등으로 결코 마군의 권속답지 않은 이름입니다.

이것은 서양처럼 선악의 개념을 사탄과 천사로 극단적으로 대립시켜 이분법적 흑백 논리로 나눈 것이 아니라, 상호 전환되고 의존할 수 있음을 보여주는 것입니다. 백조와 흑조는 마왕의 양편에 늘어서서 논쟁하는데, 백조의 아들들은 고타마에게 이길 수 없으므로 후에 환란을 당하지 말고 오히려 그에게 귀의하자고 이구동성으로 말합니다. 그러나 흑조의 아들들은 각자의 힘과 능력을 자랑하며 마군의 군세로 공격하면 일개 사문인 고타마 정도는 문제없이 항복받을 수 있다고 의기양양해합니다.

마왕은 1,000명의 아들들이 결정을 못 하고 엎치락뒤치락하자 벌컥 화를 내면서 백조의 우두머리 상수에게 욕을 합니다.

"너는 참 나의 원수요, 내 아들이 아니다. 다시는 네 얼굴조차 보기 싫도다. 네 마음은 이제 저 사문에게 기울었으니 너는 마땅히 그 석가족 아들에게 가거라."

그러고는 세 딸을 불러 명령합니다.

"아름다운 나의 딸들아, 너희는 저 핍팔라나무 아래로 내려가서 사문 고타마를 유혹해라. 애욕의 덕을 찬미해 그의 청정한 수행을 무너뜨려라."

기도를 하다 보면, 갑자기 몸에 열이 오르면서 성에 대한 욕망이 일어날 때가 있습니다. 음란한 생각을 하거나 그러한 광경을 볼 때 일어나는 것이 아니라, 삼천 배를 하고 있는 중이라든지 참선을 하고 있는 중에 자신의 의식과는 상관없이 육체적으로 이런 현상이 일어나기도 합니다. 이것은 물론 정신력이 집중되지 않아서일 수도 있지만, 오히려 일심으로 기도하고 수행이 깊어질수록 불쑥불쑥 쾌락의 상념으로 수행에 장애가 올 때가 있습니다. 그것은 업장이 마지막 발악을 하기 때문입니다.

담배를 끊을 때도 마찬가지입니다. 담배를 계속 피우다 끊으면 처음엔 견디기가 어렵습니다. 그리고 겨우 끊었다고 생각하는데 어느 순간 다시 피우고 싶은 욕망이 사정없이 일어날 때가 있습니다. 그래서 보통 한 달 정도 끊다가 포기하는 경우가 많습니다. 하지만 이렇게 욕구가 극심한 그 순간이 담배의 업장이 소멸되는 순간입니다. 그때만 참으면 끊을 수 있습니다. 그런데 사람들은 대부분 이 시기를 참지 못하고 다시 피우게 되는 것입니다.

이처럼 업은 끊임없이 육체적인 요구를 합리화하는 방향으로 생각을 바꾸게 합니다. 수행은 바로 평소에는 있는지도 몰랐던 이 업장을 발견해 내고 싸워서 소멸시키는 것입니다.

마왕의 딸은 고타마의 내면에 잠재해 있는 성적 욕망이기도 하지만, 성은 또한 쾌락주의의 상징이기도 합니다. 즉, 고타마가 이전에 누렸던 쾌락주의적인 삶과 이것을 유지시켜 주었던 퇴폐적 이데올로기라고 할 수 있습니다.

당시 인도에서도 가장 성스럽고 고귀한 생활, 즉 범행(梵行)은 넓게는 금욕과 무소유지만 좁게는 성관계가 청정한 것에서 출발한다고 보았습니다. 또 불교 교단에서 가장 먼저 제정한 계(戒) 또한 불사음계였습니다.

고타마는 처절한 고행을 통해 성에 대한 욕망이 완전히 극복된 줄 알았습니다. 그러나 모진 고행으로 성욕이 일어날 하등의 이유가 없다고 생각한 마지막 순간에 성적 욕망과 쾌락이 발악을 하는 것입니다. 고타마는 단호하게 호통을 치며 완전히 부정하고 극복합니다.

"칼날에 발린 꿀은 혀를 상하게 하고, 오욕은 뱀의 머리와 같아 쾌락을 즐김은 불구덩이에 들어감과 같다. 나는 이제 모든 욕락을 버려 공중의 바람처럼 자유로우니 너희는 결코 욕락으로 나를 묶어두지 못하리라. 가죽 주머니에 똥을 가득 담은 물건들이 와서 무엇을 하려느냐. 떠나가라. 나는 기뻐하지 않노라."

딸들이 실패하자 마왕은 무수한 마군을 대동하고 핍팔라나무로 나아가 고타마를 폭력과 무력으로 제압하려 합니다.

"사문 고타마여, 그대는 속히 일어나서 달아나라. 나의 뭇 병장기와 18만 억의 세력이 모두 함께 공격한다면 그대는 생명을 보존치 못하리라."

그러나 고타마는 의연하고도 단호하게 말합니다.

"마왕 파피야스여, 부처의 도를 얻기 전에는 결코 이 자리를 뜨지 않으리니, 비록 바람을 잡아매고 바다를 옮길 수 있을지언정 나를 이 자리에서 물러나게 할 수는 없으리라. 나는 반드시 부처의 참된 도를 성취해 그대 못된 악마를 항복받으리라."

자신의 위용 앞에서도 굴하지 않는 고타마를 보고 마왕 파피야스는 큰 분노를 토하면서 군사들에게 명령합니다.

"나는 예전부터 지금까지 이런 자를 보지 못했도다. 너희들은 온 힘을 합쳐서 저 사문을 쳐 없애라."

경전에 나타난 마왕 권속들의 모습은 가지가지 맹수와 뱀 등 동물 형상을 한 것과 기괴한 괴물들로서, 이는 온갖 육체적인 고통과 정신적인 불안·공포·적개심·분노 등을 상징합니다. 즉, 인간이 가질 수 있는 수많은 번뇌와 고통의 여러 양상을 보여주는 것이라고 할 수 있습니다.

자비의 방패, 십바라밀의 보검

때에 고타마는 조금도 놀라거나 두려워하지 않고 미동도 하지 않은 채 선정에 들어 중생의 고통을 생각하며 십바라밀을 관했다.

'오랫동안 수행해 온 보시·지계·인욕·정진·선정·지혜·방편·원(願)·력(力)·지(智) 등의 열 가지 수행 덕목〔십바라밀(十波羅密)〕만이 나의 힘 있는 군대이며 몸을 지키는 보배 검이며 견고한 방패이리니, 내 이 힘으로써 마군을 분쇄하리라.'

마왕의 군사들이 아무리 맹렬히 공격해도 고타마는 자비심을 일으켜 조금도 적의를 품지 않았다. 무수한 마왕의 군사가 공격했으나 고타마의 몸에는 조금도 해를 입히지 못했다. 마왕의 아들 가운데 많은 이들이 고타마의 자비심에 감화되어 싸우기를 포기했다.

마왕은 아홉 가지 이변을 일으켜 고타마를 정복하려 했으나 실패하고 말았다. 『본생경』

이러한 마군의 공격을 고타마는 오직 자비의 마음과 과거에 수행해 온 십바라밀행으로 너끈히 막아냅니다. 우리는 흔히 마왕의 군세를 고타마 외부나 내부의 공포라고 파악합니다. 결국 이 마왕은 또 다른 고타마입니다. 고타마 자신의 내부에 있는 폭력과 지배 욕구, 적개심, 분노 등이 표출된 것입니다. 고타마는 이런 자신의 부정적인 업을 자비로 대하고 십바라밀행을 통해 극복했던 것입니다.

그러나 이는 단지 고타마의 심리적 갈등이나 부정적인 가치만을 의미하는 것은 아닙니다. 마왕은 또한 당시 인도 사회의 윤리를 대표하고 있습니다. 힘과 계급에 의한 지배, 끊임없는 전쟁으로 모든 사람이 불안과 공포 속에 사는 당시의 사회 현실을 보여주는 것이기도 합니다.

이것 역시도 고타마는 중생에 대한 자비와 십바라밀로 해결했습니다. 그 어떤 것도 두려워하거나 굴복하지 않는 확신으로 자기 내부에 있는 투쟁·지배·분노 등의 속성을 극복하고, 부정적 가치가 지배하는 사회적 지배 논리를 극복한 것입니다.

고타마의 항마(降魔)는 어떤 폭력에도 굽히지 않을 것이라는 확신과 함께, 폭력으로 유지되던 당시의 가치 체계에 대한 극복을 의미합니다. 또한 이러한 폭력을 이겨낼 수 있는 방법으로 한없는 자비와 십바라밀행을 제시한 것입니다. 자비를 무조건적인 이해·용서·체념이란 뜻으로 이해해서는 안 됩니다. 자비란 모든 아픔을 함께하고, 모든 즐거움을 함께 나누려는 자세입니다. 사랑과 연민의 자세입니다. 덩달아 분노하고 적의를 갖고 싸워서는 안 된다는 것입니다.

자비를 바탕으로 한 십바라밀의 보살행만이 모든 공포와 고통을 극복할 수 있고, 폭력의 질서가 지배 윤리로 자리 잡고 있는 사회구조를 극복할 수 있습니다.

애써 부처를 이룬들 무엇하리

이때에 마왕 파피야스는 다시 부드러운 목소리로 말했다.

"사문 고타마여, 그대가 원하는 열반은 결코 얻을 수 없으리라. 6년간 고행을 함에 신명을 아끼지 않았음에도 아직도 무상정등정각을 증득하지 못했거늘 하물며 정진의 뜻을 버린 지금 어찌 얻을 수 있겠는가. 또 애써서 부처를 이룬들 무엇하겠는가."

고타마가 질책해 말했다.

"마왕 파피야스여, 그대는 욕망 세계의 주인으로서 스스로 가장 높은 체하나 그것은 가장 높은 것도 아니며 진정한 주인도 아니다. 열반을 증득해 부처님 법에 도달한 이라야 비로소 높은 것이며 해탈을 이루어 부처님의 세계에 들어갈 때 진정한 주인이 되리라. 내게는 선정을 닦을 만한 공덕이 있으며, 거룩한 힘을 잃지 않고 부지런히 수행할 정진의 힘이 있다. 이로써 기필코 부처의 도를 이루리라."

『불설보요경』

마왕은 세 딸의 유혹과 무자비한 폭력으로도 고타마를 굴복시킬 수 없음을 알자, 이번에는 고타마에게 직접 다가와서 온화한 말로써 회유하고 설득합니다.

"사문 고타마여, 나는 욕망 세계의 주인이다. 하늘과 인간의 모든 것이 다 내게 소속되어 있으니, 그대 또한 나의 뜻을 벗어나서는 아무것도 이룰 수 없다. 그런데 어찌 나의 세계를 벗어나려 하는가?"

마왕 파피야스가 스스로 가장 높은 주인이라고 자인하는 욕망의 세계, 즉 욕계란 어떤 곳일까요? 말 그대로 욕망이 지배하는 세계, 탐욕으로 유지되는 세계를 말합니다. 욕망을 최대한으로 충족시키는 것이 가장 중요한 삶의 가치로 인식되는 세계입니다.

욕망을 충족시키는 데는 '함께'가 아니라 '남보다 많이'라는 전제가 붙습니다. 남보다 많은 재물을 갖고, 최고의 권력을 행사하고, 남보다 높은 명예를 얻고, 고도의 성적 쾌락을 즐기는 것을 삶의 최고 목표로 삼는 세계가 욕계입니다. 그러므로 생존경쟁과 적자생존, 그리고 약육강식이 그 세계를 지배하는 원칙이 됩니다.

마왕 파피야스가 볼 때 인간의 삶이란 탐욕을 최대한 충족시키기 위해 타인과 끊임없이 투쟁하는 것이며, 이 세계는 탐욕 충족을 위한 각축장입니다. 마왕 파피야스의 인간관은 '인간은 본질적으로 이기적이고 탐욕으로 뭉쳐 있는 존재'이므로 고타마 역시 탐욕에 가득 찬 인간으로서 자기규정을 벗어날 수 없다고 강변합니다. 따라서 본래 모순되고 불완전한 존재인 인간에게 완전한 해탈이란 없으며, 열반은 말로만 존재할 뿐 현실적으로는 존재할 수 없다고 유혹합니다.

사실 오랜 수행 과정 중에 고타마는 인간 스스로가 세계의 주인이 되는 길은 현실에 존재하지 않을지도 모른다는 의혹을 끊임없이 품었습니다. '완전한 해방의 형태, 어떤 이상적 경지라는 것은 없는 것이 아닌가' 하는 의심도 들었습니다. 이렇게까지 했는데 이루어지지 않으니 없는 것을 공연히 찾아가는 게 아닌가 하는 불안도 느꼈습니다. 불퇴전의 용기를 갖고 밀고 나아가는데도 쉽사리 해결이 나지 않으니 정말 불가능한 것이 아닌가 하는 의구심이 들었던 것입니다.

"열반이란 것은 없어. 단지 이 세상에는 열반이라는 말만이 존재할 뿐이야."

이 말은 자신만이 자기 삶의 주인임을 믿고 불국 정토를 완성하기 위해 정진하는 보살들이 항상 듣게 되는 말입니다.

"정토 세계가 어디 있느냐? 불세계가 어디 있느냐? 사람들이 그런 소리를 할 뿐이지 그런 것은 없다. 그렇게 되려면 벌써 되었다. 이 세계는 그렇게 쉽게 변하는 게 아니다. 옛 성인들도 때가 있다고 하지 않았느냐. 설령 된다고 해도 언젠가 아주 먼 세상에서 그럴 만한 시대가 도래하면 오는 것이지 그게 억지로 되는 것이냐?"

그들은 그렇게 보살들에게 부처님의 길을 포기할 것을 종용합니다.

대부분의 불제자들은 평상시에는 이런 유혹에 잘 흔들리지 않습니다. 그러나 아무도 도와줄 사람이 없는 곳에 홀로 있거나 육체적 고통과 정신적 학대로 좌절을 겪을 때, 깊은 내면으로부터 '나만 손해 보는 것 아닌가' 하는 갈등이 일어날 때, 이것은 커다란 마장으로 다가옵니다.

마왕의 유혹은 계속 이어집니다.

"사문 고타마여, 그대가 원하는 열반은 결코 얻을 수 없으리라. 또 애써 부처를 이룬들 무엇하리."

가끔 불자 중에는 '부처가 되어 무미건조하게 사는 것보다는 중생으로 살면서 이 세상의 즐거움을 맛보겠다'고 말하는 이들도 있습니다. 그런데 바로 이것이야말로 마군이 좋아서 춤을 출 이야기입니다. 바로 마군의 논리 그대로이기 때문입니다. 마군은 세간 인간들의 소리이며 세속의 지배 이데올로기입니다.

경전에 이런 내용이 있습니다. 한 사나이가 큰 코끼리에 쫓겨서 도망가다가 마른 우물을 발견하고 줄을 타고 그 속으로 들어갔습니다. 그런데 우물 바닥과 우물 벽에 독사가 우글거리고 위를 보니 쥐가 밧줄을 갉아먹고 있습니다. 게다가 우물 밖 코끼리는 갈 생각을 않고 있습니다. 말 그대로 사방 사유 상하에 모두 자신의 목숨을 노리는 것들뿐입니다. 그런데 마침 바로 머리 위에 벌집이 달려 있는데 거기에서 떨어지는 꿀 한 방울이 사나이 입술을 적시고, 사나이는 그 꿀맛에 취해 모든 고통과 공포를 잊었다는 이야기입니다.

사나이가 맛본 한 방울 꿀은 중생의 즐거움이고, 우물 밖으로 나가 코끼리를 물리치고 자유롭게 되는 것은 해탈의 세계입니다. 부처의 세계를 포기하는 것은 바로 그 꿀맛에 취해 자신의 처지를 잊는 것과 같습니다.

그러나 고타마는 이렇게 말합니다.

"마왕 파피야스여, 그대는 욕망 세계의 주인으로서 스스로 가장 높은 체하나 그것은 가장 높은 것도 아니며 진정한 주인도 아니다. 열반을 증득해 부처님 법에 도달한 이라야 비로소 높은 것이며, 해탈을 이루어 부처님의 세계에 들어갈 때 진정한 주인이 되리라. 나는 기필코 부처의 도를 이루리라."

본질적으로 인간을 탐욕 덩어리로 볼 때에는 욕계의 주인인 파피야스의 말이 옳습니다. 하지만 탐욕이 인간을 행복으로 이끄는 것이 아니라 고통스럽게 만든다는 것을 발견할 때 우리의 세계관은 완전히 달라집니다.

지배욕의 가치로 유혹하다

파피야스는 고타마에게 다시 말했다.

"사문 고타마여, 깨달음은 얻기가 어렵거늘 공연히 스스로의 몸만 고통스러우리라. 그대는 빨리 이곳을 떠나라. 그리하면 반드시 전륜성왕이 되어 사천하를 다스리는 왕이 되고 대지의 주인이 되리라. 그대가 만약 전륜왕위를 받아들이면 자재로운 주인이 되어 거룩한 덕이 더할 나위 없으며 일체를 거느릴 터인데, 이 들판에서 벗도 없이 홀로 있으매 그대의 몸을 해칠까 두렵다."

"전륜성왕의 위의 또한 욕망의 세계에 속하는 것, 나는 이미 욕망의 세계를 떠나고자 사해 바다에 이르는 영토와 일곱 가지 보배를 버렸으니 파피야스여, 이는 마치 어떤 사람이 밥을 뱉은 뒤 그것을 탐하지 않음과 같다. 나는 이제 금강좌에 앉아 보리를 증득하리라."

『방광대장엄경』

마왕 파피야스는 단념치 않고 유혹합니다.

"사문 고타마여, 깨달음을 얻기가 어렵거늘, 차라리 사천하를 다스리는 전륜성왕이 되어라. 그리하면 자재로운 주인이 되어 거룩한 덕이 더할 나위 없으며 일체를 거느리리라."

파피야스는 이제 아주 구체적이고 현실적인 대안을 마련해 줍니다. 슈도다나 왕과 마하프라자파티 왕비, 그리고 석가족의 모든 권속이 바라던 전륜성왕이란 사실 참 매력적인 유혹입니다. 이것은 고타마에게 남아 있는 권력 욕구의 표출로, 잘못된 사회구조에 유혹을 느끼는 것입니다. 마왕은 고타마에게 중생을 구제하기 위해 올바른 방향과 해답을 찾기가 너무도 어려우니, 현재의 구조에서 승리자가 되고 주인이 되어서 그 힘으로 자신이 원하는 것을 해보라고 합니다.

참 묘한 이야기라 하지 않을 수 없습니다. 인간을 고통의 굴레 속에 몰아넣고 그들을 철저히 지배해 온 마왕이 이번에는 고타마에게 중생을 구원하기 위한 권력을 주겠다는 것입니다. 그러나 그것은 마왕의 지배하에 있게 됨을 의미합니다.

이러한 유혹은 우리 사회에도 많습니다. 이는 마치 일제 치하에서 우리 민족을 구하기 위해 총독부의 권력을 갖겠다는 것과 마찬가지입니다. 식민지 국가에서 국민에게 선정을 베풀기 위해 강대국의 인정을 받아 대통령이 되겠다는 것과 똑같습니다. 강대국의 이권에 따라 움직여야 하는 대통령, 꼭두각시가 되는 것이 이것입니다.

중생의 고통은 현실 사회의 질서·이념·지배 체제로부터 오는 것이기에 아무리 우두머리가 된다 하더라도 그 문제를 해결할 수는 없습니다. 재벌이 되어서 노동자·농민 문제를 해결할 수는 없는 것입니다.

마왕은 기존의 지배 질서를 인정하라는 것입니다. 있지도 않은 이상 세계를 꿈꾸지 말고 지금 이 사회 속에서 권력을 잡아 노력해 보라는 것입니다. 마왕 파피야스의 유혹은 고타마에게 욕망의 세계를 인정하고 기득권을 유지 강화하면서 자기 밑에서 뜻을 펴보라는 것입니다.

전륜성왕이 되라는 유혹은 고타마 출가 직전과 직후 그리고 수행과정 중에도 무수히 있었습니다. 그러나 이미 예전에 제왕의 길을 버린 고타마는 마왕에게 외칩니다.

"전륜성왕의 위의 또한 욕망의 세계에 속하는 것, 나는 이미 욕망의 세계를 버렸느니라."

어리석음의 세계로 재차 유혹하다

파피야스는 다시 고타마에게 말했다.

"고타마여, 부처는 성취하기 어려우리라. 만약 그대가 인간세계의 향락에 불만이 있다면 나와 함께 하늘 세계의 나의 궁전으로 승천함이 어떠한가. 내가 다섯 가지 욕망의 도구와 나아가 나의 제6천의 하늘의 지위도 모두 버리고 그것들을 모두 가져다 그대에게 부여하리라." 「과거현재인과경」

그러자 마왕은 마지막 유혹의 카드로 자신의 세계, 즉 천상의 세계를 주고 마왕의 지위와 권능을 부여하겠다고 합니다. 모든 것을 희생하더라도 이 잘못된 가치 체계만은 유지하려는 최후의 발악입니다.

마왕은 처음에는 탐욕의 가치로 유혹합니다. 그 다음에는 진에, 즉 투쟁과 지배욕의 가치로 유혹합니다. 그리고 이번에는 어리석음의 세계로 유혹합니다. 악마를 숭배하는 것, 즉 물질과 쾌락과 권력을 숭배하는 세계의 주인이 되라고 합니다.

마왕의 권능은 모든 인간을 마장 속에 빠뜨리는 것입니다. 고타마가 끝내 중생 구제를 위한 길을 버리지 않겠다면 마지막으로 나의 큰 권능을 사용해 보라고 하는 것입니다. 그러나 만약 그렇게 되면 마왕의 권능을 빌린 기적과 신통의 힘으로 인간을 혹세무민할 수밖에 없을 것입니다.

이것은 특히 수행자에게 다가오는 견디기 힘든 유혹입니다. 문제는 그것이 마왕의 유혹인 줄 모르고 마치 수행의 결과물인 양 착각한다는 점입니다. 오랜 수행으로 잡념이 가신 상태에서 일념으로 몰두하다 보면 보통 사람이 경험할 수 없는 능력이 생깁니다.

그러나 그러한 능력은 수행의 본래 목적이 아닙니다. 물론 진정한 도(道)도 아닙니다. 우리는 흔히 도를 닦는다고 하면 신통력을 부리는 것으로 생각합니다만 이것은 크게 잘못된 생각입니다. 이는 수행의 부산물이며, 거기에 집착하면 도리어 수행의 목적인 진리의 증득은 어려워집니다. 이렇게 되면 모든 것을 마음대로 할 수 있는 능력을 얻을 수는 있으나 더 큰 깨달음의 길을 잃게 되는 결과를 낳습니다. 이렇듯 기존의 잘못된 가치 체계를 유지하려는 수행자 내부의 거짓된 나, 즉 업장은 집요하게 부처의 길을 방해합니다.

선방에서 수행하는 스님들의 경우 수행을 몇 년 열심히 하다보면 눈앞에 관세음보살이나 신장(神將)들이 나타나서 잘한다고 머리를 쓰다듬어 주기도 한다고 합니다. 또 상대의 마음을 읽거나 상대의 업을 파악할 수 있는 능력이 생기기도 합니다. 그때 도를 깨달았다고 착각하면 '태백산에서 10년 수행한 도사' 따위의 이름밖에 갖지 못하게 됩니다. 남의 운명이나 봐주는 것은 결코 깨달음이 아닙니다. 그것이 수행에 있어서 큰 장애입니다.

기도하다가 신의 은혜를 입어서 병을 고치고 방언을 하고 귀신을 쫓는 등의 능력을 얻었다고 하는 경우가 있습니다. 그러나 이것은 수행의 차원에서 보면 종속적이고 비주체적인 것입니다. 이것은 무당과 다를 바가 없으며, 오히려 무당에게서 나타나는 것보다 차원이 더 낮습니다. 이것은 진정한 수행자가 아닙니다. 이러한 것에 종속된 사람은 끊임없이 자기 바깥의 어떤 존재, 즉 신이라고 말해지는 존재에 의해 움직입니다.

신들린 사람의 모습을 보면 어떤 힘에 종속되어 있습니다. 신의 명령에 따라 심부름을 해야 하는 노예입니다. 이런 것은 종교적인 수행의 힘과 구별해야 합니다. 중요한 것은 어떻게 하면 우리가 이 욕망의 세계에서 벗어나 갈등과 고통을 해결하고 치유해 나갈 것이냐, 어떻게 하면 진정한 삶의 주인이 되느냐 하는 것입니다.

포교당 하나를 운영하는 데에도 신도가 늘지 않고 경제적으로도 궁핍하다 보면 신통이나 기적 등으로 사람들의 관심을 끄는 방편을 생각하기 쉽습니다. 원칙과 방편 효용이라는 문제 사이에 갈등이 생길 때 이러한 생각에 동조하는 것은 원칙보다 효용 면에 더 치우친 마음이라고 볼 수 있습니다. 문제는 이러한 방편 자체가 아니라 이러한 방편을 가진 것이 마치 진리의 목적인양 보임으로써 결국 사람들을 마왕의 욕망을 숭배하는 노예로 만든다는 것입니다.

이것은 대중에게 가장 구체적이고 현실적인 이익을 주는 것 같지만 결국은 그들을 마왕의 노예로 만들어버리는 일입니다. 이렇게 사람들을 노예로 만들어놓은 상태에서 나중에 그 신뢰와 권위를 가지고 불국 정토를 건설해 보겠다는 생각을 갖고 있다면 그것은 이미 마왕의 술수에 정통으로 걸려든 것입니다.

신통력과 욕망의 노예가 된 사람은 진리를 볼 수 없습니다. 그런 상태로 자신의 욕망을 충족시키려고 하면 대중은 그를 떠나거나 비난할 것입니다. 뿐만 아니라 그 힘으로 새로운 세계를 만들자고 한다면 대중은 분명히 말할 것입니다.

"그것도 신통으로 해보십시오."

고타마는 이런 함정을 꿰뚫어보았습니다.

자기해방은 자신의 힘으로

"마왕 파피야스여, 그대는 숙세의 단 한 번의 큰 보시로 욕망 세계의 지배자인 자재천왕이 되었으나, 그 복의 힘은 한계가 있어 복이 다하면 반드시 삼악도에 빠져 헤어날 수 없으리니 너로서는 부처 됨이 불가능하리라. 그러나 나는 셀 수 없는 많은 생을 통해 나의 모든 재물과 생명을 중생에게 보시했나니, 이로써 나는 반드시 부처를 성취하리라."

"고타마여, 나의 공덕과 과보에 대해서는 나도 알고 그대도 확인했으며 나의 권속들이 증명할 수 있다. 그렇다면 그대의 과보에 대해서는 누가 알 수 있겠는가?" 『과거현재인과경』

고타마는 무수한 과거 생에 쌓은 선업의 공덕이 담긴 오른손을 조용히 내밀어 그 손으로 자신의 머리를 쓰다듬고 다리를 어루만지다가 손을 아래로 뻗쳐 손가락 끝을 땅으로 향한 다음 말했다.

"만물의 생성지이며 회귀처인 대지여,
일체 모든 것을 상에 걸림이 없이
평등하게 받아들이는 대지여,
나를 위해 진실한 증인이 되어다오.
원컨대 현전에서 진실을 말하라." 『불본행집경』

그때에 대지가 여섯 가지로 진동하고 이어 여러 지신들이 칠보의 병 속에 연꽃을 가득 채우고 고타마가 앉아 있는 곳 근처에 땅으로부터 솟아나와 반신을 나타내어 고타마에게 예배한 후 말했다.

"가장 위대한 장부이시여, 내 당신을 증명하리라. 당신은 천만 억 겁 동안 나라와 성이며 권속과 재산을 헤아릴 수 없이 보시했을 뿐만 아니라 머리와 눈과 골수며 팔다리조차도 남들에게 보시했는지라 그 피가 지금도 대지에 침윤되어 있습니다. 이 헤아릴 수 없는 공덕은 모두 오직 중생 구제를 위한 무상정등정각을 구하기 위함이었습니다. 그러므로 마왕 파피야스여, 그대는 이제 이분을 결코 괴롭혀서는 안 될 것이다."

이 말을 마치자 갑자기 그 땅과 삼천대천세계는 동서남북 상하 사유로 크게 진동하고 하늘이 무너지는 소리가 났다. 마왕 파피야스는 이를 두고 마음이 두려워지며 몸의 털이 곤두섰으며, 모든 마군의 군사들은 두려워서 대열이 흩어지고 뿔뿔이 도망갔다. 『과거현재인과경』

마왕은 일종의 신입니다. 그런데 브라만교의 신들은 본래부터 신이어서 인간과는 전혀 다른 존재로 여겼습니다. 신이 인간의 모습으로 지상에 태어나는 일은 있지만 인간이 신이 될 수는 없습니다.

그런데 불교의 세계관에 따르면 인간과 신 사이에는 절대적인 차별이 없습니다. 동물도 마찬가지입니다. 자신이 지은 선악의 업에 따라 신도 되고 인간도 되고 동물도 되는 것입니다. 마왕의 경우도 마찬가지로 언젠가는 전락할 운명을 면할 수 없습니다.

그리고 고타마는 힘차게 외칩니다.

"나는 셀 수 없는 많은 생을 통해 나의 모든 재물과 생명을 중생에게 보시했나니, 이로써 나는 반드시 부처를 성취하리라."

그러나 마왕은 항변합니다.

"그렇다면 네가 깨달음을 얻고 불국 정토를 건설할 수 있다는 네 과거 수행의 증거를 보여다오."

고타마는 자기 말의 진실성을 맹세하며 대지의 신에게 자신의 말을 증거하라고 요구합니다. 이때 고타마가 자기 몸을 어루만지던 오른손을 대지에 대는 것은 진실을 맹세할 때의 몸짓입니다. 고대 인도 설화에 자주 나오는 것으로 만약 자신의 말이 거짓이라면 대지의 저주를 받아도 좋다는 뜻입니다.

땅은 사랑과 생명의 원천이며 풍요를 상징합니다. 또한 하늘은 가릴 수 있어도 땅은 항상 우리를 보고 있다는 의미에서 재판·증인·증명의 표상이기도 합니다. 그리고 저주의 심판 등을 상징하기도 해서, 지옥을 땅 속에 있다고 상정하고 땅이 갈라져 지옥으로 떨어지는 얘기가 경전에도 가끔 나옵니다. 그러므로 고타마도 대지의 여신에게 증명이 되어줄 것을 요구합니다.

대지가 사방 상하로 진동하더니 온 세상 신들을 불러일으키면서 고타마와 마왕 앞에 나타납니다. 그리고 기꺼이 증언합니다.

"파피야스여, 이 보살께서는 그 옛날 도를 구하기 위해 재물은 물론 자기 육신까지도 남에게 보시했다. 그 피가 지금도 대지에 침윤되어 있다."

부처의 성취는 고타마 한 사람이 신통력을 갖고 있거나 세계의 제왕이 된다고 해서 이룰 수 있는 것이 아닙니다. 무수한 옛날부터 자신의 몸을 바쳐 보살행을 닦아온 역사에 의해 성취될 수 있는 것입니다.

'삼천대천세계의 겨자씨만한 땅일지라도 보살의 피가 서리지 않은 곳이 없다'고 한 말씀처럼 무수한 희생과 노력으로 불국 정토를 성취할 수 있는 것입니다. 고타마가 마왕의 권세와 전륜성왕에의 유혹에도 흔들리지 않았던 것은 불국 정토는 역사 속에서 몸 바쳐온 보살들의 힘에 의해서만 성취될 수 있음을 확신했기 때문입니다.

사회적으로 볼 때 진정한 민족 해방은 그 민족 구성원들의 힘으로, 또 민주주의 건설은 국민 대중이 주인이 되어야 이루어질 수 있습니다. 민족은 민족 자신, 국민은 국민 스스로, 개인은 개인 자신의 힘으로 문제를 풀어나갈 때 진정한 주인의 삶이 열리는 것입니다.

쾌락과 폭력은 자비와 십바라밀행으로 꺾이고, 권력과 권세의 유혹도 보살들의 살신과 보시의 수행 앞에 허물어지자, 마왕은 떠날 수밖에 없었습니다. 고타마는 이로써 자기의 내면에 자리하던 욕망의 세계를 완전히 극복했습니다. 고타마는 이제 모든 번뇌의 속박을 벗어나 선정에 들 수 있게 되었습니다.

이제 여래의 세계를 선포하노라

노예의 역사에서 주인의 역사로

그때에 고타마는 이미 일체의 마군을 항복받고 탐·진·치의 독한 가시를 모두 빼내고 승리의 깃발을 높이 올렸다. 금강좌에 앉은 고타마는 세간의 다투는 마음을 멸해 자비심을 내고, 나태와 혼돈을 제멸해 일체의 업장을 끊고, 혼탁한 마음과 의심하는 마음을 소멸해 일체법 가운데 걸림이 없는 청정한 마음을 얻었다. 『불본행집경』

부처님이 중생을 제도하려고 이 세상에 나타나서 보이신 여덟 가지 모습을 팔상성도(八相成道)라고 합니다. 그 여덟 가지 모습은 경전에 따라 조금 다르기는 하지만, 대체적으로 이와 같습니다. 부처님이 도솔천에서 이 세상에 내려오는 도솔래의상(兜率來儀相), 룸비니 동산에서 탄생하는 비람강생상(毘藍降生相), 네 성문으로 나가 세상을 관찰하는 사문유관상(四門遊觀相), 성을 넘어 출가하는 유성 출가상(踰城出家相), 설산에서 수도하는 설산수도상(雪山修道相), 보리수 아래에서 악마의 항복을 받는 수하항마상(樹下降魔相), 녹야원에서 최초로 설법하는 녹원전법상(鹿苑轉法相), 그리고 마지막으로 사라쌍수 아래에서 열반에 드는 쌍림열반상(雙林涅槃相)입니다.

그런데 이 팔상성도에서 보면 '설산수도상' 다음으로 '수하항마상' 그리고 '녹원전법상'이 나옵니다. 이것을 보면 '성도'에 대한 내용을 따로 설정하지 않았음을 알 수 있습니다. 부처님이 소위 중생에서 부처가 되는 성도의 순간을 부처님 생애의 한 과정으로 설정하지 않은 것입니다.

물론 팔상성도 자체가 부처님의 생애를 성도의 여덟 가지 과정이라고 표현한 것이라고 볼 때 성도의 단계를 따로 설정할 필요조차 없었겠지만, 성도에 대한 올바른 인식 과정은 필요하다고 봅니다. 내용상 흔히 성도를 수하항마상 속에서 설명하곤 해서, 수하항마상을 항마성도상이라고 하는 경우도 있습니다.

수많은 경전이 부처님의 생애에서 깨달음을 가장 중요한 순간으로 여기고 있으며, 사실 수천 겁 전 수메다 행자의 발원 이후 부처님은 이 성도의 순간을 위해 무수히 많은 몸을 희생해 왔습니다.

『화엄경』은 부처님의 성도로부터 이야기가 시작됩니다. 아니, 『화엄경』의 모든 내용이 성도의 순간, 샛별을 보는 그 순간에 전광석화처럼 이루어졌다고 합니다. 이처럼 성도를 중요시하는 데에도 불구하고 따로 성도나 열반의 단계를 잡지 않은 것은 나름대로의 깊은 의도가 있지 않을까 합니다.

우리는 부처님이 깨달으신 내용이 무엇이냐고 물으면 선뜻 대답하기가 어렵습니다. 물론 '연기'라고 대답할 수도 있습니다만 사실 현실적으로 와 닿지 않는 면이 많습니다. 부처님의 깨달음은 결코 세상과 관계없는 그 어떤 것이 아닙니다. 바로 우리의 구체적인 현실 속에서 부딪치는 업장 속에 있습니다.

우리를 자유롭지 못하게 하는 마왕의 이데올로기, 탐욕과 쾌락의 인간 현실, 잘못된 사회구조 속에서 우리는 하루하루를 지내고 있습니다. 또한 우리는 외부의 구체적인 제약이 없다 하더라도 자신의 의지대로 삶을 살아가지 못하는 것이 현실입니다. 우리는 업장으로 두텁게 쌓인 거짓 자기에게 끌려 끊임없는 종속과 자기기만 속에서 살아갑니다. 이 같은 종속적인 현실에 대한 절실한 자각과 함께 이를 극복해야겠다는 의지를 가질 때 비로소 우리는 불국 정토로 한발씩 다가가게 됩니다.

불국 정토는 절대적인 세계이며, 어떤 상대적인 가치와 비교해 견줄 수 있는 것이 아닙니다. 그러나 우리는 아직 불국 정토에 들어가지 못했으므로 상대적인 비교를 통해서 볼 수밖에 없습니다. 아니, 비교를 통해서 볼 때만이 보다 현실적인 느낌과 힘으로 다가옵니다.

예를 들어, 바다를 한 번도 보지 못한 내륙 지방의 소년에게 바다를 어떻게 설명해야 하겠습니까? 바다로써 바다를 설명할 수가 없을 것입니다. 그 소년에게는 '바다는 저 큰 강물의 물이 수천만 억 개가 들어가야 하고 깊이는 저 산꼭대기보다 더 깊으며 넓이는 저 평야보다 수천만 배가 넓다. 그리고 태풍이 불면 파도가 치는데 저 높은 폭포와 같이 높은 파도가 몰려와서 하늘로부터 물벼락이 떨어지듯 바닷가를 후려친다'고 설명할 수밖에 없을 것입니다.

부처님은 바다를 보신 분이고 우리 중생은 내륙 사람이라고 가정할 때, 부처님이 '바다는 바다다'라고 설명하신다면 그것은 부처님의 바다이지 중생의 바다는 아닙니다. 내륙의 소년에게 하듯 여러 가지 상대적인 비유로써 설명해 줄 때 비로소 중생의 바다가 될 수 있습니다. 그것은 바다의 일부분만을 설명할 수밖에 없는 것이지만, 동시에 그럴 때만이 중생에게는 그 의미가 전달되며 그것을 통해 결국엔 바다 전체를 찾을 수 있는 것과 같습니다.

불국 정토는 선이니 악이니 하는 가치 개념을 뛰어넘은 곳에 있습니다. 그러나 오늘날 우리의 가치로는 악으로 말미암아 고통받고 있으므로 선이 지배하는 사회를 불국 정토로 상정할 수밖에 없습니다. 사실 불국 정토가 선악을 뛰어넘었다는 것은 선악의 분별에 가려 부정하거나 찬탄할 것이 없음을 말해줍니다. 또한 부처님의 세계는 중생계를 떠나 있는 것이 아니라, 부처의 눈으로 중생계를 볼 때 부처의 세계가 되는 것입니다.

중생의 마음을 가지고 어설픈 관념적 논리로써 부처의 생각을 흉내 내며 중생의 고통에 찬 신음을 들으면서도 '마음만 바꾸면 이 세계는 정토이니라' 한다거나, 현실 속에서 선악을 명확히 구분해야 함에도 불구하고 '선이나 악에 집착해서는 안 된다'고 방관할 때, 불국 정토는 영영 혼돈과 허무의 늪으로 변할 수밖에 없습니다.

이 늪에 빠져버리면 미몽과 어둠 속에서 헤어나기 힘들게 됩니다. 이는 불국 정토 전체를 보는 듯하지만 결국 전체를 잃는 것입니다. 현실적 고통을 극복한 상대적 세계로서 불국 정토를 상정할 때는 비록 불국 정토를 부분밖에 볼 수 없지만, 그 부분을 충실하게 볼 수 있을 때 비로소 전체를 볼 수 있게 됩니다.

부처님의 불세계는 바로 지금 이 땅, 즉 중생의 세계입니다. 그러나 중생의 불세계는 지금 이 땅에서 우리 스스로 만들어가야 할 세계입니다.

부처는 이 세계를 선악과 고락으로 대립시켜 보지 않습니다. 그렇게 표현할 뿐입니다. 중생이 자기 분별로써 생각한 부처의 불국 정토는 선악이란 본래 없으므로 누구를 원망할 것도 탓할 것도 없다고 읊조리며 스스로 유유자적할 뿐이지만, 부처에게 있어서 불세계는 선과 악, 고통과 즐거움, 분노와 원망, 혹은 애욕 때문에 자신의 행동이나 의사를 결정하지 않으며, 그저 당연히 자신의 일을 묵묵히 해나가는 곳입니다.

왼손가락이 다쳤을 때 오른손이 감싸고 치료해 주면서 선한 일을 하고 있다고 생각하지 않듯이, 부처님은 중생의 고통을 해결해 주는 것을 당연한 자신의 일로 여깁니다. 자신의 행동을 선악의 기준에 따라 하는 것이 아니라 자연스럽게 함에도 우리는 그것을 선이라고 판단하는 것이며, 그렇게 판단할 수밖에 없는 것입니다. 바람은 그저 무심하게 불건만 인간은 그 바람을 보고 순풍이다 역풍이다 하고 평가하듯 말입니다.

부처는 괴로운 것을 극복하고 즐거운 것을 받기 위해 노력하는 것도 아닙니다. 죽음이 다가오면 죽음을 맞습니다. 육체가 고통을 받으면 고통을 없애려 하되, 고통을 받아야 할 때가 되면 고통을 피해 도망가는 게 아니라 그 고통을 받습니다. 그것이 고통이기 때문에 피하고 즐거움이기 때문에 취하는 것이 아니라, 그저 사과나무의 사과가 오래되면 땅에 떨어지듯 그렇게 행동하는 것입니다. 사과는 나무 위에 매달려 있기 괴로워서 편해지려고 땅에 떨어진다든지, 땅에 떨어지면 깨져서 고통스러우므로 나무에 매달리려고 애쓰지 않습니다.

그러나 그 자연스러운 행동이 우리 중생에게는 고통을 피하고 즐거움을 이끌어주기에 그것을 구분할 뿐입니다. 그러므로 부처님에게 있어서는 그것을 구분할 필요도 없고 구분될 수도 없지만, 우리 중생에게는 구분되어야만 합니다. 그것이 구분 안 될 때 중생은 현실이 고통임에도 고통인 줄 모르고 희희낙락하거나 선악을 모르고 날뛰게 되기 때문입니다.

이렇듯 중생의 불국 정토는 상대적일 수밖에 없고 상대적이어야만 합니다. 그러므로 중생에게는 현실의 구체적인 고통이 있을 때 그것을 극복한 세계로서 불국 정토의 모습이 조망될 수 있는 것입니다. 문제를 문제로 느끼지 못할 때는 고통을 고통으로 느낄 수도 없으며 현실을 극복하는 데 따른 갈등도 있을 수 없고, 이렇게 되면 당연히 문제를 해결할 수도 없습니다.

우리는 앞에서 올바른 삶, 해탈의 길을 가로막는 모든 것이 고타마의 수행 과정을 통해 악마의 모습으로 나타난 것을 보았습니다. 이러한 악마를 항복받는 세계, 악마가 소멸된 상태와 열반, 그리고 불국 정토는 둘이 아닙니다. 악마가 그토록 기승을 떨친 것은 불국 정토에서는 그의 몸을 나툴 곳이 없으며, 부처의 눈앞에서는 태양 앞의 그림자처럼 소멸될 수밖에 없기 때문입니다. 그러므로 고타마에게는 수하항마의 순간이 곧 열반 성도의 순간으로 나타날 수밖에 없습니다.

4단계 선정과 6신통을 뛰어넘어

고타마는 이 청정한 눈으로 분별해 선한 법과 악한 법을 관찰함으로써, 욕망과 뭇 악한 법을 소멸하고 맑은 선법 속에 들어가 제1선을 증득해 행했다. 이어서 다시는 악에 물들지 않게 되자 마음이 스스로 열리어 선법과 악법의 분별관을 버리고 오직 적정한 삼매의 기쁨 속에서 제2선을 증득해 행했다.

나아가 선악의 분별을 떠난 기쁨을 버리고 대상과 스스로의 마음

작용에 대해 의도와 욕구를 모두 여의자, 몸과 마음의 괴로움이 모두 제멸되고 편안함이 증장되는 속에서 제3선에 들어 행했다. 이에 더 나아가 괴로움에 매이거나 즐거움에 안주하지 않고, 괴로움 없음과 즐거움 없음도 모두 버리고, 선에 의지하거나 악에 염착하지도 않는 오직 청정한 마음속에서 제4선을 증득해 행했다. 『불본행집경』

그때 고타마는 선악과 고락 그리고 경계를 분별 짓던 모든 업장이 소멸되자 오직 청정한 한 마음으로 경계의 벽을 허물고 덮였던 세계를 꿰뚫어 모든 것이 조화롭게 드러나는 생명의 참모습[제법실상(諸法實相)]을 여실히 보게 되었다. 『방광대장엄경』

그때에 고타마는 초저녁에 이르러 지혜를 얻고 광명을 얻어서 한 마음을 잡도리해 천안통을 증득했다. 고타마는 곧 천안으로써 일체 중생이 한없는 고통 속에 빠져 있는 모습을 살펴보았다.

지옥의 중생들을 보매 혀를 자르고 귀에 끓는 물을 부으며 눈을 뜨거운 쇠꼬챙이로 지지며 몸을 결박당하고 끓는 가마에 넣거나 온몸을 베고 자르는 고통 속에 있었으며, 축생의 중생들은 살아서 인간에게 혹사당하고 죽어서 제 몸의 살은 사람들에게 바치면서도 도리어 저희들끼리 싸우고 잡아먹는 등 갖가지 고통을 당했다.

아귀의 중생들을 보매 태산 같은 배에 바늘 같은 목구멍으로 어떤 것을 먹든 입에서 불길로 타오르고 온몸의 마디마디가 불이 되어 타

올라 고통이 떠나지 않았으며, 인간 또한 삼악도를 돌 듯 고통을 받았고, 하늘의 세계를 보매 모든 것이 아름답고 풍요로운 곳에 살되 복락이 다하면 곧 삼악도에 떨어져서 고통을 받았다.

고타마는 이를 보고 크게 가엾이 여기는 마음을 내면서 탄식해 생각했다.

'아 중생들의 세계에는 실로 모든 것이 고통일 뿐 즐거움이 하나도 없구나.' 『과거현재인과경』

그때에 고타마는 마음의 흔들림이 없이 깊이 중생계를 관하자 한밤중에 이르러 모든 생명의 지나온 과거와 미래를 꿰뚫어보는 숙명지통을 증득했다.

고타마는 곧 자신과 타인의 나고 죽는 생명의 과정과 하나의 생명에서 시작해 우주 생성의 모든 시간대를 통해 모든 존재들이 성·주·괴·공(成住壞空)의 과정으로 형성 발전하는 것을 모두 다 관찰해 확연히 알았다. 『방광대장엄경』

그때 고타마는 나고 늙고 병들어 죽어가는 고통의 수레바퀴 속에서 헤어나지 못하는 중생들을 보고 그 원인을 찾아 소멸해 중생을 고통에서 해방시켜 줄 방법을 관했다.

그때에 고타마는 늙고 병들어 비참히 죽어가는 원인을 찾으니 노·병·사는 생으로 인해 있으며, 열두 가지 연관 고리로서 무명으로 인해 비롯된 것임을 알았다.

이때에 고타마는 인간 삶의 열두 고리의 연관〔십이인연(十二因緣)〕을 관하니, 처음부터 끝까지 순서대로 관하고〔순관(順觀)〕 끝에서부터 처음을 거꾸로 관하고〔역관(逆觀)〕, 나는 인연으로 관하고 소멸하는 인연으로 관했다.

'이른바 저것이 생기므로 이것이 생기고 저것이 있으므로 이것이 있으며, 저것이 멸함으로 이것 또한 멸하고 저것이 없으므로 이것 또한 없느니라. 곧 무명으로 인해 제행을 연하고 내지 인간의 모든 고통이 생겨나며, 무명이 소멸되면 인간의 모든 고통이 소멸되는 것이다.'

이때 고타마는 이 뜻을 알고 나서 게송을 읊으셨다.

"만약 청정한 눈과 행이 있어 세간을 관하면 곧 이렇게 서로 생멸함을 보리니, 곧 모든 법이 인연임을 알리라." 『불본행집경』

항마 과정과 4단계 선정 및 6신통을 얻어가는 과정에 대한 서술은 시간적인 순서에 따른 것이 아니라, 같은 시간과 같은 상황을 놓고 여러 방향에서 파악한 것에 불과합니다. 수많은 마왕의 공격에 대처하기 위해 자신의 내면과 외부의 고정화된 가치를 극복해 가는 과정이 필요했을 것이며, 이는 곧 6신통을 뛰어넘어 무상정등정각을 완성하는 과정입니다.

마군을 항복받은 후 고타마는 4단계 선정에 들었습니다. 고타마는 명쾌한 분별로써 선과 악의 기준으로 옳고 그름을 분류합니다. 그리고 그것에 따라 자신의 악한 요소를 모두 제거해 나가고 이 세상 여러 악마들의 이데올로기를 파악했습니다. 그러자 고타마는 자신의 내면이 청정한 선법으로만 충만함을 느꼈습니다. 이것이 제1선이었습니다.

나아가서 악에 물들지 않게 되자, 내면에서 선과 악이 부딪치지 않게 되었습니다. 이처럼 자신의 사고를 진리의 세계로 열자 이미 마왕의 가치 또한 분노와 갈등으로 다가오지 않았습니다. 모든 것이 선악 분별을 떠났기 때문입니다. 고타마는 그동안 자기 내면에서 끊임없이 갈등하던 선악의 투쟁이 쉬자 진리에 다가간 기쁨을 만끽했습니다. 이것이 제2선입니다.

고타마는 여기에서 더 나아가 이전에 가졌던 자기중심적인 의지를 모두 놓아버렸습니다. 자기 스스로 마음과 몸에 대한 의도적인 요구를 끊어버리고, 대상이 어떻게 되어야 한다는 이전에 갖고 있던 의지 작용을 없애버렸습니다. 그러자 육체와 정신의 강박관념과 갈등이 소멸되면서 육체로부터 해방된 정신과 정신으로부터 해방된 육체는 최고의 안락을 느끼며 보다 깊은 평안 속으로 들어갔습니다. 제3선에 든 것입니다.

더 나아가 선과 악이 하나가 되고 이어서 선악의 가치 분별이 소멸되었습니다. 선에 의지하거나 악에 염착(念着)하지도 않으면서 육체와 정신이 상호 의존하되 구속을 느끼지 않았습니다. 괴로움과 즐거움 그 자체가 갈등이나 해방의 의미가 아닌 당연한 것으로 다가왔습니다. 이것이 제4선의 경지입니다.

이제 고타마는 모든 분별을 극복했습니다. 자기중심적인 선악과 고락의 분별이 그를 얽어맬 수 없게 되자 자신과 대상의 경계가 타파되었습니다. 타인과 자신의 삶의 구조가 둘이 아니라는 자각이었습니다. 육체와 정신, 주관과 객관, 개별과 전체가 결코 분리되지 않는 진법계의 만다라가 펼쳐졌습니다. 부처님이 이때에 본 세계를 설명하기 위해 서술된 것이 바로 『대방광불화엄경』입니다.

고타마는 자신이 가지고 있던 왜곡된 가치들을 소멸하고 당시 사회의 모순점, 지배 이데올로기 등을 핵심부터 파헤쳤습니다. 그리고 일념으로 깊은 명상에 들어가서 천안통(天眼通)을 얻었습니다.

고타마의 눈앞에는 생명 있는 모든 것이 한없는 고통의 바다에서 허우적거리는 모습이 펼쳐졌습니다. 농경제 당시에 보았던 농부의 고통스런 얼굴, 채찍에 맞아 거품을 물고 신음하는 소, 서로 많이 쪼아 먹으려고 각축을 벌이는 새들과 놀라 꿈틀거리며 발버둥치는 벌레들, 그리고 인정 많은 왕과 희고 뽀얀 대신들의 얼굴이 서로 겹쳐졌다가 사라졌습니다. 백발에 허리가 굽어 지팡이에 의지해 겨우 운신하는 노인의 얼굴, 온몸의 구멍으로 악취와 오물을 쏟아내며 신음하는 병자, 온몸이 썩어 구더기가 들끓는 시체 등의 비참한 모습들이 보였습니다.

온갖 비참하고 고통스러운 인간들의 모습과 모든 세계의 중생의 모습이 겹쳐지고 흩어졌습니다. 결코 채워질 수 없는 욕망을 충족시키기 위해 욕망의 노예가 되고 무수한 사람들을 고통 속에 빠뜨리며 탐욕의 불꽃에 고통받는 아귀와 같은 존재들, 투쟁과 전쟁을 통해 인간을 지배하고 권력의 노예가 된 아수라 같은 존재들, 가치관의 혼돈 속에서 자신을 고통 속에 빠뜨리는 것이 무엇인지도 모른 채 악이 악인 줄 모르고 진실이 진실인 줄 모르고 서로 살기 위해 싸우며 살아가는 축생 같은 존재들, 입이 있으나 혀가 잘려 말 못 하고, 귀가 있으나 쇳물을 부어 듣지 못하고, 눈이 있으나 부젓가락으로 지져서 볼 수 없는 고통 속에서 온몸이 갈가리 찢기며 고통당하는 지옥과 같은 모습, 순간의 쾌락에 탐닉해 고통을 받게 되는 천상의 생명과 같은 존재들의 모습이 보였습니다.

고타마는 모든 중생의 고통을 자신의 것으로 체험했습니다. 고통받는 중생의 신음이 바로 자신의 것임을 깨달았습니다. 중생의 고통을 모두 관찰하고 그들의 신음을 들을 수 있는 눈과 귀, 즉 천안통과 천이통이 생긴 것입니다. 고타마의 마음은 그들에 대한 연민으로 가득 찼습니다.

깊은 선정 속에서 생명계의 실상을 파악한 고타마는 이제 생명의 과거와 미래를 회통하는 숙명통(宿命通)을 얻었습니다. 그러자 현재 고통받는 존재들의 과거와 미래의 모든 인과가 꼬리에 꼬리를 물고 펼쳐졌습니다.

모든 생명이 고통을 받는 것은 무수한 생에 걸쳐 끊임없이 이루어져 왔던 것임을 보게 됩니다. 한 생명 한 생명의 고통이 끊임없는 발생과 소멸의 과정을 거치면서 고통의 바퀴에서 벗어나지 못하고 헤매는 것을 보았으며, 인간 세계는 윤회 속에서 끊임없이 새로운 고통이 형성되고 소멸되어 가는 과정임을 보았습니다.

나아가 우주의 모든 생성과 발전의 법칙을 보았습니다. 그리고 고통받는 중생의 해방을 위해 자기의 생명을 희생하는 역사, 칠흑 같은 어둠을 밝히기 위해 온몸을 불태우며 중생의 눈을 뜨게 하는 역사, 불국 정토를 건설하고 부처님의 정법을 구하기 위해 수많은 생에 걸쳐 몸을 바친 보살의 역사를 보았습니다. 그리고 그 보살의 역사는 자신의 삶과 한 몸으로 연결된 것임을 알았습니다. 부처님의 생은 곧 생명 해방의 역사이며 삶임을 깨달은 것입니다. 고타마는 한밤중에 뭇 생명과 온 우주의 역사를 관찰할 수 있는 눈이 생긴 것입니다.

고타마는 뭇 중생의 고통을 해결하기 위해 더욱 깊은 명상에 들어 무수한 고통의 양상과 고통의 역사는 반드시 그 원인이 있음을 알았습니다. 고타마는 그 원인을 냉철하게 관찰하기 시작했습니다. 수많은 중생의 모습이 복잡하게 혼재되어 모든 중생의 현실은 고통이라는 사실만이 머릿속에서 터질 듯했으나, 그 인과를 따져가자 그것들은 긴밀한 연결고리로 정리되었습니다.

남자는 남자대로, 여자는 여자대로, 또 생로병사는 그 나름대로 정연한 인과의 관계 속에서 서로 맞물리고 화합했습니다. 처음에는 가지 많은 나무의 나뭇잎처럼 무수한 고통의 현상이 제각기 흔들렸으나 차츰 그 가지를 찾으니 모든 고통의 문제가 하나의 뿌리로 연결되어 있음을 보았습니다. 열두 가지 고리로 인과관계를 맺은 그 모든 고통은 결국 탐·진·치로 말미암아 비롯되었던 것입니다.

인간은 보다 많이 소유하는 것을 삶의 보람으로 여기는 탐욕에 사로잡혀 이 탐욕을 충족시키기 위해 세계를 지배하고자 합니다. 이를 위해 서로 대립하고 투쟁하는 속에서 수많은 고통을 받으며 결국 탐욕과 고통의 노예가 되어 살아가고 있음을 알았습니다. 그리고 누구도 범치 못할 존귀한 존재임을 망각한 채 노예의 삶을 강요당하는 것이 본래의 삶인 줄 착각하고 살아가는 무명이 그 열두 고리의 끝이었습니다.

그렇다면 고타마가 본 본래의 세계는 어떤 모습일까요?

고타마는 모든 생명이 스스로의 주인이 되며 한 몸이 되는 세계를 보았습니다. 이 세계가 바로 불국 정토입니다. 불국 정토는 모든 갈등과 망상이 가라앉은 열반의 세계며 모든 고통으로부터 해방된 해탈의 세계였습니다. 그리고 세상의 본래 모습과 자신의 불성을 자각하는 깨달음의 세계였습니다.

거짓 세계를 뚫고 불국 정토를 찾아 영원한 열반에 들기 위해서는 무엇보다 스스로가 자기 삶의 주인임을 깨닫는 것이 근본임을 알았습니다. 노예의 생활을 박차고 스스로 자신의 삶과 우주의 주인이 되는 길을 찾은 것입니다.

또한 모든 세계의 원리가 한 치의 오차도 없이 열두 고리 인과의 원리에 따라 연기하는 것임을 깨달았습니다. 그리하여 고타마는 진리의 세계가 따로 있는 것이 아니라 바로 이 현실 자체가 진리인 것을 알았습니다. 진리의 파도에 몸을 맡기자 그는 드디어 모든 고통의 원인과 결과와 해결의 길을 관찰함으로써 일체중생을 제도하는 지혜와 자비의 능력, 즉 누진통(漏盡通)을 얻게 되었습니다.

무명의 어둠은 가고 깨달음의 샛별이 빛나다

고타마는 새벽녘에 이르러 누진신통을 완성하고 네 가지 성스러운 진리[사성제(四聖諦)]로써 생사 고통의 사슬[십이연기(十二緣起)]을 끊고 뭇 중생을 제도할 신통을 체득했다.

고타마는 동쪽에서 솟아오르는 밝은 새벽별을 보는 순간 무상정등정각을 완성하고 큰 소리로 사자후했다.

"이제 어둠의 세계는 타파되었다.

내 이제 다시는 고통의 수레에 말려들어 가지 않으리.

이것을 고뇌의 최후라 선언하며

이제 여래의 세계를 선포하노라." 『방광대장엄경』

이 순간은 어둠과 밝음이 교차하는 순간이었으며, 인간의 역사가 노예의 역사에서 주인의 역사로 전환되는 순간이었습니다. 터질 듯한 환희에 눈을 크게 뜬 고타마의 눈앞에 방금 솟아오른 새벽별이 총총히 빛나고 있었습니다. 어둠이 물러가고 밝음이 오는 신호였습니다.

고타마는 하늘과 땅이 울리도록 소리쳤습니다.

"이제 어둠의 세계는 타파되었다.

내 이제 다시는 고통의 수레에 말려들지 않으리라.

이것을 고뇌의 최후라 선언하며

이제 여래의 세계를 선포하노라."

부처님의 깨달음이 중생의 안락에 도움이 되지 못한다면 그것은 깨달음이 아니듯이, 신통도 중생의 고통을 올바로 보고 해결할 수 있는 것이 아니면 단지 사술(邪術)에 불과한 것입니다. 부처님의 신통이나 깨달음을 우리의 닫힌 눈으로 보아서 구체적인 현실 문제에만 국한시키는 것은 문제가 있습니다. 그러나 부처님의 신통과 깨달음을 우리의 현실과 유리된 신비스러운 어떤 경지로 취급하는 것보다는 그렇게 보는 것이 부처님의 뜻에 좀 더 가깝게 접근하는 것이라 볼 수 있습니다.

부처님께서 깨달으신 십이연기는 열두 가지의 세목으로 구분되어 치밀하게 상호 연계되어 있습니다. 그리고 그것을 인간 생명의 발생 과정이라고 보기도 하고, 삼세에 걸친 윤회의 과정 혹은 인간의 성장 과정으로 정리하기도 합니다. 그러나 중요한 것은 하나하나의 의미 파악보다는 그 핵심적인 의미, 즉 고통의 원인 규명이라는 측면에서 의미를 찾아야 한다는 것입니다.

사문 고타마가 부처로서의 깨달음에 이른 순간부터 우리는 사문 고타마를 부처님이라 부릅니다. 출가 전에는 싯다르타 태자라고 했고 출가 이후 성도까지는 사문 고타마라고 했습니다. 경전에서는 성도 전까지를 통틀어 태자 싯다르타 혹은 태자라고 하거나 보살이라고 하기도 합니다. 대부분 출가 전은 태자 싯다르타, 그리고 출가 후에는 이미 중생 구제를 위한 보살의 길을 간 것이기 때문에 보살이라고 하는 경우가 많습니다.

그러나 당시의 대중들은 수행자, 또는 사문 고타마라고 불렀던 것 같습니다. 그러한 상황으로 미루어보아 수행자의 모습으로 보는 것이 좋을 것 같아 성도 전까지는 사문 고타마라고 했습니다.

성도 후에는 명실 공히 깨달은 분, 즉 각자(覺者)이므로 부처의 칭호는 당연한 것입니다. 부처는 사실 고유명사가 아니고 보통명사지만 그렇다고 석존·세존 등의 어감은 아직 어색하고 특히 부처님은 이미 고유명사처럼 되어 있으므로 그대로 쓰기로 하겠습니다.

제5장

전도의 개시

중생을 위해 전도를 떠나라.

수많은 사람에게 이익이 되고

수많은 사람에게 안락을 주기 위해

현실 속에서 구체적인 이익을 주기 위해

속히 떠나가라.

생명계의 새로운 역사를 시작하다

미묘한 법의 바퀴를 굴리소서

그때에 부처님께서는 바른 깨달음을 이루시고 나서 보리수 아래에 결가부좌를 하고 앉아 눈도 깜짝하지 않고 7일 밤이 지나도 일어나지 않으셨다. 이는 열식삼매정에 들어 해탈의 법열(法悅)을 즐기는 것으로 양식을 삼으신 까닭이었다. 부처님께서는 7일이 지나고 나서 일심으로 생각을 바로잡고 삼매에서 일어나 사자좌에 앉으셨다.

그때에 문득 아첨하고 교만해 남의 허물을 찾는 한 브라만이 부처님 처소에 나아와 부처님께 예를 올리고 물었다.

"사문 고타마여, 무엇을 일러 브라만이라고 하며, 어떠한 법이 브라만의 법이오?"

부처님께서는 그의 뜻을 아시고 말씀하셨다.

"일체의 모든 악한 죄업을 소멸함에 브라만이라 이른다. 아첨하고 교만한 마음을 떠나 청정한 마음을 가질 것이며, 몸으로는 모든 청정한 범행을 수행하며, 입으로 말하는 것 또한 그러하는 것이 브라만의 법이다. 능히 일체 처에 탐욕을 끊어 갖지 않으면 이것을 일러 브라만이라 이름 하리라."

이때에 브라만은 교만한 마음에 흥흥거리고 떠나갔다. 『불본행집경』

그때에 부처님께서는 선정에 들어 세간을 살피며 생각하셨다.

'내가 이제 증득한 이 법은 심히 깊고 미묘해 보기 어렵고 알기 어렵기가 마치 가는 티끌 같아서 분별하거나 헤아릴 수도 없고 생각해 말할 길이 없구나. 오직 부처님만이 알 수가 있을 뿐 세간의 일체 중생은 어둡고 혼탁한 세상에서 탐욕과 투쟁심과 어리석음에 가리고 묶이어 지혜가 없거늘 어찌 나의 법을 알릴 수 있으리. 이제 만약 내가 저들에게 법을 전한다면 그들은 반드시 옳고 그름을 분별하지 못해, 받아들이고 믿고 증득하지 못하고 오히려 비방을 하리니, 저들에게 이익이 되지 못하고 도리어 고통을 주겠구나.'

그때에 마왕 파피야스가 부처님께 다가와 말했다.

"세존이시여, 한량없는 겁으로부터 내려오면서 고행을 하며 애써 정진해 드디어 부처를 이루셨으니 이제 열반에 드소서. 지금이 바로 때이오니 원컨대 여래는 열반에 드소서. 오직 원컨대 선서(善逝)께서는 부디 열반에 드소서."

그때 석제환인은 하늘에서 내려와 부처님께 나아가서 예배를 올리고 오른편으로 세 번 돈 후 합장하고서 부처님께 법의 바퀴 굴리시기를 청했다.

"마왕의 군세를 쳐부순 그 마음은 월식을 벗어난 만월과 같이 청정하기 그지없네. 부처님이시여, 오직 원컨대 중생을 위해 속히 일어나소서. 지혜의 광명으로 세간의 어둠을 물리쳐 중생을 청정케 하소서."

"나의 법은 욕망 세계의 거센 물결을 역류해 거스르는 것. 오욕의 파도에 휩쓸린 중생은 나의 법을 이해하지 못하리. 그러므로 나는 침묵하노라." 『방광대장엄경』

그때에 대범천왕이 부처님 앞에 나와 오른쪽 어깨를 드러내고 오른쪽 무릎을 땅에 대고 합장 공경한 후 말했다.

"세존이시여, 먼 옛날로부터 무수한 생사고해에 머물면서 눈과 머리며 온몸을 버리어 보시를 함으로써 참을 수 없는 고통을 받으시며 도를 구하신 것은 오로지 중생을 위하는 자비심에서 나온 것이었습니다. 지금 세존께서는 비로소 위없는 도를 이루셨는데 어찌하여 침묵을 지키며 법을 설하지 않습니까. 중생들은 오랜 세월 동안 생사고해의 수렁에 빠지고 무명의 암흑 속에 떨어져 있어 뛰쳐나올 기약이 없습니다. 그러하오나 많은 중생 가운데는 지나간 세상에 선한 벗을 친하고 가까이 하여 덕의 바탕을 쌓은지라 부처님의 법을 듣고 받아 지닐 만한 사람들이 있습니다. 세존이시여, 오직 원컨대 부디 이들을 위해 큰 자비심을 내어 미묘한 법의 바퀴를 굴려주소서."「과 거현재인과경」

부처님이 안고 있던 고민, 즉 출가의 계기가 되었던 가장 큰 고민은 왜 모든 사람이 함께 행복할 수 없는가 하는 것이었습니다.

우리는 스스로를 개별적이고 독립적인 존재라고 생각합니다. 서로 시기하고 다투며 타인의 고통 위에 자신의 행복을 쌓는 것이 흔히 말하는 성공입니다. 그렇지만 아무리 그렇게 해서 성공한다고 해도 그 누구도 영원히 행복할 수는 없습니다. 서로에게 고통만 주게 될 뿐입니다.

한 손가락이 옆 손가락에게 고통을 주면 그 고통이 어디로 가겠습니까. 물론 어떤 어리석은 사람이 자기 손가락으로 자기 손가락을 아프게 할까 하는 생각도 들겠지만, 사실 우리 삶의 대부분은 이와 다르지 않습니다.

부처님은 깨달음의 순간을 새롭게 정리해 보고자 그 자리에서 계속 명상에 들었습니다. 마군과의 싸움, 신통을 통해 보았던 무한한 화엄(華嚴)의 세계, 그리고 법열 등을 반추하며 자신의 깨달음을 확인했습니다. 연기의 원리를 열두 단계로 정리해 순관·역관·유전문(流轉門)·환멸문(還滅門)의 순으로 그 구조를 정립했습니다.

그렇게 보리수 아래에서 명상에 잠겨 계실 때, 한 사문이 지나가다 부처님의 위덕 광명의 모습을 보고 묻습니다.

"사문 고타마여, 무엇을 일러 브라만이라고 하고 어떠한 법이 브라만의 법이오?"

실로 얼마나 위대한 순간입니까. 부처를 이룬 후 처음으로 정법을 설명할 기회였습니다. 질문을 한 사람은 브라만이었습니다. 부처님이 갈등과 어둠 속에서 헤매는 중생을 위해 법을 전하는 최초의 기회입니다.

그래서 부처님은 기쁜 마음으로 답변합니다.

"일체의 모든 악한 죄업을 소멸함에 브라만이라 이른다. 아첨하고 교만한 마음을 떠나 청정한 마음을 가질 것이며, 몸으로는 청정한 범행을 수행하며, 입으로 말하는 것 또한 그렇게 하는 것이 브라만의 법이다. 능히 일체 처에 탐욕을 끊어 갖지 않으면 이것을 일러 브라만이라 이름 하리라."

그러나 그 브라만은 부처님의 말씀에 실망하고 떠나갑니다. 브라만은 지배계급으로서 신분제도에 의하지 않고서는 인정될 수 없습니다.

그런데 부처님은 브라만은 본래 브라만이 아니라 올바로 수행을 해나갈 때, 그를 종교인으로서 혹은 수행인으로서 브라만이라고 한다고 밝힙니다. 아무리 핏줄이 브라만 혈통이라도 그냥 브라만이 될 수 없다고 한 것입니다. 부처님은 브라만을 사회적 지위로서가 아닌 수행자로서 규정한 것입니다. 브라만이란 지위는 계급적 지위로서 본래부터 있는 것이 아니라 사회적 조건에 따라 직업적으로 형성된 것임을 명확히 밝힌 것입니다.

이후 부처님은 고민합니다.

"오랜 고통 끝에 최상의 법을 얻었으나 내 이제 사람에게 설할 수가 없구나. 탐욕과 투쟁 속에 뱀처럼 얽혀 이 법을 주어도 받아 가질 수가 없구나."

모든 중생을 고통에서 구제할 진리를 증득했다고 생각했는데 정작 구제되어야 할 대상이 자신의 말을 이해하지 못했습니다.

이때 또 마왕이 나타나 속삭입니다.

"세존이시여, 한량없는 겁으로부터 내려오면서 고행을 하며 애써 정진해 드디어 부처를 이루셨으니 이제 열반에 드소서."

성도 전의 마왕은 고타마 내면의 업장과 사회구조의 업장이 함께 나타난 것이라면, 여기에서는 내면의 업장이라기보다 사회의 왜곡된 구조와 지배 이데올로기의 소리입니다. 그러자 이때에 하늘 세계의 제신들이 놀라서 황급히 달려와 널리 법을 전할 것을 권청합니다.

"부처님이시여, 오직 원컨대 중생을 위해 속히 일어나소서. 지혜의 광명으로 세간의 어둠을 물리쳐 중생을 청정케 하소서."

이를 듣고 부처님은 말씀하십니다.

"나의 법은 욕망 세계의 거센 물결을 역류해 거스르는 것, 오욕의 파도에 휩쓸린 중생들은 나의 법을 이해하지 못하리라."

세속의 삶은 거친 격류와 같이 흘러가는데, 부처님의 진리는 그

격류를 거슬러 올라갈 것을 요구합니다. 그래서 부처님의 가르침을 역류문(逆流門)이라고 합니다. 본래 부처님의 가르침은 흐르지도 거스르지도 않고 그대로 있건만, 탁류에 휩싸여 흘러가는 세속의 눈으로 보니 거슬러 올라가는 것으로 보일 수밖에 없습니다. 욕망의 급류에 내맡겨져 순간적인 쾌락에 이끌려 살아가는 중생으로서는 참으로 좇아가기 힘든 것임에 분명합니다.

그러자 대범천왕이 다시금 권청합니다.

"세존이시여, 먼 과거로부터 무수한 생사고해에 머물면서 참을 수 없는 고통을 받으시며 도를 구하신 것은 오로지 중생을 위하는 자비심에서 나온 것이었습니다. 중생들은 오랜 세월 동안 생사고해의 수렁에 빠지고 무명의 암흑 속에 떨어져 뛰쳐나올 기약이 없습니다. 그러하오나 많은 중생 가운데는 지나간 세상에 선한 벗을 친하고 가까이해 덕의 바탕을 쌓은지라 부처님의 법을 듣고 받아 지닐 만한 사람들이 있습니다. 세존이시여, 오직 원컨대 이들을 위해 큰 자비심을 내어 미묘한 법의 바퀴를 굴려주소서."

감로의 문을 열리라

이때에 부처님께서는 범천왕의 권청이 간절함을 아셨다. 또한 중생을 가엾이 여기고 불안(佛眼)으로 모든 세계를 내다보셨다. 거기에는 마음에 무명의 구름이 끼었으되 그것이 엷은 자가 있고 두터운 자가 있었다. 또 선근(善根)이 깊은 자가 있고 얕은 자가 있었으며, 교화하기 쉬운 자가 있는가 하면 어려운 자도 있었다. 그것은 마치 연못에 청·황·적·백의 갖가지 연화가 있고 어느 연화는 물에 잠겼으며 어느 연화는 물 위로 솟아올랐고, 어느 연화는 수면에 닿을 듯 잠겨 있거나 물에 떴으되 그 물에 젖지 않은 것과 같았다. 이같이 중생의 근기는 각양각색이었다. 부처님께서는 이를 관찰하시고 이들을 위해서 설법하실 것을 작정하셨다. 『불본행집행경』

그때에 다시 마왕 파피야스가 부처님께 다가와 말했다.

"불사안온(不死安穩)에 이르는 길을 그대가 진정 깨달았다면, 그 길은 그대 홀로 감이 좋도다. 어이 남에게까지 설하려는가. 그들은 암흑에 덮여 보지 못하고 오히려 그대를 비난할 것이오. 그대 혼자 법열을 즐기다 열반에 드는 것이 현명할 것이오." 『상응부경전』

이때 부처님이 말씀하셨다.

"너 악마의 왕인 파피야스여, 나는 본래 서원을 세워 모든 중생을 이롭게 하려고 큰 보리를 구해 한량이 없는 겁을 지나면서 애써 덕을 쌓았고, 이제 그 큰 도를 성취했노라. 그러나 일체중생이 나의 법 가운데서 아직 이치와 이익을 얻지도 못했거늘 어찌하여 속히 나에게 열반에 들라 하느냐. 또 묘한 법을 아직 말하지 못했고 세간에 삼보가 아직 갖추어지지 못했고 중생이 아직 조복되지 못했으며 한량 없는 보살들이 아직 부상정등정각의 마음을 내지도 못했거늘 어찌하여 나에게 열반에 들라 하느냐. 나의 열반은 아직 그 시기가 이르지 않았느니라."

또 부처님께서는 권청했던 여러 범천과 세상을 향해 말씀하셨다.

"내 이제 그대들의 원을 받아 마땅히 법비를 내려 감로의 문을 열리라. 청정한 믿음으로 귀를 기울이라. 기꺼이 법을 설하리라." 『방광대장엄경』

부처님은 범천과의 대화를 통해 다시금 생각을 정리했습니다. 부처님은 자신이 수행한 목적을 상기하면서 중생의 현실을 다시금 절박하게 자각하셨습니다. 범천의 소리는 바로 고통받는 중생들의 희원이었습니다. 부처님은 이 세상 사람들이 얼마나 법음(法音)을 갈망하는지를 새삼 자각하게 됩니다.

당시 인도인들의 고통과 구원에 대한 갈망은 절정에 달했습니다. 부처님만이 어둠 속에서 등불을 밝혀 그들을 구제할 수 있는 오직하나의 희망이요 의지처인 까닭에 모든 사람이 부처님 오시기를 고대하고 있었습니다.

부처님이 나무 아래에서 계속 머물렀던 것은 더 이상 법열을 즐기고자 한 것도 아니며, 부처님의 정법을 전해야 하는가 말아야 하는

가를 고민한 것도 아닙니다. 오직 고통 속에서 헤매는 중생들의 고통을 가슴 깊이 느끼며 자신이 중생 구제를 위해 이 땅에 왔다는 것을 다시금 상기하기 위한 것이었습니다. 그리고 어떻게 하면 올바로 법을 전할 수 있을까 고심했던 것입니다.

연기를 깨달았으면 대비행(大悲行), 즉 무한한 자비심은 저절로 일어나는 것이고 그것은 곧 실천적 행위로 옮겨져야 합니다. 깨달음은 끝이 아닙니다. 부처님은 몇 주 동안 여러 나무 아래를 전전하면서 중생의 입장에서 그들을 깨달음의 세계로 이끌 수 있는 방법들을 생각합니다.

여기에서 깨달음의 내용이 십이연기, 사성제, 팔정도, 삼법인으로 정리되었으며, 지금 우리가 근본 교설이라고 하는 내용들이 이때 체계화된 것입니다.

그런데 깨달음의 내용이 어느 정도 체계화되었다고 해도 아직 모든 사람에게 설득력이 있을 것 같지는 않았습니다. 그래서 부처님은 과연 어떤 사람들에게 먼저 이 법을 전해야 하는가 하고 세상을 살펴보았습니다. 세상에는 자기가 고통스럽다는 것조차 모르고 살아가는 사람이 대부분이었습니다. 물론 부처님은 자신의 진리가 그들에게 가장 먼저 필요하다고 생각했지만 그들을 설득력 있게 이해시킬 준비가 필요했습니다.

안타까운 마음으로 세상을 좀 더 살펴보니 많지는 않지만 현실의 삶을 고통으로 느끼고 그것을 극복하고자 노력하는 사람들이 있었습니다. 그들은 문제를 문제로 알기는 했으나 그대로 방치해 두면 혼자 힘으로는 문제를 풀 수 없었습니다.

부처님은 마치 연못의 연꽃을 보듯이 세상을 관찰하고는 선근이 비교적 높은 사람부터 교화 대상으로 삼기로 했습니다. 너무 서두르지 않고 차츰차츰 한 사람씩 교화해 많은 사람이 하나의 조직을 이루었을 때 구체적으로 중생을 교화하려는 생각이셨던 것입니다.

이때 다시 파피야스의 유혹이 들려오지만 부처님의 마음을 흔들지는 못했습니다. 부처님은 이제 주요한 교화 대상과 그들을 교화할 가르침을 정리하고는 하늘과 땅에 외칩니다.

"내 이제 그대들의 원을 받아 마땅히 법비를 내려 감로의 문을 열리라. 청정한 믿음으로 귀를 기울이라, 기꺼이 법을 설하리라."

전법륜의 대장정을 위한 준비

두 상인의 첫 공양을 받고

이때 부처님께서는 차리니카 숲에서 가부좌를 맺고 앉아 해탈락을 받으셨다. 부처님께서는 이렇게 7·7일이 지나도록 삼매의 힘으로 계속 계셨으니, 수자타의 우유죽 공양 이래로 드신 것이 없이 이제까지 목숨을 지탱해 오셨다.

그때 그곳에는 북인도로부터 온 두 장사꾼이 있었으니 한 사람은 이름을 타푸사라 불렀고 한 사람은 발리카라 했다. 그들은 중인도 지방에서 나온 가지가지 화물을 오백 수레에 싣고 이익을 크게 얻어 북인도로 돌아가는 길에, 마침 그 차리니카 숲에서 멀지 않은 곳을 지나게 되었다. 그때 그곳 차리니카 숲을 수호하는 수풀귀신이 몸을 감추고 소를 잡아서 앞으로 나가지 못하게 했다. 이때 상인들은 마음에 두려움을 내고 큰 근심 걱정으로 몸의 털이 모두 곤두서서, 각각 수레에서 서너 걸음 물러나서 합장하고 모든 하늘과 모든 신에게 정례하고 지극한 마음으로 이렇게 빌었다.

"비옵건대 우리에게 지금 만난 재앙과 괴변의 두려움을 빨리 멸하게 하옵시고 편안하고 다행하게 하여주시옵소서."

이때 그 숲의 수호신이 곧 색신을 나투어 그 상인들을 위로했다.

"그대들은 두려워 말라. 이곳에는 아무런 재앙도 없으니 겁내지 말라. 상인들아, 여기는 오직 부처님께서 처음으로 위없는 보리를 성취하시고 오늘 이 숲 안에 계시노라. 다만 여래께서 도를 이루시고 지금 49일이 지나도록 아직 식사를 드시지 않으셨으니 그대들 상인이 만약 때를 안다면 부처님의 처소에 나아가 공양을 올려라. 그리하면 그대들은 오랜 밤에 편안하고 안락해 큰 이익을 얻으리라."

그때 두 상인은 그 숲 신이 이렇게 말함을 듣고 각각 보리 가루·우유·꿀·경단을 가지고 모든 상인들과 함께 부처님 처소로 나아갔다. 그곳에 이르러 두 상인은 멀리서 부처님을 보니 단정하고 훌륭해 세간에 비길 데 없으며 또한 마치 허공의 뭇 별과 같이 몸의 모든 상을 장엄했다. 그들은 이를 보고 크게 공경하는 마음과 청정한 믿음으로 부처님 앞에 나아가 발에 정례하고 물러나 한쪽에 서서 함께 부처님께 아뢰었다.

"세존이시여, 원하옵건대 저희들을 어여삐 여기시어 저희들의 이 청정한 보리 가루와 우유, 꿀, 경단을 받으소서."

이때에 부처님께서는 '지난 옛날 일체의 부처님께서는 공양을 받을 때 어떻게 받으셨을까' 하고 생각하고서 곧 발우 그릇으로 받으신 것을 아셨다. 그리고 또 이런 생각을 하셨다.

'내 이제 어떤 그릇으로써 발우를 삼아 음식을 받을 것인가?'

부처님께서 이런 마음을 내자 사천왕은 각각 사방에서 금발우를 하나씩 가지고 부처님 처소에 이르러 각각 부처님 발에 정례하고 네 개의 금발우를 받들어 올렸으나 부처님께서는 이를 받지 않으시며 말씀하셨다.

"그와 같은 금발우를 받는 것은 출가자에 합당치 못한 것이다."

사천왕은 다시 은·파리·유리·진주 발우를 가져왔으나 받지 않으시고, 다시 네 개의 돌발우를 드리자 부처님께서는 이 네 개의 발우를 받아 하나로 만들어 상인들이 올리는 음식을 받았다.

그때에 부처님께서 상인들에게 주원(呪願)을 하고 수기를 주시자 상인들은 부처님의 발에 엎드려 예배하고 지극한 마음으로 귀의했다.

『불본행집경』

부처님의 전기를 보면 장자에 대한 이야기가 많이 나옵니다. 장자란 요즈음 말로 하자면 자본가입니다. 보다 구체적으로 말하면 원격지 무역을 하는 상업자본가라 볼 수 있습니다. 부처님 당시 사회 계급의 특이한 변화 중 하나는 상인계급의 급성장이었습니다. 상업의 발달과 상업 도시의 형성, 화폐의 발달 등은 소수 상인계급의 부를 급속히 축적시킴으로써 도시의 경제권을 장악하고 계급적 지위를 상승시켰습니다.

그들은 각국 도시를 돌아다니며 부를 축적했으므로 안전한 교통로 확보와 화폐 통일이 시급하게 필요했습니다. 그런데 이것은 대규모 국가가 성립되어야만 해결할 수 있는 것이므로 정치적 지배 세력과 결탁해야 했습니다. 그들은 정복 전쟁을 벌이는 크샤트리아와 결탁함으로써 보다 확고한 사회적 지위를 획득하고자 했습니다. 또한 바이샤는 사회적 이데올로기 속에서 브라만이나 크샤트리아와는 엄격한 차별이 존재했으므로 그들을 위한 이데올로기가 필요했습니다. 그래서 신흥 사상가들을 재정적으로 후원하면서 새로운 사상에 심취하게 됩니다.

재가 신도나 출가수행자 중에도 장자나 장자의 자제가 많았습니다. 재가 신도 중에는 기원정사를 기증한 수닷타 장자처럼 막강한 재정적 후원자도 있었고, 뛰어난 수행으로 중생을 교화한 유마 거사 같은 사람도 있었습니다.

부처님의 성도 후에 가장 먼저 공양을 올린 사람과 가장 먼저 제자가 된 사람이 상인이라는 것은 상징적으로 시사하는 바가 큽니다.

이들이 올린 공양은 부처님이 수자타의 우유죽을 드신 후 성도 전까지의 기간과 성도 이후 49일까지를 더해 약 석 달가량 단식한 후 드신 첫 공양입니다. 이 공양으로 부처님은 기력을 회복할 수 있었습니다.

우리는 부처님께서 첫 공양을 받으시는 광경에서 매우 중요한 것을 발견하게 됩니다. 부처님은 성도를 전후해 '과거의 모든 부처님께서는 어떠하셨는가?' 하는 의문을 던집니다. 부처님의 삶의 지표는 과거 부처님들의 모습을 따라 시작되고 있습니다.

그런데 오늘날 우리 불자들의 삶은 어떤가요? 우리가 참된 불자라면 매일매일 부딪치는 삶의 문제를 해결할 때 가장 중요한 지표가 되는 것은 부처님의 삶이어야 합니다. '부처님께서는 이럴 경우에 어떻게 결정하셨을까?'를 항상 염두에 두어야 하며, 이렇게 부처님의 삶을 따라 살고자 하는 것이 진정한 '귀의불'의 정신입니다. 모든 일을 결정할 때 나 개인의 이익을 위해 결정하는 것이 아니라 고통받는 이들을 염두에 두고 그것을 가치판단의 기준으로 삼아야 합니다. 그것이 우리가 부처님의 제자로서 부처님의 삶을 본받는 것이며, 부처님의 삶과 가르침에 위배되지 않는 것입니다.

부처님은 금·은·칠보 발우를 출가자의 법도에 맞지 않는다고 물리치시며 돌발우를 받으셨습니다. 수행자로서 수행자의 법도에 맞게 살아가고자 하신 것입니다. 한낱 걸인의 모습으로 살아가고자 하신 것입니다. 이것이야말로 모든 장애로부터 자유로워진 부처님께서 지키고자 하신 수행자의 길이며, 춘다에게 최후의 공양을 받으신 그 순간까지 평생을 살다 가신 모습입니다.

이러한 수행자의 모습이 과거 모든 부처님의 모습입니다. 진리를 찾는, 그리고 진리를 실천하고자 하는 사람은 당연히 그래야 하는 것입니다. 과거의 모든 부처님이 그러하셨는데 하물며 오늘의 우리 불자들은 어떠해야겠습니까? 우리는 부처님의 삶의 모습을 보다 구체적으로 알고, 그 삶의 의미를 올바르게 이해함으로써 삶 속에서 발생하는 많은 문제를 해결할 수 있습니다.

중생의 은혜로 떠나는 교화의 길

부처님이 깨달음을 얻기 전 수행할 때 그 숲 안에 죽어가는 한 부인이 있었으니 이름이 라사야였다. 기운이 아직 다 끊어지지 않았음에도 그 권속들이 그녀를 데려와 보리수 맞은편에서 그리 멀지 않은 곳에다 버리고 갔다.

버려진 그 부인은 멀리서 고타마가 보리수 아래서 정진하는 것을 보고 마음속으로 크게 공경하고 믿음이 나서 몸에 걸쳤던 옷을 벗어 한쪽에 놓고 고타마에게 아뢰었다.

"대성 존자여, 만약 당신이 이 정진 수행에서 일어나 번뇌 바다의 저 언덕에 이르고 스스로 원하심이 만족하시게 될 때에 만약 몸의 의복이 없거든 저의 이 분소의를 거두시어 마음대로 쓰시옵고 저를 어여삐 여기소서."

그 부인은 며칠이 지나서 목숨이 다했으되, 고타마를 향해 바른 믿음을 내었기에 기운이 다한 뒤 그 선근으로 곧 삼십삼천에 태어나 하늘의 옥녀가 됐다. 그녀는 천상에 난 뒤에 스스로 이런 생각을 했다.

'부처님께서 아직 나의 분소의를 받아 쓰시기도 전에 나는 이런 과보와 신통력을 얻었거늘 하물며 부처님께서 내 옷을 받아 쓰신다면 어찌 이 과보보다 뛰어나지 않겠는가.'

그때 그녀는 옥녀의 몸으로서 뛰어난 광명을 놓고 밤중에 부처님 처소에 이르러 부처님 발에 정례하고 물러나 한쪽에 서서 아뢰었다.

"어진 세존이시여, 제가 받든 분소의를 취하시어 마음대로 쓰시와 저를 어여삐 여기소서."

부처님께서는 그 분소의를 받으신 후 하천을 찾아서 분소의를 빨아서 말리고 입으셨다. 『불본행집경』

부처님은 이제 교화를 떠나시고자 분소의를 갖추십니다. 여기에서 분소의를 갖추시는 장면은 우리에게 또 다른 의미를 줍니다. 교화를 떠나시는 부처님께 분소의를 준 여인은 일반적인 사람이 아니었습니다. 아직 목숨이 남아 있는 상태임에도 불구하고 가족에게 버림받고 시체가 썩어가는 시타바나에 버려진 여인이었습니다.

그 여인이 살았던 나라는 마가다국입니다. 마가다국은 국력이 나날이 신장되고 있었으며, 상인들이 공양 올리는 모습에서도 보았듯이 새로운 경제 질서를 장악한 바이샤들의 부가 극대화되었던 도시국가입니다.

그 여인은 분명 브라만이나 크샤트리아는 아니었을 것이고, 또한 급성장한 바이샤도 아니었을 것입니다. 일반 농민이거나 혹은 몰락해 노예가 된 크샤트리아나 바이샤 또는 불가촉천민이었을 것입니다.

이들은 사회가 변화하면 변화할수록 오히려 고통이 가중되는 존재들이었습니다. 그러므로 부처님의 출현을 누구보다도 간절히 희원한 최하층 사람들이었으며 늙거나 병이 들면 길거리에 나앉거나 숲 속에 버려질 수밖에 없는 존재였습니다.

이들은 부처님에게 결코 단순한 존재가 아닙니다. 농경제 때 본 노예와 일반 농민, 그리고 사문유관을 통해 다가온 현실의 고통 앞에서 출가를 결심하게 만든 사람들도 바로 그 여인과 똑같은 모습이었습니다. 늙고 병들어서 비참하게 죽어갈 수밖에 없는 존재들, 숨이 붙어 있으나 자식들의 손에 들려서 시타바나에 버려지는 존재였습니다.

다 떨어진 옷 하나에 둘둘 말려서 버려진 이 여인은 썩어가는 시체 속에서 죽음을 기다리다가 수행하는 부처님을 보고 자신의 옷을 벗어 부처님께 드렸습니다. 너무 가난해서 평생 남에게 무엇인가를 베풀 기회가 없었던 그 여인은 마지막 남은 누더기 옷을 부처님께 드리고 알몸으로 죽음을 맞으려고 합니다. 이 여인은 평생 자신이 일한 만큼의 정당한 대가도 받지 못하고 살아왔으면서도 죽음을 앞둔 마지막에 자신의 모든 것을 부처님께 베풀었습니다. 세간을 움직여 나가는 것은 이와 같은 사람들입니다.

부처님은 이 옷을 받아 입고 새로운 길을 준비하십니다. 결국 부처님은 중생들의 은혜로 부처를 성취하였고, 이제 중생들의 은혜로 부처님의 깨달음을 중생들에게 실현하고자 하시는 것입니다.

진리의 북소리를 울리다

나는 부처다

이때에 부처님께서는 이런 생각을 하셨다.

'내 이제 처음으로 법을 설하고자 하노니, 모든 세간 가운데 어떤 중생이 몸과 입과 뜻이 청정해 티끌이 적고 때가 적으며 모든 얽힘이 없고 근기가 익어 날카로운 지혜로 나의 법을 어기지 않고 속히 증득할 것인가?'

그때 부처님께서는 또 이런 생각을 하셨다.

'저 라마의 아들 웃다카는 마음에 교묘한 지혜와 분별하는 총명을 오래도록 성취해, 그 마음에 비록 무명의 티끌과 번뇌의 때가 조금 있으나 모든 번뇌가 엷고 지혜가 날카로우니 내 이제 응당 웃다카에게 먼저 설법하리라. 내 설법하는 대로 그는 빨리 내 법을 증득해 알리라.'

부처님께서 이런 생각을 하고 나자 한 천왕이 공중에서 몸을 숨기고 부처님 처소에 와서 소리를 내어 말했다.

"웃다카는 그 목숨을 마친 지 이미 칠 일이 지났습니다."

부처님께서는 속마음의 지혜로 웃다카가 참으로 목숨을 다한 지 이미 칠 일이 지났음을 아시고 또 생각하셨다.

'아아 슬프다. 웃다카여, 이런 좋은 법을 듣지 못하는구나. 만약 웃다카가 이런 모든 좋은 법을 들으면 마땅히 이 법을 속히 증득했으리라.'

부처님께서는 또 알라라 칼라마를 생각했으나, 그도 간밤에 죽었다는 것을 곧 아셨다.

그때 부처님께서는 이런 생각을 하셨다.

'다섯 수행자가 있으니 그 다섯 수행자는 지난날 나에게 큰 이익을 주었으며 내가 고행할 때 나를 받들어 섬겼도다. 그들 다섯 수행자는 모두 청정하고 지혜가 날카로워 나의 최초의 법바퀴를 굴리며 설하는 바, 묘법을 받들 만해 나를 어기지 않으리니, 나는 이제 그 다섯 수행자에게 가서 처음으로 설법하리라.'

이때 부처님께서는 청정한 천안으로 그 다섯 수행자가 현재 바라나시 성 녹야원에서 수행하는 것을 보셨다. 부처님께서는 보리수에서 얼마쯤 머물다가 바라나시 성으로 향하셨다.

그때 부처님께서는 보리수 아래에서 일어나 점차로 조용히 행하

여 전타라 촌에 이르시고 전타라에서 조용히 순타사티라 마을에 이르
자, 그 중도에서 한 걸식하는 브라만인 우파카란 사람을 만나셨다.

그는 부처님을 보자 곧 부처님께 아뢰었다.

"어진 고타마시여, 당신은 온몸이 매우 청정하고 때 묻음이 없으
며 얼굴은 둥글고 광휘가 빛나서 매우 장엄해 모든 근이 적정되었나
이다. 당신은 누구를 따라 출가했으며 누구를 스승으로 삼아 가르침
을 받고 있습니까?"

이때에 부처님께서는 그에게 답하셨다.

"나는 일체를 깨달은 사람이고, 일체를 능히 아는 자이다. 모든 것
에 집착하지 않아 어떤 것으로부터도 오염되지 않아 망집과 욕망에
서 벗어난 해탈자이다. 나는 모든 번뇌를 항복받고 사악한 세력과
싸워 이긴 승자이다. 모든 것을 스스로 깨쳤으니 누구를 스승으로
받들겠는가. 나에게는 스승도 없고 스승 될 사람도 없으며 인천계(人
天界)에 나와 비견될 사람이 없다. 나는 최고의 무상정등정각을 이
루었으니 붓다라 이름 하노라."

이때 우파카는 또 부처님께 여쭈었다.

"장로 고타마시여, 어디로 가고 있었습니까?"

"내 이제 광명의 법바퀴를 굴리러 바라나시로 가노라. 맹목과 미
혹의 어둠 속에 헤매는 중생을 위해 진리의 북소리를 울리고 감로의
문을 열리라."

그때 그 브라만은 "장로 고타마여" 하고 입으로 부르짖으며 손으로

엉덩이를 두드리면서 길을 내려 부처님을 피해 동쪽으로 향해 갔다.

『불본행집경』

아무리 좋은 이야기라 하더라도 그것을 자기 혼자만 알고 있을 때 과연 그것이 무슨 의미가 있겠습니까? 또 좋은 것을 이야기해 주더라도 상대방이 이해하지 못할 때 얼마나 답답하겠습니까? 그럴 경우 우리는 가장 먼저 그것을 이해할 만한 사람을 찾게 됩니다. 자신을 인간적으로 신뢰하는 사람이거나, 자신의 사고방식과 비슷하다고 여겨지는 사람을 생각하게 됩니다. 부처님께서도 수행을 할 때 가장 뛰어나다고 생각되었던 두 스승을 생각하셨지만 이미 죽었다는 것을 알게 됩니다. 그리고 함께 수행하던 다섯 명의 수행자를 생각하셨습니다.

부처님이 다섯 명의 수행자를 만나기 위해 녹야원으로 가려면 가야 마을을 거쳐야 합니다. 여기에서 부처님은 아지비카교의 수행자 우파카를 만나게 됩니다. 아지비카교의 교주는 유명한 종교 지도자 막칼리 고살라였는데, 그는 철저한 숙명론자였으며 고행을 중시했습니다. 그의 제자 우파카는 부처님의 위용과 웅지에 심정적으로 절복하면서 스승이 누구인지를 묻습니다.

그러자 부처님은 자신에게는 스승이 없음을 말씀하시면서 선언하십니다.

"나는 모든 사람 가운데서 가장 뛰어난 사람이며, 모든 것을 아는 가장 지혜로운 사람이며, 나는 혼자서 깨달음을 얻었으므로 스승이 없다. 나는 나와 비교할 사람이 없다. 나는 부처다."

부처님은 때때로 '나는 일체승자(一切勝者)요, 일체지자(一切智者)'라는 말씀을 하셨습니다. 모든 것을 이겼으며 모든 것을 알고 있다는 뜻입니다. 무엇과 싸워 이겼습니까? 우리는 부처님이 출가 이전부터 성도 직전까지 싸워왔던 전적을 알고 있습니다. 그것은 바로 자신 속에 쌓여 있던 탐욕과 지배 욕구 그리고 왜곡된 가치관이었습니다. 그것은 마군과의 싸움을 통해 구체적으로 나타났습니다.

그러나 그것은 고타마 싯다르타라는 개인 업장만은 아니었습니다. 역사 이래 무수한 인간이 쌓아온 업장이었습니다. 무시 겁 이래로 쌓아온 인간들의 업장이 탐욕의 굴레를 만들었고, 그 탐욕의 굴레가 인간을 탐욕의 노예로 만들었습니다. 탐욕의 노예가 된 인간은 탐욕 충족을 위해 인간을 성의 도구로, 부를 쌓기 위한 노동의 도구로, 침략을 위한 전쟁의 도구로 만들었습니다. 이러한 탐욕 구조는 인간을 노예의 굴레에서 빠져나갈 수 없도록 했습니다. 그러나 부처님은 이 탐욕의 굴레에 대항해 자신의 온몸을 중생에게 보시하며 청정한 계행을 지켜 그 굴레를 벗어난 분입니다.

인간은 더 많은 욕망을 충족하기 위해 무력을 동원해서 싸우고 지배하며 공포와 살상으로 수많은 인간을 위협해 계급제도를 만들고 인간을 노예로 만들었습니다. 진심(嗔心)의 업장이 날카로운 칼날을 들이대며 인간을 노예로 만들 때, 부처님은 자비의 방패로 진심의 칼날과 싸워 승리하신 분입니다.

탐욕과 진심의 업장은 인간에게 다시금 우치(愚癡)의 업장을 씌워 욕망 충족만이 올바른 삶이라고 믿게끔 만듭니다. 찬란한 햇빛을 두터운 먹장구름으로 가리고 조금이라도 밝음이 있으면 용납하지 않음으로써 탐·진·치의 업장을 볼 수 없도록 합니다.

부처님은 이에 굴하지 않고 수많은 세월 동안 몸을 불살라가며 어둠을 밝혀왔으며 드디어 어둠의 장막을 지혜로 걷어내고 광명을 실현하신 분입니다. 모든 중생의 탐·진·치 업장과 싸워 이기신 분이며 뭇 중생을 노예로 만드는 정체가 무엇인지를 알고 그 업장과 당당히 싸워 능히 물리치신 분입니다.

위의 선언은 성도 이후 부처님께서 처음으로 자신에 대해 선포하신 것입니다. 그러나 성도 후 처음 만난 수행자는 부처님 말씀을 믿지 못하고 그냥 가버렸습니다. 아마 '풍겨 나오는 모습은 대단하지만 알고 보니 과대망상에 걸린 사람이군'이라고 생각했거나, 아니면 자신이 신뢰하던 아지비카교 입장에서 볼 때 간단하게 이해되지 않는 교의에 어리둥절했을 것입니다.

우파카의 이러한 반응은 결코 무리가 아니었습니다. 당시 사문의 지도자는 대개 나이가 많은 사람이었으며 그들은 자신이 부처라는 말은 하지 않았습니다. 그런 상황에서 젊은 수행자가 스스로 부처임을 선언한다는 것은 정말 믿기 힘든 일이었습니다. 뿐만 아니라 훌륭한 스승이 수없이 많은데 그들 중 누구에게도 지도를 받지 않고 스스로 깨달음을 얻었다니 수긍이 가지 않았을 것입니다. 부처님은 고개를 절레절레 흔들며 돌아가는 우파카의 마음을 알았지만 굳이 붙잡으려 하지 않았습니다.

갠지스 강을 뛰어넘어

이때에 부처님께서는 여러 마을을 거치며 마침내 이른 아침에 갠지스 강 기슭에 도달했다. 부처님께서는 강가에 이르자 뱃사공에게 나아가서 강을 건네주기를 청했다.

그때 뱃사공은 부처님께 말했다.

"존자여, 만약 능히 나에게 뱃삯을 준다면 나는 이제 곧 존자를 건네드리겠으나 그렇지 않으면 건네드리지 못하겠나이다. 무슨 까닭인가 하면 나는 오직 이로 인해 생활하고 처자를 양육하기 때문입니다."

이때 부처님께서는 그 말을 들으시고 신통으로 허공에 날아올라 저쪽 강 언덕에 도달하셨다.

그때 그 뱃사공은 부처님이 지나가는 것을 보고 마음에 큰 뉘우침을 내어 스스로 한탄하고 꾸짖으며 기절해 땅에 넘어졌다. 『불본행집경』

불교에서는 인간 삶의 유형을 크게 세 가지로 나눕니다. 세간의

가치를 좇아서 세간의 삶을 살아가는 인간형과 세속을 떠난 삶을 추구하는 출세간(出世間)의 인간형, 그리고 또 하나의 삶의 모습이 있습니다. 비록 출세간적 가치를 갖고 살아가지만 세간을 떠나서 사는 게 아니고, 비록 세간에 있으나 세간의 가치에 물들지 않으며, 오히려 세간의 고통받는 중생을 구원하고자 하는 삶입니다. 이는 세간을 떠났으되 출세간에 머물지 않고 다시 세간으로 돌아오는 출출세간(出出世間)의 삶을 말합니다. 즉 보살의 삶입니다.

부처님은 세간을 떠나 있었으되 결코 세간에서 고통받는 중생의 고통을 잊지 않았으며, 모든 것과 싸워 이겨서 최상의 지위에 오르신 후에도 거기에 머무르지 않고 다시 출세간을 떠나 세간으로 내려오셨습니다.

부처님은 갠지스 강에 이르러 강을 뛰어넘는 신통을 보이십니다. 허공을 날아 강을 건너뛴 이 이야기에 사람들은 상징적인 의미를 부여합니다. 성도한 뒤에 갠지스 강을 뛰어넘은 것은 현실 세계인 이쪽 언덕[차안(此岸)]에서 이상 세계인 저쪽[피안(彼岸)]으로 건너간 것, 즉 성도해 열반의 세계에 도달한 것을 상징한다고 말입니다.

그러나 우리는 오히려 그 반대로 보아야 할 것 같습니다. 출가할 때 강을 넘는 것이 속세의 모든 것을 뛰어넘은 것을 상징한다면, 성도를 하신 뒤에 또 강을 건넌 것은 다시 속세로 돌아가 그곳에서 고통받는 중생을 구원하기 위한 것으로 보아야 하지 않을까 합니다.

이미 중생의 고통을 벗어난 부처님이 과거 부처님이 그러하셨듯이 보살의 삶으로 출출세간의 삶을 살아가고자 한 것을 상징적으로 보여주신 것입니다. 이미 부처님은 출세간을 떠나 출출세간의 삶을 살아갈 것을 선언하고 계셨습니다.

"맹목과 미혹의 어둠 속에 감로의 비를 뿌리고 진리의 북소리를 울리기 위해 세상으로 간다."

교화의 첫걸음

법의 도반을 찾아서

수행하는 스님들이 발우 공양을 할 때 보면 그 절차에 따라 여러 가지 게송을 읊습니다. 그중에 맨 처음 발우를 펴고 돌리면서 하는 게송을 불은상기게(佛恩想起偈)라고 합니다. 불은상기게의 내용은 이렇습니다.

'불생가비라(佛生迦毘羅 부처님께서는 카필라바스투에서 탄생하시었고), 성도마갈타(成道摩竭陀 부처님께서는 마가다에서 도를 이루셨고), 설법바라나(說法波羅奈 부처님께서는 바라나시에서 법을 설하셨고), 입멸구시라(入滅拘尸羅 부처님께서는 쿠시나가라에서 열반에 드시었네).'

팔상성도 중 4상을 그 장소와 연관해 염송하는 것입니다.

이것은 중생을 위해 평생을 살아가신 부처님의 삶의 행적을 살펴보고 그 삶을 따라 살아가겠다는 다짐입니다. 부처님의 탄생은 중생을 구제하기 위한 구원자가 이 세상에 오셨다는 의미입니다. 그러나 부처님은 처음부터 구원자의 모습으로 우리 앞에 나타난 것이 아니라 우리 중생과 똑같은 모습으로 오셨습니다. 그러므로 부처님이 구원자로서 이 세상에 오셨다고 하더라도 중생의 고통을 극복하고 깨달음을 얻어 부처의 경지를 체득하기 이전의 35년은 부처라고 할 수 없습니다. 사문인 고타마가 도를 이룸으로써 비로소 부처가 된 것입니다. 그러므로 우리는 성도를 중요시합니다.

그러나 부처님이 도를 이루셨더라도 중생에게 그 도를 전파하지 않았다면 부처님이 이 세상에 오셨는지 안 오셨는지도 모를 일입니다. 중생에게 부처님이 부처님인 것은 그분이 우리에게 법을 설하시는 그때부터입니다. 우리에게 오셔서 깨달음의 내용을 설함으로써 의미 있는 존재가 되신 것입니다.

부처님은 중생의 고통을 해결해 주기 위해 법륜을 굴리셨습니다. 깨달음을 얻고 교화를 하지 않는 부처님을 우리는 상정할 수 없습니다. 깨달음을 얻은 부처는 교화를 통해 비로소 완전한 부처로 완성되는 것입니다. 부처의 궁극의 완성은 불국 정토의 이상 실현을 통해서만 가능합니다. 그런 의미에서 법의 바퀴를 굴리는 전법륜(轉法輪)은 중요한 의미를 갖습니다. 전법륜을 통해서만 중생에게도 열반의 문이 열리고, 고통뿐인 중생에게 불국 정토가 제시되기 때문입니다.

중생에게 열반의 길이 제시되지 않았다면, 즉 깨달음의 길이 제시되지 않았다면, 우리는 평생 부처가 될 수 없을 것입니다. 부처라는 말은 보통명사였지만 석가모니 부처님이 오시면서 보통명사가 아닌 고유명사처럼 쓰이게 되었습니다. 역사 속에서의 부처님은 석가모니 부처님 한 분을 의미합니다. 그런데 그 부처의 길은 모든 중생에게 다 열려 있는 것이므로 부처라는 말은 본래대로 보통명사가 되어야 합니다. 그래서 부처님은 입멸을 통해 육신을 가진 한 개인이 아니라 깨달음의 법신이 되는 것입니다. 이것이 부처님의 4상의 의미입니다.

불교의 깨달음은 중생을 위해 필요한 것이지 부처를 위해 필요한 것이 아닙니다. 부처를 위한 깨달음이 될 때 불교는 이미 불교가 아닙니다. 불교는 중생의 고통을 해결하기 위한 가르침입니다. 부처는 중생 모두가 부처이며 스스로 자기 삶의 주인이라는 주체적 각성의 길을 제시하고 가르쳐주는 인도자입니다. 즉, 불교는 중생을 위한 종교입니다. 부처를 위한 중생, 불교를 위한 중생이 아닙니다. 이는 마치 국가 체제를 위한 국민이냐 국민을 위한 국가 체제냐, 혹은 국민을 위한 정치냐 정치를 위한 국민이냐 하는 것처럼 근본적으로 다른 것입니다.

불교는 신의 영광을 위한 그 어떤 대상으로 중생을 설정하지 않습니다. 오로지 중생을 중심에 둡니다. 불교는 중생을 세계의 주인이 되는 길로 인도하는 종교이며, 부처는 중생을 고통에서 구원하는 인도자일 때에만 비로소 참다운 부처의 의미를 갖습니다.

부처님은 이제 스스로의 부처가 아니라 중생의 부처가 되기 위해 그 먼 길을 걸어서 바라나시까지 가십니다. 우루벨라에서 바라나시까지는 직선거리만도 200km 정도가 되며 갠지스 강을 건너야 하는 먼 거리입니다.

이 거리는 6년 고행과 목숨을 건 정진으로 지친 몸을 이끌고 가기에는 결코 짧은 거리가 아니었습니다. 경전에도 부처님은 꼬박 7일을 걸어서 가셨다고 하는데 이는 정확한 기록일 것입니다. 부처님께서 이처럼 무리를 하면서까지 바라나시로 가셨던 이유는 그곳에 다섯 수행자가 있었기 때문입니다. 부처님은 오직 다섯 수행자를 찾아 바라나시까지 지친 몸을 이끌고 맨발로 걸식을 하며 일주일을 걸어가신 것입니다. 법의 도반을 찾는 일이 얼마나 중요한 일인가를 우리는 이를 통해 알 수 있습니다.

우리는 자신의 뜻을 상대에게 전하려 할 때 오해를 받거나 무시를 당하는 수가 종종 있습니다. 부처님도 브라만에게 비웃음을 사고 우파카에게 조롱을 당했습니다. 이럴 경우 우리는 상대를 비난합니다. 그러나 부처님은 그것을 문제삼지 않으셨습니다. 진리의 법을 전하기란 쉽지 않음을 아시고 그들의 어리석음을 탓하는 것이 아니라 아직은 자신의 설득력이 부족하다고 생각하셨습니다. 그리고 자신이 깨달은 진리의 내용을 체계적이고 집중적으로 점검하기 위한 대상을 다섯 수행자로 삼으셨던 것입니다.

다섯 수행자를 만나다

이때 부처님께서는 삼마아에서 마가다에 나아가 바라나시 성의
서쪽 문으로 들어가셔서 차례로 걸식해 밥을 얻은 뒤 동문으로 나와
조용히 성 밖 어느 물가에 이르러 단정히 앉아 드시고, 식사가 끝난
뒤에 북쪽으로 향해 조용히 녹야원에 이르셨다.

그때 다섯 수행자는 멀리 부처님께서 점차 그곳에 이르심을 보자
서로 일러 말했다.

"저기에 우리를 향해 오고 있는 이는 바로 석가족의 사문 고타마
로구나. 우리는 서로 맹세하자. 그는 고행을 포기해 타락한 까닭에
선정을 상실하고 온몸이 욕망에 얽매었다. 우리는 그를 공경해 맞을
필요도, 그에게 앉을 자리를 권할 필요도 없다. 그러나 다만 그가 원
한다면 스스로 앉게는 하자." 『불본행집경』

그때에 부처님께서는 잠자코 다섯 수행자에게 나아가셨다. 부처
님의 상호는 청정원만하고 몸은 황금으로 장엄한 산과 같이 빛났으
며 크고 거룩한 덕이 있어 짝할 이가 없었다.

때에 다섯 수행자들은 부처님이 가까이 할수록 거룩한 덕에 감화
되어 편안히 앉아 있을 수가 없었으므로, 마치 조롱 속의 새가 조롱
이 불에 타면 불안해서 날뛰듯이, 스스로의 맹세를 어기고 모르는
결에 함께 일어났다. 그때 다섯 수행자들은 부처님을 위해 어떤 이

는 자리를 펴서 앉을 자리를 만들고 어떤 사람은 물을 길어와 발을 씻어드리려 하고 혹은 발우를 받으면서 스승의 예를 갖추어 맞으며 인사를 했다.

"어서 오십시오. 장로 고타마시여, 이 자리 위에 앉으소서." 『불설중허마하제경』

이때 다섯 수행자들은 부처님이 자리에 앉으신 것을 보고 부처님께 아뢰었다.

"장로 고타마시여, 신색(身色)과 피부가 대단히 좋고 청정하오며 면목이 원만하옵고 또 광명이 족하오며 모든 근이 청정하나이다. 장로 고타마시여, 이제는 좋고 묘한 감로를 만났거나 청정한 감로의 성도를 얻었습니까?"

그때 부처님께서는 곧 그들에게 말씀하셨다.

"그대들은 나를 여래라고 부를 것이요, 고타마라고 하지 말라. 무슨 까닭인가. 나는 이미 감로의 도를 발견했고, 나는 이제 감로의 법을 증득했기 때문이니라. 나는 곧바로 부처로서 일체지(一切智)를 완전히 갖추었으며 고요하고 번뇌가 없어서 마음에 자재로움을 얻었느니라."

이때에 부처님의 말씀을 들은 다섯 수행자는 곧 부처님께 아뢰었다.

"장로 고타마시여, 예전에 6년간의 극심한 고행을 하면서도 무상정등정각을 증득하지 못했거늘, 모든 성인이 수행했던 그 같은 길을 증진하지도 못했거늘, 하물며 장로께서는 지금 육신의 욕망을 좇아 나태를 내어 선정을 잃고 해태함이 몸에 얽혀 있는데 어찌 무상정등정각을 얻었다고 하십니까?"

그때에 부처님께서 말씀하셨다.

"수행자여, 그런 말을 하지 말라. 여래는 욕망에 끌리지 아니하며 선정을 잃지도 않고 또한 해태함이 몸에 얽혀 있지도 않다. 그대들은 스스로 알리라. 내 지난날 사람들에게 망령되이 거짓을 말한 것이 있는가. 또한 일찍이 상호가 이처럼 청정하고 원만히 빛나던 때가 있었는가?"

"그렇지 않습니다, 존자여."

이때에 부처님께서는 다시 말씀하셨다.

"그대들이 만약 나의 가르침을 받고자 한다면 내 그대들에게 법을 설하리라. 그대들이 나의 가르침을 받아 지녀 따르고 청정히 수행한다면 곧 해탈락을 얻으리라. 그대들이 만약 나의 가르침을 받고자 한다면 이제 조용히 법을 들을 귀를 준비하라." 『불본행집경』

모든 경전에 이 다섯 수행자는 부처님이 처음으로 전법한 사람들로 설명되어 있습니다. 그들이 부처님을 따라 6년 동안 함께 고행했으며, 부처님이 고행을 포기한 것을 보고 타락했다고 비난하며 녹야원으로 떠난 것에 대해서도 모든 경전이 일치합니다. 그러나 그들이 어떻게 부처님과 함께 6년 동안 수행했는가에 대해서는 많은 차이가 나타납니다.

크게 세 가지로 나뉘는데 그중 일반적으로 알려진 것이 '이 다섯 사람은 싯다르타 태자가 출가했을 때 태자의 신변을 보호하기 위해 석가족 가운데서 선발되어 보내진 사람들'이라는 것과 '본래는 부처님과 함께 한 스승을 모시고 수행했던 다섯 사람이었다'는 것입니다. 그들은 애초에 웃다카의 제자였지만 고타마와 웃다카의 문답을 보고는 고타마의 수행력과 위덕을 좇아 6년 고행을 함께 했다는 것입니다.

그리고 또 한 가지 흥미로운 입장이 있는데, 이 내력은 싯다르타 태자의 명명식까지 거슬러 올라갑니다. 왕자 탄생 후 닷새 되는 날 인도 관습에 따라 명명식이 거행되었습니다. 슈도다나 왕은 베다에 정통한 브라만 108명을 궁중에 초청해 맛있는 음식으로 대접한 다음 '왕자는 무엇이 되겠는가' 하고 물었습니다. 그러자 이 가운데 일곱 사람이 왕자의 장래를 두 가지로 예언합니다.

"이 상호를 갖춘 분이 가정생활을 한다면 전륜성왕이 되며 출가를 한다면 부처가 될 것입니다."

그런데 그중에서 가장 젊은 카운디냐는 "이분이 가정에 머물러 있을 리가 없습니다. 틀림없이 출가해 번뇌의 멍에를 벗기는 부처가 될 것입니다" 하고 왕자의 장래에 한 가지 길만이 있음을 예언했습니다.

그 뒤 일곱 브라만들은 각자 집으로 돌아가 자기 아이들을 불러서 말했습니다.

"애들아, 슈도다나 왕의 궁전에 왕자가 탄생했는데 앞으로 그가 부처가 될 것이다. 우리는 나이를 먹었으니 그것을 배견할 수 있을지 알 수 없다. 그분이 일체지를 획득해 부처님이 되거든 너희도 그분의 교단에 들어가 출가하거라."

태자의 명명식에서 예언을 한 일곱 사람은 각자 수명대로 살고 이 세상을 떠났으나 카운디냐는 왕자가 출가를 할 때까지 살아 있었습니다. 그는 왕자가 출가했다는 소식을 듣고 일곱 브라만의 아들들에게로 달려갔습니다.

"싯다르타 왕자가 출가했다고 합니다. 그대들의 아버님이 만약 살아계셨다면 반드시 그분을 좇아 출가할 것입니다. 그대들도 원한다면 출가하십시오. 나는 그분을 좇아 출가하겠습니다."

일곱 사람 중에 세 사람은 출가하지 않았으나 네 사람은 늙은 카운디냐 브라만을 따라 출가했습니다.

이 내용이 오히려 역사적 사실에 가깝지 않을까 합니다. 그러나 그러한 것이 큰 의미를 갖지는 않습니다. 중요한 것은 그들이 비록 지금은 부처님을 비난하고 등을 돌린 상태지만 고행 기간의 유일한 동료였으며 누구보다도 사문 고타마를 신뢰했던 사람들이라는 것입니다. 이제 부처님은 옛 도반들을 찾아 먼 길을 마다 않고 오신 것입니다.

부처님이 멀리서 찾아오신 바라나시 성은 옛 카시국의 수도였습니다. 카시국은 비록 작기는 했으나 마가다국보다 오래된 나라였습니다. 그 당시 아리아인의 문화 중심지는 마가다국이었으나 그 이전에는 카시국이 정신적으로나 물질적으로 인도 문명의 중심지였습니다.

『본생경』에 '바라나시는 인도의 중심지이다'라고 씌어 있을 만큼 이전부터 바라나시의 문화적 영향력은 전 인도를 제압하고 있었던 모양입니다. 부처님의 탄생 장면 중 제신들이 부처님을 받을 때 카시산(産) 천을 사용했다는 설명이나, 싯다르타 태자가 얼마나 고급스럽고 사치스런 왕궁 생활을 했는가를 설명할 때 카시산 비단을 사용했다는 것을 보면 직조업이 특히 발달했던 것 같습니다.

부처님은 바라나시에 도착해 걸식을 하신 후 다섯 수행자가 수행하는 녹야원으로 갔습니다. 그들은 아직도 고행을 유일한 수행법으로 삼아 고행하고 있었습니다.

다섯 수행자가 처음엔 부처님을 보고는 인사도 하지 말자고 약속했지만 부처님의 위의를 보고 감복해 부처님께 스승의 예를 다한 것은 참으로 놀랍습니다. 부처님의 교화 과정을 보면 교설을 통한 설복뿐 아니라 이처럼 그 위의에 감복해 머리를 숙이고 감화된 경우가 많이 보입니다.

경전에 보면 어떤 이는 부처님이 걷는 모습을 보고 그 걸음이 흐트러짐 없이 당당한 모습에 감복하기도 하고, 빛나는 상호를 뵙고 스승의 예를 갖추는 경우도 있습니다. 참다운 인격자는 이론을 떠나서 몸과 행동 전체로 그 위대함을 느낄 수 있게 하는가 봅니다.

이들 다섯 수행자가 스승의 예를 갖추어 인사하자 부처님은 고타마라는 세속의 호칭으로 불리기를 거부하며 '나를 여래라 부르라'고 하십니다. 이제 세속의 모든 가치와 삶의 방식을 벗어난 존재임을 선언한 것입니다.

초전법륜

"수행자들이여, 잘 알아야 한다. 출가수행자에게는 반드시 버려야할 두 가지 장애가 있다. 무엇이 두 가지 장애인가? 첫째는 마음이 욕망의 경계에 집착해 쾌락에 빠진 것이니 이는 어리석은 범부들이 찬탄하는 바이며 출가인의 숭고한 목적을 위해서는 무익한 것이다. 또하나는 자신의 육체를 스스로 괴롭히는 것에 열중해 고행에 빠지는 것이니, 이는 출가의 목적과 수단을 전도한 것으로 심신이 모두 고통의 과보에 떨어질 뿐 출가인의 숭고한 목적을 위해서는 버려야 할 것이다. 이 두 가지는 해탈의 원인이 아니며 욕망을 소멸하는 원인이 아니며 부처를 성취하는 원인이 아니므로 반드시 버려야 한다. 수행자들이여 여래는 이 두 가지 치우침을 버리고 중도의 길을 깨달았다."

"수행자들이여, 중도란 무엇인가? 이는 여덟 가지 성스러운 길[팔정도(八正道)]을 말함이니, 곧 바른 눈[정견(正見)], 바른 관찰[정사유(正思唯)], 바른 말[정어(正語)], 바른 행위[정업(正業)], 바른 생활

〔정명(正命)〕, 바른 노력〔정정진(正精進)〕, 바른 집중〔정념(正念)〕, 바른 마음의 통일〔정정(正定)〕이니라. 이 중도는 모든 것을 바르게 보고 바르게 알 수 있는 통찰력과 직관이므로 지혜를 낳아 범부의 눈을 뜨게 하고 마음의 평화와 진리의 크나큰 체험으로 열반을 성취케 하리라."

부처님께서는 이어서 고집멸도의 네 가지 거룩한 진리〔사성제(四聖諦)〕를 말씀하셨다.

"수행자들이여, '괴로움'이라고 하는 진리〔고제(苦諦)〕가 있다. 태어나는 것도 괴로움이며 늙는 것도 괴로움이며 병을 앓는 것도 괴로움이며 죽는 것도 괴로움이다. 근심과 걱정과 슬픔과 안타까움도 괴로움이다. 미워하는 사람끼리 만나는 것도 괴로움이며 사랑하는 사람과 헤어지는 것도 괴로움이다. 바라는 것을 얻지 못하는 것도 괴로움이며, 우리의 인생 전부가 괴로움이다.

수행자들이여, 이와 같은 '괴로움이 생기는 원인'을 말하는 진리〔집제(集諦)〕가 있다. 미혹한 생존을 있게 하고, 기쁨과 탐욕을 동반하고, 모든 것에 집착하는 애욕과 갈망이 곧 괴로움의 원인이다. 그것은 정욕적인 애욕과 생존에 대한 갈애와 생존이 없어질까 봐 집착하는 갈망의 셋이다.

수행자들이여, 이 같은 '괴로움이 소멸'된 진리〔멸제(滅諦)〕가 있다. 이 갈애를 남김없이 없애고 버리며 떠나고 벗어나 집착하지 않는 것이다.

수행자들이여, '괴로움을 소멸시키는 길'인 진리[도제(道諦)]가 있다. 그것은 여덟 가지 거룩한 실천이다."

"수행자들이여, 괴로움에 대한 거룩한 진리를 발견하고 그것을 바로 알아 철저히 인식해야 하며, 괴로움의 원인을 발견하고 그것을 끊어버려야 한다. 괴로움이 소멸된 경지를 증득하고자 괴로움을 없애는 길을 발견하고 그것을 실제로 실천해야 한다. 나는 이 네 가지 거룩한 진리를 각각 세 가지 단계로 나누어 바르게 알고, 소멸시키고, 닦고, 증득함으로써 부처가 되었다. 이 네 가지 법은 다른 이로부터 듣거나 스스로 만들어낸 것이 아니요, 세상의 법을 수순해 이치대로 관(觀)함으로써 지(智)가 생기고 눈이 뜨여서 두루 밝게 살핌으로써 혜(慧)가 생겨서 광명을 얻었느니라."

"수행자들이여, 세상 사람들은 고통의 바다에 빠져 있나니[고(苦)], 이 고통은 잘못된 탐욕과 집착 때문에 생기는 것이다[집(集)]. 그런 까닭에 눈을 떠서 이 탐욕과 집착의 뿌리를 뽑아버리면 고통을 벗어나 무한 생명의 기쁨을 성취하리니[멸(滅)], 그대들이 여덟 가지 성스러운 길[팔정도(八正道)]을 힘써 행하여 닦으면[도(道)], 누구든지 눈을 뜨고 큰 깨침을 얻을 것이다[사성제(四聖諦)]. 『불본행집경』

고통을 극복하는 실천론, 사성제

우리는 흔히 부처님의 말씀을 팔만사천법문이라고 합니다. 부처님은 사람에 따라 상황에 따라 무수히 다른 표현으로 설법을 하셨기에 그 많은 법문이 생겨난 것입니다. 그 무수한 법문을 관통하는 한 가지 원칙은 모든 말씀이 중생의 고통을 극복하게 하는 실천론이라는 것입니다.

부처님 말씀 중에 고통의 문제를 떠난 것이 있다면 그것은 부처님 말씀이 아닙니다. 아무리 고도의 논리와 형이상학적 학설로 훌륭히 설해져 있다 해도 중생의 고통을 해결하는 문제와 관계가 없다면 그것은 부처님의 뜻에 어긋난 것입니다.

철저한 실천론인 부처님의 가르침은 대략 네 가지로 분류할 수 있습니다.

첫째, 우리의 삶이 모두 고통 그 자체임을 자각하라는 가르침입니다. 우리는 우리의 삶이 고통인 줄도 모르고 살아갑니다. 마치 우물 속에 매달린 사나이가 시시각각으로 다가오는 죽음의 위기 속에서도 꿀 한 방울의 달콤함에 취해 그 현실을 잊고 있는 것과 같습니다.

고통의 해결은 그것이 고통인 줄 아는 사람에 의해서만 가능합니다. 목마른 사람이 우물을 파는 것과 같습니다. 경전 곳곳에는 우리의 삶이 고통이라는 것을 증명하고자 수많은 예와 사건을 들어 설명하면서 쾌락에 빠진 삶을 경계하고 있습니다. 부처님은 우리의 삶이 고통스러운 현실임을 올바로 인식시키고자 노력하십니다.

둘째, 부처님은 이러한 고통의 원인이 무엇인가를 명확히 가려 밝혀주십니다. 아무리 현실을 고통이라 여기더라도 그 원인이 무엇인지 모른다면 그 고통을 해결할 수가 없습니다. 고통의 원인을 모르는 채 고통의 현실만을 인식한다면 그것 또한 괴로운 일입니다. 그러므로 고통의 원인을 바로 볼 수 있는 방법을 제시하고 계십니다.

셋째, 부처님은 우리의 고통과 고통의 원인이 모두 소멸된 세계에 대한 확신을 심어주십니다. 고통스러운 현실을 올바로 인식하고 그 원인을 파악했다 하더라도 만약 그것이 해결될 가능성, 즉 희망이 없다면 자포자기하게 될 것입니다. 그러나 고통스러운 현실은 반드시 소멸될 수 있다는 것 역시 명백한 진리임을 보여주십니다.

넷째, 고통을 해결하고 해탈의 세계를 이룰 수 있도록, 즉 고통의 원인을 제거할 수 있는 방법을 제시하셨습니다. 고통을 해결하는 길, 이것은 부처님 말씀 중에서 가장 많은 비중을 차지하고 있습니다.

팔만사천법문은 모두 이같이 현실의 삶이 고통이라는 것을 인식하고, 그 고통의 원인을 밝히고, 그 고통이 해결된 해탈의 경지를 보여주고, 그리고 해탈의 길을 제시하고 있습니다. 이것이 바로 고집멸도의 사성제입니다.

중도와 팔정도

고통을 극복하고 해탈에 이르는 데 가장 중요한 것은 바로 방법의 문제입니다. 그 방법이 중도이고 팔정도입니다. 중도는 고통의 현실과 그 원인을 올바르게 파악함으로써 올바른 방법을 도출할 수 있도록 해줍니다. 이 중도 사상에 입각해서 세상을 볼 때 세상은 연기적으로 구성되어 있음을 알 수 있습니다. 이 세상을 연기적으로 볼 때야말로 중도적 인식이 생깁니다. 연기가 곧 중도이고 중도가 곧 연기입니다.

부처님께서 깨달으신 뒤 우리에게 처음 주신 가르침은 '내가 깨달은 세계는 이러한 것이다'라는 설명이 아니었습니다. 어떻게 하면 깨달을 수 있는가, 현재 내가 안고 있는 문제는 무엇인가, 그리고 그 문제의 원인이 무엇이고 어떤 식으로 극복할 수 있는가 하는 실천의 방법, 즉 중도·사성제·팔정도를 먼저 말씀하셨습니다.

부처님이 보리수 아래에서 깨달으신 진리의 내용은 물론 연기(緣起)입니다. 그러나 부처님께서 온갖 난관을 헤치고 산꼭대기에 올라가서 보신 진리의 모습, 즉 연기란 이 세상의 참모습이긴 하나 깨닫지 못한 사람에게는 한낱 경치일 뿐입니다. 우리에게 중요한 것은 산꼭대기에 올라가서 보니 세상 경치가 어떻더라 하는 얘기가 아닙니다. '어떻게 하면 산꼭대기에 올라갈 수 있는가' 하는 방법입니다.

그런데 그 산꼭대기에 올라가는 방법은 여러 가지가 있을 수 있습니다. 그래서 부처님께서 우리에게 가르쳐주신 가르침이 팔만사천 가지의 방편설이 되는 것입니다. 각각의 사람마다 갖고 있는 문제가 다르므로 개인에 따라 깨달음을 얻기 위한 여러 가지 길을 열어서 보여주셨다고 할 수 있습니다. 그 길을 따라 우리 스스로 깨달음의 경지에 도달하면 그 세계가 어떻다는 것은 더 이상 설명할 필요도 없을 것입니다.

부처님의 삶의 자취가 그대로 '실천론'입니다. 부처님은 언제나 각각의 사람들의 조건과 요구와 정서에 맞게끔 설법하셨습니다. 그래서 부처님이 대중을 모아놓고 강연식 법문을 하셨다는 기록은 별로 없습니다. 부처님은 개인이나 두세 명이 같은 문제를 갖고 있는 상황에서는 대화와 상담 형식으로 문제를 해결했습니다. 그러나 어느 정도 기초적인 자기 문제가 해결된 상태에 이른 대중이 있을 때, 즉 승가에서는 주로 대중 강연을 하셨습니다.

그러므로 부처님의 가르침은 일반 대중이나 개인 또는 소수의 모임에서는 대화식으로 전개되는 경우가 더 많았습니다. 사실 경전이란 이런 상담 내용을 듣고 기록해 놓은 것이라고 하겠습니다. 어떤 여인을 만났거나, 살인강도와 만났거나, 왕과 만났거나 하는 개인과의 대화, 혹은 성격이 비슷한 사람과의 대화 등으로 모아져 있습니다.

부처님이 가르침을 처음 펴신 초전법륜 때에도 가장 실천적 원리인 중도를 말씀하셨습니다. 그리고 중도의 구체적 실천 세목으로 팔

정도를 말씀하시고, 실천론의 전체적인 인식과 실천 체계로서 사성
제를 말씀하셨습니다.

부처님의 초전법륜 내용이 중도라는 데에는 또 다른 의미가 있습
니다. 이 중도의 내용은 쾌락주의와 고행주의에 대한 부정이었습니
다. 한마디로 다섯 수행자가 하고 있는 수행 방법의 문제점을 지적
한 것입니다.

그때까지 그들은 자신들이 고행을 지속하고 있다는 것 자체에 의
미를 두고 위안으로 삼았던 것입니다. 진리를 얻고자 하는 투철한
목적의식보다는 고행이라는 방법에 매몰되어 출가 목적을 상실한
채 고행 그 자체에 안주해 있었습니다. 그러므로 부처님은 출가 목
적을 달성하기 위해서는 쾌락주의는 물론이고 고행주의도 올바른
방법이 아니라고 말씀하시는 것입니다. 그러나 아직 다섯 수행자는
이를 이해하지 못했습니다. 그래서 부처님은 팔정도와 사성제를 말
씀하십니다.

진리를 함께 나누는 기쁨

부처님이 이러한 법상(法相)을 말씀하실 때, 수행자 카운디냐는
부처님의 법음을 모두 자신의 것으로 받아들였다. 카운디냐는 곧 그
자리에서 번뇌의 티끌을 제거하고 업장의 때를 닦아내어 청정한 지

혜의 눈을 떴으니 마치 더러운 때가 없는 깨끗한 옷이 물들이는 대로 그 빛을 받아들이는 것과 같았다. 이때 부처님께서는 카운디냐가 여래의 교법을 처음으로 이해하는 것을 보고 큰 기쁨으로 말씀하셨다.

"오, 카운디냐는 깨달았다. 카운디냐는 정각을 얻었다. 여래의 교법은 깊고 깊어 말로는 다할 수 없고 오묘하고 적정해 이름 붙일 수도 없다. 이제 가장 뛰어난 카운디냐가 여래의 진리에 법안을 밝히니 이제 부처의 법이 그 빛을 찾았구나."

이때 모든 신 중에 땅의 신들이 이를 보고 듣고 일시에 크게 외쳐 선언했다.

"모든 하늘이여, 들으라. 오늘 부처님께서 바라나시 성 녹야원에서 위없는 미묘한 법바퀴를 굴리시도다. 일체 세간의 어떤 사문이나 브라만이나 천상의 범천이나 마군이나 그 누구도 참으로 이런 법바퀴를 굴릴 수 없으리라. 이 여래의 교법은 그 누구에 의해서도 결코 뒤집어질 수 없으리라."

이때 사문 카운디냐는 법안을 열어 여실히 모든 법을 보고 알았으며, 여실히 모든 법을 증득했다. 또한 여실히 욕망의 깊은 계곡을 건넜고 번뇌의 험한 벼랑을 건넜고 혼돈과 의혹은 숲을 건넜고 마음 가운데 결정코 걸림이 없어 이미 두려움이 없음을 얻었으니, 남에게 배운 것이 아니라 여래의 위신력이었다. 그때 카운디냐는 그 법행을 알고 자리에서 일어나 부처님 발에 정례하고 오른 무릎을 꿇고 합장한 채 부처님께 아뢰었다.

"위대하신 세존이시여, 저는 세존의 법에 들어가겠사오니 세존께서는 저를 건지시와 구족계(具足戒)를 주시고 비구가 되게 해주소서."

그때 부처님께서는 카운디냐에게 이르셨다.

"어서 오너라. 법은 이미 잘 설해졌다. 그대는 괴로움의 뿌리를 뽑을 때까지 청정한 수행을 하라." 『불본행집경』

카운디냐의 깨달음으로 부처님의 삶은 새로이 탄생하게 됩니다. 부처님은 중생을 깨달음의 경지에 들게 함으로써 비로소 부처가 된 것입니다. 부처님은 카운디냐로 말미암아 비로소 부처가 되었음을 스스로 확인하셨던 것입니다.

우리나라의 독립운동가요 불교 사상가이며 탁월한 시인이셨던 만해스님은 이러한 부처와 중생의 관계를 정확하게 밝히고 있습니다.

'님만 님이 아니라 기룬 것은 다 님이라. 중생이 석가모니의 님이라면 철학은 칸트의 님이다.'

부처의 님은 중생입니다. 부처를 부처 되게 할 수 있는 것은 바로 중생이고, 중생이 부처를 외면했을 때는 부처가 부처일 수 없습니다.

부처님은 자신이 증득한 진리를 고통받는 중생과 함께 나누며 그들이 스스로 고통에서 벗어나기를 바랐습니다. 그래서 부처님은 카운다냐가 처음으로 여래의 교법을 이해하는 것을 보고 크게 기뻐하셨습니다. 마치 죽음의 우물 속에서 시시각각 죽음의 벼랑으로 떨어져가는 외아들에게 아무리 손을 내밀어 잡아주려 해도 아들은 꿀맛에 도취되어 손잡기를 거부하다가, 쉬지 않고 외치는 아버지의 목소리에 드디어 자신의 처지를 깨닫고 그 손을 덥석 붙잡고 우물 밖으로 나왔을 때 아버지가 느끼는 기쁨과 같았을 것입니다. 부처님이 카운디냐의 환희에 찬 눈동자를 보고 느꼈던 기쁨은 보리수 아래서 정각을 이루셨을 때의 기쁨만큼이나 큰 것이었습니다.

부처님은 그들을 만나자마자 설복시키기 위한 논리를 펴지 않았습니다. 그들은 이미 사문 고타마에게 크게 실망을 하고 있었기 때문입니다. 섣불리 말을 꺼냈다가는 자기 합리화를 위한 변명 정도로밖에 취급받지 못할 것이었습니다. 부처님은 우선 위의로서 그들의 감복을 받은 후 그들과 같은 자리에서 선정에 들었습니다. 수행자들은 부처님이 더 이상 옛날 자기들과 함께 고행을 했던 사문 고타마가 아니라는 것을 느꼈습니다.

밤이 깊어가면서 수행자들은 점차 부처님의 거룩한 모습에 빠져들었고 부처님의 말씀을 듣기 위해 마음의 문을 열었습니다. 부처님은 이 기회를 놓치지 않고 깊은 밤 녹야원에서 진리를 위해 빛나는 열 개의 눈동자에서 뿜어져 나오는 구도적 정열을 받아 거룩한 자비로 충만한 눈을 빛내시면서 진리의 법륜을 굴리기 시작하였습니다.

깨달음을 위한 치열한 담론 끝에 새벽이 밝아올 즈음 카운디냐가 먼저 깨달음을 얻습니다. 부처님은 자신의 깨달음이 모든 중생에게 해탈을 줄 수 있음을 확신하고 카운디냐만큼이나 기뻐하며 외칩니다.

"카운디냐는 깨달았다. 카운디냐는 깨달았다."

그래서 카운디냐는 이후 '깨달은 카운디냐'라는 뜻으로 '아즈냐타 카운디냐'라고 불리게 되었습니다.

그러자 모든 제신 중에서 지신(地神)이 먼저 이를 알고 선언합니다.

"이 가르침[법(法)]은 브라만에 의해서도, 천인에 의해서도, 또는 마나 범천이나 세간의 누구에 의해서도 번복되지 않을 것이다."

경전에 나오는 지신은 항상 증명을 하거나 증인 역할을 합니다. 누구도 번복할 수 없는 증인입니다. 지신은 부처님과 마왕의 치열한 싸움 장면에서도 부처님 쪽 증인으로 나왔었습니다.

카운디냐는 기쁨이 가시기 전에 부처님의 발 앞에 엎드려 오체투지하며 희열에 찬 목소리로 부처님께 귀의해 법의 제자가 되고자 청합니다.

"세존이시여, 원컨대 세존 앞에 출가해 계를 받고자 하나이다."

부처님은 이를 기쁘게 맞이하십니다.

"어서 오라, 비구여. 법은 잘 설해졌다. 고의 근원을 없애기 위해 청정한 행을 닦으라."

불법승 삼보의 완성

그리고 부처님께서는 나머지 네 수행자를 위해 각각의 근기에 맞추어 가르침을 설했다. 이때에 네 수행자 중에서 카운디냐의 뒤를 이어 바드리카와 바슈파가 청정한 법안을 얻어 부처님께 귀의하고 구족계를 받았다. 이때에 다섯 사람은 언제나 걸식을 행했는데 부처님께서 오셔서 가르침을 받는 동안은 그들 중에 이미 정각을 얻은 세 사람이 마을로 내려가 걸식을 하고, 아직 법안이 열리지 않은 두 수행자는 오직 부처님의 가르침을 받는 것에만 진력했다. 그 뒤에 세 사람이 걸식을 해 밥을 얻어오면 부처님과 함께 여섯 사람이 같이 공양을 했다.

부처님께서는 나머지 두 수행자의 닫힌 눈을 뜨게 하고자 전념했으며, 부처님께서 여래의 교법을 나타내 보일 때 마하나만과 아슈바지트 또한 차례로 청정한 법안이 열려 아라한의 경지에 이르게 되었다. 이 두 수행자 역시 부처님께 귀의해 계 받기를 원했으며 부처님 또한 이들에게 계를 주었다. 『불본행집경』

이때에 삼보가 출현했나니 석가세존께서는 불보(佛寶)가 되고 전법륜의 가르침은 법보(法寶)가 되고 부처님과 다섯 수행자는 승보(僧寶)를 이루었다. 『방광대장엄경』

그러나 부처님과 카운디냐는 이 감격에 머무르지 않고, 이후 밤낮

을 가리지 않고 진리의 담론을 지속해 나머지 수행자도 깨달음을 얻어 계를 받습니다. 마지막으로 깨달음을 얻은 아슈바지트는 후에 사리푸트라가 그의 청정 고결한 모습에 감복해 부처님께 귀의하는 계기가 됩니다.

부처님과 다섯 비구와의 관계를 통해 우리는 최초로 승가가 형성되는 모습을 알 수 있습니다. 비록 여섯 명의 아라한으로 형성된 승가였으나 이후 수천 년 동안 전 세계 인류의 사상적 지도를 하게 될 승가의 원형이 형성된 것입니다.

카운디냐 등 다섯 수행자를 만나기 전까지는 깨달은 부처님만이 계셨습니다. 아직 중생의 부처는 아니었습니다. 부처님의 법 또한 다섯 수행자에게 설해지기 전에는 부처님에게만 존재할 뿐이었습니다. 중생이 깨달음을 얻지 못한다면 그것은 결코 중생을 위한 법이 될 수 없습니다. 부처님이 법을 설해서 법이 있는 것이 아니라 중생이 그 법으로 깨달음을 얻었기에 법이 그 의미를 찾게 되는 것입니다.

불법승 삼보는 부처님이 카운디냐 등과 만나고 그들이 깨달음을 얻음으로써 완성됩니다. 다섯 수행자가 깨달음을 얻음으로써 법은 법으로서의 의미가 있는 것이며, 드디어 부처는 중생의 부처로서 완성된 것입니다.

이는 사상적으로 보면 법이 불교의 핵심이고, 인격적으로 보면 불(佛)이 핵심이지만, 우리 중생계에 있어서는 승가가 발생함으로써 삼보가 완성됨을 의미합니다. 이는 오늘날 우리에게 승가의 의미를 재인식시켜 줍니다.

불과 법은 그 자체가 본래 청정해 결코 오염될 수 없는 것이지만, 우리 중생에게는 아무리 불법이 위대해도 승가가 진리의 구도적 정열로써 충만해 청정과 화합으로 유지되지 않으면 그 의미가 살아나지 않습니다. 승가가 세속의 이익과 분쟁으로 물들 때 승가는 물론 부처님과 법 역시 그 의미를 상실하거나 왜곡될 수밖에 없습니다.

야사의 출가와 차제설법

재가자로서의 첫 출가자 야사

그때는 부처님께서 바라나시에 계시며 처음으로 위없는 법의 바퀴를 굴린 뒤였다. 부처님께서는 이른 아침에 가사를 입고 발우를 들고 장로 아슈바지트와 함께 바라나시 성으로 걸식하러 들어가셨다. 이때에 바라나시 성에는 구리가라는 큰 부호 장자가 살고 있었는데 그에게는 야사라는 총명한 아들이 있었다.

이때 야사는 부모가 지어준 전당 안에서 오욕의 쾌락을 구족하게 받고 소요하고 노닐다가 날이 밝을 무렵 네 마리의 말이 끄는 수레를 불러 타고 동산에 가서 좋은 곳을 구경하러 다녔다.

그때 야사는 멀리 부처님께서 그의 앞으로 오시는 것을 보았다. 부처님께서는 그 위의가 단정하고 걸음걸이가 침착하고 몸은 구족하게 모든 상으로 장엄해 마치 허공에 별이 가득한 것과 같았다.

야사는 광휘가 빛나고 위의가 거룩하신 부처님을 뵙자 마음속 깊은 곳으로부터 기쁘고 청정한 마음이 솟구쳐 올라 자신도 모르는 사이에 스스로 수레에서 내려와 부처님 앞으로 나아갔다. 부처님 앞에 나아간 야사는 부처님의 발에 머리를 대고 엎드려 정례하고 오른쪽으로 세 번 도는 예를 취한 후 부처님 앞을 물러났다. 그때에 부처님께서는 장로 아슈바지트에게 말씀하셨다.

"아슈바지트야, 이 야사 선남자는 오늘 밤에 출가해 내 곁에 와서 사문이 되기를 청할 것이요, 사문이 되고 나서는 머지않아서 아라한 과를 얻으리라." 『불본행집경』

부처님의 45년 교화 과정은 모두 중요하고 의미가 있지만, 그중에서도 특히 야사의 출가는 특별한 의미를 갖습니다. 야사의 출가로 말미암아 55명의 집단 출가가 처음으로 이루어졌기 때문입니다. 그리고 야사가 일반인으로서 첫 출가자라는 점도 큰 의미가 있습니다. 이것은 부처님께서 정각을 이룬 뒤 욕망의 세계에서 헤매는 중생을 어떻게 교화할 것인가에 대한 깊은 성찰과 심사숙고가 결실을 맺은 것이기 때문입니다.

물론 부처님은 카운다냐 등 다섯 수행자를 만나 법을 전하는 데 이미 성공을 거두셨습니다. 그러나 이 다섯 수행자는 수행의 정도가 높은 사문들이었습니다. 그들은 부처님께서 가장 올바른 길이라고 믿고 전념했던 수행 방법을 함께 했던 사람들이었으므로 부처님은 그들의 입장과 논리의 문제점 및 한계를 분명히 알고 있었습니다. 그러므로 그들의 문제를 극복하고 교화할 수 있는 적절한 논리와 방법들을 꿰뚫고 있었습니다. 더구나 부처님은 우루벨라를 떠나 녹야원에 오실 때까지 다섯 수행자를 교화할 방법을 생각하면서 오셨습니다. 그래서 부처님이 고행의 한계를 극복할 수 있었던 중도 사상과 팔정도, 사성제를 중심으로 그들을 교화할 수 있었던 것입니다. 하지만 야사의 경우는 달랐습니다.

예를 들어서 자신의 기득권을 버리고 구도적 자세로 불교운동이나 사회운동에 매진하는 사람이 잘못된 길을 가고 있을 때에는 그들의 문제를 논리적으로 지적하고 올바른 길을 제시하면 곧 올바른 길로 이끌 수가 있습니다. 그러나 현실의 왜곡된 삶 속에서 욕망의 가치에 깊이 경도된 사람을 사회운동이나 보살의 삶으로 이끌기란 결코 용이한 일이 아닙니다.

즉 부처님은 수행의 길과는 거리가 먼 야사를 교화함으로써 일반인을 교화할 수 있다는 자신과 확신을 갖게 되었습니다. 그 후 부처님은 일반 대중의 교화에 야사에게 하셨던 설법의 형식을 많이 사용하십니다. 이것을 차제설법(次第說法)이라고 합니다.

야사는 바라나시의 부호인 구리가 장자의 맏아들로 태어났습니다. 구리가 장자는 새로이 급성장한 바이샤로 브라만 사상에 강한 거부감을 가진 사람이었습니다. 그의 이러한 성향은 야사가 태어나는 과정에서도 나타납니다. 구리가 장자는 조그마한 성의 성주와 비교해도 손색이 없을 만큼 막대한 부와 세력을 누리고 있었으나 자녀가 없었습니다. 그래서 주변 사람들은 영험이 많은 니그로다 나무에 빌어보라고 권유했습니다.

바라나시의 성에서 교외로 나오면 멀지 않은 곳에 니그로다 나무가 한 그루 있었는데, 그 나무는 성스러운 신의 나무라 해서 성 안팎에 사는 사람들은 물론이고 왕이나 관리들도 나라에 흉년이나 흉사가 발생하면 제사를 지내고 섬겼습니다. 아마 우리나라의 성황당 나무와 비슷했던 모양입니다.

이 니그로다 나무는 '소원대로 이루어주는 신의 나무'라고 불리었습니다. 이러한 나무 신에 대한 숭배는 드라비다족의 토템 신앙이 아리아족의 침략 후에도 민중 신앙으로 명맥을 유지하던 것을 브라만교에서 흡수한 것입니다.

그러나 구리가 장자는 '그 나무는 말이 없고 정신이 없는데 어찌 그런 일이 있겠는가. 그 나무가 아들딸을 소원대로 낳게 해준다는 것은 말이 안 된다. 무릇 아들딸은 부모의 선업 인연과 복력으로 얻는 것이다'라며 거부했습니다.

제사에 의한 공덕과 과보를 부정한 것은 브라만 사상에 대한 불신을 표현한 것이고, 부모의 선업을 말하는 것으로 보아 우파니샤드 사상의 영향도 받은 것 같습니다. 그리고 나무는 아는 것이 없고 정신이 없으므로 소원을 이루어줄 수 없고 인간 스스로의 복력으로 자식을 얻어야 한다는 것은 일반 사상계의 영향을 강하게 받은 것으로 보입니다. 이와 같은 태도는 구리가 장자의 개인 입장이라기보다는 새로이 형성된 바이샤 계급이 공통적으로 갖는 사상적 경향이었습니다.

구리가 장자가 이처럼 거절했지만 그의 친척과 주변 사람들은 계속해서 끈질기게 나무 신에게 제사 지내기를 권했습니다. 그러자 구리가 장자는 큰 도끼와 가래, 호미와 괭이 그리고 톱을 든 하인들을 데리고 나무 앞에 가서 큰 소리로 호령합니다.

"너 나무는 들어라. 내 듣자니 너는 신수(神樹)라서 해서 누구나 다 와서 아들딸 낳기를 빌고 구하면 모두 얻게 된다고 했다. 나는 자식이 하나도 없다. 마음이 원하는 대로 되지 않는다. 이제 너에게 비노니 만약 나에게 좋은 아들을 얻게 하면 나는 후에 와서 공양으로 보답할 것이다. 그러나 네가 나에게 자식을 주지 못한다면 나는 마땅히 이 큰 도끼와 가래로 너를 찍고 파헤쳐 뿌리와 줄기며 가지까지 모두 다 없애 너를 그대로 두지 않으리라. 뿐만 아니라 골풀 뿌리만큼도 남김없이 파내어 너의 뿌리를 똑똑 자르고 네 가지도 조각조각 썰어서 바싹 말려 불에 태워 재를 만들 것이다. 그 재도 급히 흐르는 하수에 가서 던지거나 사나운 바람에 뿌려 사방에 흩으리라."

그러자 그 나무 신은 섬겨 받들던 도리천궁의 제석천왕 앞에 무릎을 꿇고 간절하게 말했습니다.

"크게 착하신 천왕이여, 오직 원하옵건대 천왕께서는 교묘한 지혜 방편으로 빨리 그 장자에게 단정한 아들을 주시옵고 저를 갈아 없애지 않도록 하소서."

제석천왕은 나무 신에게 말했습니다.

"너 나무 신은 그런 말을 하지 말라. 나 역시 세간 사람들에게 아들과 딸을 줄 수 없으며, 다만 사람들 스스로 복덕의 인연이 있어야 아들과 딸을 얻는 것이다. 이치는 비록 그러하나 너 나무 신은 조금 참아보라. 나는 마땅히 그 장자가 인연이 있을지 없을지 관찰하리라."

이러한 설화는 신흥 바이샤 계급인 장자들에게 브라만 사상이 얼마나 경시되었는가를 보여주고 있습니다. 또 당시의 브라만들이 전지전능한 존재로 만들어놓았던 신의 위치를, 즉 신이 절대적인 권능으로 인간을 지배하는 것을 부정하는 불교의 입장을 반영하고 있습니다. 그러나 이러한 모습이 당시 일반 민중을 지배하던 지배 이데올로기 자체가 무너진 것을 의미하지는 않습니다.

어쨌든 그 후 구리가 장자는 신의 의지가 아니라 부처님을 뵙고 그 제자가 되어 해탈을 성취하고자 하는 한 천자(天子)의 원력으로 아들을 얻게 되었습니다. 그때 나무 신은 기뻐하면서 구리가 장자에게 와서 몸을 숨긴 채 '반드시 지혜롭고 단정하고 복덕 있는 아들을 낳을 것이며, 그 아들은 오래지 않아 집을 버리고 출가해 사문이 될 것'이라고 말했습니다.

장자는 부인이 잉태했음을 알고 바라나시 성 사람들에게 보시를 베풀었고, 아들이 태어날 때 미묘한 칠보 일산(日傘)이 나타났다고 하여 아들 이름을 '최상의 일산'이라는 뜻으로 야사라 지었습니다.

그리고 네 명의 유모에게 맡겨 정성껏 키웠으며 성장함에 따라 여러 가지 학문과 기술을 가르쳤습니다. 또 야사를 위해 삼시전을 짓고 미인들로 하여금 환락에 빠지게 하고 밖에는 많은 병사를 배치해 그를 보호하게 했습니다. 이는 나무 신의 예언처럼 야사가 출가수행자가 될 것을 염려한 까닭이었습니다.

이곳에는 싫은 것도 괴로운 것도 없나니

그때에 야사는 산으로 말을 몰아 좋은 곳을 구경하며 차례로 노닐 었다. 그때 야사는 한 죽은 여자의 시체를 보았는데, 그 몸은 퉁퉁 부어서 막 썩으려 하고 쉬파리와 온갖 벌레들이 군데군데 엉기어 빨아 먹고 있었다. 야사는 그 시체가 이렇게 썩어 냄새가 나는 것을 보자 마음에 험오스러운 생각이 나서 스스로 생각했다.

'이렇게 비참하게 죽어가고 냄새나고 썩을 몸에 무슨 즐거울 것이 있어 애착하는 마음을 내고 스스로 방일하며 다시 이 가운데 즐겁다는 생각을 낼 것인가.'

그리고는 괴롭게 부르짖었다.

"나는 이제 이토록 비참하고 냄새나고 더러운 낙을 즐기지 않으리라."

그날 밤이 되어 야사는 놀이에 지쳐 자기의 전당에서 잠이 들었다. 야사를 즐겁게 해주던 처녀들도 모두 잠이 들었는데 그 모습이 모두 추하고 보기 흉했다.

이때 야사는 문득 깨어나 집안을 보았다. 처처에 팥뚝 같은 등불이 밝았는데 모든 처녀들의 잠자는 모습을 보니 그 모습이 너무도 추하고 흉측해 마치 시체와 다름없어 낮에 본 시타바나의 송장과 같았다. 그는 이것을 보자 혐오스러워서 당장 그 전당을 떠날 생각이 나고 매우 큰 공포를 내어 소리쳤다.

"이는 큰 공포의 곳이요, 이는 크게 요란하고 불안하고 원수 같은 곳이로다."

야사는 이렇게 탄식하며 그 전당에서 내려와 온갖 보배로 만든 가죽신을 신고 아무도 모르게 집을 뛰쳐나와 성 밖으로 나왔다. 야사는 성문에서 나와 점차 바라나 강가에 이르렀다. 그때 야사는 그 강 언덕에 이르러 멈추어 서서 머리를 감싸고 부르짖었다.

"아, 화로다. 참으로 두렵구나, 참으로 괴롭고 불안하구나."

이때 부처님께서는 강 저쪽 언덕에서 거닐고 계시다가 야사를 위해 온몸에서 광명을 놓고 금빛 팔을 들어 손으로 야사를 부르며 말씀하셨다.

"어서 오너라, 그대 야사여. 이곳에는 두려움이 없으며 이곳은 안락하고 이곳은 자재로우니라."

이때 야사는 부처님의 광명을 보고 그 말씀을 듣자 곧 마음의 두려움과 근심이 사라지고 마음의 안정을 얻었다. 온갖 보배로 만든 가죽신을 벗어버리고, 바라나 강물 속으로 걸어들어갔다. 마치 어떤 사람이 눈물이나 가래침을 버릴 때 다시 생각지 않고 등지고 가듯이 야사가 가죽신을 버림도 또한 그러했다.

강물을 건너고 언덕을 올라서 부처님의 처소에 당도한 야사가 멀리서 부처님을 뵈오니, 광명이 더욱 빛났으며 위의가 정돈되고 모든 근이 적정해 마음과 뜻에 흔들림이 없는 분임을 느낄 수 있었으며, 용모가 훌륭하고 32상으로 장엄되어 마치 허공에 별들이 두루 찬 듯했다.

야사는 가슴 속 깊은 곳으로부터 청정한 기쁨이 솟구쳐 올라 스스로 이기지 못하면서 점점 부처님 곁에 이르러 부처님 발에 절하고 물러나 한쪽에 서 있었다. 『불본행집경』

경전에 나와 있는 야사의 출가 전 상황은 부처님의 출가 과정과 매우 흡사합니다. 야사의 아버지가 늦도록 자식을 얻지 못해 전전긍긍하던 것, 출가 예언을 듣는 것, 잉태 후 사람들에게 큰 보시를 한 것도 비슷합니다. 성장하자 삼시전을 지어주고 병사를 배치했다는 것과, 야사가 사자(死者)와 사문을 보았다는 것 또한 같습니다. 그러나 무엇보다도 똑같은 것은 출가하는 날 밤의 사건입니다.

야사가 출가하기 전날 밤에 본 널브러진 시체처럼 쓰러져 자는 미희들에 대한 묘사는 부처님 출가 당시의 모습과 너무나 똑같습니다. 야사가 이것을 보고 느낀 것 또한 같습니다. 이런 점을 통해 몇 가지 그 시대의 상황을 추측해 볼 수 있습니다.

먼저 삼시전이란 싯다르타 태자에게만 주어진 특별한 것이 아니라 돈 있고 권세 있는 집안의 자제들이 이러한 환락을 즐기는 경우가 적지 않았음을 알 수 있습니다. 거부 장자들은 그들의 재산을 과시하려는 뜻에서 삼시전을 지었으며, 이는 거부 장자들의 사회적 위치가 웬만한 왕족과 비슷했다는 것을 말해줍니다. 특히 야사의 아버지는 바라나시에서도 손꼽히는 부호였습니다.

그리고 무엇보다도 우리는 야사가 출가하는 과정에서 두 가지 큰 의미를 발견할 수 있습니다. 먼저 야사의 출가가 어느 날 갑자기 하룻밤의 고민으로 결정된 것이 아니라는 점입니다. 그는 비참하게 죽어가는 여인을 보았으며 가장 거룩한 사문인 부처님도 보았습니다. 그리고 자기 삶의 모습을 고민하다가 미희들의 추태를 보고 출가를 결행하게 됩니다.

미희의 추태를 출가 계기로 표현함으로써 야사의 출가가 향락과 쾌락주의적인 삶에 대한 거부였다는 것을 시사하고 있습니다. 그리고 일반인으로서는 처음으로 비구가 된 야사의 출가 경위를 부처님의 출가 경위와 같게 묘사한 것은 부처님이 자신처럼 현실 문제에 고민하는 사람들에게, 즉 수많은 또 다른 싯다르타들에게 던지는 메시지라고도 할 수 있습니다.

"아, 싫다. 괴롭다. 불안하구나."

이렇게 외치는 사람들이 야사를 비롯해 얼마나 많겠습니까. 고통당하는 백성뿐만 아니라 일상 속에서 삶의 목적을 상실하고 환락의 늪에 빠져 허우적거리는 당시의 바라나시 청년들의 모습이야말로 바로 우리의 모습에 다름 아닙니다.

부처님은 울부짖는 야사에게 말씀하십니다.

"선남자여, 그대는 무엇이 그토록 싫고 괴롭단 말인가? 이곳에는 싫은 것도 괴로운 것도 없나니 정녕 평화롭고 안온하도다. 선남자여, 여기 와서 앉아라. 내 그대를 위해 법을 설하리라."

이는 부처님이 부조리한 사회구조 속에서 갈등하고 헤매는 수많은 젊은이에게 선포하신 희망의 소리이며 생명의 말씀입니다.

야사는 황금 실로 수놓은 신발을 벗어놓고 부처님의 세계로 들어갔습니다. 부처님의 세계로 들어가기 위해 황금 신을 벗었다는 것도 상징적인 의미를 담고 있습니다.

괴롭다고 외치는 야사의 절규가 그 개인만의 문제가 아니며, 부처님의 말씀이 야사만을 위한 것이 아니었다는 것은 야사 출가 직후 그의 친구 50여 명이 한꺼번에 출가한 것을 보아도 알 수 있습니다. 겨우내 꽁꽁 얼었던 풀뿌리가 봄비를 맞고 파란 새싹을 틔우듯이 야사는 부처님의 자비 속에서 생명을 회생시키는 감로의 법비를 맞아 괴로움과 불안을 씻고 새로운 삶을 준비했습니다.

차제설법

이때 부처님께서는 야사를 살펴보시고 곧 그를 위해 차례로 법을 설하셨다. 이른바 보시의 행과 지계의 행을 설하시고 다음에 하늘에 나는 인연의 행을 설하셨다. 그리고 욕망으로 인해 죄악과 오예(汚穢)에 빠져 모든 누(漏)가 다하지 못하면 오히려 번뇌가 있음을 설하고, 출가의 뛰어난 이익과 공덕에 관한 청정의 법을 찬탄하셨다. 야사는 부처님의 말씀을 듣고 회심을 일으켰다. 그의 마음은 기쁨과 청정으로 충만해 의혹과 걸림이 없으며, 이미 부처님을 향해 마음이 모두 열려 있어 법을 받아들이기에 충분했다.

그때 야사의 마음을 아신 부처님께서는 부처님이 지니신 바 남을 기쁘게 하는 말과 도에 이르게 하는 말로써 야사를 향해 법을 설하셨으니, 그것은 고와, 그 고의 원인인 집과, 고의 멸과, 고의 멸에 이르는 길에 대한 네 가지 성스러운 진리였다.

야사는 곧 그 자리에서 번뇌의 티끌을 제거하고 업장의 때를 닦아내자 청정한 지혜의 눈이 열려서, 여실히 모든 법을 보고 알았으며 여실히 모든 법을 증득했다. 마치 더러운 때가 없는 깨끗한 흰 옷이 물들이는 대로 그 빛깔을 받아들이는 것과 같았다.

이때 야사는 자리에서 일어나 부처님 발에 정례하고 무릎을 꿇고 합장하고 부처님께 아뢰었다.

"위대하셔라 세존이시여, 오직 원하옵나니 저를 출가케 하시어 구족계를 받고 비구가 되게 해주소서."

부처님께서는 야사에게 이르셨다.

"어서 오라. 비구여. 법은 이미 설해졌나니. 그대는 괴로움의 뿌리를 모두 뽑을 때까지 청정한 수행을 하라." 『불본행집경』

부처님은 야사를 교화하시는 데 다섯 수행자와는 다른 방법을 사용했습니다. 이렇게 대상에 따라 가르침을 달리해 설하시는 부처님의 교화 방법을 방편시설(方便施説))이라고 하며 이것은 부처님의 교화 방법의 특징입니다.

부처님의 교화 방법은 크게 위의교화(威儀教化)와 설법교화(説法教化) 둘로 나뉩니다. 그 중 위의교화는 말 그대로 부처님의 위의로써 교화하는 것으로, 논리적이고 체계적인 언어를 사용하지 않고 상대방에게 감화를 주어 마음을 일깨워 교화하는 것입니다. 위의란 의도적인 몸짓이나 신통력을 통한 것이 아니라 모든 갈등과 두려움을 여읜 지혜의 광명과 완전한 평화의 마음 그리고 중생에 대한 넘치는 자비의 마음이 밖으로 표출된 결과입니다.

그것은 걷거나 앉거나, 눈을 들어 사람을 보거나 눈을 감거나, 혹은 상대를 부르거나 침묵하실 때, 그 어느 때나 완전히 자신을 조복받은 평정 속에서 중생을 위한 넘치는 자비가 온몸에서 배어나오기 때문입니다. 어머니의 자애로운 웃음을 보면 저절로 마음이 평안해지듯 부처님의 모습을 본 사람은 자신도 모르는 사이에 마음을 조복받게 되는 것입니다.

설법교화는 말 그대로 논리적인 체계를 가지고 법을 설해 교화하는 것입니다. 부처님께서 증득하신 깨달음은 내용 자체가 난해하거나 어려운 것은 아니지만, 자기중심적인 욕망에 빠져 있는 사람은 쉽게 받아들일 수 없습니다. 부처님은 사람들이 받아들이기 힘들고 납득하기 어려운 진리를 전하실 때에는 여러 가지 비유를 들어 설명하여 이해를 도왔습니다. 인연을 설하실 때 서로 기대어 서 있는 두 개의 갈대 단에 비유하거나, 부처님의 가르침을 강을 건너는 뗏목에 비유한 것이 그 대표적인 예입니다.

우리는 타인의 문제는 잘 보면서도 자신의 문제는 올바로 보지 못하는 경우가 많습니다. 또한 오랫동안 사회에서 주입되고 길들여진 것에 대해서는 당연히 그러려니 생각하고 문제를 문제로 인식하지 못합니다. 특히 현재의 상태, 즉 결과만을 가지고 분석하다 보면 문제를 제대로 인식하지 못하는 경우가 많습니다. 그러므로 하나의 결과에 대해 여러 가지 비유와 인연 과정을 설명해 그 문제의 유래와 본원을 밝혀주셨습니다.

부처님은 일반 민중이 사용하던 속어를 사용하였으며 지방마다 각각 다른 사투리를 쓰셨습니다. 철학적이고 사변적인 언어를 되도록 사용하지 않았으며 어쩔 수 없이 사용한 경우에는 그것을 비유와 인연 이야기로 다시 풀어서 쉽게 말씀해 주셨습니다. 또 그 내용을 쉬운 게송으로 읊어주셨습니다. 게송이란 일종의 노래입니다.

부처님께서 이처럼 민중 언어를 가지고 법을 설하신 것은 부처님의 교화 대상이 누구였으며 부처님의 법이 어떠한 사람들을 위한 가르침이었는가를 여실히 보여줍니다. 또한 부처님은 일방적인 강의가 아닌 질문을 받고 답변을 주는 대화법을 통해 법을 전달하여 사람들이 스스로 깨달을 수 있도록 하셨습니다.

설법교화의 방법으로 전의법(轉義法)이 있습니다. 이것은 당시 대부분의 민중을 지배하던 브라만적 신앙 체계를 이용해서 부처님의 가르침을 전하는 것입니다. 이미 브라만 사상을 부정하고 새로운 길을 찾고 있는 다섯 수행자에게는 굳이 브라만 사상을 언급할 필요가 없었습니다. 그러나 아직 우파니샤드 사상을 포함한 브라만 사상에 빠져 있거나 혹은 일반 사문 사상에 젖어 있는 사람에게 처음부터 그들이 가지고 있는 사상 자체를 부정하며 법을 설하면 오히려 더 혼란스러워지거나 반발을 살 수가 있습니다.

부처님은 다섯 수행자를 만나기 전에 이미 두 사람과의 만남을 통해 이를 확인하셨습니다. 그래서 그들의 신앙 체계 자체를 부정하는 것이 아니라 체계는 인정하면서 그 내용을 바꾸어놓음으로써 결과적으로 부처님의 가르침을 전하는 방법을 쓰셨습니다. 부처님은 야사를 교화하는 데에도 이런 전의법을 사용하셨습니다.

그러면 이제 부처님께서 야사를 교화하시는 장면으로 돌아가 보겠습니다.

괴롭다고 머리를 감싸고 울부짖던 야사는 강 건너에 계시는 부처님의 자애로운 부름을 받고 마음의 평안을 얻었습니다. 강을 건너간 야사는 부처님의 위의에 감화를 받아 부처님 발아래 몸을 던져 예를 올렸습니다.

이는 소위 위의교화입니다. 부처님의 위의에 감복한 것은 야사만이 아니라 부처님께서 정각을 이루신 직후에 만난 브라만과 사문, 그리고 다섯 수행자도 마찬가지였습니다. 그러나 그들은 부처님의 위의만으로 교화가 되지는 않았습니다.

앞에서 부처님의 교화 방법을 위의교화와 설법교화 두 가지로 분류했습니다만, 사실 이 두 가지 교화가 분리되는 것은 아닙니다. 대체로 위의교화는 구체적인 언어를 통한 설법을 하시기 전에 상대가 받아들일 수 있도록 하는 준비 과정이라 할 수 있으며 일종의 무언의 설법으로 보아야 할 것입니다.

후일 데바닷타가 부처님을 해치기 위해 술 취한 코끼리를 풀어놓았을 때 난폭한 코끼리가 부처님 앞에 이르러서는 온순한 강아지처럼 고개를 숙였다는 것이 대표적인 위의교화의 예입니다. 그러나 그 자체로는 위의에 의한 조복이라고 할 수 있을지언정 진정한 의미의 교화라고는 말할 수 없습니다.

부처님은 항상 수행자와 일반 대중에게 일상적인 삶의 모습을 통해 무언의 감화를 주심으로써 올바른 삶의 길을 자각하도록 이끄셨습니다. 그러나 그것이 설법교화와 무관한 침묵만으로 이루어지는 것은 아니었습니다.

부처님은 마음이 안정된 야사에게 설법을 하셨습니다. 부처님은 그가 세속에 대한 욕망이 가득 차 있으며 기존의 사상에서 벗어나지 못하고 있음을 파악하셨습니다. 그래서 처음에는 야사가 갖고 있던 브라만 신앙의 틀을 유지한 채 법을 설하셨습니다.

"이른바 보시의 행과 지계의 행을 설하시고, 다음에 하늘에 나는 인연의 생을 설하셨다. 그리고 욕망으로 인해 죄악과 오예에 빠져 모든 누가 다하지 못하면 오히려 번뇌가 있음을 설하고, 출가의 뛰어난 이익과 공덕에 관한 청정의 법을 찬탄하셨다."

부처님은 전의법으로 보시와 계율 그리고 하늘에 태어나는 공덕에 대해 설하셨습니다. 당시는 브라만교뿐만 아니라 일부 일반 사상계에서도 삶의 이상은 하늘에 태어나는 것이라고 믿었습니다. 이에 대해 부처님은 하늘에 태어나는 것은 현실의 삶보다 행복한 것이라고 인정하시고, 아울러 보시를 하고 계율을 지키며 선업을 쌓을 때 하늘에 나는 선한 과보를 받을 수 있다는 논리 체계를 인정하셨습니다.

그러나 부처님께서 말씀하신 보시와 계율은 그 내용이 완전히 달랐습니다. 보시를 하면 공덕이 있지만, 그것은 고통받고 헐벗은 사람에게 보시를 할 때 비로소 공덕이 되는 것이라고 하셨습니다. 즉 타인의 고통을 살펴보고 그들을 위해 무엇인가를 베풀 때 올바른 삶을 살아가는 것이며 그로 인해 하늘에 태어나는 것이라고 하셨습니다.

그리고 하늘에 태어나기 위해 지켜야 할 것 또한 달랐습니다. 자신의 이익을 위해 살인을 해서는 안 되며 타인의 것을 훔치거나 거짓말을 하거나 불륜의 관계를 맺어서는 안 된다는 것을 말씀하시고, 그러한 계를 지킬 때에만 하늘 세계에 날 수 있다고 하셨습니다.

부처님은 이를 통해 고통의 구조와 타락한 현실을 진단하면서 그러한 것을 극복하기 위해 가져야 할 삶의 자세와 가치 기준을 제시하셨습니다. 부처님은 브라만교의 생천론(生天論)과 선인선과(善因善果)의 논리를 골격은 유지한 채 내용을 완전히 바꾸어버린 것입니다. 그리고 더 나아가 비록 하늘에 태어나더라도 욕망을 버리지 못하면 고통 속에서 빠져나올 수 없다고 하셨습니다. 고통을 완전히 극복하려면 욕망을 버리고 출가해 청정한 수행을 할 때만 가능한 것이라고 말씀하셨습니다.

부처님의 말씀을 들은 야사는 기존의 가치를 새로운 시각으로 볼 수 있게 되었으며 자신이 번민하던 문제의 해결점이 어렴풋이 보이는 것 같았습니다. 나아가 새로운 세계관에 대한 동경이 북받쳐 올랐습니다.

경전에서는 이러한 상태를 회심(回心)이라고 표현했습니다. 회심은 기존의 가치와 삶의 방향을 전환하고자 하는 것, 즉 부처님의 가르침으로 들어가고자 부처님을 향해 마음을 활짝 열어 보이는 것입니다. 부처님께서 대중이나 이교도를 위해 심사숙고했던 교화 방법이 이제 결실을 맺은 것입니다.

부처님은 그제야 야사의 마음이 완전히 조복된 것을 아시고 다섯 수행자에게 설했던 진리의 법을 설하셨습니다. 부처님의 말씀을 들은 야사는 남아 있던 욕망과 번뇌의 티끌을 완전히 제거하고 욕망 충족을 추구하던 업장의 때를 닦아내었습니다. 그리고 청정한 법안을 얻어 부처님의 진리를 받아들였습니다.

그리고 야사는 부처님 앞에 출가를 했습니다.

이러한 일련의 설법 과정, 즉 위의 감화 뒤에 시론(施論)과 계론(戒論)과 생천론을 설하시고, 회심을 일으킨 후, 사성제 법문과 나아가 깨달음의 실천으로 방향을 바꾸게 만드는 설법을 차제설법이라고 합니다. 부처님은 이후에도 일반 재가 신도에게는 이와 같은 순서에 따라 설법을 하시고 교화하는 경우가 많았습니다.

사부대중의 완성

위대하셔라, 세존이시여

불교 의례에서는 모든 순서에 앞서 '삼귀의례'를 합니다. 삼귀의 (三歸依)란 이 세상에서 가장 귀중한 보배인 불법승 삼보에 귀의한 다는 뜻입니다. 불은 부처님, 법은 부처님의 가르침, 승은 부처님의 가르침을 따르는 사람들입니다.

귀의한다는 말은 '돌아와 의지한다'는 뜻입니다. 그러므로 삼귀 의는 잘못된 사상과 전도된 가치관을 가지고 인생을 잘못 살다가 부 처님의 가르침을 듣고 부처님의 제자가 되고자 돌아와 삼보에 의지 하고 살겠다는 맹세입니다. 삼귀의는 불교 신자가 자신이 불교인임 을 확인하고 맹세하는 과정입니다.

삼귀의의 의미를 좀 더 살펴보겠습니다.

부처님께 귀의한다는 뜻은 삶의 목적을 부처가 되는 것으로 하겠 다는 것, 즉 내가 이 우주와 내 운명의 주인이 되겠다는 것입니다.

인생의 목표는 사람마다 다릅니다. 사람에 따라 부귀영화를 누리는 것, 명예를 얻는 것, 인기인이 되는 것, 조촐한 행복을 구하는 것 등 헤아릴 수 없이 많습니다. 그러나 인생의 목표가 일시적 기쁨을 주는 것이어서는 안 됩니다. 그것은 영원해야 하며, 다시는 되돌아가거나 허물어지지 않는 금강석과도 같이 견고한 것, 항상 기쁨이 충만한 것이라야 합니다. 이것이 바로 부처의 경지입니다.

부처의 경지에 이르는 것을 삶의 최고 목표로 삼는 것이 부처님께 귀의한다는 의미입니다. 이 세상 그 어떤 것에도 얽매이거나 종속되지 않고, 자신의 운명을 주관하는 절대적 존재로서 우주의 주인이 되는 것을 목표로 삼는다는 뜻입니다. 보다 구체적인 귀의불의 의미는 석가모니 부처님의 삶을 가장 이상적인 삶의 전형으로 삼아 그분을 닮아가겠다고 다짐하는 것입니다.

삶의 목적뿐만 아니라 구체적으로 살아가는 방법 또한 중요합니다. 부처님은 중생을 구제하기 위해 중생의 모습으로 이 세상에 오셨습니다. 왕자로 태어나 안락한 삶을 누리다 민중의 삶을 보고 자신의 행복이 민중의 고통 위에 서 있음을 알고는 왕이 되는 것은 모든 사람이 함께 행복해질 수 있는 길이 아님을 깨달았습니다. 그래서 왕궁을 버리고 만인의 행복을 위해 출가의 길로 나선 것입니다. 그 길은 수많은 고행을 동반했지만 마침내 하늘 위 하늘 아래 그 무엇과도 비할 바 없는 완성자, 곧 부처가 되는 길이었습니다.

부처님은 이런 모습을 직접 보여주심으로써 모든 중생에게 빈부

귀천에 관계없이 누구나 올바른 가치관에 입각해 살아가면 부처가 될 수 있다는 희망과 용기를 주셨습니다. 누구나 자기 운명의 주인이 될 수 있고, 역사와 사회의 주인이 될 수 있음을 보여주신 것입니다.

그러므로 우리는 부처님이 이 세상에 오셔서 살아가신 모습을 본받음으로써 틀림없이 불국 정토에 이를 수 있다는 확신을 가져야 합니다. 석가모니 부처님께서 살아가신 구도의 길이 가장 올바른 삶임을 확신하며, 우리 삶의 귀감으로 삼아야 합니다.

다음으로 부처님의 가르침에 귀의한다는 것은 부처님의 가르침을 불국 정토에 이르는 최선의 방법이라고 믿는다는 뜻입니다. 정상에 오른 자만이 정상에 오르는 가장 쉬운 길을 가르쳐줄 수 있듯이, 깨달음을 성취한 부처님만이 이 길을 가장 잘 가르쳐줄 수 있습니다.

부처님은 현실 세계가 왜 고통이며, 그 원인은 무엇이고, 어떻게 하면 우리가 이 고통을 소멸하고 불국 정토에 들 수 있는가를 낱낱이 설명해 주셨습니다. 모든 존재는 서로 관계되어 존재하고 원인과 조건에 따라 끝없이 변하기 때문에 믿고 의지해야 할 이상화된 실체는 없습니다. 그러므로 현상계에 집착해 일시적인 쾌락에 한눈팔지 말고 영원의 삶을 살아야 한다고 가르치셨습니다. 이런 부처님의 말씀이 진리라고 믿는 것이 법에 의지한다는 뜻입니다.

부처님의 말씀을 따라 살아가는 사람은 어떤 가치에 의지해야 하겠습니까? 두말할 것도 없이 부처님께서 제시한 가치를 기준으로 삼고 그것에 의지해서 살아가야 합니다. 불교의 가치관은 생명을 귀중하게 여기고, 인간의 자유와 평등을 소중히 하며, 함께 행복을 누리는 데 있습니다.

이것이 구체화된 것이 오계(五戒)를 중심으로 한 계율입니다. 일체 행위는 업을 짓는 것이기에 우리는 부처님께서 정해주신 가치관과 그것을 구현할 수 있는 행위 규범을 따르겠다고 맹세해야 합니다. 이 행위에 의해서만 깨달음의 경지에 이를 수 있다는 확고한 믿음, 이것이 또한 법에 귀의한다는 뜻입니다.

그러나 진리를 표현한다는 것은 이미 역사성을 갖게 마련입니다. 진리는 불변하지만 그 시대 그 지역에 사는 사람이 알아들을 수 있도록 언어·풍속·가치관 등에 견주어 부처님의 가르침을 잘 적용해야 합니다. 원칙만 고집하면 법집(法執)에 빠지고, 현실 상황의 적응에만 급급하면 가르침이 왜곡될 수 있습니다. 깨달음을 얻은 보살은 부처님의 지혜를 잘 터득해 상황에 맞는 좋은 가르침을 경과 율에 의거해서 새로 펴내야 합니다. 그리고 우리는 이런 보살님과 조사의 말씀 또한 부처님의 말씀과 다름없는 진리라는 믿음을 가져야 합니다.

마지막으로 부처님의 승단에 귀의한다는 것은 무슨 의미일까요? 이를 알기 위해서는 승단이 무엇인가를 먼저 알아야 합니다. 삶의 목적이 있고 거기에 이르는 길이 있다고 하면, 그곳에 도달하는 것은 우리 자신입니다. 그러므로 우리는 열심히 수행하지 않으면 안 됩니다. 그러나 현실을 거슬러 산다는 것은 신념이 약한 중생에게는 여간 힘든 일이 아닙니다. 그래서 중도에서 포기해 버리기도 하고 때때로 목적지에 대한 회의가 생기기도 합니다.

아무리 목적이 좋고 방법이 좋다 하더라도 사람들이 실천을 하지 않는다면 아무 소용이 없습니다. 그래서 필요한 것이 함께 수행할 스승과 도반입니다. 이것을 충족시켜 주는 것이 승단입니다.

우리에겐 현실적으로 적절히 지도해 줄 스승이 있어야 합니다. 경험 많고 지혜가 열린 지도자가 있다면 구도의 길은 한결 수월해집니다. 그리고 함께 살아가는 도반이 필요합니다. 같은 목적을 가지고 함께 살아가는 도반이 있음으로써 서로 위로하고 비판하며, 서로 가르치고 배우며, 앞에서 끌고 뒤에서 밀며 목적지를 향해 나아갈 수 있습니다. 승단이란 이런 도반들의 공동체를 말합니다.

승단은 도반이 모인 공동체이므로 이 공동체를 함부로 비방하거나 헐뜯어서는 안 됩니다. 승단에 소속된 사람은 공동체의 유지 발전을 위해 노력해야 합니다. 공동생활을 사생활에 우선하며, 공익을 개인의 이익에 우선시키며, 공중의 물건을 아껴 써야 합니다. 이렇게 승단에 절대적 신뢰를 갖는다는 것이 귀의승의 뜻입니다.

승단의 지도부는 사상적으로 대중을 올바르게 이끌어야 하며, 삿된 생각이나 이익을 위해 승단을 움직여서는 안 됩니다. 지도부가 가져야 할 첫째 조건이 무소유 정신입니다. 재물이든 명예든 어떤 것도 지도부가 소유해서는 안 됩니다. 오직 바른 가르침인 법을 위해 일체를 대중에게 돌려주는 회향의 자세를 가져야 합니다.

대중을 종속적으로 지배한다고 생각해서도 안 됩니다. 도반으로서 서로 대등하게 이끌어가는 지도부를 청정하다고 말합니다. 승단의 지도부는 청정해야 하며, 승단 전체도 청정해야 합니다. 청정할 때만이 대중으로부터 신뢰를 받습니다. 귀의승의 의미는 이런 청정한 지도부에 대한 절대적 믿음을 말합니다.

승단은 불국 정토를 이룩할 현실적 집단이고 중생의 현실적 귀의처입니다. 그러므로 개인적으로는 부처님의 가르침을 올바로 배우고 익혀서 열심히 수행해야 할 뿐만 아니라, 중생의 이익을 위해 그 가르침을 사회에서 실현해야 합니다. 중생을 구제할 원력을 가진 보살의 모임이어야 하고, 궁극적으로는 이 땅에 불국 정토를 이룩하는 모체가 되어야 합니다. 귀의승이란 이러한 승단의 위치에 대한 확실한 믿음을 말합니다.

승단이야말로 우리를 세속의 오염된 가치로부터 해방시켜 줄 유일한 공동체이며, 우리가 자신의 삶과 온 세계의 주인이 될 수 있도록 이끌어주는 집단이며, 현실에서 불국 정토를 이루어낼 집단이기에 현실적 귀의처가 되는 것입니다.

삼귀의는 불교 신자의 가장 중요한 약속입니다. 이것은 내가 살아가는 삶의 목적을 불국 정토에 두는 이념의 확인이고, 그 목적에 이르는 방법을 부처님의 가르침에 두는 방법론의 확인이며, 그것을 실천하는 승단의 권위에 신뢰를 표시하는 공동체의 일원이라는 확인입니다. 삼귀의례를 할 때에는 항상 마음속으로 이 맹세를 잊어서는 안 됩니다. 삼귀의는 불교인의 출발이며 끝이고 전부입니다.

삼보에 귀의한 최초의 신자

그때 구리가 장자는 집안에서 야사가 없어졌단 말을 듣자 집안에 있는 모든 사람을 불러 모아 지혜 있는 사람에게 보내고 혹 산수 선생, 노름하는 사람, 음녀의 집에 보내며 그들에게 일렀다.

"너희들은 성 밖으로 속히 나가 우리 야사를 찾으라."

이때 야사의 부친 구리가 장자는 그 밤이 밝을 때 근심에 싸여 눈물을 흘리고 울면서 급히 성문으로 나가 점점 가다가 야사의 가죽신 자국을 보고 그 발자국을 찾아보았으나 그 자취가 다하는 강 언덕에서 가죽신을 보고 그는 바라나 강을 건너서 아들을 찾아갔다. 이때 야사의 부친은 멀리서 부처님을 보니 위의가 가지런하게 고르고 단정하고 훌륭해 마치 허공중의 별이 해와 달을 장엄하듯 했다. 그는 기쁜 마음으로써 부처님 계신 데 이르러 부처님께 아뢰었다.

"착하고 착하신 대덕 사문이여, 내 아들 야사가 여기 온 것을 보지 못했습니까?"

그때 부처님께서는 그 장자에게 이르셨다.

"장자여, 그대가 만약 때를 알거든 잠깐 편히 앉으라. 오래지 않아 그대의 아들인 야사를 보게 되리라."

이 말을 들은 구리가 장자는 크게 기쁜 마음이 온몸에 가득함을 이기지 못해 뛰놀며 부처님 발에 정례하고 물러나 한쪽에 머물러 섰다. 이때 부처님께서는 야사의 아버지에게 말했다.

"나에게는 미묘한 법이 있으니 그대는 즐거이 듣겠는가?"

"원컨대 부처님께서는 가엾이 여기시어 펴보여 주소서."

부처님께서는 곧 장자를 위해 차례차례 방편으로 법을 설하셨다. 이른바 보시를 행하는 것과 계행과 생천에 관한 것이며 얽힘을 다 멸하고 여실히 증득해 아는 것이었다. 마치 깨끗한 옷이 염색되기 쉽듯 이렇게 장자는 곧 그 자리에서 멀리 티끌과 때를 여의고 여실히 증득해 알았으며 모든 법 가운데 조촐한 법의 눈을 얻어 번뇌의 바다를 건너고 모든 걸림을 건너뛰고 다시 의심이 없고 두려움이 없는 곳에 이르렀다.

그때 부처님께서는 그 장자의 마음과 뜻이 열리고 풀리어 은혜와 사랑이 담백해졌음을 알고 '만약 그의 아들이 사문의 형상이 된 것을 본다 하더라도 반드시 근심하고 괴로워함은 없으리라' 하고 야사를 부르셨다. 그러자 야사 부친은 그 자리에서 아들을 보고 말했다.

"아들 야사여, 너의 어머니는 너를 생각하고 큰 고뇌를 받으며, 너를 위하기 때문에 통곡하고, 너를 위하는 까닭에 슬퍼하며, 너 때문에 목숨이 끊어질지 모르니, 너는 그에게 가서 그의 목숨을 살려다오."

이렇게 말하자 야사는 곧 부처님의 얼굴을 쳐다보았다.

그때 세존께서는 곧 야사 부친에게 이렇게 말씀하셨다.

"이 야사 선남자는 이제 이미 지혜의 눈을 배워 모든 법을 증득했느니라. 지금 야사도 도의 자취를 증득했고 모든 누가 이미 다해 마음이 해탈했느니라. 이 야사 선남자는 이제 다시 집안에 돌아가 옛날 집에 있듯이 오욕락을 받지 않을 것이니라."

이때 장자는 야사를 다시 보자 사문의 형상으로 되었고, 다시 번뇌가 다해 아라한의 과위까지 증득했음을 알고서 말했다.

"나의 아들아, 반갑구나. 처음에는 자기를 이롭게 하고 또 남까지 이롭게 했도다. 나에게 특수하고 미묘한 법을 듣게 해 티끌과 때를 멀리 여의고 법의 눈이 깨끗하게 한 것은 모두가 나의 아들로 말미암아서 이런 미묘한 이익을 얻었기 때문이다." 『불본행집경』

때에 구리가 장자는 다시 부처님 앞에 엎드려 말했다.

"위대하셔라 세존이시여, 넘어진 자를 일으켜 세워주듯이, 감추어진 것을 드러내듯이, 길을 잃고 헤매는 자에게 길을 가리키듯이, 혹은 '눈이 있는 자는 보라' 하고 어둠 속에 등불을 밝혀주듯이, 세존께서는 여러 가지 방법으로 진리를 밝혀주셨습니다. 저는 이제 세존께 귀의해 받들고자 합니다. 또 세존의 가르침과 승단에 귀의해 받들겠습니다. 세존이시여, 저를 재가 신도로 받아주십시오. 저는 오늘부터 목숨이 다하기까지 귀의합니다." 『경집』

부처님께서는 이것을 묵언으로 허락하셨다. 이리하여 그는 이 세상에서 처음으로 삼보에 귀의한 최초의 재가 신자가 되었다. 『불본행집경』

구리가 장자는 야사를 찾아 헤매다가 녹야원까지 와서 부처님을 만났습니다. 그러나 세속의 기대 속에서 야사를 찾는 아버지의 눈에 이미 세속의 가치를 버린 아들이 보일 리 없었습니다.

부처님은 아들을 잃고 슬퍼하는 구리가 장자를 보고 아버지 슈도다나 왕을 생각했을지도 모릅니다. 부처님은 장자의 마음을 편안하게 해주고는 야사에게 했던 가르침을 장자에게 또 다시 설하십니다. 아들을 찾을 수 있다는 기대감에 마음을 집중해 설법을 듣던 장자는 부처님의 가르침에 크게 감복했습니다.

장자는 이제까지의 자기 삶이 잘못되었음을 깨닫고 새로운 삶의 가치를 발견한 기쁨을 감추지 못해 부처님과 부처님의 가르침 그리고 부처님의 승단에 귀의하고자 간청했습니다.

'넘어진 자를 일으켜 세워주듯이, 감추어진 것을 드러내듯이, 방향을 몰라 헤매는 자에게 길을 가르쳐주듯이, 눈이 있는 자가 볼 수 있도록 어둠 속에 등불을 밝히듯이 세존께서는 여러 가지 방법으로 진리를 밝혀주셨습니다. 저는 이제 세존께 귀의해 받들고자 합니다. 또 세존의 가르침과 승단에 귀의해 받들겠습니다. 세존이시여, 저를 재가 신도로 받아주십시오. 저는 오늘부터 목숨이 다할 때까지 귀의하겠습니다."

가슴 속 깊은 곳에서 우러나오는 환희가 아니라면 말할 수 없는 내용입니다. 넘어져 일어서지 못하고, 어둠에 가려 앞을 보지 못하고, 방향을 몰라 헤매고 방황하던 삶이었는데 부처님의 가르침을 통해 새로운 삶을 얻었으니 이 어찌 환희에 가슴 벅차지 않을 수 있겠습니까?

이렇게 해서 부처님과 부처님의 가르침, 그리고 부처님과 부처님의 가르침을 따르며 실천하는 스님들에게 귀의하는 삼귀의가 처음으로 이루어졌고, 삼보에 귀의하는 최초의 신자가 생기게 되었습니다.

구리가 장자는 거룩하신 부처님의 말씀을 듣고 야사를 보았습니다. 그는 야사가 어제의 야사가 아니며 이미 자신의 자식이 아님을 알았습니다. 장자는 야사가 출가한 것이 잘된 일임을 깨달았습니다. 그러나 자신의 아내와 며느리가 가슴 아파하고 있는 모습을 생각하자 가슴이 아팠습니다.

장자는 자신의 아내와 며느리에게도 부처님이 법을 설해주시면 그들도 부처님께 귀의함은 물론 야사를 잃은 슬픔이 가실 것이라고 믿었습니다.

다음 날 부처님은 카운다냐 등 다섯 비구와 야사를 데리고 야사의 집에 가서 공양을 하시고 네 가지 거룩한 진리를 설하셨습니다.

설법을 들은 야사의 어머니와 아내는 부처님과 부처님의 가르침

그리고 스님들에게 귀의했습니다. 이리하여 최초의 여자 신도가 생기게 되었습니다.

이제 부처님의 승단은 사부대중 가운데 아직 비구니만 없는 상태에서 승속의 대중으로 승단이 형성되었습니다.

전도의 길

야사를 따른 옛 벗들의 출가

바라나시 성에 큰 장자이며 훌륭한 선남자 네 사람이 있었다. 그네 사람이란 첫째는 비말라요, 둘째는 수바후요, 셋째는 푼나지요, 넷째는 가밤파티라 불렀다. 그들은 야사 선남자가 한 사문 곁에 가서 출가수행하고 있다는 이야기를 듣고 서로 생각했다.

"희유하도다, 참으로 희유한 일이로다. 야사 선남자가 사문 곁에 가서 출가수행하고 있다는 것을 보면 분명 그 큰 사문의 가르침은 견고해 흔들림이 없을 것이요, 다른 사문보다 뛰어나서 그 법회의 모임은 반드시 가장 수승할 것이다. 우리도 그 큰 사문 곁에 가서 출가해 청정한 수행을 함이 어떠한가."

그들은 이렇게 서로 의논하고 나서 함께 야사에게 이르렀다. 그들은 야사의 얼굴을 대해 부드럽고 선한 말로 기쁜 마음을 이야기하고 공경하는 마음으로 서로 문안하고 나서 야사에게 말했다.

"존자 야사여, 이 큰 사문의 가르침은 반드시 견고해 결단코 흔들림이 없을 것이며 이 승가는 공경스럽습니다. 당신이 지금 큰 사문 곁에서 출가수행을 하듯 우리도 이제 큰 사문 옆에서 출가해 청정한 수행을 닦고자 하옵니다."

야사는 곧 그 네 장자들과 같이 부처님 처소에 이르러 부처님 발에 정례하고 물러나 부처님께 아뢰었다.

"대각 세존이시여, 이 네 장자는 제가 집에 있을 때 각각 벗이 되었으며 훌륭한 선남자들이온데, 오늘 여기 와서 세존께 귀의하고자 하나이다. 어진 세존이시여, 오직 원하옵건대 이 네 장자를 위해 마땅한 법을 설하시고 가르쳐 인도해 주시옵소서."

이때 부처님께서는 큰 자비를 내시어 네 장자를 위해 갖가지 방편으로 미묘한 법을 말씀하셨으니 이른바 보시·지계·인욕과 여러 가지 법의 요긴한 것들이었다.

그 장자들은 부처님의 이런 법상을 듣고 곧 앉은 자리에서 법상을 올바로 보아서 번뇌의 티끌과 무명의 때를 멀리 여의고 모든 어둠의 근원을 다 밝히고 상을 멸하는 법도 여실히 알았다. 마치 때 묻지 않은 깨끗한 옷이 물감을 들이는 대로 그 색을 받아들이는 것과 같았다.

네 장자는 다 각기 이런 모든 법상에 들어 번뇌의 자갈밭을 건너서 마음에 걸림이 없고 모든 의심의 그물을 건너서 맺힘을 제멸해 두려움이 없는 곳에 이르러 법상을 증득했으니 다른 이를 따라 안 것이 아니라 부처님 법에 의지해 행한 것이었다. 그들은 자리에서 일어나 부처님 발에 정례하고 무릎을 꿇고 합장한 뒤 부처님께 아뢰었다.

"대각 세존이시여, 저희는 지금 불세존 곁에서 출가해 부처님 가르치는 법에 따라 구족계를 받고자 하나이다."

그때 세존께서는 그 네 장자에게 이르셨다.

"어서 오라, 수행자들이여. 모든 가르침은 법답게 설해졌나니, 번뇌의 뿌리가 완전히 뽑힐 때까지 청정히 수행하라."

이때 세존께서 이런 말씀을 하시자 바라나시 네 장자는 머리털과 수염이 자연히 떨어져 삭발한 지 7일가량 된 것 같았으며 몸에 자연히 가사가 입혀지고 손에 발우를 들었으며, 곧 그 네 장자는 출가를 이루고 구족계를 받았다.

장로 야사는 집에 있을 적에 오십 인의 벗이 있었으니 여러 나라에서 모이기도 했고 혹은 어려서부터 함께 자란 선남자들이었다. 그들은 야사 선남자가 큰 사문 곁에서 청정한 수행을 하고 있다는 말을 듣고 서로 의논하고 함께 어울려 야사 장로를 찾아와서 출가의 뜻을 전했다.

그때 야사는 오십 인의 어릴 적 벗들과 함께 부처님께 나아가 법을 설하시기를 간청하자 부처님께서는 그들을 수순해 법을 설하셨다. 그 모든 장자들은 부처님이 말씀하시는 것을 듣고 여실히 일체를 다 알았다. 그들 장자는 모두 삼보에 귀의하고 구족계를 받아 출가했으며, 오래지 않아 누가 다한 아라한을 이루어 마음이 잘 해탈되었다.

이때 세간에서는 예순한 사람의 아라한이 있었으니 부처님과 다섯 비구와 야사와 바라나시 성의 네 벗, 또 야사 재가 시의 벗 오십 인들이었으니 다른 나라에서 서로 불러 모인 선남자들이었다. 『불본행집경』

야사의 출가는 많은 사람에게 충격을 주었습니다. 특히 야사와 항상 어울려 놀던 네 친구는 보통 충격을 받은 것이 아니었습니다. 그들은 모두 많은 부를 누리던 장자의 자제들이었습니다.

그들은 좋은 가정교사를 두어 웬만한 학문은 모두 통달했는데 그들 중에서도 야사가 가장 뛰어났습니다. 그들은 좋은 스승이 있으면 함께 공부도 했지만, 그들이 만났던 스승과 수행자들은 그들의 답답한 가슴을 풀어주지 못했습니다.

부족함이 없으며 혈기왕성한 그들은 먹고 마시고 쾌락에 빠지고 환락에 젖어 세월을 보냈습니다. 세상에 부러울 것이 없었지만 세상 모든 것에서 의미를 찾지 못해 순간의 육체적 쾌락에 탐닉하면서 살았습니다.

그런데 바로 어제까지만 해도 함께 술을 마시고 놀던 야사가 오늘 아침 갑자기 출가를 했다는 것입니다. 그리고 야사의 집에 부처님이라는 사람이 와서 야사 가족을 모두 신자로 삼았다는 것입니다. 부처님과 야사를 포함한 여섯 비구의 모습이 그 어떤 수행자보다 거룩하다는 말도 들렸습니다. 네 명의 친구들은 서로 의논한 끝에 결론을 내렸습니다.

"야사 같은 친구가 출가했다는 것은 그 석가족의 성자라는 사람이 정말 부처이거나 곧 부처의 세계를 증득할 훌륭한 사람일 것이다. 그렇지 않고는 야사가 출가할 리가 없다. 우리도 야사의 스승을 한번 찾아가 보자. 그래서 그가 우리의 가슴을 열어줄 수 있다고 생각되면 우리도 야사를 따라 출가하자."

녹야원으로 가서 야사를 만난 네 친구는 며칠 사이에 변한 야사의 모습을 보고 놀랐으며 부처님의 모습에 크게 감복했습니다. 그들은 부처님의 말씀을 듣자마자 마음의 문이 열려 출가를 결심하게 되었습니다.

부처님은 그들을 기꺼이 맞아주셨습니다.

"어서 오라, 수행자들이여. 모든 가르침은 법답게 잘 설해졌나니 번뇌의 뿌리가 완전히 뽑힐 때까지 청정한 행을 닦아라."

야사에 이은 야사 친구들의 출가는 바라나시를 뒤흔들었습니다. 그들의 출가는 쾌락과 환락의 질퍽한 늪에서 허우적대며 살던 많은 장자의 자제들에게 큰 충격을 주었습니다. 언제나 채워지지 않는 갈증 속에서 살던 그들에게 이들이 출가했다는 소식은 용기를 주었습니다. 그리하여 50명의 청년이 출가해 계를 받아 부처님의 제자가되었고, 이들 역시 더 이상 세속의 가치에 물들지 않는 아라한의 경지에 이르렀습니다.

중생을 위해 전도를 떠나라

이때 부처님께서는 바라나시 성 녹야원에서 여름을 보내신 후, 모든 비구에게 이와 같이 말씀하셨다.

"수행자들이여, 이제 모든 천인과 인간 속에서 그들을 제도하라. 많은 사람에게 이익이 되고 많은 사람에게 안락을 주기 위해, 현실 속에서 구체적인 이익과 안락을 구해주기 위해 속히 떠나가라. 마을로 들어갈 때는 홀로 스스로 갈 것이요, 두 사람이 함께 가지 말라.

수행자들이여, 유행을 할 때는 많은 사람을 위해 애민(哀愍)해 섭수(攝受)하고자 법을 전하되, 항상 처음과 중간과 끝을 모두 올바르게 설해서, 의미가 분명하고 어구가 명료해 의심이 없도록 하라. 그리고 수행자들은 항상 원만구족하고 청정한 범행을 보여주어야 한다.

수행자들이여, 세상의 많은 중생은 업장이 두텁지 않고 마음이 더러움에 적게 물들었으며 번뇌가 엷어서 선근이 성숙되어 있으나, 바른 법을 듣지 못해 고통받고 두려워하고 있다. 이들에게 법을 전하라.

수행자들이여, 나도 이제 곧 우루벨라로 가서 머무르면서 그들을 위해 법을 설하리라." 『잡아함경』

부처님은 처음으로 형성된 교단의 제자들을 모아놓고 전도를 떠나라고 말씀하십니다. 이들은 모두 60명으로 최초의 다섯 수행자와 야사 그리고 야사의 친구들이었습니다.

부처님은 먼저 그들이 해탈을 했다고 선언하십니다.

"수행자들이여, 나는 이미 그것이 천계의 것이든 인간계의 것이든 일체의 속박으로부터 해탈했다. 그대들 또한 천계와 인간계의 일체의 속박으로부터 자유롭게 되었다."

해탈이란 신과 인간의 속박에서 벗어나는 것이라고 말씀하십니다. 천계의 속박이란 인간의 존엄성이 신의 권위 아래 묶이고 인간이 자기 삶과 운명에 주인이 되지 못하고 신의 노예로 전락한 삶을 말합니다. 그리고 인간계의 속박이란 권력과 재물과 쾌락을 더 많이 소유하고 누리는 것이 인생의 가치라고 여기고 이를 소유하고자 벌어지는 인간계의 참상을 말합니다. 권력과 재물과 쾌락이 지배하는 사회에서 모든 인간이 권력의 노예, 재물의 노예, 쾌락의 노예가 되어버린 현실을 말하는 것입니다.

부처님은 이것의 허구성을 꿰뚫고 모든 종속을 끊어버렸습니다. 부처님은 신 중심적이고 계급 중심적인 이데올로기와 가치를 벗어나 인간이 자기 삶과 이 세상의 주인임을 깨달으신 것입니다. 이것을 해탈이라고 합니다. 이는 부처님이 탄생게에서 보여주신 '천상천하 유아독존'이 구체화된 것입니다.

제자들이 모두 해탈했다고 선언하신 부처님은 곧이어 말씀하십니다.

"수행자들이여, 이제 모든 천인과 인간 속에서 그들을 제도하라. 많은 사람에게 이익이 되고 많은 사람에게 안락을 주기 위해, 현실 속에서 구체적인 이익과 안락을 주기 위해 속히 떠나가라."

이것은 현실과 떨어져 공부하는 것이 올바른 수행이 아니며, 중생을 교화하는 것이 가장 큰 수행임을 의미합니다. 그러나 교화를 떠나는 것이 자신을 위해 혹은 교단을 위해 가는 것이 아니라 고통받는 이들의 이익과 안락을 위한 것이라고 말씀하십니다. 우리는 여기에서 전도의 목적을 알 수 있습니다.

전도란 무엇입니까? 전도란 신앙을 통해 자신의 고통을 극복함으로써 얻은 충만한 기쁨을 남에게 나누어주는 것이며, 남이 갖고 있는 고통을 자신의 신앙으로 더불어 해결하기 위해 노력하는 과정을 말합니다. 자신도 모르는 교리를 남에게 전하거나 자신도 확신하지 못하는 부처님을 찬양한다고 전도가 되는 게 아닙니다. 신앙에 대한 확신과 자비만이 올바른 전도가 될 수 있습니다.

자비란 '나누어 가짐'을 말합니다. 내가 가진 기쁨과 재물은 원래 내 것이 아니라 이웃의 도움과 고통으로 생긴 것이므로 그들에게 돌려주어 그들로 하여금 기쁨을 찾게 하고, 그들의 고통을 돌려받아 함께 고통을 해결해 더불어 기쁨을 얻고자 하는 것입니다.

가진 것을 나누어주기란 쉽습니다. 그러나 고통에 동참하기는 쉽지 않습니다. 고통에 동참하기 위해서는 큰 용기와 수행이 필요합니다. 함께 즐거움을 누리기 위해 고통에 동참하는 것이야말로 진정한 자비의 실현이며 수행입니다. 그러므로 부처님은 제자들에게 전도를 떠날 것을 강조하십니다.

그리고 부처님은 어떻게 전도를 해야 하는가에 대해 말씀하셨습니다.

"수행자들이여, 마을로 들어갈 때는 홀로 갈 것이요, 두 사람이 함께 가지 말라. 유행을 할 때에는 많은 사람을 위해 애민해 섭수하고자 법을 전하되, 항상 처음과 중간과 끝을 모두 올바르게 설해서 의미가 분명하고 어구가 명료해 의심이 없도록 하라. 그리고 수행자들은 항상 원만구족하고 청정한 범행을 보여주어야 한다."

두 사람이 함께 가지 말라는 것은 무엇을 의미하겠습니까? 해탈은 무엇에 의지하지 않고 스스로 홀로 서는 것입니다. 이제 주인이 되었으니 당당하게 보다 넓은 세계로 흩어져 설법을 하라고 말씀하십니다. 뿐만 아니라 둘이 가면 서로 의지하고 나태해지기 쉬우므로, 또 한 사람이라도 더 교화하기 위해 함께 가지 말라고 하신 것입니다. 그리고 자신의 깨달음의 경지를 과시하거나 명예를 위해 설하지 말고 그들의 입장에서 가장 알아듣기 쉽게 전하라고 하셨습니다.

전도는 자신을 위하는 것이 아닌 타인을 위한 것입니다. 그러므로 비록 정법을 설했다 해도 타인이 그것을 알아듣지 못한다면 그것은 이미 정법이 아닙니다. 부처님도 처음에 만난 두 사람에게 설법을 했지만 실패하셨습니다. 이에 대해 어떤 이는 그들이 인연이 없는 중생이었기 때문이라고 합니다.

그러나 상대가 똑바로 알아듣지 못했으면 올바른 진리를 무용하게 만든 자신에게 책임이 있는 것이지 상대에게 문제가 있는 게 아닙니다. 초등학생을 앞에 놓고 대학생 수준의 고등수학을 강의하면서 나는 옳은데 아이들이 잘못되었다고 탓하는 경우와 똑같습니다. 이것은 인연이 안 맞아서라기보다는 인연을 못 맞추었기 때문입니다.

세상에 둘도 없는 진리라 할지라도 그것을 전할 때에는 상대의 조건에 맞추어 그의 입장에서 생각하고 문제를 풀어야 합니다. 대충 어렴풋이 이해를 시키는 것이 아니라 완벽하게 그의 삶에 도움이 되도록 해야 합니다.

그리고 그저 말만 조리 있게 잘하는 것이 아니라, 어디에 가든지 자신이 수행자라는 사실을 잊지 말고 항상 청정한 행위를 하라고 하셨습니다. 이것은 사람들이 수행자의 말이나 교리보다도 그의 숭고하고 수행자다운 태도에서 먼저 신뢰를 느끼기 때문입니다. 아무리 논리가 그럴듯하더라도 수행자의 행동이 올바르지 못하면 사람들은 처음부터 이야기를 왜곡되게 받아들이든가, 그 가르침을 알고 있어 봤자 그렇게 행동하는 것을 보니 별것 아니구나 하고 오히려 진리를 외면하게 됩니다. 그러나 비록 논리적인 설득력은 부족하더라도 행동이 바르면 신뢰를 하게 되고 가르침을 새겨듣게 됩니다. 그래서 올바른 수행자의 자세로 올바른 논리를 전도하라고 하신 것입니다.

푸르나 존자의 전도 의지

불교에서 전도의 목적과 의미를 얘기할 때 항상 거론되는 것이 바로 이 전도 선언입니다. 또 이 전도 선언과 함께 언급되는 것이 '푸르나 존자의 전도 의지'입니다. 푸르나 존자는 코살라국의 브라만 출신으로 수행과 전도에 전념했습니다.

어느 날 푸르나 존자는 부처님께 나아가 고했습니다.

"부처님, 이제 저는 멀리 서쪽의 수나파란타카로 가서 부처님의 정법을 전도하려 하오니 허락해 주소서."

"푸르나여, 수나파란타카 백성들은 성격이 아주 사납고 모질고 거칠다. 만일 그들이 너를 꾸짖고 조소하고 매도해 모욕하면 어찌하겠느냐?"

"부처님, 만일 그러한 일이 있다면 저는 그때에 '수나파란타카 사람들은 어질고 착해서 나를 주먹으로 치고 돌을 던지지는 않으리라' 이렇게 생각하겠습니다."

"푸르나여, 만일 그들이 칼로 해친다면 어찌하겠느냐?"

"부처님, 저는 그때에 '행자는 부처님의 정법을 구하기 위해 기꺼이 이 육신 버리기를 원하는데, 수나파란타카 사람들은 어질고 착해서 나로 하여금 육신의 속박에서 벗어나 큰 공덕을 짓게 하는구나' 이렇게 생각하고 미련 없이 일신을 버리겠습니다."

"착하고 착하도다. 푸르나여, 너는 잘 수행해 능히 인욕과 자제를 얻었도다. 너는 이제 수나파란타카로 가라. 가서 여래의 정법을 널리 전하라. 사납고 모진 백성을 제도하고 부처의 나라로 인도하라."

푸르나는 곧 수나파란타카로 가서 남녀 오백 명씩을 제도했으나 흉포한 자들의 박해로 순교했습니다. 이 소식을 들은 부처님은 찬탄하셨습니다.

"푸르나여, 그대는 무한 생명을 성취 증득했구나."

부처님 당시에는 진리를 위해 자기 몸을 바치는 것을 가장 올바른 삶이라고 생각한 분들이 많았습니다. 순교를 각오한 푸르나의 전도 의지는 어쩔 수 없는 시대적 상황이었다고 할 수 있지만, 부처님은 법을 전하러 갈 때 그들을 위해서 내가 가는 것이므로 그들이 나를 돌멩이로 때리고 차고 죽인다 하더라도 그들에게 감사하는 마음을 가지라고 하셨습니다.

그들이 오라고 해서 가는 것이 아니라 그들을 위해서 내가 가는 것이므로 그들이 아무리 말을 듣지 않는다 해도 원망하거나 미워해서는 안 된다는 것이 전교(傳敎)의 정신입니다. 이렇듯 전교의 정신은 그 목적이 전교의 대상에 있는 것이지 자기 자신에게 있는 것이 아닙니다.

푸르나는 수나파란타카 사람들이 아무리 자신에게 고통을 주더라도 그들을 원망하거나 저주하지 않고, 오히려 자신에게 주는 고통의 죄과가 그들에게 넘어가지 않도록 그들의 모든 행위를 자신을 위한 것이라고 생각합니다. 이는 교화의 정신이 철저한 자비의 실현이며,

교화의 목적이 자신의 이익을 위한 것이 아닌 중생을 위한 것임을 말해줍니다.

푸르나의 전도 정신은 억울하게 고통을 당하면서도 '어쩔 수 없지' 하며 참는 것이 아닙니다. 속으로는 분노의 마음을 품으면서 겉으로는 자비로운 말을 하는 것은 기만적인 굴종에 불과합니다.

푸르나 존자는 체념이나 자기 합리화가 아니라 오직 진리를 전하기 위해 목숨을 바친 것입니다. 비록 목숨을 바치는 한이 있더라도 자신을 그렇게 한 자들에게 원망이나 복수심을 갖지 않으며, 오히려 자신의 수행을 올바르게 해준 거라고 고마워하며, 그들이 잘못된 길을 걷지 않도록 부처님의 진리를 당당하게 외치겠다는 것입니다. 이것은 불교를 위하거나 그 어떤 것을 위하는 것이 아니라 진정 자신을 위한 길이며, 무엇보다 상대를 위하는 참된 자비심입니다.

우리는 비록 그분들처럼 살아가지는 못하지만, 그분들의 삶에 동참하지 못한 것을 참회하고, 고통받는 모든 이웃을 위해 무엇인가 함께 하고자 하는 자세가 필요합니다. 올바른 전도 정신과 올바른 전도 행은 불교인의 가장 중심적인 수행이 되어야 할 것입니다.

60명의 수행자에게 부처님은 마지막으로 말씀하십니다.

"수행자들이여, 나도 이제 곧 우루벨라로 가서 머무르면서 그들을 위해 법을 설하리라."

전도는 전도를 시키는 사람이 따로 있고 행하는 사람이 따로 있는 것이 아닙니다. 누구나 해야 하는 것입니다. 전도를 행하지 않는 불교는 죽은 불교입니다. 전도 속에서만 불교는 생명을 꽃피울 수 있습니다.

부처님이 가겠다고 하신 우루벨라는 부처님께서 목숨을 걸고 고행하신 곳이며, 부처님께서 정각을 얻으신 곳입니다. 부처님은 그곳에서 고행하는 수많은 수행자를 보았습니다. 그들은 나름대로 최선을 다해 수행하지만, 수행 방법이 잘못되었으므로 오히려 자신을 고통 속에 빠뜨리고 있었습니다. 부처님은 그곳에 있는 수행자들이 진리를 구하고자 하는 구도적 정열이 있는 사람들이기에 먼저 그들을 교화해 이를 기반으로 불교 교단을 흥륭시켜 수많은 사람을 고통에서 구제하고자 하신 것입니다.

부처님의 전도 선언과 푸르나의 순교 의지는 불자들이 가슴에 간직해야 할 교훈입니다.

제6장

자비와 지혜의 가르침, 교화 사례

가사 한 벌과 발우 하나.

한낱 걸인의 모습으로

가난하고 천대받는 사람들을 찾아

부처님은 이 마을 저 거리를 맨발로 걸으셨습니다.

아픔 있는 중생을 찾아

이와 같이 나는 들었다.

어느 때 부처님께서는 코살라국의 수도 슈라바스티의 기수급고독원에서 큰 비구들 천이백오십 인의 성중(聖衆)과 함께 계셨다. 공양하실 때가 되자 부처님께서는 가사를 입으시고 발우를 손에 드시고 슈라바스티 성으로 들어가셔서 차례로 탁발을 하셨다. 탁발을 끝낸 부처님께서는 기수급고독원으로 돌아와 공양을 마치신 뒤 발우와 옷을 거두고 발을 씻으신 다음 자리를 펴고 앉으셨다. 『금강경』

『금강경』은 이와 같이 시작됩니다. 부처님은 맨발로 성에 들어가 일곱 집을 돌아 탁발을 하시고 공양을 드신 뒤 발우를 씻어 제자리에 놓고 손을 닦고 물로 입을 헹구어 그 음식찌꺼기를 작은 생물들에게 보시하고 발을 씻은 다음 자리에 앉으십니다.

최고의 지혜를 성취하는 부처님의 가르침은 이 같이 구체적인 일상의 삶으로부터 나왔습니다. 평생을 길거리에서 살다 가신 부처님은 자신의 삶을 통해 감동적인 교훈을 전하고 계십니다.

부처님은 정각을 이루신 뒤 팔십의 노구를 쿠시나가라 사라쌍수 아래에 누이실 때까지 가사 한 벌과 발우 하나만을 가지고 맨발로 북인도 전역을 돌면서 중생의 고통을 함께하셨습니다. 팔만사천법문은 부처님이 이렇게 수많은 중생과 만나 그들의 고통을 들으시고, 그 문제의 해답을 중생 스스로가 찾아 해결할 수 있도록 말씀해 주신 이야기들입니다.

부처님의 가르침은 모두 풍부한 사례와 비유와 인연담으로 친절하게 설해져 우리의 삶에 각성과 활력을 줍니다. 또 교화 사례를 통해 우리는 부처님의 인격을 엿볼 수 있고, 부처님의 모습을 실감할 수 있습니다. 부처님의 교화 사례는 너무도 방대해 한꺼번에 다 볼 수는 없습니다. 그러므로 부처님의 전도 선언 이후 교단의 기반을 정립하는 과정에서 나타난 특징적인 교화 사례를 중심으로 살펴보겠습니다.

잃어버린 자신을 찾아라

부처님은 60명의 제자를 전도의 길로 떠나보낸 후 우루벨라를 향해 교화의 길을 떠나십니다. 우루벨라로 가던 도중에 부처님은 숲 속 나무 밑에 앉아 잠시 쉬고 계셨습니다.

그때 30명의 청년들이 한 유녀를 찾아 정신없이 그 숲을 헤매고 있었습니다. 유녀란 우리나라 기생과 같은 신분입니다. 그 젊은이들은 유녀들을 불러 쾌락을 즐기고 있었습니다. 삶의 의미를 잃고 환락에 몸을 맡기고 있었던 것입니다. 그들이 그렇게 쾌락의 노예가 되어 자기 자신을 잃고 놀이에 빠져 있을 때 한 유녀가 그들의 옷과 재물을 훔쳐 도망을 갔습니다. 그래서 그들은 도망간 유녀를 찾아 숲을 헤매던 중이었습니다. 그들은 부처님을 만나자 유녀를 보지 못했는지 묻습니다.

부처님은 유녀의 뒤를 정신없이 쫓고 있던 젊은이들에게 질문하십니다.

"젊은이들이여, 그대들은 어찌하여 자기 자신을 찾으려고 하지 않는가? 그대들은 어떻게 생각하는가? 달아난 여자를 찾는 일과 잃어버린 자기 자신을 찾는 일 중 어느 것이 더 수승하다고 생각하는가?"

부처님은 그들에게 유녀를 찾는 것, 즉 쾌락과 재물을 좇는 것이 중요한 일이 아니라 자기 자신을 찾는 것이 중요한 일임을 일깨워주셨습니다. 그리하여 어느 것에도 종속되지 않는 길, 자기 스스로 삶의 주인이 되는 길을 가르쳐주신 후 그들을 교화했습니다.

삼독의 불을 끄고 열반에 들라

부처님은 마가다국의 우루벨라에 이르렀습니다. 마가다국은 빔비사라 왕이 통치하고 있었으며 종교와 사상이 크게 발달해 있었습니다. 그 가운데 불을 섬기는 사화외도(事火外道)인 카샤파 3형제는 빔비사라 왕을 비롯해 마가다국 사람들에게 숭앙받았을 뿐만 아니라 동쪽에 이웃한 앙가국까지 명성이 높았습니다.

그들은 모두 나이란자나 강가에 수행처를 두고 있었습니다. 맏형인 우루벨라 카샤파는 가장 상류 부근에서 500명의 제자를 가르치고 있었고, 둘째 나디 카샤파와 셋째 가야 카샤파도 각각 나이란자나 강가에서 300명과 200명의 제자를 거느리고 있었습니다.

부처님은 이들의 수행처 근처에 계시면서 먼저 맏형 우루벨라 카샤파와 그의 제자들을 위의와 설법으로 교화하셨습니다. 이후 둘째와 셋째 카샤파와 그들의 제자들도 모두 제자로 받아들이셨습니다.

이때 부처님은 카샤파 형제와 그의 제자들을 교화하시고자 3,500가지의 신통력을 행사하셨다고 합니다. 이것으로 보아 부처님께서 카샤파 형제를 조복시키는 일이 쉽지 않았으며 꽤 오랜 시일과 노력이 필요했다는 것을 알 수 있습니다. 또 불교 교단이 저절로 형성된 것이 아니라 타 교단과의 치열한 종교적 논쟁 등을 통해 사상적 우월성을 증명함으로써 기반을 형성해 갔음을 보여줍니다.

부처님은 우루벨라에서 가장 큰 세력을 가진 카샤파 3형제를 설복해 1,000여 명의 제자를 거느린 거대한 교단을 형성함으로써 본격적인 교화 활동을 펴는 데 필요한 교두보를 마련하십니다. 부처님은 이들 천 명의 제자를 위해 이른바 '타오르는 불의 설법'을 하셨습니다.

"수행자들이여, 모든 것이 타오르고 있다. 육근(六根)과 육경(六境)과 그 접촉에 의한 모든 것이 타오르고 있다. 삼독의 거센 불길로 활활 타오르고 있다."

육근(六根)은 육식(六識)을 낳는 눈·귀·코·혀·몸·뜻의 여섯 가지 근원을 말하며, 육경(六境)은 색(色)·성(聲)·향(香)·미(味)·촉(觸)·법(法)을 말합니다. 육식은 육근에 의하여 대상을 깨닫는 여섯 가지 작용인 안식(眼識)·이식(耳識)·비식(鼻識)·설식(舌識)·신식(身識)·의식(意識)을 말합니다.

부처님은 그들이 불을 섬기는 도구는 모두 버렸지만 아직도 그들 내부에서 타오르고 있는 탐·진·치 삼독의 불꽃을 속히 끄고 열반에 들 것을 촉구하셨습니다. 경전에서는 부처님께서 '불의 법문'을 설하시자 천 명의 비구들의 번뇌가 사라졌다고 합니다. 불의 성질을 잘 아는 사화외도였던 그들에게 불을 비유로 설법하신 것은 듣는 사람의 근기에 맞추어 적절하게 설법하신 대기설법(對機說法)이 아닐 수 없습니다.

빔비사라 왕이 죽림정사를 기증하다

120살의 카샤파가 젊은 사문에게 귀의했다는 소식은 마가다국 전체를 뒤흔들어놓았습니다. 카샤파를 숭앙했던 빔비사라 왕과 마가다국의 백성들은 사실 여부를 직접 확인하고 싶었습니다.

빔비사라 왕은 라자그리하 부근 숲에 계신 부처님을 찾아왔습니다. 부처님은 마음에 의심이 남아 있는 빔비사라 왕과 백성들을 위해 카샤파에게 직접 말하도록 하셨습니다.

"붓다의 가르침을 듣기 전까지는 불을 받드는 것이 가장 으뜸가는 것이라고 생각했습니다. 그러나 붓다의 가르침을 듣고 불을 섬기는 것이 윤회의 씨를 뿌리는 것에 불과함을 알았습니다. 불을 받드는 것은 내생을 구하기 위한 것입니다. 브라만의 제사는 하늘과 땅에 사람으로 태어날 공덕은 있으나 탐욕과 진심과 어리석음을 벗어나지는 못하는 것임을 알았습니다. 이것이 모두 생존의 집착이며 구차함인 줄을 알아 제사도 공희도 버리게 되었습니다. 세존은 실로 하늘과 땅 모든 것의 스승이십니다. 저 같은 사람이 미치지 못하는 곳에 계십니다. 이 나이에 세존을 만나 제자의 무리에 들어간 것을 무상의 기쁨으로 여깁니다. 세존은 저의 스승이십니다. 저는 세존의 가르침을 듣는 제자입니다."

카샤파의 말이 끝나자 부처님은 비로소 그들을 위해 법을 설하셨습니다. 빔비사라 왕과 그의 권속과 신하 그리고 마가다국의 많은 백성이 부처님의 설법에 감화를 받고 귀의했습니다. 이후 빔비사라 왕은 부처님과 부처님의 승단을 위해 사원을 지어 기증했습니다. 이 사원이 불교 최초의 사원 죽림정사(竹林精舍)입니다.

부처님은 이후 죽림정사가 있는 라자그리하 성을 포교의 거점으로 삼아 마가다국 전역을 교화하셨습니다. 부처님은 교화 생활 동안 라자그리하에 가장 오래 머무셨습니다.

1,250 비구 대중

부처님은 죽림정사를 기증받으시고 얼마 되지 않아 45년 교화 과정에서 큰 비중을 차지하는 사람들의 귀의를 받게 됩니다. 그들은 바로 사리푸트라와 목갈라나 존자입니다. 이들은 브라만 출신이 었으나 산자야 벨라티풋타 밑에서 출가해 함께 수행을 하고 있었습니다.

산자야는 500여 명의 제자를 이끌고 있었는데 그중 200여 명은 목갈라나와 사리푸트라가 지도하고 있었습니다. 수행 경지가 높았던 두 수행자는 산자야의 가르침이 기존의 사문 사상보다는 분명 수 승한 것 같았으나 뭔가 충족되지 않는 것이 있었습니다. 두 수행자는 진리에 대한 갈증으로 늘 목말라하고 있었습니다.

두 사람은 새로운 사상 체계와 가치관을 찾아 여기저기 유행하다가 지쳐서 다시 산자야 승단에 돌아와 있었습니다. 그때 사리푸트라는 부처님의 제자인 아슈바지트 존자에게 간청해 부처님의 가르침을 듣게 됩니다.

"모든 것은 인연이 있어 생겨나는 것. 여래는 그 원인을 설하신다. 모든 것은 인연이 다하면 소멸되는 것. 위대한 사문은 이와 같이 가르치신다."

사리푸트라는 해결할 수 없었던 마지막 매듭이 풀리는 것을 느꼈습니다. 사리푸트라는 목갈라나와 함께 산자야에게 가서 부처님께 귀의하자고 청했으나 산자야는 이를 거부합니다. 그러자 사리푸트라와 목갈라나는 그들을 따르는 제자 200명과 함께 부처님께 귀의했고, 이들의 스승이었던 산자야는 큰 제자들을 잃고는 피를 토하고 죽었다고 전해집니다.

이후 사리푸트라와 목갈라나는 불교 교단을 운영하고 지도하는 데 지대한 역할을 하게 됩니다.

사리푸트라는 부처님의 가르침을 정확히 이해하고 그것을 다른 비구 대중과 재가 신자들에게 치밀한 체계로 다시 설법하는 걸 잘했다고 합니다. 듣는 사람들이 부처님 말씀을 쉽고 빠르게 이해할 수 있도록 설법하는 능력이 뛰어났으며 통솔력 또한 탁월했다고 합니다. 그래서 부처님의 십대 제자 중 '지혜제일'로 꼽습니다. 사리푸트라는 대승불교 사상의 근간이 되는 반야 사상의 핵심을 정리한 『반야바라밀다심경(般若波羅蜜多心經)』의 설법 대상으로 등장하는 등 그의 뛰어난 지혜는 후대에까지 널리 알려져 있습니다.

부처님의 제자 중에 '신통제일'이라고 불리는 목갈라나는 부처님과 신통의 힘이 비슷했다고 합니다.

흔히 우리는 부처님의 10대 제자로 지혜(知慧)제일 사리푸트라, 신통(神通)제일 목갈라나, 두타(頭陀)제일 마하카샤파, 천안(天眼)제일 아니룻다, 해공(解空)제일 수부티, 설법(說法)제일 푸르나, 논의(論議)제일 카트야나, 지계(持戒)제일 우팔리, 밀행(密行)제일 라훌라, 다문(多聞)제일 아난다를 말합니다.

부처님의 교단은 이제 야사와 그의 친구들 50명, 카샤파 3형제와 1,000명의 비구 대중, 사리푸트라와 목갈라나, 그리고 그들과 함께 귀의한 200명의 제자를 합해 1,250여 명의 비구 대중을 형성했습니다. 『금강경』을 비롯한 많은 경전의 첫머리에 '이때 부처님께서는 1,250 비구 대중과 함께 계셨다'라는 서술이 나오는데, 그 1,250인이 바로 이때 형성된 대중을 말하는 것입니다. 이들은 수행력이 깊었으며, 그동안 자신들이 가장 숭앙했던 스승을 귀의시킨 부처님께 귀의한 것이기에 신앙심도 돈독해 이후 승단의 골간이 되었습니다.

부처님은 사리푸트라와 목갈라나를 교화한 지 얼마 되지 않아 또 한 사람의 걸출한 제자를 만나셨습니다. 그는 부처님께서 입멸하신 뒤 승단을 이끌고 제1결집을 주도한 카샤파, 즉 마하카샤파입니다. 그는 항상 청빈하고 철저하게 소욕(少慾) 생활을 해 부처님께 '두타제일' 즉 최고의 고행 걸사라는 칭찬을 들었습니다.

이후 코살라국의 프라세나지트 왕과 그의 부인 말리카 왕비도 부처님께 귀의하게 됩니다. 이리하여 당시 최대 강대국인 코살라국과 마가다국의 왕이 부처님의 재가 신자가 되었고, 각각의 나라에 기원정사(祇園精舍)와 죽림정사가 세워집니다. 이를 중심으로 불교의 교세는 인도 전역으로 급속히 확장되어 나갔습니다.

석가족의 교화

이렇게 기반을 잡으신 부처님은 석가족을 교화하고자 카필라바스투로 가셨습니다.

부처님께서 카필라바스투로 가신 시기는 죽림정사에 계시다가 가셨는지, 기원정사에 계시다가 가셨는지에 따라 다르게 논의되고 있습니다. 죽림정사에 계시다가 카필라바스투로 가셨으면 성도 후 3년이 지난 때로 기원정사가 마련되기 전이고, 기원정사가 마련된 후라면 그 시기는 성도 후 약 6년이 지난 때입니다. 그러나 전후 사정으로 보아 성도 후 6년이 지난 때에 카필라바스투로 가신 것이 아닌가 생각됩니다.

슈도다나 왕의 간곡한 청에 따라 카필라바스투에 가신 부처님은 곧장 성으로 들어가지 않고 숲에 머물면서 걸식을 하셨습니다.

성대한 잔치를 준비해 놓고 부처님을 기다리던 슈도다나 왕은 부처님께서 걸식을 하신다는 소식을 듣고는 불같이 노해 부처님께 달려옵니다. 이때 섭섭함과 노여움으로 질책하는 슈도다나 왕에게 하신 부처님의 말씀은 많은 것을 생각하게 합니다.

"내 아들아, 왜 우리 가문을 창피하게 만드는가? 무엇 때문에 걸식을 하는가? 너희가 먹을 음식은 충분히 준비되어 있는데 어찌하여 걸식을 하며 왕궁으로 들어오지 않는 것이냐?"

"이것은 우리 가문의 전통이며 우리 집안의 법입니다."

"무슨 말을 하는가? 우리 가문은 대대로 명예 있는 왕족이다. 우리 가문에서 걸식한 사람은 한 사람도 없었느니라."

"제가 말하는 가문이란 세속의 왕통이 아니라, 과거 모든 부처님의 불통(佛統)을 말합니다. 여러 부처님과 다른 모든 부처님께서도 다 걸식을 하셨고 또 걸식으로 생명을 보존하셨기에, 저 또한 그분들을 따르는 것입니다."

부처님은 이후 성으로 들어가서 슈도다나 왕을 교화하셨습니다. 슈도다나 왕은 이때 부처님께 엎드려 예배함으로써 부처님이 탄생하셨을 때와 잠부나무 아래서 예배한 것을 합해 세 번째 예배를 하게 됩니다.

부처님은 슈도다나 왕뿐만 아니라 마하프라자파티와 수많은 석가족을 교화하고 아들 라훌라를 출가시켰습니다. 그리고 배다른 동생이며 왕위를 이을 난다를 출가시키고 이후 아버지 세 형제의 아들, 즉 부처님의 사촌 동생인 아니룻다, 바드리카, 데바닷타, 아난다 등을 출가시킵니다.

이들 중 나이가 어려 사미로 출가한 아들 라훌라는 정진해 '밀행제일'이라고 불렸으며, 아니룻다는 잠을 자지 않고 정진하다가 실명했으나 더욱 정진해 천안(天眼)을 얻어 '천안제일'이라고 불렸습니다. 반면에 데바닷타는 후에 부처님께 반기를 들고 분파를 형성했으므로 후대까지 '부처님 최대의 적'으로 평가되고 있습니다.

아난다는 부처님께서 쉰다섯 되시던 해부터 시자(侍者)가 되어 부처님이 돌아가실 때까지 그 곁을 떠나지 않고 그림자처럼 따르며 보필했습니다. 부처님의 가르침을 누구보다 많이 들었으므로 '다문제일'이라고 불렸습니다. 그리고 부처님이 입멸하신 후 결집 과정에서 마하카샤파와 함께 중요한 역할을 하게 됩니다.

세계 최초의 여성 출가

부처님 당시 인도 사회에서 가장 차별받은 집단은 천민이라 불리는 최하층계급인 수드라였습니다. 그러나 실제로 더 차별받은 사람은 여성이었습니다. 여성들은 사회 제도상 아무런 권리도 갖지 못했고 독립된 인격으로 대우받지도 못했습니다.

인도에서 여성은 남성에 의해서만 그 존재가 인정되었습니다. 어릴 때는 아버지의 딸로, 결혼하면 남편의 아내로, 남편이 죽으면 아들의 어머니로서 존재했을 뿐입니다. 여성은 독립된 인간이 아니라고 생각했기에 해탈이나 출가라는 말도 해당되지 않았습니다. 여성은 수행자 혹은 사제가 될 수 없었습니다.

불교에서 여성 수행자 문제가 처음 등장한 것은 마하프라자파티 부인이 남편인 슈도다나 왕이 세상을 떠나자 부처님께 출가를 청하면서 시작됩니다. 이때 부처님의 부인이었던 야소다라를 포함해 남편이 출가해 혼자 남은 500명의 여인들이 함께 출가를 신청했습니다.

그러나 그때까지 한 번도 출가를 거절한 적이 없던 부처님께서 이 여인들의 출가를 거절하셨습니다. 여인들이 재차 출가를 청했지만 부처님은 다시 거절하고는 바이샬리로 떠나버리십니다.

그러자 500명의 여인들은 스스로 머리카락을 자르고 카필라바스투에서 바이샬리까지 멀고도 험한 길을 맨발로 부처님을 따라왔습니다. 바이샬리에 온 마하프라자파티 부인 일행은 아난다 존자에게 출가를 허락해 줄 것을 부처님께 다시 요청해 달라고 말합니다.

아난다 존자는 부처님의 어머니와 부인, 또 자신의 누이와 친척들인 그 여성들의 비참한 모습을 보고 너무나 가슴이 아파 부처님께 간곡하게 요청합니다.

"부처님이시여, 마하프라자파티 부인은 부처님이 갓난아기였을 때부터 온갖 정성으로 키우셨습니다. 또 마하프라자파티 부인은 부처님의 법문을 듣고 부지런히 정진해 수행 정도가 누구도 따라가지 못할 만큼 깊습니다. 이런 분을 출가시키지 않는다면 여성은 수행해도 깨달음을 얻지 못한다는 말입니까?"

그러자 부처님께서 말씀하십니다.

"아난다여, 그렇지 않다. 여성도 법에 귀의해서 바르게 수행하면 능히 해탈과 열반을 증득할 수 있다."

"부처님, 마하프라자파티 부인보다 더 훌륭한 여인이 어디 있겠습니까?"

마침내 부처님은 교단 내외의 반대를 무릅쓰고 아난다 존자에게 그 여인들을 출가시키라고 허락하십니다.

부처님께서 여성 출가를 세 번이나 거절하셨던 사실을 놓고 사람들은 불교의 평등사상이 갖는 한계를 지적하거나 비구와 비구니 간의 차별을 주장하기도 합니다. 그러나 부처님은 여성 출가 자체를 부정하셨던 것이 아니라 당시의 인도 상황에 비추어 여성 출가자들이 겪게 될 어려움을 고려해 그 시기를 늦추신 것입니다.

당시는 여성 차별이 심했고, 여성 출가는 사회에서 받아들이기 어려운 일이었으므로 설령 카필라바스투에서 부처님께서 허락하셨다고 해도 쉽게 이루어질 수 있는 일이 아니었습니다. 그러다 부처님께서 바이샬리에서 여성 출가를 허락하신 것은 이 도시의 진보된 사상과 개방된 사회 분위기 때문에 사회적 물의가 적고 또 그것을 받아들일 만한 역량이 있다고 보고 허락하신 것입니다. 게다가 여인들 스스로 머리를 자르고 여기까지 왔다는 것도 큰 이유가 되었습니다.

당시 수행자는 길이나 숲에서 자고 옷이라고는 몸을 겨우 가릴 만한 누더기를 걸치고 걸식을 했습니다. 쾌락주의가 만연해 성적 타락이 극을 치닫던 인도에서 여성 출가자의 수행 생활은 결코 쉬운 일이 아니었습니다.

당시 사회 통념으로는 숲 속에서 홀로 정진하는 여성 출가자들은 남자에게 버려진 여인, 주인 없는 여인에 불과했습니다. 마치 유녀나 기생처럼 아무나 이들을 취하거나 데려가려고 했습니다. 경전에 보면 비구니 스님들이 폭행을 당한 경우가 많이 나옵니다. 그러니 부처님께서 그러한 상황을 우려해 여성 출가를 허락하지 않으신 것은 당연한 일이었습니다.

따라서 비구니는 비구보다 타의적으로 계를 파하게 될 상황이 많았으므로 비구니 교단은 비구 교단의 보호를 받아야 한다는 조건이 생겨난 것이고, 비구니가 지켜야 할 계가 많아지는 것도 불가피했던 것입니다. 그러나 경전에 보면 뛰어난 비구니 스님들에 대한 기록도 나타나며, 때로는 비구 스님들을 지도한 내용도 있는 것으로 보아, 비구니 스님이 비구 스님에게 지켜야 할 여덟 가지 공경법인 팔경계(八敬戒) 등은 상당 부분은 부처님 입멸 후 교단이 비구 중심이 되면서 생긴 것이 아닌가 싶습니다.

그러므로 여성 출가에 대한 우리의 시각은 계율의 세부적인 사항보다는 시대적 배경에서의 여성 출가 자체와 비구니 승단 형성에 초점을 맞춰야 합니다.

그런데 부처님께서 열반에 드시고 500년이 못 되어 비구니제도는 사라지고 맙니다. 인도 전통 사상에 의하면 여자는 전륜성왕·부처·제석천왕·마왕·범천왕이 될 수 없다는 오불가론이 제기되면서 여성 교단이 폐지되고 만 것입니다.

그러다 다시 비구니제도와 함께 여성성불론(女性成佛論)이 제기된 것은 대승불교가 일어난 다음입니다. 한국 불교는 다행히 대승불교의 전통을 이어받았기 때문에 여성성불론이 당연한 것으로 되어 있고 비구니제도도 온전히 남아 있습니다. 그러나 남방불교에서는 아직 비구니제도가 없습니다. 그 때문에 남방불교 나라의 여성들은 불교를 여성 차별 종교로 이해할 수밖에 없는 것입니다.

부처님이야말로 계급 해방의 선구자요, 여성 해방의 선구자였습니다. 비구니가 된다는 것은 여성이 누구의 소유물이 아니라 자기 운명의 주인이 되었음을 선포한 것이기 때문입니다. 비구와 비구니는 겉모습의 차이일 뿐 법에 귀의해서 해탈의 길을 가는 데에는 아무 차이도 차별도 있을 수 없습니다. 해탈의 길에서는 남녀가 따로 있지 않고 승속이 따로 있지 않음을 부처님은 보여주신 것입니다.

이리하여 불교 교단은 부처님을 교조로 한 비구·비구니·우바새·우바이의 사부대중(四部大衆)이 완성되었습니다.

교세의 신장과 외도의 방해

기존의 출가수행자나 새로운 사문은 물론이고 국왕·귀족·평민·천민에 이르기까지 모두가 부처님의 가르침에 차별 없이 교화되면서 부처님의 위의와 불교의 명성은 북인도 전역으로 뻗어나갔습니다. 중생에 대한 부처님의 지칠 줄 모르는 자비와 불제자들의 구도적 교화 열정으로 교세는 급속히 확대되어 갔습니다.

이러한 교세 신장은 간혹 이교도들과 격렬한 대립을 낳았습니다. 수닷타 장자가 부처님께 기원정사를 지어 기증하려고 할 때 이교도들이 방해를 해 목갈라나 존자가 신통력으로 이를 절복시킨 일이나, 부처님께서 슈라바스티 거리에서 망고나무를 하루 만에 성장시키고 일천의 부처를 출현시켰던 '슈라바스티의 기적' 등에 대한 이야기는 모두 이곳을 중심으로 교세를 펼치던 자이나교나 아지비카 교단과의 대립을 말해주는 것입니다.

이 외에도 경전에는 간혹 외도와 신통력을 겨루는 내용이 전해지는데, 이 역시 기존에 세를 형성하던 외도 세력들과의 대립 과정에서 그들을 설복하기 위한 방편이었을 것으로 보입니다. 기존에 있던 여러 사상의 한계를 비판하고 극복해서 대중의 지지 기반을 확장해 가는 부처님의 교세를 외도들은 막을 수가 없었습니다.

외도들은 부처님과 제자들의 수행이 뛰어나고 청정해 정면으로 대결할 수 없자 모략과 음모로써 부처님을 위해하고 불교 교단을 모함

하려고도 했습니다. 그 가운데 친차와 순다리 이야기는 유명합니다.

슈라바스티의 사람들이 부처님께만 공양을 올리자 브라만과 사문들은 걸식을 하고 보시를 받기가 힘들어졌습니다. 그러자 그들은 친차라는 아름다운 여인을 사람들의 눈에 띄게 곱게 단장시켜 기원정사에서 설법을 듣게 했습니다. 그러고는 그 후 옷 속에 물건을 넣어 배를 부풀게 해 부처님께서 설법하고 계신 자리에 나아가 여러 사람 앞에서 부처님의 아이를 가졌다고 말하게 했습니다. 그러나 결국 그것이 거짓임이 밝혀져 망신만 당했습니다.

또 순다리라는 여인에게 여러 날 부처님 처소에 가서 설법을 듣게 해 그녀가 부처님의 신도임을 알게 했습니다. 그 후 그 여인을 죽이고 시체를 기원정사 근처에 묻었습니다. 그리고 부처님이 불륜을 저지르고 그것을 감추기 위해 순다리를 죽여서 묻었다고 헛소문을 냈습니다. 그런데 어느 날 그녀를 죽인 자들이 술에 취해 저희끼리 싸우다가 순다리를 자기들이 죽였다고 발설해 버렸습니다.

외도들의 이러한 모략과 비방은 번번이 실패했으며 그때마다 부처님의 명성은 오히려 높아졌습니다. 외도의 공격이 크면 클수록 그것을 이겨내는 부처님의 위력과 불교 교세는 더욱 깊숙이 대중 속에 뿌리를 내렸습니다. 이러한 사실은 결국 부처님의 교화가 그만큼 광범위하게 일반 대중에게 깊이 파고들었으며, 외도들에게 위협적일 만큼 불교의 영향력이 확대되어 갔음을 반증하는 것이라 하겠습니다.

부처님의 교화와 유행은 북인도 전역에 걸쳐서 이루어졌습니다.

부처님이 유행하신 길을 갠지스 강을 중심으로 동쪽에서 서쪽으로 강 이남을 따라가 보면, 앙가국에서부터 마가다국의 라자그리하, 우루벨라, 가야와 파탈리푸트라, 카시국의 바라나시를 거쳐 야무나 강과 만나는 코삼비에 이르게 됩니다. 또 강 이북의 동쪽에서 북서쪽으로 칸타키 강을 따라가 보면, 밧지 연합의 바이샬리와 릿차비족의 영토로부터 쿠시나가라를 거쳐 카필라바스투에 이르고 북서쪽에서 슈라바스티를 중심으로 한 코살라국에까지 걸쳐 있습니다.

그러나 불교의 전파는 부처님께서 직접 유행하신 이런 교화 여정만으로 이루어진 것은 아닙니다. 부처님께 교화를 받은 많은 스님과 재가 신도들의 자발적인 전법 활동으로 보다 더 광범위하게 퍼져갑니다. 그리하여 불교는 부처님 재세 시에 이미 동쪽으로 갠지스 강 하류에까지 전해졌고 서쪽으로는 지금의 봄베이 북방인 아라비아 해 연안까지 전파되었습니다.

교화의 특징, 섭수와 절복

수많은 사람을 교화하신 부처님의 가르침은 늘 새롭습니다. 왜냐하면 사람마다 가지고 있는 문제가 다 다르고, 사람마다 상황이 다르기 때문에 부처님은 언제나 각각의 입장에서 문제를 해결할 수 있는 적합한 방법을 말씀해 주시기 때문입니다. 그 사람의 나이나 성별, 계급과 사회적 지위, 심리 상태나 지식 정도 등에 따라 그 사람이 가장 이해하기 쉽게 합리적으로 말씀하시며, 스스로 문제를 해결할 수 있도록 도와주십니다.

이렇게 사람마다 다른 상태, 부처님의 말씀을 받아들일 수 있는 근기에 따라 가르침을 주신다고 해서 부처님의 설법을 대기설법이라고 합니다. 또한 의사가 환자를 진찰하고 병에 따라 약을 처방해 치료하는 것에 비유해 응병여약(應病與藥)이라고도 합니다.

많은 사람이 자신이 안고 있는 병이 무엇인지도 모르고 마냥 번민하고 고통스러워할 때, 부처님은 그의 병이 무엇인지를 명확히 밝혀주십니다. 그리고 그 병의 원인을 알아내고 그 병이 회복된 상태를 보여준 다음 그 병이 나을 수 있도록 약을 지어주십니다.

부처님은 자신을 명의나 길 안내자로 비유하실 때가 많았습니다. 부처님은 일방적인 교설로 중생을 가르치지 않고 늘 대화를 통해 그들의 고뇌를 경청하고 상담자가 되셨습니다. 그래서 그들 스스로가 자신의 문제를 풀어갈 수 있도록 길을 제시하고 격려하며 함께 하셨습니다. 항상 제자들을 벗이라 부르고 그들과 똑같은 수행자의 모습으로 살아가셨습니다. 부처님이 평생 동안 지닌 것이라고는 가사 한 벌과 발우 한 개뿐이었습니다.

부처님은 매일매일 중생의 문간에서 걸식하며, 중생이 있는 곳에 가서 중생과 하나가 되셨습니다. 중생의 고통이 있는 곳이라면 그분의 발길이 닿지 않는 곳이 없었습니다. 부처님은 중생 스스로 고통을 여의고 기쁨을 얻게 하기 위해 갠지스 강 유역의 5천 리 길을 45년 동안 맨발로 유행하며 교화하셨습니다.

부처님은 왕에서부터 천민까지, 최고의 사상가에서부터 바보에 이르기까지 모든 사람을 만나고 대화해 그들의 의문을 풀어주셨습니다. 한없는 자비로써 잘못된 인생의 길을 바로잡아 주셨습니다.

"모든 악률의(惡律儀) 모든 범계(犯戒)를 보면 그냥 버려두지 아니하고, 내가 힘을 얻었을 때 어느 곳에서나 그러한 중생을 마땅히 절복할 자는 절복하고, 마땅히 섭수할 자는 섭수하겠나이다. 왜냐하면 절복하고 섭수함으로써 법으로 하여금 오래 머무르게 하기 때문입니다."

이는 『승만경(勝鬘經)』에 나오는 말로, 승만 부인이 정토 세계를 이루기 위해 세운 서원입니다. 섭수란 부처가 중생을 자비심으로 돌보고 보호하는 것으로, 마치 어머니가 자식을 사랑하는 것처럼 모든 것을 용납하고 수용하는 것을 말합니다. 절복은 세상의 불의와 악을 꺾고 굴복시켜 바른 길로 인도하는 파사현정(破邪顯正)의 의미를 담고 있습니다. 섭수와 절복은 상대에 따라서 자비를 표현하는 두 가지 방법으로 그 형식은 비록 반대일지라도 상대의 문제를 해결해 준다는 의미에서 같은 역할을 합니다.

부처님은 절복과 섭수를 함께 사용하셨습니다. 거짓된 연설로 민중을 잘못 인도하는 삿된 무리에겐 지혜의 광명과 파사현정의 단호한 어조로 사자후를 설했지만, 민중의 어리석음과 고통에 대해서는 끝없는 자비와 자애로운 목소리로 그들을 일깨우고 고통에서 벗어나도록 하셨습니다.

우팔리에게 마땅히 경배하라

부처님은 계급 관계에 대한 문제가 거론될 경우에는 단호하고 엄하게 질타를 하시곤 했습니다.

부처님께서 카필라바스투에서 부모와 권속들을 모두 교화하고 돌아오셨을 때의 일입니다. 부처님의 사촌 동생 일곱 명은 부처님의 성스러운 모습과 설법에 감화되어 출가하기로 결심하고 왕가의 시종이자 이발사인 우팔리에게 머리를 깎았습니다.

머리를 깎은 왕자들은 온몸의 보석과 장신구를 모두 떼어 우팔리에게 주었습니다. 보석을 받은 우팔리는 도대체 부처님의 제자가 되는 게 얼마나 좋은 일이기에 이 모든 부귀와 영화를 버리고 걸식하는 수행자가 되려고 하는가를 왕자들에게 물었습니다.

"부처님은 진리를 깨달으신 가장 뛰어난 분으로 모든 고통을 이겨내신 분이다. 부처님의 깨달음은 세상의 그 어떤 부귀영화보다도 값지고 훌륭한 것이므로 우리는 부처님을 따라 출가하려 한다."

왕자들의 답변을 들은 우팔리는 자신은 바랄 수조차 없는 부귀를 모두 버리고 출가해 부귀보다 더 훌륭한 것을 구하러 가는 왕자들의 뒷모습을 존경과 부러움에 차서 바라보았습니다. 우팔리는 혼자 남아 고민하다가 자신도 출가를 할 수 있는지 알아보려고 부처님을 찾아갔습니다.

우팔리는 왕자들보다 먼저 부처님을 찾아가 뵙게 되었습니다. 우팔리가 출가의 뜻을 여쭙자 부처님은 이를 쾌히 승낙하셨습니다.

그 뒤 일주일이 지나 일곱 왕자들은 부처님을 뵙고 출가를 허락받았습니다. 그리고 교단의 법도에 따라 선배들에게 차례로 절을 하다가, 맨 나중에 이르러 우뚝 멈추어 서고 말았습니다. 자신들의 머리를 깎아준 시종 우팔리가 가사를 걸치고 앉아 있는 것을 발견했기 때문입니다. 세속의 가치관이 아직 남아 있던 그들로서는 일주일 전만 해도 자신들의 노예였던 우팔리에게 절을 한다는 것은 생각할 수조차 없는 일이었습니다.

부처님은 멈추어 선 왕자들에게 엄하게 질책하셨습니다.

"너희들은 왜 주저하는가. 세속의 귀천을 떠나고 아만(我慢)을 꺾은 자만이 승단의 형제가 될 수 있느니라. 너희보다 먼저 출가한 우팔리에게 마땅히 경배하라."

당시에는 인간의 신분이나 인격이 태어나면서부터 결정되는 것으로 믿고 있었습니다. 이러한 계급 구조로 현실적인 고통을 받는 것은 피지배계급이었지만, 지배계급 사람들도 완전한 행복을 가질 수는 없었습니다. 수드라나 불가촉천민은 인간 이하의 억압과 고통 속에서 비인간화되어 갔고, 브라만이나 크샤트리아 같은 귀족계급들은 다른 계급의 인간을 인간 이하로 억압하고 구속함으로써 자신들도 인간의 심성을 잃고 비인간화되어 갔기 때문입니다.

부처님은 이렇게 비인간화되어 가는 지배계급에게 연민과 자비를 느끼셨습니다. 그래서 부처님은 지배계급일지라도 자신의 문제를 참회하고 호소해 올 때에는 따뜻하게 위로하고 섭수해 주셨지만, 기존의 잘못된 가치를 버리지 못하는 사람들에게는 절복의 방법을 사용하셨습니다.

한 브라만이 인간의 신분이나 인격은 태어나는 카스트에 따라 결정되는 것이라고 말하자 부처님은 그에게 단호하게 말씀하셨습니다.

"인간은 태어나는 것에 따라 성인이 되고 천한 사람이 되는 것이 아니다. 부모가 브라만이나 수드라라고 해서 자식들이 성인이나 천한 사람이 되는 것이 아니다. 인간은 오직 그 행위에 의해서만 그의 성품이 결정된다. 아무리 훌륭한 브라만 혈통의 자식이더라도 부정한 생각과 삿된 행동을 한다면 그는 천민이 되는 것이요, 아무리 수드라의 자식으로 태어났더라도 세상을 올바로 보고 선한 행동을 하는 사람은 성인이 되는 것이다."

이처럼 모든 계급적 차별을 부정하신 부처님께서 하물며 기존의 잘못된 가치를 버리고 새로운 삶을 살고자 하는 승가에서 절대 평등과 인간의 존엄성을 가장 중히 여기는 것은 너무도 당연합니다.

일곱 왕자들이 자신의 잘못을 참회하고 우팔리에게 선배에 대한 예를 올리자 부처님은 여러 대중에게 말씀하셨습니다.

"여러 강이 있어서 갠지스 강, 야무나 강, 아지라파디 강, 사라푸 강, 마히이 강이라고 불리지만 그 강들이 바다에 이르면 그 전의 이름은 없어지고 오직 바다라고만 일컬어진다. 그와 마찬가지로 크샤트리아, 브라만, 바이샤, 수드라 네 계급도 일단 법과 율에 따라 발심하고 출가해 불법에 이르면 예전의 계급 대신 오직 중(衆)이라고 불린다."

부처님은 이처럼 인간의 불평등을 합리화하는 카스트제도에 대해 인간의 귀천은 오직 그 행위에 의해서만 결정된다고 하셨습니다. 현재의 계급은 태어난 후 그렇게 길들여진 결과일 뿐 출생에 의해 귀천이 결정되지 않음을 인과론으로 설파하여 카스트를 부정하시고 사회구조를 흔들어놓았습니다.

가난한 여인의 작은 등불

부처님은 왕을 대할 때에도 그들의 세속적인 권위나 힘에 위축됨 없이 항상 당당하셨습니다.

한번은 코살라국의 프라세나지트 왕이 부처님과 승단을 위해 큰 연등법회를 열 때의 일입니다. 프라세나지트 왕은 슈라바스티 성의 기원정사에서 부처님과 스님들이 안거에 드는 석 달 동안 옷과 음식과 침구와 약을 공양했고, 안거가 끝나는 날에는 수만 개의 등불을 켜서 연등회를 베풀고자 했습니다. 그래서 슈라바스티 성은 물론 온 코살라국이 축제를 맞은 듯이 북적거렸습니다.

이 슈라바스티 성에는 성실하지만 매우 가난한 여인이 살고 있었습니다. 그 여인은 너무 가난해 이 집 저 집 돌아다니며 품을 팔아 밥을 얻어먹으며 겨우 목숨을 연명해 가고 있었습니다.

어느 날 그 여인은 온 성안이 떠들썩한 것을 보고 지나가는 사람에게 무슨 일이냐고 이유를 물었습니다. 프라세나지트 왕이 부처님과 스님들을 위해 연등회를 열기 때문에 그렇다는 말을 듣고 그 여인은 곰곰이 생각했습니다.

'왕은 큰 복을 짓는구나. 저렇게 복을 지으니 내생에도 큰 복을 받겠구나. 나는 이생에도 박복해 가난하고, 또 복을 지을 수도 없으니 내생에도 박복하겠지. 나도 등불을 하나 켜서 부처님께 공양을 올리고 싶구나.'

이렇게 생각한 여인은 남의 집에 가서 일을 해주고 받은 동전 두 닢으로 기름집으로 가서 기름을 샀습니다. 기름집 주인이 기름을 무엇에 쓰려느냐고 묻자 그 여인은 이렇게 대답했습니다.

"이 세상에서 부처님을 만나뵙기란 참으로 어려운 일입니다. 이제 부처님을 뵙게 되니 얼마나 다행한 일입니까? 나는 가난해서 부처님께 공양할 것이 아무것도 없으니 등불이라도 하나 공양할까 합니다."

기름집 주인은 여인의 말에 감동해서 기름을 곱절이나 주었고, 여인은 감사의 뜻을 표하고 그 기름으로 작은 등불을 만들어 부처님 처소로 갔습니다. 부처님 처소에는 수많은 등불이 휘황찬란하게 빛나고 있었습니다. 여인은 휘황찬란한 불빛에 기가 죽어 부처님이 다니시는 길목의 구석진 곳에 등불을 걸어놓고 기도했습니다.

"보잘 것 없는 등불이지만 이 공덕으로 다음 생에는 나도 부처가 되어지이다."

밤이 깊어지자 휘황찬란하던 등불들이 하나 둘 꺼져갔습니다.

그런데 워낙 보잘것없어 있는 둥 마는 둥 잘 보이지도 않던 그 여인의 작은 등불만은 꺼지지 않고 밝게 빛나고 있었습니다. 부처님의 시자인 아난다 존자는 등불이 모두 꺼지기 전에는 부처님이 주무시지 않을 것이므로 불을 끄려 했습니다. 그러나 이상하게도 그 등불은 손으로 바람을 내 끄려 해도 꺼지지 않고 가사 자락으로도 부채로도 꺼지지 않았습니다.

이 모습을 본 부처님께서 아난다에게 말씀하셨습니다.

"아난다야, 부질없이 애쓰지 마라. 그것은 비록 작은 등불이지만 마음 착한 여인의 넓고 큰 서원과 정성으로 켜진 것이기에 꺼지지 않을 것이다. 그 여인은 그 등불의 공덕으로 오는 생에는 반드시 부처가 될 것이다."

참으로 대단한 일이었습니다. 거지나 다름없는 여인이 초라한 등불 하나를 공양했다고 해서 부처를 이룰 것이라고 하신 부처님의 말씀은 삽시간에 온 슈라바스티 성으로 퍼져나가 프라세나지트 왕에게까지 전해졌습니다.

이 말을 전해들은 대왕은 급히 수레를 몰아 부처님 처소로 나아가 부처님께 여쭈었습니다.

"부처님, 그 여인은 작은 등불 하나를 켠 공덕으로 부처가 될 것이라고 했는데, 저는 석 달 동안이나 부처님과 스님들께 보시하고 수천 개의 등불을 켰습니다. 저에게도 미래에 부처가 되리라는 예언을 주십시오."

그러자 부처님은 왕에게 차분하고 절도 있는 목소리로 이르셨습니다.

"대왕이여, 불도란 쉽고도 어려운 것이오. 그것은 하나의 보시로도 얻을 수 있지만, 수천의 보시로도 얻지 못하기도 하오. 불도를 얻기 위해서는 백성을 위해 선정을 베푸시오. 많은 사람에게 보시하고 선행을 쌓으며 스스로 겸손해 남을 존경해야 하오. 그러나 절대로 자기가 쌓은 공덕을 내세우거나 자랑해서는 안 되오. 이와 같이 오랜 세월을 닦으면 뒷날에 언젠가는 부처가 될 것이오."

프라세나지트 왕은 불교의 번성을 위해 경제적 지원과 외호 등 많은 기여를 한 사람입니다. 그러나 부처님은 그가 승단에 큰 도움을 줄 수 있는 위치에 있다고 해도 그의 그릇된 생각에 대해서는 준엄한 가르침을 주실 뿐이었습니다.

왕은 연등회를 연 것을 자신의 공덕으로 생각했습니다. 그러나 그것은 결코 자신의 공덕이 아니었습니다. 부처님께서 왕에게 공덕을 내세우거나 자랑하지 말라고 한 것은 공양을 많이 올리면 공덕이 크지만 소위 생색을 내면 공덕이 감해진다는 그런 단순한 뜻이 아닙니다.

실제로 왕은 그 여인보다 공덕이 작습니다. 엄밀하게 생각해 보면 왕이 자신의 공덕을 쌓고자 부처님과 승단에 공양 올린 음식과 옷 등은 모두 백성들의 노력이며 백성들의 공덕인 것입니다.

하지만 가난한 여인은 비록 동전 두 닢 어치의 등불을 올린 것에 불과하지만, 그 여인에게 있어 동전 두 닢이란 자신이 밥을 굶으면서 올린 전 재산이었습니다. 더구나 가난에 쪼들려 당장 먹을거리가 없었음에도 불구하고 자신을 위해 잘 먹고 잘살게 해달라고 한 것이 아니라 부처가 되게 해달라고 기도를 했던 것입니다.

그에 비해 왕은 백성들이 생산한 재물을 과다하게 축적하고 낭비하면서 그중 일부를 부처님께 공양했을 뿐입니다. 자신의 것도 아닌 것을 부처님께 공양한 것이므로 그 공덕이 가난한 여인보다 훨씬 작은 것입니다. 그나마 부처님께 공양할 마음을 낸 것으로 조그마한 공덕이 생길까 말까 했는데 그것마저도 생색을 내는 바람에 줄어들어 버린 것입니다.

그래서 부처님은 왕에게 백성을 위해 공양하라고 하셨습니다. 모든 것을 백성에게 회향하라고 말씀하신 것입니다. 백성에게 선정을 베풀고, 스스로 겸손하고 남을 공경하며, 자기가 쌓은 공덕을 내세우지 않고 오랫동안 수행할 때 비로소 부처를 이룰 수 있다고 말씀하셨습니다. 수많은 백성 앞에서 가난한 여인보다 공덕이 수승하지 못하다는 지적을 받은 왕은 부끄러워하며 크게 깨우쳤습니다.

니다이여, 내 손을 잡아라

부처님은 타인을 고통에 빠뜨리는 지배계급에게는 엄한 아버지와 같이 절복으로 교화하셨지만, 대부분의 고통받는 사람에게는 자애로운 어머니와 같은 부드러움으로 섭수해 주셨습니다.

부처님께서 슈라바스티 성에 계실 때의 일입니다.

어느 날 슈라바스티 성에 사는 니다이가 인분이 가득 든 똥통을 메고 밭으로 가고 있었습니다. 부처님은 아난다 존자와 함께 걸식을 하고 계셨으며 거리에는 많은 사람이 부처님을 뵙고자 나와 있었습니다. 니다이 또한 부처님을 뵙고 싶었으나 초라하고 고약한 냄새를 풍기는 자신이 부처님께 폐가 될까 하여 길모퉁이에 숨어 부처님이 지나가시기를 기다렸습니다.

부처님은 니다이의 착한 마음을 알고 니다이가 있는 쪽으로 걸음을 옮기셨습니다. 부처님이 자신이 있는 곳으로 오시는 것을 본 니다이는 당황해서 달아나려다가 급히 서두르는 바람에 그만 똥통이 벽에 부딪쳐 깨어져 더러운 똥이 사방으로 튀고 말았습니다. 자신이 오물을 뒤집어쓴 것은 물론이고 부처님의 옷까지 더럽히고 말았습니다. 니다이는 부처님께 폐가 된 것이 두려워 똥이 쏟아진 바닥에 주저앉아 울면서 사죄했습니다.

당시에 니다이와 같은 일을 할 정도면 노예보다도 못한 불가촉천민이었을 것입니다. 불가촉천민은 브라만은 물론이고 다른 계급의 사람에게 가까이 가는 것조차 용납되지 않았습니다. 심지어 옷이나 몸이 다른 계급의 사람에게 닿으면 그 자리에서 죽임을 당하기도 했습니다. 그런데 많은 사람들이 위대하다고 우러러보는 부처님께 똥물을 튀게 했으니 그때 니다이의 공포는 마치 사형당하기 직전의 심정이었을 것입니다.

그러나 부처님은 자비로운 눈으로 그를 쳐다보며 손을 내미셨습니다.

"니다이여, 내 손을 잡고 일어나거라."

니다이는 너무도 놀라서 손을 감추며 황망히 뒤로 물러나 앉았습니다. 그러자 부처님은 손수 니다이의 손을 잡아 일으켜 세우며 말씀하셨습니다.

"니다이여, 이리 오너라. 나와 함께 강물로 가서 씻자."

"저같이 천한 자가 어찌 감히 부처님과 함께 가겠습니까. 더구나 저는 온몸에 오물이 묻어 있습니다."

"염려 말거라, 니다이여. 나의 법은 청정한 물과 같으니 일체를 받아들여 더러움으로부터 정화해 해탈케 하나니, 빈부귀천이 나의 법 안에서는 모두 하나가 되느니라."

니다이는 브라만이나 귀족의 몸에 실수로 닿기만 해도 손발이 잘리는 불가촉천민으로 부처님께 도저히 접근조차도 할 수 없는 신분이었습니다. 그러나 부처님은 오물을 뒤집어쓴 니다이를 잡아 일으켜 손수 몸을 씻겨주셨습니다. 이것은 불가촉천민인 니다이의 사회적인 신분과 그로 말미암아 천대받는 고통을 불법으로써 정화해 주신 것을 의미합니다. 아무리 신분이 낮고 천대받아도 불법은 청정하고 평등해 그 모두를 받아들이는 것입니다.

부처님, 살인자를 구제해 주십시오

어느 날 부처님은 살인마 앙굴리말라를 교화하셨습니다.

앙굴리말라는 마니바드라 브라만 밑에서 열심히 공부하는 젊은 수행자였습니다. 그런데 마니바드라의 부인이 나이 많은 남편에게 싫증을 느끼고 앙굴리말라를 유혹했습니다. 앙굴리말라는 그녀의 유혹을 받아들이지 않았습니다. 그러자 스승의 부인은 앙심을 품고 계책을 꾸몄습니다.

그녀는 남편이 집으로 돌아올 때가 되자 자기 옷을 찢고 머리를 풀어헤치고는 울기 시작했습니다. 이를 보고 놀라 이유를 묻는 남편에게 그녀는 앙굴리말라가 자신에게 못된 짓을 하려 했다고 거짓말을 했습니다.

이에 격분한 스승은 앙굴리말라를 파멸시키기 위해 100명의 사람을 죽여 손가락으로 목걸이를 만들어 오면 성자가 되게 해주겠다고 했습니다. 앙굴리말라는 스승의 말을 믿고 닥치는 대로 사람들을 죽이고 손가락을 잘랐습니다. 슈라바스티 성은 삽시간에 공포에 휩싸였습니다.

앙굴리말라는 자신을 말리려고 쫓아온 어머니에게까지 달려들었습니다. 부처님은 이 소식을 듣고 앙굴리말라 앞에 나타나셨습니다. 앙굴리말라는 부처님에게 달려들었습니다. 그런데 아무리 부처님을 잡으러 쫓아가도 도저히 따라잡을 수가 없자 부처님께 욕을 하며 멈추라고 소리쳤습니다.

그러자 부처님은 앙굴리말라를 향해 이렇게 말씀하셨습니다.

"앙굴리말라여, 나는 머무르는데 그대는 머물지 못하는구나. 나는 언제나 머물러서 모든 생명의 은혜를 입고 있는데 너는 탐욕과 분노와 어리석음의 불꽃을 피우며 잠시도 머무르지를 못하는구나."

그제야 앙굴리말라는 제정신을 찾고 부처님의 발밑에 엎드려서 말했습니다.

"부처님, 저는 이제 어떻게 해야 합니까? 이 살인자를 구제해 주십시오."

부처님은 피로 얼룩진 앙굴리말라의 손을 잡아주셨습니다. 윤리적으로는 그 누구도 앙굴리말라를 용서할 수가 없을 것입니다. 아니, 용서해서는 안 된다고 하는 것이 옳을 것입니다.

하지만 사실 앙굴리말라는 피해자였습니다. 스승 부인의 사음과 탐욕, 그리고 스승의 어리석음과 분노로 앙굴리말라는 고통을 받았던 것입니다. 앙굴리말라는 수많은 사람을 죽이는 악행을 저질렀지만 부처님을 만나서 진심으로 자신의 죄를 참회하고 눈물을 흘렸습니다.

부처님은 진정으로 참회하는 자에게는 아무것도 묻지 않고 모든 것을 받아들이십니다. 이미 그는 새로 태어난 인간이기 때문입니다.

비록 국법에 의해서 버림을 받고 모두가 저주하는 사람일지라도 그가 진정으로 참회한다면 부처님의 법에서는 모든 것을 용서받고 죄업에서 벗어나 새 삶을 살아갈 수 있는 것입니다.

먼지를 털고 때를 닦아라

부처님의 제자 중에는 출라판타카라는 바보가 있었습니다. 부처님은 뛰어난 여러 제자들에게 그의 학습을 당부했습니다. 그런데 제자들이 그가 너무나 바보여서 가르칠 수 없다고 포기하자 출라판타카는 울면서 집으로 돌아가려 했습니다.

이를 본 부처님을 그를 불러 물어보십니다.

"마당을 쓸고 방을 닦는 일은 할 수 있느냐?"

눈물을 닦으며 고개를 끄덕이는 출라판타카에게 부처님은 이렇게 말씀하셨습니다.

"너는 앞으로 마당을 쓸고 방을 닦으며 '먼지를 털고 때를 닦아라' 하고 외거라."

출라판타카는 사실 이렇게 간단한 글귀도 외지 못했습니다. 그래서 부처님은 제자들을 모아놓고 출라판타카를 만날 때마다 '먼지를 털고 때를 닦아라' 라는 말을 해주도록 했습니다. 그 후 모든 대중 스님들은 출라판타카를 볼 때마다 그 말을 해주었습니다.

출라판타카는 매일 먼지를 털고 때를 닦는 일을 하면서 쉬지 않고 '먼지를 털고 때를 닦아라' 는 말을 외었습니다. 처음에는 그 글귀조차 제대로 외지 못했으나 스님들의 도움으로 점차 그 글귀를 외울 수 있게 되었을 뿐만 아니라 마침내 '먼지를 털고 때를 닦아라' 는 말의 내용을 꿰뚫어 알게 되었습니다.

"본래 우리 인간의 마음은 청정한데 먼지나 때가 끼듯이 업장에 가려져 있다. 먼지를 털고 때를 닦듯이 업장을 없애면 우리의 본래 불성을 찾을 수 있을 것이다."

이렇게 출라판타카는 청소를 하듯이 부지런히 마음을 닦아 마침내 깨달음을 얻었습니다.

모두가 포기한 출라판타카였으나 부처님은 그를 깨달음으로 인도해 주셨습니다. 업장으로 무지한 우리의 때를 자상한 자비로 닦아주고 지혜를 찾아주시는 분이 바로 부처님입니다.

몇 가지 교화 사례에서 보듯이, 부처님의 삶은 완벽하고 위대해 우리가 살아가야 할 삶의 모범을 보여줍니다. 세속적 가치를 지닌 지도자의 모습도 아니었고, 세속을 떠난 초월주의나 신비주의자의 모습도 아닙니다.

부처님은 중생을 이끌고 지도한다는 생각보다는 중생과 함께 살아간다는 자세로 45년 동안 시종여일하셨습니다. 그렇기 때문에 오늘날까지 부처님은 우리의 구원자이자 좋은 안내자로 계시는 것입니다.

제7장

위대한 열반, 새로운 역사

지금이야말로 새로운 부처의 시대.

장차 부처가 되리라 약속받은 미륵보살이

바로 우리입니다.

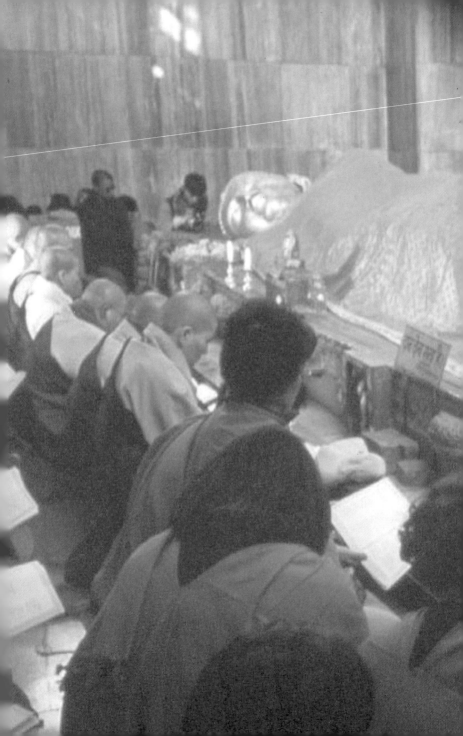

부처님의 열반 선언

마지막 유행

부처님은 녹야원에서 다섯 비구에게 처음으로 법륜을 굴린 이래 45년 동안 잠시도 쉬지 않고 중생의 고통을 해결해 주셨습니다. 그리고 이제 79살의 노구를 이끌고 마지막 길을 떠납니다.

부처님의 전 생애를 기록한 수많은 경전은 녹야원에서의 전도 선언 이후 부처님의 행적을 여러 가지로 기록하고 있습니다. 이 중『장아함경(長阿含經)』의『유행경(遊行經)』은 부처님이 열반에 들기 몇 달 전 동안 일어난 실제 사건을 자세하게 기록한 초기 불교 경전입니다.

『유행경』은 부처님이 열반에 드시기 약 1년 전쯤 마가다국의 라자그리하 부근 기사굴산에 계실 때부터 시작합니다. 이때 마가다국의 왕인 아자타샤트루 왕은 밧지 연합국을 침략할 계획을 세우고 우사를 보내 부처님의 의견을 듣고자 합니다. 이에 부처님은 우사에게 직접 대답하지 않고 아난다 존자에게 밧지 국민들이 화합하고 있는가에 대해 일곱 가지로 물었고, 아난다 존자는 그들이 그 일곱 가지 화합의 법에 어긋남이 없다고 대답했습니다.

그러자 부처님께서 말씀하셨습니다.

"그 나라는 언제나 안온해 누구의 침략도 받지 않을 것이다."

우사는 그 뜻을 알고 물러났습니다.

부처님은 오륙 년 전에 카필라바스투가 코살라국에게 침략당해 멸망한 가슴 아픈 기억을 갖고 계셨습니다. 아니 꼭 카필라바스투가 멸망하지 않았더라도 온 생명을 무한한 자비로 대하는 부처님에게 침략 전쟁에 대한 견해는 당연히 부정적일 수밖에 없습니다. 그런 부처님께 강대국이 약소국을 침략하는 것에 대한 의견을 묻는다는 것 자체가 참으로 외람된 일이 아닐 수 없습니다. 오죽하면 부처님은 우사 대신에게 직접 대답하지 않고 아난다 존자에게 묻고 대답하게 하면서 자신의 뜻을 전하셨겠습니까.

우사가 물러나자 부처님은 대중 스님들을 모두 불러 모은 뒤 공동체가 쇠망하지 않는 법을 설하십니다. 이는 부처님께서 열반에 드신 후 교단의 화합을 위해 어떻게 해야 하는가를 보여주신 가르침이기도 합니다.

설법을 마친 부처님은 목숨이 다 되었음을 아시고 노쇠한 몸을 이끌고 라자그리하를 떠나 제자들과 함께 고향을 향해 북쪽으로 유행을 떠나십니다.

부처님은 라자그리하 근처의 죽림정사로 가셨습니다. 이 정사는 아자타샤트루 왕의 아버지였으며 독실한 재가 신자였던 빔비사라 왕이 부처님께 기증한 정사였습니다. 부처님은 이곳에서 계정혜(戒定慧) 삼학을 설하신 후 여러 마을을 지나며 가르침을 청하는 사람들에게 설법을 계속하셨습니다.

그리고 암바랏티카, 날란다를 거쳐 갠지스 강의 요충지인 파탈리푸트라로 가셨습니다. 이곳은 후일 마가다국이 코살라국을 정복할 때 수도가 되었던 곳입니다. 당시 그곳에서는 밧지족에 대비해 성을 축조하고 있었는데 부처님은 그곳이 미래에 큰 도읍이 될 것을 예언하고 갠지스 강을 건너 바이샬리 성으로 들어가셨습니다.

부처님은 제자들과 함께 신통력으로 눈 깜짝할 사이에 강을 건너셨습니다. 그 모습을 경전에서는 '마치 힘센 사람이 팔을 굽혔다 펴는 동안 저쪽 언덕에 이르셨다'고 표현하고 있습니다. 부처님께서 강을 건너자 마을사람들은 부처님이 지나가신 문을 '고타마 문'이라고 불렀고, 건너신 강을 '고타마 강'이라고 이름 붙여 부처님이 그곳에 머물렀던 것을 기념했습니다.

제자들 가운데서 열반에 들리라

그때에 부처님께서는 아난다 존자를 대동하고 대중 스님과 함께 바이샬리 성 근처의 벨루바 촌에 머무셨다. 그때에 그 나라에는 흉년이 들고 곡식이 귀해 걸식하기가 어려웠다. 부처님께서는 여러 대중 스님들을 모아놓고 말씀하셨다.

"이 나라에는 흉년이 들어 걸식하기가 매우 어렵다. 그대들은 각기 바이샬리 성이나 밧지족이 사는 곳으로 가서 동료와 지인을 의지해 우계(雨季)의 안거에 들어가라. 나는 아난다와 함께 여기에서 안거하리라."

때에 모든 대중 스님들은 분부를 받아 곧 떠나고, 부처님께서는 아난다 존자와 함께 벨루바 촌에 머무셨다. 이 안거 중에 부처님께서는 병이 나시어 온몸이 아픈 격심한 통증을 겪으셨다. 부처님께서는 이렇게 생각하셨다.

'나는 지금 병이 나서 온몸의 아픔이 점점 심해진다. 그러나 제자들이 모두 흩어져서 없는데 열반에 드는 것은 옳지 않다. 대중이 모이기를 기다려 열반에 들리라. 나는 힘써 정진함으로써 선정에 들어 삼매의 힘으로 병을 이겨내고 목숨을 이으리라.' 『유행경』

부처님은 바이샬리에서 유녀 암바팔리를 재가 신도로 귀의시키고 암바팔리 동산을 정사로 기증받은 후, 바이샬리 북방의 벨루바로 가셨습니다.

부처님이 벨루바에 계실 때 매우 큰 흉년이 들어 온 백성이 기근에 허덕이고 있었습니다. 부처님은 흉년으로 살기 힘들어진 사람들에게

폐를 끼치지 않고 대중 스님들의 수행에 장애가 없도록 바이샬리나 밧지로 가서 각각 연고가 있는 곳을 찾아 안거하라고 명하셨습니다.

그리고 부처님은 아난다 존자와 함께 벨루바에 남아 안거를 하는 동안 병을 얻어 끔찍한 고통에 시달리셨습니다. 부처님은 이제 육신의 병으로 열반에 들 날이 얼마 남지 않음을 느끼셨습니다.

열반이란 산스크리트어 니르바나(Nirvana)를 음역한 것으로 '불어서 끈다'라는 뜻입니다. 열반은 번뇌의 불꽃을 불어서 끈다는 적멸(寂滅)이라는 뜻으로도 사용됩니다. 탐욕과 노여움과 어리석음이 일으키는 번뇌의 불꽃이 꺼진다는 뜻, 즉 해탈과 같은 의미로도 쓰입니다. 또 부처님이 돌아가신다는 의미로도 사용되며, 열반에 드신다고 해서 입멸(入滅)이라고도 합니다.

열반은 두 가지로 구분됩니다. 하나는 유여(有餘)열반으로, 삼독에 꺼들리는 것에서 벗어났으나 아직 육신이 있으므로 육체의 고통을 겪어야 한다는 의미입니다. 다른 하나는 무여(無餘)열반으로, 육신의 고통마저 모두 여읜다는 뜻으로 깨달은 이의 죽음을 의미합니다.

부처님은 육신의 고통이 극에 달하자 열반에 들고자 생각했으나 제자들이 모두 흩어져 있으니 그들에게 마지막 유훈을 남기지 않고 열반에 드는 것은 옳지 않다고 생각하십니다. 부처님은 일념으로 병을 이겨냅니다.

욕망의 세계에 대한 애착을 끊은 사람은 죽음을 공포로 받아들이지 않습니다. 옛 선사들의 죽음을 보면 마치 밥 먹듯이 잠자듯이 자유자재로 죽음을 맞이합니다. 그래서 제자들을 모아놓고 '나 어느 때에 간다' 하고서는 앉아서 혹은 서서도 죽음으로 들어갑니다.

· 그러나 부처님은 모든 인간과 똑같은 모습을 보입니다. 아난다 존 자에게 등이 아프다고 호소하며 가사를 깔아달라고 하십니다. 팔십 고령의 육신으로 고통을 숨기지 않고 그대로 받아들이십니다.

부처님은 고통 속에서도 고통에 사로잡히지 않고, 고통에 흔들리지 않는 모습을 보여주십니다. 자신의 죽음조차도 제자들에게 무상의 진리를 깨닫게 하기 위한 가르침으로 사용합니다. 부처님은 죽음을 맞이하면서 우리에게 '부처 그 자체'에 대한 집착마저도 없애주고자 하신 것입니다.

어찌 나를 의지하려는가

그때 부처님께서는 고요한 방에서 나오셔서 나무 밑의 시원한 그늘에 앉으셨다. 아난다 존자는 이것을 보고 곧 부처님께 나아가 여쭈었다.

"세존이시여, 안온한 모습을 뵈오니 마음이 놓입니다. 세존께서 병이 깊어 심한 고통을 당하고 계실 때, 마음은 근심과 걱정으로 어찌할 바를 몰랐습니다. 갑자기 열반에 드시면 어찌하나 생각하니 전신에 힘이 빠져서 몸을 가눌 수도 없고 사방이 캄캄해져서 아무것도 분간할 수가 없었습니다. 그러나 문득 '세존께서 승단에 대해 아무런 말씀도 남기지 않으신 동안은 열반에 드시지 않을 것이다'라고 생각해 조금은 안심할 수 있었습니다. 세존이시여, 왜 지금 모든 제자들에게 부처님께서 가신 뒤의 승단의 일에 대한 가르침과 분부가 없으십니까?'

"아난다야, 수행자가 내게 기대할 바가 있다는 생각은 옳지 못하다. 나는 이미 모든 법을 설했다. 나의 가르침 속에는 제자들에게 숨긴 채 스승의 주먹 속에 감추어진 비밀 같은 것은 있을 수 없다. 나는 이제까지 안팎을 가리지 않고 모두 설했다.

여래는 지금까지 '나는 대중을 이끌고 지도하고 있다. 승가는 나에 속해 있다'는 생각을 갖지 않았다. 그런데 어찌 대중에게 이 교단의 후계 따위에 대한 가르침과 시킴이 있을 수 있겠느냐.

아난다야, 나는 나이가 팔십이 되었으며 나의 몸은 노쇠해 비유하면 마치 낡은 수레와 같다. 낡은 수레를 방편으로 수리해 좀 더 가고자 하는 것과 같이 내 몸도 또한 그와 같으니라.

그러므로 아난다야, 모든 승가의 대중은 마땅히 자기 스스로가 등불이 되고 자기 스스로가 의지처가 될 것이며, 부디 다른 사람을 의지처로 삼지 말아야 한다. 또한 진리의 법을 등불로 삼고 진리의 법을 의지처로 삼을 것이며, 부디 다른 것을 의지처로 삼지 말아야 한다.

아난다야, 지금에 있어서나 또는 내가 열반에 든 후에 있어서나 스스로가 등불이 되고 스스로가 의지처가 되어 다른 사람을 의지처로 삼지 않으며, 법을 등불로 삼고 법을 의지처로 삼아 다른 것을 의지처로 삼지 않는 사람이야말로 참 나의 제자요, 이 승가에서 가장 높은 위치에 있는 자이다."

그때에 부처님께서는 벨루바 촌에서 일어나시어 차바라 탑에서 아픈 몸을 쉬신 후 향탑에 이르셨다.

부처님께서는 아난다 존자로 하여금 향탑 근처에 있는 수행자들에게 두루 알려 모이게 하신 후 곧 강당에 나아가 모든 수행자에게 말씀하셨다.

"수행자들이여, 그대들은 마땅히 알라. 나는 법으로써 몸소 체험해 최정각을 이루었다. 그대들 또한 마땅히 이 법 가운데 살면서 서로 물과 젖처럼 화합하고 존중해, 다투어 송사를 일으키지 말고 힘써 수행하면서 서로 등불이 되라. 수행자들이여, 여래는 오래지 않아 지금으로부터 삼 개월 후에는 반열반에 들 것이니라."

그때에 모든 수행자들은 부처님의 말씀을 듣고 슬피 울며 괴로워하며 까무러치기도 하고 땅을 치기도 하며 손을 들어 머리를 치고 가슴을 두드리고 크게 외치면서 이러한 말을 했다.

"아, 괴롭도다. 세간의 안목이 없어지신다니 우리는 오래지 않아 의지할 곳과 지도하실 이를 잃겠구나." 『유행경』

함께 안거를 하면서 부처님을 간호하던 아난다 존자는 부처님의 고통을 보며 가슴이 아팠습니다. 그리고 한편으로는 부처님이 돌아가시면 지도자를 잃은 교단은 어떻게 될까 하는 걱정도 들었습니다. 그래서 극심한 고통이 가라앉은 부처님을 뵙고 부처님께서 돌아가시고 난 뒤 승단을 누가 지도해야 하는가를 묻습니다.

일반적인 공동체나 이념을 함께하는 공동체 내에서는 이러한 계승의 문제가 매우 중요합니다. 더군다나 지도자의 사상적 권위와 정신적 통찰이 절대적인 영향을 미치는 사상 공동체나 종교 공동체에서는 지도자 계승 문제가 당연히 중요하게 언급됩니다.

그러나 부처님은 이렇게 말씀하십니다.

"여래는 지금까지 '나는 대중들을 이끌고 지도하고 있다. 승가는 나에게 속해 있다'는 생각을 갖지 않았다. 그런데 어찌 대중들에게 이 교단의 후계에 대한 가르침과 지도가 있을 수 있겠느냐."

이것은 의미심장한 말씀입니다. 부처님이 출가한 직후 여러 스승들이 교단을 함께 이끌고자 제의했던 사실에서도 교단의 지도자 승계 문제의 중요성을 알 수 있습니다. 당시뿐만 아니라 오늘날에도 종교 단체에서 지도자를 계승하는 문제는 중요한 문제로 나타납니다. 종교 지도자의 계승은 그 종교의 생명을 유지하는 데 막대한 비중을 차지하기 때문입니다.

하지만 부처님은 수행자들이 절실하게 수행해 나가는 것이 더 중요하며 모두가 그렇게 전념해 나갈 때 교단의 계승 문제는 자연히 해결된다고 말씀하십니다.

인도 당시의 종교 집단에서는 지도자가 다음 후계자에게 교단의 대권을 물려줄 때, 죽는 순간에 이르러서야 자신의 마지막 비법을 후계자의 손바닥에 은밀하게 전했다고 합니다. 그것을 '스승의 주먹 속에 감추어진 비밀'이라고 했습니다.

부처님은 혹시나 아난다 존자가 품을 의혹을 생각해서 다시 말씀하십니다.

"나의 가르침 속에는 제자들에게 숨긴 '스승의 주먹 속에 감추어진 비밀' 같은 것은 있을 수 없다. 나는 이제까지 안팎을 가리지 않고 모두 설했다."

부처님은 교단 운영은 모든 제자들의 합의 속에서 이루어져야 하는 일임을 분명히 밝히고 계십니다.

부처님은 고통받는 대중에게는 무한한 자비로 의지처가 되어주지만 수행자의 길을 걷는 이에게는 결코 누구에게 의지해서 문제를 풀거나 종속적으로 살아가는 것을 허락하지 않으셨습니다. 그러기에 아난다 존자에게 묻습니다.

"아난다야, 아직도 내게 의지하려느냐?"

부처님의 이 말씀 속에는 준엄한 꾸짖음이 담겨 있습니다.

진리를 보는 자는 부처를 보리라

부처님께서 제자들을 어떻게 대했는가는 장로 박칼리와의 대화에서도 잘 알 수 있습니다.

부처님께서 라자그리하의 죽림정사에 계실 때였습니다. 박칼리 비구가 라자그리하의 금사사원에 있으면서 병으로 몹시 괴로워했습니다. 푸르나가 보살피면서 병간호를 하고 있었는데 박칼리 존자는 푸르나 존자에게 부탁했습니다.

"푸르나여, 그대는 나를 위해 세존께 나아가 문안인사를 여쭙고 나의 청을 말씀드려 주게나. 이렇게 전해드리면 고맙겠네. '지금 박칼리는 병이 위중해 자리에 누워 있나이다. 그는 세존을 뵙고 싶어 하오나 병에 시달려 기운이 빠져 움직일 수 없나이다. 세존이시여, 원컨대 큰 자비심으로 박칼리를 만나러 와주셨으면 합니다'라고 여쭈어주게나."

이 말을 들은 푸르나 존자는 부처님께 나아가서 머리를 조아려 예배하고 박칼리의 말을 전했습니다. 부처님은 이 말을 들으시고 즉시 박칼리에게 오셨습니다. 박칼리 존자는 부처님이 오시는 것을 보고 자리에서 일어나 부처님을 맞으려고 했습니다. 그러나 부처님은 이를 말리며 박칼리 존자에게 말씀하십니다.

"박칼리여, 일어나지 말고 누워 있도록 하라. 내가 그리로 가리라."

부처님은 박칼리 존자를 병상에 눕히고 나서 그 옆에 앉으셔서 말씀하십니다.

"박칼리여, 육신의 고통은 어떠한가, 참을 만한가?"

참으로 감격적인 장면입니다. 제자가 임종을 앞두고 뵙고자 요청하자 부처님은 지체 없이 달려오십니다. 부처님은 박칼리 존자가 인사하려는 것도 마다하고 자애로운 부모와 같이 부드러운 목소리로 병세를 묻고 계십니다. 마치 어버이가 자식의 병세를 돌보는 것과 다르지 않습니다.

제자는 부처님이 와주신 것만으로도 감격스럽고 송구스러워 이제는 부처님을 뵈었으니 곧 죽을지라도 여한이 없다고 말합니다.

"세존이시여, 저는 고통으로 견딜 수가 없습니다. 병은 나빠지기만 할 뿐 조금도 나아지지가 않습니다. 저는 마지막으로 세존을 뵙고 세존의 발밑에 예배드리고 싶었습니다만 이 몸으로는 도저히 나아갈 수가 없었습니다."

우리 생각으로는 임종의 순간에 스승을 찾은 박칼리의 말을 들은 부처님께서 손을 꼭 잡아주면서 위로를 해주실 것 같습니다. 그러나 부처님은 오히려 단호한 목소리로 박칼리를 꾸짖습니다.

"박칼리여, 그대는 그런 말을 해서는 안 된다. 결국에는 썩어서 문드러질 이 늙어빠진 육신을 보려고 나를 찾았더냐. 박칼리여, 그대는 마땅히 이렇게 보아야 하느니라. 진리의 법을 보는 자는 부처를 보는 것이며, 부처를 보는 자는 법을 보는 것이니라."

부처님은 최후의 순간까지도 진리의 길에서 벗어나서는 안 된다는 것을 강조하십니다. 진리의 가르침, 즉 법을 보는 것이 부처를 보는 것이며, 육신의 부처를 통해 부처를 보려 해서는 안 된다는 깨우침을 주십니다. 수행자는 최후의 순간까지도 진리를 추구하며 살아야 하고, 스승의 역할은 그것을 올바로 볼 수 있도록 이끌어주는 것입니다. 부처님은 진정한 자비로써 제자의 눈을 뜨게 하십니다.

부처님이 죽어가는 박칼리에게 육신의 부처를 의지해서는 안 되며 진리의 법에 의지해야 한다고 말씀하셨듯이, 이제 부처님 자신의 임종을 맞으면서 아난다 존자에게 똑같은 말씀을 하십니다.

"아난다야, 나의 몸은 노쇠해, 비유하면 낡은 수레와 같다. 낡은 수레가 가죽 끈에 의해 겨우 움직이듯이 나의 몸도 가죽 끈의 힘으로 겨우 움직이는 것과 같으니라."

그리고 진정 의지해야 할 것이 무엇인가를 말씀하십니다.

"그러므로 아난다야, 모든 승가의 대중들은 마땅히 자기 스스로가 등불이 되고 자기 스스로가 의지처가 될 것이며, 부디 다른 사람을 의지처로 삼지 말아야 한다. 또한 마땅히 진리의 법을 등불로 삼고 진리의 법을 의지처로 삼을 것이며, 부디 다른 것을 의지처로 삼지 말아야 한다."

여기에서의 등불은 원문에는 섬으로 되어 있습니다. 그런데 이 섬은 바다 위에 있는 섬뿐만 아니라 갠지스 강처럼 넓은 강 가운데 있는 육지를 의미합니다.

이 언덕에서 저 언덕으로 건너가고자 할 때 아무리 힘이 있고 의지가 강하더라도 격류에 휩쓸리면 강을 건너지 못하고 물살에 휩쓸려 떠내려갑니다. 이럴 때 힘이 빠진 육신과 나약해진 의지에 새로운 힘을 충전시킬 수 있는 것이 바로 강 중간에 있는 섬이라고 표현한 것입니다. 이런 의미를 살려서 어둠 속에서 길을 잃고 헤맬 때 바른 길을 찾아주는 등불로 의역한 것은 불교 사상에 비추어보아 적당한 것입니다.

옛 선사께서 "부처를 만나면 부처를 죽이고 조사를 만나면 조사를 죽여라"고 말씀하셨습니다. 그것은 부처를 진리의 법 그 자체와 그 법을 실현하고자 하는 구도적 의지로 보는 것이 아니라 형상으로 보고자 할 때 가하는 일격입니다. 진리의 법에 의지하고 그 진리를 실현하고자 하는 구도적 정열, 즉 늘 깨어 있고자 하고 언제나 스스로 주인이고자 하는 자신에게 의지해야 한다는 것입니다. 그리고 그런 사람만이 부처님의 참 제자이며, 교단은 그러한 사람들에 의해 지도되어야 한다는 말씀입니다.

부처님은 안거가 끝나고 모여든 대중 스님들에게 삼 개월 후에 열반에 들 것이라고 공포하십니다.

여래가 떠난 뒤 법을 보호하는 네 가지 길

바이샬리를 보는 것도 마지막이다

부처님께서는 향탑에서 암바라 촌으로 가시어 그곳에 머무시면서 대중을 위해 계정혜를 말씀하셨다.

그때 부처님께서는 이른 아침 발우와 가사를 손에 들고 걸식을 하기 위해 들어가셨다. 바이샬리 거리에서 탁발을 하시고 돌아오시는 길에 언덕에 올라선 부처님께서는 코끼리가 먼 곳을 바라보듯이 바이샬리 성을 돌아보시고 아난다에게 말씀하셨다.

"아난다야. 이제 여래가 저 아름다운 바이샬리를 보는 것도 마지막이 될 것이다." 『대반열반경』

부처님은 라자그리하를 떠나신 후 계속해서 바이샬리의 여러 곳을 돌아다니셨습니다. 그리고 쿠시나가라로 떠나시는 날 마지막으로 바이샬리 성에서 걸식을 한 뒤에 성을 나와 고개를 넘으면서 코끼리가 먼 곳을 바라보듯이 천천히 고개를 돌려 바이샬리를 돌아보며 미소를 지으셨습니다. 아난다 존자가 부처님께 웃으시는 이유를 묻자 이렇게 말씀하십니다.

"아난다야, 이제 여래가 저 아름다운 바이샬리를 보는 것도 마지막이 될 것이다."

바이샬리가 다른 도시보다 특별히 아름다운 곳은 아니었습니다. 그렇다면 부처님께서 아름다운 바이샬리라고 하신 것은 무엇 때문이었을까요? 바이샬리는 부처님께서 유행하며 여러 번 들린 적이 있고, 아는 친지가 많은 곳이어서 애정이 깊은 곳이었습니다. 그러나 무엇보다도 부처님이 머문 곳 중에서 가장 바람직한 체제를 갖고 있던 나라였기 때문이 아닌가 생각합니다.

당시의 인도는 앞에서도 설명했듯이 고대 전제국가 체제로 전환해 가는 시기였습니다. 대부분의 약소국이 코살라국과 마가다국의 두 강대국에게 침략을 받고 복속되어 갔습니다. 뿐만 아니라 이 두 강대국 사이에 끊임없이 전쟁이 일어났습니다. 그래서 강대국은 강대국대로 약소국은 약소국대로 모든 백성이 불안과 고통 속에서 살아야 했습니다.

그러나 밧지국은 화합된 힘으로 자주적이고 민주적인 체제를 잘 지켜나가고 있었습니다. 밧지족은 아리아족 계통이 아니라 몽고 계통의 민족으로 추정됩니다. 밧지국은 하나의 국가가 아니라 동쪽의 미틸라를 도읍으로 한 비데하족과 바이샬리를 도읍으로 한 릿차비족이 결합된 연합국이었습니다. 양쪽 모두 민주적인 공화제를 채택하고 있었으며 두 민족이 화합했으므로 부처님께서 많은 나라 중에서도 바이샬리를 바람직한 나라로 보신 것은 당연한 일이었습니다. 부처님께서 바이샬리를 떠나면서 미소를 지으신 것은 이러한 바이샬리 성과 주민에 대한 애정의 표현이라고 볼 수 있습니다.

그리고 부처님이 바이샬리를 보고 지으신 웃음은 단지 흡족한 웃음만은 아니었을 것입니다. 부처님께서 바이샬리를 마지막으로 보신다는 것은 단지 부처님 자신만이 아니라, 이후의 역사에서 바이샬리와 같은 민주적 공화제가 실현될 수 있는 나라는 다시 오랜 시간이 흐른 뒤에야 출현할 수 있다는 것을 예감하셨기 때문입니다. 부처님은 이미 바이샬리로 들어오시기 전에 아자타샤트루 왕이 증축한 파탈리푸트라가 새로운 거점으로 흥성할 것을 예견하셨으니 말입니다.

부처님이 팔십 노구의 병든 몸으로 열반의 길을 걸어가실 때, 릿차비 사람들은 다시는 부처님을 뵐 수 없다는 생각에 부처님을 계속 따라왔다고 합니다. 부처님이 간다크 강을 건넌 뒤에도 사람들이 강변을 떠나지 못하고 이별을 안타까워하자 부처님은 발우를 물에 띄워 그들에게 보냈습니다. 인도 박물관에 가면 그림이나 조각에 강이 흐르고 발우가 물에 떠내려가는 모습이 있는데, 이것은 부처님이 바이샬리 사람들과 헤어지는 장면을 표현한 것입니다.

불법을 어떻게 지켜나갈 것인가

이때에 부처님께서는 모든 대중에게 사대교법(四大敎法)을 말씀 하셨다.

"부처가 이 세상에 출현하는 것은 우담바라 꽃이 피어나듯 드물고 희귀한 일이다. 부처가 말한 법도 또한 듣기 어려우니 이미 들었거 든 마땅히 잘 보호해 지닐지니라. 어떻게 보호해 지니는가. 만약 한 비구가 있어 이렇게 말했다고 하자.

'여러분 나는 어느 마을, 어느 성, 어느 나라에서 이러한 법과 율 의 가르침을 부처님에게 직접 받았습니다.'

그럴 경우에 그대들은 이 말을 그대로 믿어서도 안 되고 또 무조 건 비방해서도 안 된다. 마땅히 모든 부처님의 말씀에 비추어 그것 이 참인가 거짓인가를 따져본 다음, 계율과 법에 의거해 그 본말을 규명해 보라. 만약 그의 주장하는 바가 모든 부처님의 말씀과도 맞 지 않고 율과 법에도 위배된다면 마땅히 그에게 이렇게 말하라.

'그대의 말하는 바는 부처님의 말씀이 아니다. 왜냐하면 그대가 주장하는 바는 모든 부처님의 말씀에 비추어볼 때도 어긋나며 율과 법에 의거해 대조해 볼 때도 위배되기 때문이다. 그러므로 그대는 그것을 받아 지니지도 말고 또 남을 위해 설하지도 말라. 그대는 마 땅히 그것을 버려야 하리라.'

만약 그의 주장하는 바가 모든 부처님의 말씀에도 부합하고 율과 법에 의거한 것이라면 그에게 마땅히 이렇게 말하라.

'그대가 말하는 바는 진실로 부처님의 가르침 그대로이다. 왜냐하면 모든 부처님의 말씀에 비추어보거나 율과 법에 의거해 대조해 보면 그대가 주장하는 바는 법과 일치한다. 그러므로 그대는 마땅히 그것을 받아 지니고 또 남을 위해 널리 설하라. 그대는 마땅히 그것을 소중히 간직하고 잊어버림이 없도록 하라.'

다음으로 화합 승단의 장로나, 청정 승단의 법을 받드는 이나, 현절하고 고명하고 큰 복덕과 지혜 있는 이에게 직접 말을 들었다고 하는 등 네 가지의 경우라 하더라도 그대들은 그것을 그대로 믿어서도 안 되고 무조건 비방해서도 안 된다. 마땅히 모든 부처님의 말씀에 비추어보아 그것이 참인가 거짓인가를 따져본 다음, 믿고 받아들일 것인가 부인할 것인가의 근거를 계율과 법에 의거해 그 본말을 규명해 판단해야 한다. 이것이 바른 법을 지니고 수호하는 네 가지 법이니라." 『유행경』

부처님은 바이샬리를 떠나 부미성 북쪽의 싱사아파 숲에 이른 뒤 사대교법을 설하셨습니다. 사대교법은 어떤 사람이 부처님의 권위나 다른 존경받는 이들의 권위를 빌어 자신의 말이 진리임을 말할 때 어떠한 입장에서 그것을 대해야 하는가를 알려주시는 말씀입니다.

진리에 대한 판단 기준은 부처님의 말씀, 즉 진리의 법과 율이어야만 합니다. 그러므로 그것을 누가 말하든 누구의 권위를 빌어서 말하든 편견에 사로잡히지 말고 부처님의 전체적인 말씀 속에서 신중하게 판단하라는 것입니다.

오늘날 경전도 이러한 점검의 대상이 되어야 합니다. 이는 경전 자체에 대한 점검이 아니라 경전 내용을 현실 문제에 적용해 해석하는 것에 대한 문제입니다. 부처님이 돌아가시고 난 후에 제정된 대승경전은 물론이고 부처님의 육성이 담긴 초기 경전도 마찬가지입니다. 부처님의 가르침이 진리임에는 분명하지만 어떤 하나의 가르침을 무차별적으로 모든 것에 적용해서는 그 진리의 참뜻을 살릴 수 없습니다.

부처님은 스스로를 유능한 의사에 비유하시곤 했습니다. 갖가지 병에 걸린 수많은 중생과의 만남과 대화를 통해 그가 어떤 병에 걸렸는지 진단하고, 병에 걸린 원인을 밝힌 후 건강을 회복할 수 있다는 확신과 함께 그에 맞는 처방을 주셨습니다.

부처님께서 45년 동안 하루도 쉼 없이 병자를 만나 지어주신 처방전이 바로 경전입니다. 그 가운데에는 모든 이에게 적용되는 처방도 있습니다만, 병에 따라 처방이 달라지듯 상황에 따라 맞는 처방도 있습니다. 예를 들어 감기 걸린 이에게는 감기약을 주고, 소화가 안 되는 이에게는 소화제를 주고, 설사하는 이에게는 지사제를 주고, 변비가 있는 이에게는 관장약을 주어야 하는 것과 같습니다.

이와 같이 우리는 자신의 병에 맞는 처방을 찾아야 합니다. 부처님의 말씀이라 해서 어느 한 경전의 내용으로 모든 문제를 해결하려

한다면 그것은 오히려 부처님의 말씀을 그르치는 일일 수도 있습니다. 마치 변비 걸린 이에게 지사제를 주어 병이 악화되는 것과 같이 말입니다.

부처님께서 사대교법을 말씀하신 뜻은 무엇일까요? 부처님의 말씀이라는 권위를 도용해서 부처님께서 하신 적이 없는 말씀임에도 불구하고 부처님 말씀이라고 속이는 경우에 적용할 수 있습니다. 그러나 사대교법을 설하신 본질적인 뜻은 비록 부처님이 하신 말씀이라 해도 그것이 올바르게 적용되었는지를 확인해야 한다는 의미입니다. 비록 부처님께서 직접 하신 말씀은 아닐지라도 부처님의 법이 될 수 있는 것이 있는가 하면, 부처님이 말씀하신 경전 내용을 그대로 옮겼다 하더라도 올바로 적용하지 못하면 법이 아니게 될 수도 있는 것입니다.

육바라밀행의 보시가 무엇보다 중요하고 보살 수행의 첫째 덕목이라 하더라도, 정법을 파괴하고 중생을 고통에 몰아넣는 사람에게 재물을 보시하는 경우에는 오히려 보시의 본래 명목을 상실하게 되는 것입니다. 지계가 아무리 소중하다 하더라도 근본사상을 잊은 채 문자에만 얽매인다면 오히려 계의 근본정신을 파하게 되는 경우도 있습니다. 인욕 또한 진리를 성취하는 첩경이지만 그것은 부처님의 진리를 실현하는 과정에서 받게 되는 질시와 비난을 참을 때 필요한 것이지, 부처님의 법이 파괴되는 현실을 보고서도 무조건 참는 것은 인욕이라 할 수 없습니다.

경전의 말씀뿐만 아니라 경전에 없는 말이라 할지라도 그것이 부처님의 말씀과 율과 법에 비추어 올바른 것이라면 받아들여야 하며 부적당하다고 여겨질 때는 부정해야 합니다. 누구에게 듣든 어떠한 말투로 말해지든 외형이나 형식에 사로잡히지 말고 올바른 부처님 법을 찾아가야 합니다.

네 종류의 사문

"또한 사문에겐 네 가지가 있으니 마땅히 잘 알아라. 첫째는 도를 실행해 뛰어난 것이요, 둘째는 도를 통달해 말하는 것이요, 셋째는 도를 의지해 생활하는 것이요, 넷째는 도를 더럽히는 짓을 하는 것이니라.

어떤 것이 도를 실행해 뛰어난 것이냐 하면, 부처가 말한 법은 헤아릴 수 없거늘 능히 실천해 비교할 수 없으며 마음을 항복받고 근심과 두려움을 벗어나서 법의 도사가 되어 세간을 인도하나니 이러한 사문이 가장 뛰어난 것이니라.

어떤 것이 도를 통달해 능히 말하는 것이냐 하면, 부처가 찬탄하는바 미묘한 법의 이치를 체득해 알고 실행해 의심치 않으며 또한 능히 사람을 위해 도법을 연설하나니 이런 사문을 능히 말하는 데 민첩한 이라 하느니라.

어떤 것이 도에 의지하는 것이냐 하면, 생각을 스스로 지키는 데 두어서 부지런히 학업을 닦으며 한결같이 물러남이 없고 부지런해 마음을 놓지 않고 법으로써 스스로 기르나니 이런 사문들을 생각할 줄을 안다고 하느니라.

어떤 것을 더럽히는 짓을 한다고 하느냐 하면, 즐거워하는 바를 마음대로 하고 그 문벌 높은 것을 위세하며 오직 나쁜 행을 일삼아 대중의 물의를 일으키며 여래의 말씀을 공경치 않고 또한 죄를 두려워하지 않는 것이니 이런 사문을 도를 더럽히는 짓을 하는 이라고 하느니라.

이 가운데 참된 것이 있고 거짓도 있으며 좋은 것이 있는가 하면 나쁜 것도 있으므로 어떤 것을 잡아 하나로 칠 수 없느니라.

속인들은 드디어 그것을 보고 모두 성지(聖智)의 제자라 부르는구나. 그러나 어떤 사람은 대중을 거느리되 속은 흐리면서 겉은 깨끗해 간사한 자취 당장은 덮더라도 실로는 방탕한 생각 품었느니라. 그러나 모두 다 그런 것 아니거니 맑고 깨끗한 믿음 버리지 말라. 그러므로 얼핏 겉모양 보고 한눈에 곧 존경하고 친하지 말라. 간사한 자취 당장은 덮더라도 실로는 방탕한 생각 품었느니라.

피와 가라지를 제거하지 않으면 좋은 곡식의 싹을 해치는 것처럼 제자가 올바르지 못하면 나의 도법을 무너뜨리나니 마땅히 서로 검사하고 교정해 부처가 세상을 떠났다 해서 가르침을 실행치 않음이 없도록 해라." 『유행경』

부처님은 네 종류의 수행자에 대해서 말씀하십니다. 이 네 종류의 수행자는 승도(勝道)·설도(說道)·활도(活道)·오도(汚道)로 불립니다. 부처님은 승도·설도·활도는 수행자라 설명하셨고, 오도는 수행자의 모습을 한 비수행자라 구분해 설명하셨습니다.

승도·설도·활도란 명확히 구분되지는 않지만 요즈음의 불교 현실에 맞추어 이해한다면, 승도란 고통받는 중생 속에서 부처님의 사상, 즉 해탈을 위한 길을 제시하고 구체적으로 그것을 실천하는 수행자라 할 수 있습니다. 설도란 부처님의 법을 올바로 깨닫고 이를 모든 중생에게 널리 펴는 설법자에 비견될 수 있고, 활도란 부처님의 가르침을 논리적으로 체계화하고 학문적으로 정리하는 불교학자라고 할 수 있겠습니다.

모든 수행자가 이 세 가지로 분류된다기보다는 한 사람이 중복될 수도 있으므로 이는 수행자에게 나타나는 세 가지 경향 혹은 부류 정도로 보면 됩니다. 여하튼 부처님은 현실 속에서 구체적으로 중생의 고통을 극복시켜 주는 수행자를 가리켜 승도를 가는 자라 하여 가장 수승하게 보고 있습니다.

그리고 오도의 수행자는 승복만 입고 있을 뿐 속인과 같이 개인의 욕망을 좇으면서 단지 승려라는 것을 무슨 명예직이나 권위직이라도 된 듯 과시하는 사람입니다. 하물며 수행자 신분을 한 채 재물과 권력을 좇아 중생을 미망에 빠뜨리는 사람들은 말할 필요도 없을 것입니다. 부처님은 그들을 수행자가 아닌 비수행자라고 하셨습니다.

이는 부처님께서 돌아가신 뒤의 진정한 수행자의 모습과 분별해야 할 기준을 우리에게 들려주신 것입니다.

그러면서 부처님은 수행자들에게 당부하십니다.

"피와 가라지를 제거하지 않으면 좋은 곡식의 싹을 해치는 것처럼 제자가 올바르지 못하면 나의 도법을 무너뜨리나니 마땅히 서로 검사하고 교정해 부처가 세상을 떠났다 해서 가르침을 실행치 않음이 없도록 해라."

부처님은 이처럼 차근차근 부처님이 돌아가신 뒤에 일어날 문제에 대해 세심하게 배려를 하십니다. 부처님이 돌아가신 뒤 불법승 삼보가 어떻게 받들어지고 청정성을 유지할 수 있는가에 대해 정리해 주신 것입니다.

부처님이 돌아가신 후 새롭게 제기될 부처님의 위치를 '자등명(自燈明)·자귀의(自歸依)·법등명(法燈明)·법귀의(法歸依)'를 통해 정리했으며, 법을 지키고 수호하는 것을 사대교법을 통해, 그리고 승단의 청정성을 유지하기 위해서는 네 종류의 수행자를 분류하고 분별하는 것으로 제자들에게 지침을 주신 것입니다.

춘다의 공양

마지막 공양

　그때 부처님께서는 부미성을 떠나시어 말라를 들러 파바 성의 사두원에 이르셨다. 때에 파바 성에 살고 있는 대장장이의 아들 춘다는 부처님께서 파바 성에 오시어 사두원에 머무신다는 말을 들었다. 그는 곧 부처님께로 나아가 머리를 부처님의 발에 예배한 뒤 한쪽에 앉았다. 부처님께서는 그를 위해 설하시어 교화하시고 가르치시어 이롭고 기쁘게 하시었다.

　춘다는 부처님의 말씀을 듣자 깊은 믿음이 생기고 환희심이 생겨서 곧 부처님께 공양 올릴 것을 청했다.

　"세존이시여, 원컨대 내일은 부디 저의 집에서 공양을 받으소서."

　부처님께서는 묵묵히 그것을 허락하셨다. 춘다는 부처님께서 승낙하시는 것을 보고 곧 자리에서 일어나 부처님께 예배하고 집으로 돌아가서 밤을 새워 공양을 준비했다.

이튿날 공양 때가 되자, 부처님께서는 의복을 갖추고 발우를 드시고 대중들에게 둘러싸여 춘다의 집으로 가서 자리에 앉으셨다.

그때 춘다는 음식을 차려 부처님과 대중 스님들께 공양을 올리고 부처님께는 진귀한 전단나무버섯으로 만든 특별한 음식을 따로 드렸다. 부처님께서는 춘다에게 분부하셨다.

"이 음식은 다른 수행자에게는 주지 말라."

춘다는 그 분부를 받고 감히 다른 수행자에게는 주지 못했다. 춘다는 대중의 공양이 끝나는 것을 보고 발우를 거두고 손 씻을 물을 돌려 바쳤다. 부처님과 대중 스님들이 발우를 씻고서 제자리에 앉자 춘다도 작은 자리를 갖고 와서 부처님 앞에 앉았다. 부처님께서는 점차로 그를 위해 법을 설하시고 가르치시어 이롭고 기쁘게 하시었다. 『유행경』

그때에 부처님께서는 춘다에게 법을 설하신 후 아난다 존자를 향해 말씀하셨다.

"아난다야, 내가 지금 몸이 몹시 아프니 속히 저 쿠시나가라 성으로 가고 싶구나."

부처님께서는 곧 자리에서 일어나 여러 비구에게 앞뒤로 둘러싸여 춘다의 집을 나와 쿠시나가라 성으로 향하셨다. 그때에 춘다 역시 권속들과 함께 부처님을 따르고 있었다. 부처님께서는 도중에 어느 나무 밑에 쉬시면서 아난다 존자에게 말씀하셨다.

"아난다야, 내가 지금 몹시 배가 아프구나."

부처님께서는 아난다 존자를 데리고 그 나무에서 멀지 않은 곳에 가시어 곧 하혈하시고 나무 밑으로 되돌아와서 아난다 존자에게 말씀하셨다.

"아난다야. 너는 나를 위해 승가리 옷을 가지고 와서 네 번 접어 깔고 자리를 만들어다오. 몸이 아파 더 나아갈 수가 없으니 잠시 쉬었다 가도록 하자."

아난다 존자가 부처님의 분부대로 받드니, 부처님께서는 곧 나무 밑에 앉아 쉬시었다. 『대반열반경』

부처님께서는 춘다의 공양을 받으신 후 병환이 더욱 심해지셨다. 그런 몸으로 입멸지인 쿠시나가라를 향해 천천히 걸어가시던 도중에 길옆에 있는 어떤 나무 아래 앉으셔서 말씀하셨다.

"아난다야, 내 등의 통증이 너무 심하구나. 좀 쉬고 싶으니 상의를 네 겹으로 접어 깔아다오."

아난다가 곧 자리를 깔자 부처님께서는 그 자리에 쉬시면서 목이 마르니 마실 물을 떠오라고 하셨다. 그러자 아난다가 여쭈었다.

"이 시냇물은 지금 막 오백 대의 수레가 지나가 그 흐려진 물이 아직 맑아지지 않아 도저히 마실 수가 없습니다. 다행히 조금만 가면 카쿠타 강이 있는데, 그 강물은 맑고 깨끗해서 충분히 목을 축일 수 있고 몸도 씻을 수 있습니다."

그렇게 말씀드렸는데도 부처님께서는 세 번이나 물을 가져오라고 말씀하셨다. 아난다는 할 수 없이 발우를 들고 냇가로 갔다. 그런데 그 시냇물은 방금 오백 대의 수레가 지나갔기 때문에 탁하고 물결도 출렁이면서 흐르고 있을 줄 알았는데 아난다 존자가 갔을 때는 맑고 깨끗한 물이 고요히 흐르고 있었다.

이것을 본 아난다는 그 불가사의함에 내심 놀라서 '여래의 신통력은 얼마나 위대한 것인가. 얼마나 경탄할 만한 일인가'라며 감탄했다. 아난다는 발우에 시냇물을 가득 채우고 부처님이 계신 곳으로 돌아와 본 대로 부처님께 말씀드렸다.

"부처님이시여, 얼마나 불가사의한 일이옵니까? 여래의 신통력, 위력은 얼마나 위대한 것이옵니까? 저 시냇물은 이제 막 수레가 지나갔으므로 물은 적고 물결도 가라앉지 않아 흐려 있을 텐데, 제가 갔을 때는 이미 물은 가라앉아 깨끗하고 맑았습니다. 부처님이시여, 물을 드십시오."

이렇게 하여 부처님께서는 물을 드셨다. 『유행경』

부처님은 파바 성에 이르렀습니다. 파바 성은 쿠시나가라로 가는 마지막 도시였습니다. 파바 성과 쿠시나가라 성 사이에는 갠지스 강의 지류인 카쿠타 강이 흐르고 있습니다. 파바 성에는 사두원이라는 망고나무 숲이 있었는데 이곳은 대장장이의 아들 춘다의 동산으로 한적하고 쉬기가 적당했습니다.

부처님께서 이곳에서 쉬고 계실 때 춘다가 찾아와 부처님께 예배한 후 부처님의 법을 듣고 깊은 믿음과 환희심이 생겨 공양 올릴 것을 청했습니다. 부처님께서 그것을 허락하자 춘다는 집으로 돌아와 부처님과 대중 스님들께 올릴 음식을 밤새워 준비했습니다. 부처님과 대중 스님들이 때가 되어 춘다의 집에 이르니 춘다는 부처님께 특별히 수카라 맛다바라는 음식을 공양 올렸습니다.

그런데 부처님의 인품을 볼 때 이해할 수 없는 일이 생깁니다. 춘다가 올린 음식을 다른 수행자에게는 주지 말라고 말씀하는 것입니다. 뿐만 아니라 그 음식을 흙을 파서 묻으라고 하십니다. 부처님은 그동안 교단의 지도자로서의 권위를 내세운다거나 다른 수행자에 비해 특별히 대우받는 것을 거절하셨습니다. 음식을 공양 받거나 걸식을 할 때에도 마찬가지였습니다.

이런 부처님께서 춘다가 공양 올린 음식을 다른 비구에게 주지 말라는 것은 무슨 까닭이었겠습니까? 부처님은 춘다가 올린 공양을 드신 후 등 병이 악화되고 속이 안 좋아서 하혈을 합니다. 부처님은 춘다의 공양을 받고 식중독에 걸리셨던 것입니다.

춘다의 공양을 마친 후 부처님은 쿠시나가라를 향해 길을 재촉하셨습니다. 부처님은 몸이 불편하다는 말씀을 하면서 자주 쉬셨습니다. 그러나 쉬는 동안에도 제자들과 문답을 나누면서 설법을 하셨습니다. 부처님은 길을 재촉해 가던 중 극심한 통증과 함께 설사와 하혈을 하셨습니다. 그리고 카쿠타 강가에 이르러 몸을 깨끗이 하셨습니다.

춘다를 꾸짖지 말라

그때에 부처님께서는 몸을 쉬신 후, 대중들과 함께 카쿠타 강가에 이르셨다. 부처님께서는 곧 강에 들어가서 목욕을 하신 후 비구들과 함께 강가에 앉아 계셨다. 그때에 춘다는 마음속으로 자신을 꾸짖어 말했다.

'세존께서는 나의 공양을 받으심으로 해서 배가 아프시어 열반에 드시겠다고 하시는구나.' 『대반열반경』

그때 부처님께서는 춘다의 마음을 아시고 아난다 존자에게 말씀하셨다.

"아난다야, 춘다에게는 지금 혹시 뉘우치는 마음이 있지 않은가. 만일 그런 마음이 있다면 그것은 무엇 때문이겠는가?"

아난다 존자는 부처님께 말씀드렸다.

"세존이시여, 춘다가 비록 공양을 바쳤지만 그것은 아무런 복도 공덕도 없을 것입니다. 왜 그런가 하면 세존께서는 춘다의 집에서 공양을 받으신 후 병이 악화되었으며, 그것을 마지막으로 공양을 받으시고 곧 열반에 드시기 때문입니다." 『유행경』

부처님께서는 아난다 존자에게 말씀하셨다.

"아난다야, 그런 말을 하지 말라. 그렇게 말을 해서는 안 된다. 또한 일체중생이 '세존께서 춘다의 공양을 받으심으로 말미암아 몸이 아프시어 열반에 드시려고 한다'고 꾸짖어 말해서는 안 된다. 아난 다야, 너는 알아야 한다. 춘다의 공양은 크나큰 공덕이 있는 것이니 라. 무슨 까닭인가. 여래가 세상에 출현함에 두 종류의 공양을 한 사 람이 최상의 공덕을 얻으니, 첫째는 여래가 무상정등정각을 성취하 려고 할 때 와서 받들어 공양한 사람이요, 둘째는 여래가 열반하려 고 할 때 와서 받들어 공양을 올린 사람이니라. 이 두 사람의 공덕은 똑같아서 서로 다름이 없으니 춘다의 공양은 다른 어떤 공양보다도 훌륭하고 헤아릴 수 없는 공덕이 있는 것이니라."

그때에 부처님께서는 곧 춘다에게 말씀하셨다.

"춘다여, 그대는 뉘우침을 내거나 스스로 꾸짖을 필요가 없다. 그 대는 이미 세상에서 가장 얻기 어려운 최상의 공덕을 쌓았으니 응당 스스로 경사스럽고 행복한 마음을 내어야 하리라. 무슨 까닭인가. 여래가 처음으로 무상정등정각을 얻으려 할 때 공양을 베푼 것과 여 래가 열반에 들 때 공양을 올린 것은 모두 다 그 공덕이 똑같아서 서 로 다름이 없기 때문이니라. 세간에서는 백천만 겁이 지나도 부처님 의 이름을 듣기가 어려우며, 비록 듣는다 하더라도 부처님을 만나 공양을 올리기가 쉽지 않으며 비록 공양을 올린다 하더라도 이 두 가지 공양을 올리는 인연만은 매우 만나기 어려워 마치 우담바라 꽃 이 피는 것을 보기 어려운 것과도 같거늘 그대는 지금 이미 그 인연 을 성취했으니 오래지 않아 응당 어떤 공양을 올린 것보다도 훌륭하고 보다 큰 복덕의 과보가 있을 것이니라."

그때 춘다는 부처님의 말씀을 듣고 마음이 기뻐 어쩔 줄 몰라 했다.

부처님께서는 이를 보고 다시 춘다에게 말씀하셨다.

"춘다여, 그대는 지금부터 응당 그대의 마지막 보시 공덕을 여러 사람에게 널리 알리어, 듣는 이로 하여금 오랫동안 안락을 얻게 하라."

『대반열반경』

춘다는 부처님께서 자신이 올린 공양을 드시고는 식중독에 걸리신 것을 보고 깊은 죄의식에 몸 둘 바를 몰랐습니다. 위대한 스승인 부처님을 위해 공양을 올린 것이 오히려 부처님의 생명을 단축하는 결과를 가져오고 말았으니 그 죄스러운 마음이야 오죽했겠습니까. 그리고 주변의 모든 사람들로부터 비난을 받고 욕을 들을 생각을 하니 도저히 살 수가 없을 것도 같았습니다. 이미 대중 스님들의 마음에는 춘다를 향한 원망이 거세게 피어올랐습니다. 이때 춘다의 마음은 한마디로 지옥의 고통 그것이었을 것입니다.

이러한 사실을 모를 부처님이 아니었습니다. 부처님은 몸의 고통이 극에 달하였음에도 불구하고 죄책감에 시달리는 춘다의 마음을 살피고 계셨습니다. 그러나 춘다의 고통만 해결한다고 될 일이 아니었습니다. 대중 스님들의 마음에 맺힌 춘다에 대한 원망도 풀어야 했습니다. 그래서 춘다에게 먼저 말씀하는 것이 아니라 아난다 존자에게 먼저 말씀하십니다.

"아난다야, 춘다에게는 지금 혹시 뉘우치는 마음이 있지 않은가? 만일 그런 마음이 있다면 그것은 무엇 때문이겠는가?"

참으로 알뜰하고 자상하게도 모든 사람을 생각해 주십니다. 부처님은 아난다와 모든 사람에게 스스로 생각을 정리하게 만듭니다. 부처님의 물음에 아난다 존자가 춘다에 대한 원망의 마음을 말씀드리자 부처님은 말씀하셨습니다.

"여래가 세상에 출현함에 두 종류의 공양을 한 사람이 최상의 공덕을 얻으니, 첫째는 여래가 무상정등정각을 성취할 때 공양한 사람이요, 둘째는 여래가 열반할 때에 마지막으로 공양을 올린 사람이니라."

부처님은 아난다 존자와의 대화를 통해 모든 대중 스님에게 춘다에 대한 원망이 잘못된 것임을 먼저 일깨워줍니다. 그리고 춘다를 불러 말씀하십니다.

"춘다여, 그대는 지금 마음속에 정녕 후회하는 마음이 있는가? 춘다여, 그대는 결코 그러한 뉘우침을 내거나 스스로 꾸짖을 필요가 없다. 그대는 이미 세상에서 가장 얻기 어려운 최상의 공덕을 쌓았나니 응당 스스로 경사스럽고 행복한 마음을 내어야 하리라."

부처님의 말씀을 들은 춘다는 죄의식과 불안과 고통에서 해방되었습니다. 그러나 부처님은 아직도 마음이 놓이지 않으십니다. 대중 스님들과 춘다의 문제는 해결되었지만 춘다가 앞으로 혹시나 사람들의 원망을 받고 근심할까 염려되어 또 말씀하십니다.

"춘다여, 그대는 지금부터 응당 그대의 마지막 보시 공덕을 여러

사람에게 널리 알리어서 듣는 이로 하여금 오랫동안 안락을 얻게
하라."

남의 손발이 잘린 것보다 자신의 손톱 밑 가시가 더 아픈 것이 우
리 중생의 마음입니다. 그러나 부처님은 자신의 온몸이 찢기는 아픔
에도 중생의 손톱 밑 가시를 걱정하는 분입니다.

이 세상에는 독이 있는 음식을 먹어보지도 않고 미리 알아내는 사
람이 있을 수 있습니다. 또 독이 있는 음식을 먹고도 스스로 독을 해
독해 내는 신통력을 가진 사람도 있을 수 있습니다.

그러나 자신에게 독이 있는 음식을 준 사람을 이 세상에서 가장
훌륭한 사람으로 만드는 사람은 부처님이 아니고 또 누가 있겠습니
까? 독을 없애고 독을 소화하는 것이 여래의 신통력이 아니라, 바로
이것이야말로 여래의 기적이고 여래의 신통력입니다.

죽어가는 수행자를 분별심 없이 살려낸 수자타의 공양은 수자타
를 위대하게 만들었지만, 춘다의 공양은 부처님을 더욱 빛나게 했습
니다. 부처님은 춘다를 이 세상에 가장 빛나는 인물로 만들고, 춘다
의 공양을 한량없는 공덕으로 만듦으로써 결국은 부처님의 위대함
이 더욱 빛을 발하게 되었습니다.

평범한 인간의 모습으로 맞는 죽음

간혹 어떤 사람은 부처님께서 깨달음을 얻었으므로 이미 중생이 아니며 신통력도 있는데 어떻게 우리처럼 병에 걸릴 수 있는가 하는 의문을 제기하기도 합니다. '깨달음을 얻는다 하더라도 결국은 늙고 병들고 고통받으며 죽는 것이 아닌가, 그렇다면 중생과 다를 바 없지 않은가'라고 의혹을 일으킵니다.

물론 부처님은 고통 없이 열반에 드실 수도 있었습니다. 실제로 많은 선사들의 전기를 보면 소위 좌탈입망(坐脫立亡)하는 경우를 많이 보게 됩니다. 그러나 부처님은 우리에게 고통 속에서 살아가는 모습을 그대로 보여주십니다.

이는 우리에게 깨달음의 경지가 무엇이며 해탈의 길이 어떠한 것인가를 일깨워주기 위한 것입니다. 부처님은 무수한 신통력을 지녔음에도 불구하고 스스로는 물론이고 제자들에게도 신통력을 쓰지 못하게 하셨습니다. 그래서 목갈라나 존자는 신통력이 뛰어나 신통 제일이라고 불릴 정도였지만 돌아가실 때는 이교도들의 돌에 맞아 비참하게 최후를 마쳤습니다.

신통력은 깊은 선정에 들어 오랜 기간 수행하면 얻을 수 있습니다. 그러나 많은 사람들은 그 신통력을 수행의 척도로 삼아 신통력을 행하는 사람은 도가 높고 그렇지 않은 사람은 도가 낮은 것으로 평가하곤 합니다.

그러나 신통력은 결코 도의 평가 기준이 될 수 없습니다. 신통력이나 기적을 보고 그 종교에 귀의하는 사람은 세상 사람들이 모두 함께 행복해지는 올바른 삶을 추구하기보다는 자신의 탐욕만 채우려는 사람들입니다. 즉, 탐욕에 눈이 멀어 신통력에 빠져 혹세무민의 길로 들어서게 되는 것입니다.

신통력의 의미에 대해 다음과 같은 이야기가 있습니다.

옛날에 오랜 수행을 하신 큰스님이 두 분 계셨습니다. 두 큰스님 밑에는 각각 제자가 있었는데 어느 날 이 두 제자가 만나서 이야기하다가 한 사람이 자기 스승을 자랑했습니다.

"우리 스승님은 참으로 도력이 높다네. 보통 사람으로는 상상도 못 할 기적을 행하시지."

그러면서 자신의 스승이 행한 여러 가지 기적을 늘어놓으며 자랑했습니다. 그 말을 듣고 다른 스승의 제자가 말했습니다.

"우리 스승님의 기적은 정말 대단하네. 정말 보통 사람으로는 상상도 못 할 기적을 행하시지."

"도대체 어떠한 기적을 행하시는가?"

몹시 궁금해하며 묻는 제자에게 그는 지극히 당연한 얼굴로 말했습니다.

"우리 스승님은 자네가 말하는 바의 기적으로 본다면, 어떤 기적도 행하지 않으시네. 이것이야말로 큰 기적이 아닌가?"

부처님은 보리수 아래서 정각에 이른 뒤에도 우리와는 다른 어떤 존재로 변하신 것도, 깨달음을 통해 인간에서 신으로 되신 것도 아니었습니다. 부처님께서 열반에 드신 뒤 중생들이 부처님에 대해 잘못된 생각을 가질까봐 부처님은 육신이 병들어 고통받는 것도, 심지어 죽음의 순간까지도 가장 평범한 모습으로 보여주십니다.

이렇게 부처님은 깨달음이란 인간이 살아가야 할 올바른 길을 찾는 것일 뿐임을 몸으로 보여주셨습니다. 깨달음이란 기적과 같은 어떤 특별한 능력이 아닙니다. 우리의 가장 평범한 삶의 모습과 생각 속에서 부정적인 모습을 극복하고 올바른 모습을 지향하는 것이 깨달음입니다.

부처님은 우리가 할 수 없는 불가능한 일을 하신 분이 아니라, 우리 모두 할 수 있지만 누구도 하려 하지 않은 일을 하신 분입니다. 우리가 할 수 없는 일이라고 느끼는 것은 사실 변명일 뿐이고, 자신의 업을 합리화하는 것에 불과합니다. 결국 자신의 업장 탓에 할 수 없는 것이지만, 그것은 분명히 할 수 있는 일입니다. 단지 용기가 없어서 못 할 뿐입니다.

우리도 부처님같이 자기에게 잘못된 음식을 주어 죽음에 이르는 고통을 준 사람을 오히려 위로해 줄 수 있습니다. 그것은 누구나 할 수 있는 일입니다. 그러나 그 누구도 하려 하지 않습니다. 왜일까요? 그것은 자기중심적인 욕망과 그 욕망이 충족되지 못할 때 나타나는 분노 때문입니다. 바로 이러한 탐욕과 진심, 그리고 그것으로 눈이 가려진 어리석음이 우리를 중생으로 만드는 것입니다. 이렇게 탐·진

·치에 꺼들리는 노예의 신분을 박차고 나갈 용기가 없는 존재가 바로 중생입니다.

중생의 입장에서 보면 바다를 둘로 가른다든지, 죽은 사람을 살려낸다든지 하는 것을 기적이라고 생각할지 모르지만, 사실은 자기중심적인 욕망을 버리는 것이야말로 큰 기적입니다. 도저히 불가능하게 생각되는 여러 가지 신통력을 부리는 것이 기적인지, 아니면 누구나 행할 수는 있지만 용기가 없어서 도저히 불가능하다고 여겨지는 것을 행하는 것이 기적인지를 분명히 알아야 하겠습니다.

조선시대 사람들에게 하늘을 나는 것은 기적입니다. 만약 타임머신이 있어서 오늘날의 헬리콥터를 타고 그 시대로 돌아간다면 그는 기적을 행하는 신으로 추앙받게 될 것입니다. 또는 요즈음은 흔하디흔한 손전등 하나만 가져가도 그는 위대한 신의 물건을 가져온 사람으로 모셔지고 기적을 행하는 신의 아들로 여겨질 것입니다.

우리는 부처님을 어떤 특별한 존재, 즉 조선시대에 하늘을 날고 손에서 불을 조종하는 존재로 파악해서는 안 됩니다. 부처님은 그 시대에는 불가능하다고 여겼지만 세월이 지나면서 가능해질 수 있는 그런 일에 대한 능력을 과시하는 분이 아닙니다. 어느 시대의 누구라도 할 수 있으나 하지 못하는 일, 즉 중생의 입장에서 보면 불가능하게 느껴지는 일을 능히 행하신 분입니다.

부처가 된다는 것은 불치병을 신통력으로 치유하고 영생을 얻는 것이 아니라, 비록 병에 걸려 죽음을 맞더라도 그것에 사로잡혀서 갈등하거나 원망하지 않고, 죽음과 병의 고통을 기꺼이 받아들이고 거기에 얽매이지 않는 것입니다. 부처님은 죽음을 고통 없이 맞은 것이 아니라 오히려 죽음의 고통을 받아들임으로써 중생의 어두운 눈을 밝혀주셨습니다.

진정한 공양이란 무엇인가

법공양

그때에 부처님께서는 아난다 존자에게 말씀하셨다.

"아난다야, 나는 지금 쿠시나가라 성의 역사가 시작된 곳인 카쿠타 강가의 사라나무 숲으로 가고 싶다."

부처님께서는 여러 대중 스님들에게 둘러싸여 곧 길을 떠나시어 카쿠타 강을 건너 쿠시나가라 성의 역사가 시작된 곳인 사라나무 숲에 이르셨다. 부처님께서는 아난다 존자에게 이르셨다.

"아난다야, 너는 나를 위해 사라나무 숲으로 들어가서 두 나무가 한 곳에 있는 것을 보아 그 밑을 정돈하고 누울 자리를 마련하되 머리를 북쪽으로 둘 수 있도록 하라."

그때에 아난다 존자와 대중 스님들은 부처님의 말씀을 듣고 더욱 슬퍼해 눈물을 흘리면서 분부대로 자리를 마련했다.

부처님께서는 여러 대중 스님들과 함께 사라나무 숲에 들어오셔서 스스로 승가리를 네 겹으로 접어 바닥에 펴신 후, 북쪽으로 머리를 향해 오른쪽 옆구리를 바닥에 붙이고 잠자는 사자처럼 발을 포개고 누우셨다. 그리고 마음을 단정히 하고 생각을 바로 하셨다.

그때엔 꽃이 필 시기가 아님에도 갑자기 두 그루의 사라나무는 가지마다 일제히 꽃을 피워 부처님의 몸 위에 뿌렸다. 그러자 모든 하늘과 용과 귀신인 팔부 대중들이 허공에서 온갖 미묘한 꽃을 비 내리듯 했으며, 하늘에서 풍악을 울리며 노래하고 부처님을 찬탄했다.

부처님께서는 이를 보고 아난다 존자에게 말씀하셨다.

"아난다야, 너는 저 나무가 때 아닌 때에 꽃을 피워서 나에게 공양을 하고, 허공에 모든 하늘과 팔부 대중들이 나에게 공양하는 것이 보이느냐?"

부처님께서는 또 아난다 존자에게 말씀하셨다.

"아난다야, 너는 알아야 한다. 이처럼 향과 꽃과 풍악으로 여래를 공양하는 것은 여래를 참으로 공양하는 것이 아니니라. 어떤 것을 일러 여래를 참으로 공양하는 것이라고 하는가. 아난다야, 비구·비구니·우바새·우바이가 법을 잘 받아서 깊고 미묘한 이치를 생각하고 계율을 청정하게 지키고, 그 법과 계율에 따라 올바로 행하면, 그것을 일러 여래를 참으로 공양하는 것이라 하느니라." 『대반열반경』

부처님은 아난다와 여러 대중을 데리고 쿠시나가라에 도착하셨습니다. 마가다국의 기사굴산에 계실 때 열반에 드실 날이 가까워졌음을 아시고 카쿠타 강을 건너 쿠시나가라 성의 사라나무 숲에 이르신 것입니다.

부처님은 아난다에게 사라나무 숲으로 들어가 두 나무가 한 곳에 있는 곳을 찾아 누울 자리를 마련하라고 말씀하셨습니다. 아난다 존자와 제자들이 슬퍼하며 분부대로 자리를 마련하자 부처님은 그 자리에 누우셨습니다. 그리고 부처님은 오늘 밤 이곳에서 열반에 들겠다고 말씀하셨습니다.

아난다 존자는 슬피 울며 여쭈었습니다.

"부처님, 많은 제자들과 재가 신자들이 있는 라자그리하나 바이샬리를 두고 왜 이 외진 나무숲에서 열반에 드시려 합니까?"

그러자 부처님은 말씀하셨습니다.

"아난다야, 그렇게 말하지 마라. 이곳은 먼 훗날 성스러운 곳이 되느니라."

부처님은 왜 굳이 쿠시나가라까지 가셨을까요? 쿠시나가라에 가본 사람은 알겠지만 부처님이 이곳에서 열반에 들지 않았다면 이곳은 누구도 찾아갈 일이 없는 아주 작은 시골입니다. 그러나 지금은 수많은 사람이 부처님의 열반 성지인 이곳을 찾아오고 있습니다.

마가다국에서 바이샬리를 거쳐 쿠시나가라까지 이르는 길은 북서쪽으로 뻗어 있으며 그 방향으로 계속 연장해 보면 그 길은 카필라바스투와 이어집니다. 부처님은 카필라바스투에서 출가해서 스승을 찾아 남쪽으로 내려오셨던 그 길을 이제 거슬러 가시는 것입니다.

이것을 볼 때 부처님의 마지막 유행은 고향인 카필라바스투를 향한 것이 아니었는가 하는 생각이 듭니다. 부처님은 열반에 드시기 전에 태어나고 성장하셨던 곳을 한번 보시고자 했던 것 같습니다.

또한 부처님이 북쪽으로 머리를 두신 것에 대해 경전에서는 '후일 나의 법이 북쪽으로 전해져 흥하리라'고 나옵니다.

부처님께서 열반에 들고자 하니 그때는 꽃이 필 시기가 아니었는데도 두 그루의 사라나무는 가지마다 일제히 꽃을 피워 부처님의 몸 위에 뿌려서 공양했습니다. 그러자 모든 하늘과 용과 팔부 대중들이 허공에서 온갖 미묘한 꽃을 비 내리듯이 흩뿌리며 풍악을 울리고 노래하며 부처님을 찬탄했습니다. 부처님은 이것을 보고 아난다 존자에게 말씀하셨습니다.

"아난다야, 너는 알아야 한다. 이처럼 향과 꽃과 풍악으로 여래를 공양하는 것은 여래를 참으로 공양하는 것이 아니니라. 비구·비구니·우바새·우바이가 법을 잘 받아서 깊고 미묘한 이치를 생각하고 계율을 청정하게 지키고 그 법과 계율에 따라 올바로 행하면 그것을 일러 여래를 참으로 공양하는 것이라 하느니라."

공양(供養)이란 무엇입니까? 글자 그대로 해석하면 공급해 자양(滋養)한다는 뜻입니다. 그러나 불교에서는 '삼보에 보시해 삼보를 증장케 하는 것'이라는 의미로 쓰입니다. 일반적으로 공양을 올릴 때 부처님의 지혜 광명과 자비 공덕을 상징하는 초와 향, 그리고 꽃과 청수를 올립니다. 그러나 부처님은 이러한 공양은 참된 공양이 아니라고 하십니다.

물론 많은 재물과 향과 꽃을 올리고 찬탄하는 것도 큰 공덕이 될 것입니다. 그러나 그러한 공덕은 중요한 것이 못 됩니다. 큰 공양을 올릴 수 없다 하더라도 부처님의 삶을 좇아 부처의 길, 보살의 길을 걷고자 할 때 큰 공덕이 자신에게 돌아오게 됩니다. 이러한 마음으로 하는 공양이 참된 공양입니다.

그러면 향과 초를 밝히고 공양물을 올리면서 어떠한 마음을 가져야 할까요? 촛불과 향이 자신의 몸을 태우면서 주변을 밝히고 향기롭게 하듯이 우리도 부처님과 같은 보살행으로 모든 중생의 어둠을 밝히고 중생계의 악취를 제거하려는 다짐과 발원의 마음으로 초를 밝히고 향을 살라야 합니다. 그리고 꽃과 청수를 올릴 때에는 우리도 꽃처럼 주위를 아름답고 향기롭게 하고, 청수가 모든 것을 씻어 주듯 맑고 청정한 계행을 지켜 오탁의 중생계를 맑히겠다는 마음을 가져야 합니다.

승가나 스님들께 경제적인 생활을 유지하도록 음식이나 재물을 올리는 것만이 공양이 아닙니다. 부처님이 모든 고통받는 중생을 위해 자신의 삶을 아낌없이 바치셨듯이, 우리 또한 고통받는 중생을 위해 보시 공양을 함으로써 우리의 업장을 소멸하고자 하는 기원이 공양의 참뜻입니다. 그러므로 공양이란 부처님과 승가에 공양하는 형식을 갖지만 그 내용은 부처님께, 즉 진리의 세계를 실현코자 하는 삶에 공양하는 것이며, 부처님의 길을 걷는 스님과 여러 보살과 자신이 은혜를 입고 있는 주변의 모든 중생에게 올리는 것이어야 합니다.

공양 중에서도 특히 법공양은 가장 중요한 공양입니다. 이는 보살행을 닦아 법을 수호하고 중생을 이익되게 하는 것을 말하며, 교법으로써 여래에게 공양한다고 하여 법공양이라고 합니다. 부처님께서 말씀하신 참다운 공양이란 바로 이 법공양을 말합니다.

부처님을 찬탄하고 가람을 보호하며 스님들께 시주해 수행에 전념하게 하는 것도 훌륭한 공양입니다. 그러나 이같이 삼보를 수호하는 것도 자신의 욕망을 충족시키기 위한 것이 아니라 법공양을 실천하는 것일 때 더 큰 의미가 있습니다.

공양은 자기중심적인 욕망을 버리고 타인을 위해 모든 것을 양보하고 사랑하겠다는 마음가짐을 키우는 수행입니다. 초를 밝히고 향을 사르면서 모든 중생을 위해 몸 바쳐 희생하신 제불보살의 은혜에 감사하며 나 역시 그렇게 살겠다고 다짐하는 것입니다. 모든 이에게 즐거움을 주는 꽃과 같이, 자신의 몸을 탁하게 할지언정 타인의 더러움을 씻어주는 물과 같이 살겠다는 다짐입니다. 탐욕으로 살아왔던 삶에서 아낌없이 주는 삶으로 살겠다는 마음을 키워가는 수행이 공양인 것입니다.

이러한 수행을 하면 자신보다는 가족을 생각하고, 가족보다는 주변 이웃의 이익을 생각하게 됩니다. 따라서 주변 사람과의 관계에서 자기중심적인 사고로 충돌하지 않게 되어 화합과 평안을 얻게 됩니

다. 그러므로 부처님께 올리는 참된 공양이란 부처님의 형상에 공양
물을 올리는 것이 아니라 각자의 삶을 부처님의 가르침대로 올바르
게 살아가는 것을 말합니다.

네 가지 인연으로 복을 얻으라

그때에 비구들은 부처님께 사뢰었다.

"세존이시여, 지금까지는 모든 사람이 부처님을 따르고 공양을 올
림으로써 복을 얻었습니다. 이제 부처님께서 세상을 떠나시면 누구
를 따르고 공양을 올려야 복을 얻겠나이까?"

부처님께서는 말씀하셨다.

"수행자들이여, 나는 비록 떠나지만 진리의 가르침은 남아 있을
것이다. 또한 네 가지 인연이 있어서 그대들에게 복을 얻게 할 것이
니라. 무엇이 그 네 가지 인연인가.

첫째는 중생들이 굶주려 있으면 그들에게 음식을 공양해 목숨을
잇게 하고, 둘째는 중생들이 병들어 고통받고 있으면 그들을 보살피
고 공양해 편안하게 해줄 것이며, 셋째는 가난하고 고독한 자가 있
으면 그들과 함께하고 공양하며 보호해 주고, 넷째는 청정하게 수행
을 하는 이가 있으면 그를 위해 옷과 밥을 공양하고 외호해 주어야
할 것이니라. 이 네 가지 법이 있으면 부처님께 공양하는 것과 다름

이 없으니, 부처님이 계시는 것과 다름이 없느니라." 『대반열반경』

　제자들은 부처님이 돌아가신 후 수행 대중은 물론이고 일반 재가
자는 누구를 따르고 어디에 공양을 올려야 하는지 묻습니다. 여기에
서 공양은 음식을 바치는 것만을 의미하지는 않습니다. 부처님 당시
에는 사람들이 공양을 올리면 부처님께서 그를 위해 법의 가르침을
설하셨고, 또는 부처님의 법을 듣고 신심이 깊어진 사람이 공양을
올리기도 했습니다.

　부처님이 계실 때에는 부처님을 좇아 수행하고 공양을 올림으로
써 진리에 눈을 뜨고 공덕을 쌓을 수 있었으나, 이제 부처님께서 열
반에 들면 무엇을 받들어 모시며 어디에 공양하는 마음을 내야 하는
지가 문제였습니다.

　그러자 부처님은 여래의 육신은 떠나지만 진리의 법신은 영원히
남아 그대들과 함께 할 것이라고 가르치십니다. 그리고 현실적으로
무엇을 부처님 뵙듯 해야 하는가를 말씀하십니다.

　"네 가지 인연이 있어 그대들에게 복을 얻게 할 것이다. 무엇이 그
네 가지인가? 첫째는 중생이 굶주려 있으면 그들에게 음식을 공양해
목숨을 잇게 하고, 둘째는 중생이 병들고 고통받고 있으면 그들을
보살피고 공양해 편안하게 해줄 것이며, 셋째는 가난하고 고독한 자
가 있으면 그들과 함께하고 공양하며 보호해 주고, 넷째는 청정하게
수행하는 이가 있으면 그를 위해 옷과 밥을 공양하고 외호해 주어야

할 것이니라. 이 네 가지 법이 있으면 부처님께 공양하는 것과 다름이 없으니, 부처님이 계시는 것과 다름이 없느니라."

부처님께 공양을 올리는 것은 무엇 때문입니까? 우리의 삶에 올바른 길을 제시해 주고, 진리를 보여주셨으며, 자비로써 모든 중생을 보호하고 감싸주신 분이 부처님이기 때문입니다.

공양은 인류의 스승이자 온 생명의 어버이이신 부처님의 은혜에 감사하고 부처님과 같이 진리의 길을 가고자 하는 발원입니다. 그리하여 부처님과 같은 길을 걸어 부처의 공덕을 성취하고자 하는 다짐입니다. 바로 그러한 의미에서 굶주리고 병들고 가난하고 고독한 사람들을 위해 공양을 올리고, 진리를 찾아 정진하는 수행자를 위해 공양을 올리는 것이 부처님께 공양하는 것과 똑같다고 하신 것입니다.

경쟁과 약육강식의 중생계에서는 우리 모두가 자기중심적인 가치로 자신의 욕망을 채우기 위해 간접적으로 타인에게 고통을 주고 있습니다. 내가 남보다 적게 일하면서 많이 누리고 있다면, 이는 누군가가 나보다 많이 일하면서도 적게 누리고 있기에 가능한 것입니다.

부처님은 이러한 아집과 탐·진·치를 버리고 타인을 위한 삶을 사는 것이 바로 우리 스스로를 부처로 이끄는 길임을 설하셨습니다. 굶주리고 병들고 가난해 고통받는 사람들에게 공양하는 것, 부처님의 뜻을 좇아 청정 수행과 보살행을 하는 사람들을 섬기고 공양하는 것, 이러한 공양만이 부처님께 공양하고 부처님의 법을 들을 때와 똑같이 올바른 삶의 길을 가는 것이고 결국 부처를 이루는 길이라고 말씀하셨습니다.

여래의 장례는 신도들이 알아서 하리라

그때에 아난다 존자는 부처님께 아뢰었다.

"세존이시여, 부처님께서 열반에 드신 뒤의 장례는 어떠한 법식으로 치러야 합니까?"

부처님께서는 아난다 존자에게 말씀하셨다.

"아난다야, 너희 출가수행자들은 여래의 장례 문제에 대해 신경 쓰지 말라. 너희는 오직 바른 법을 지니고 보호하고 증득하기 위해 쉼 없이 정진하라. 그리고 너는 어떻게 하면 남들에게 여래의 법을 올바로 전해줄 수 있을까를 생각하라. 아난다야, 여래의 장례에 대해서는 믿음이 깊은 재가 신도들이 원하는 바대로 스스로 알아서 처리할 것이다."

아난다는 또 다시 부처님께 여쭙고 세 번을 거듭해 부처님께 여쭈었다. 그러자 부처님께서는 말씀하셨다.

"장례의 법을 알고자 하거든 마땅히 전륜성왕과 같이 하라." 「유행경」

아난다 존자는 부처님께서 돌아가신 후 장례를 어떻게 치러야 하

는가를 고심했습니다. 부처님 장례를 다른 이들과 똑같이 치러서는 안 될 것 같았고, 부처님의 장례에 대한 전례도 없었기 때문에 더욱 어려움을 느꼈습니다. 그래서 아난다 존자는 부처님께서 열반에 드신 뒤의 장례 법식에 대해 부처님께 묻습니다.

그러자 부처님은 말씀하십니다.

"아난다야, 너희 출가수행자들은 여래의 장례에 대해서는 신경 쓰지 마라. 너희들은 오직 바른 법을 지니고 보호하고 증득하기 위해 쉼 없이 정진하라. 그리고 너는 어떻게 하면 남들에게 여래의 법을 올바로 전해줄 수 있을까를 생각해라. 여래의 장례는 믿음이 깊은 재가 신도들이 원하는 바대로 알아서 처리할 것이다."

사람이 죽었을 때 제사 지내고 장례 치르는 법식을 찾는 것은 성직자가 할 일이지 수행자의 역할은 아닙니다. 부처님은 성스러운 직업을 가진 사람, 즉 성직자가 되는 것을 철저히 부정하셨습니다. 일반인이든 성인이든, 또는 스승이나 부모라 할지라도 죽은 자보다는 산 자가 중요한 것이며, 특히 수행자는 살아 있는 모든 사람을 고통에서 해방시키는 일이 중요하지 죽은 사람의 제사는 결코 중요하지 않다는 뜻입니다.

이처럼 부처님은 수행하는 사람의 마음가짐을 분명하게 밝히고 계십니다. 죽기 전의 문제는 모르겠지만 죽은 후의 장례 예법 등에 관해서는 비록 스승일지라도 중히 여기지 말라고 하시는 것입니다. 부처님께서 말씀하신 수행자의 자세는 오늘날 직업적 성직자로 향해가는 우리 수행인에게 깊은 질책으로 다가옵니다.

아난다 존자는 부처님의 뜻을 모르는 바는 아니지만 그렇다고 무관심할 수도 없었습니다. 아난다 존자는 부처님의 장례를 제대로 치러드리는 것이 40년 가까이 부처님을 모셔온 시자의 도리라고 생각했습니다. 장례의 법식을 재가 신도들에게 맡긴다 하더라도 어떻게 치를 것인지를 알아야 할 것 같았습니다. 그래서 세 번씩이나 부처님께 거듭 여쭈었습니다. 부처님은 못 이기고 말씀하십니다.

"마땅히 전륜성왕과 같이 할 것이니라."

전륜성왕의 장례법이란 먼저 몸을 깨끗한 새 천으로 싼 다음 잘 타는 솜으로 싸고 그 위에 천을 감고 금으로 된 관에 넣어 기름을 붓고 다시 두 번째 금관에 넣어 향나무로 화장하는 것입니다. 그리고 네거리에 탑을 세워 유골을 안치합니다.

이는 당시의 장례 의식 중에 가장 융숭한 장례 의식이었을 것입니다. 부처님은 아무리 자신이 만류하더라도 재가 신도들이 결코 그 말을 듣지 않고 가장 장엄한 장례를 치를 것을 알고 계셨을 것입니다.

마지막 제자 수바드라

누구나 와서 마지막 예배를 드리라

한편 아난다 존자는 세존이 말씀하시는 동안에도 슬픔을 참지 못한 채, 슬며시 정사 안에 몸을 숨기고, "아, 나는 배워야 할 것, 이루어야 할 것이 아직도 많이 있다. 그런데 저 자애로움이 깊으신 큰 스승님께서는 나를 두고 가시려 하다니"라며, 문고리를 부여잡고 소리를 죽여가면서 울고 있었다. 세존께서는 아난다 존자가 곁에 없는 것을 아시고 비구들에게 물으셨다.

"비구들아, 아난다 존자가 보이지 않는데, 어디 갔느냐?"

한 비구가 아난다 존자에게 부처님 말씀을 전하자, 아난다 존자는 눈물을 훔치고 세존의 처소로 갔다. 아난다 존자가 한쪽에 앉으니 세존께서는 아난다 존자에게 다음과 같이 말씀하셨다.

"아난다야, 너는 나의 입멸을 한탄하거나 슬퍼해서는 안 되느니라. 아난다야, 너에게 항상 말하지 않았더냐? 아무리 사랑하고 마음에 맞는 사람일지라도 마침내는 달라지는 상태, 별리의 상태, 변화의 상태가 찾아오는 것이라고. 그것을 어찌 피할 수 있겠느냐. 아난다야, 태어나고 만들어지고 무너져가는 것, 그 무너져가는 것에 대해 아무리 '무너지지 말라'고 만류해도, 그것은 순리에 맞지 않는 것이니라. 아난다야, 너는 참으로 오랫동안 사려 있는 행동으로 나에게 이익과 안락을 주고 게으름 피우지 않고 일심으로 시봉했느니라. 너는 또한 사려 있는 말과 사려 있는 배려로써 나에게 이익과 안락을 주고, 게으름 피우지 않으면서 일심으로 시봉했다. 아난다야, 너는 많은 복덕을 지은 것이다. 이제부터는 게으름 피우지 말고 수행에 노력해 빨리 번뇌 없는 경지에 도달함이 좋으리라." 『대반열반경』

그때에 부처님께서는 말라족의 발상지인 쿠시나가라 성 차루 동산의 두 그루 사라나무 사이에서 장차 열반에 드시려 할 때였다. 부처님께서는 시자 아난다에게 말씀하셨다.

"아난다야, 너는 이제 쿠시나가라 성에 들어가서 모든 말라 사람들에게 이렇게 알려라.

쿠시나가라 사람들이여, 마땅히 알라. 부처님께서는 오늘 밤중에 차루 동산의 두 그루 사라나무 사이에서 열반에 드실 것이니라. 그대들은 모두 부처님을 뵙고 모든 의심되는 것을 묻고 직접 가르침을 받으라. 그대들은 이때를 놓쳐 뒷날에 후회를 남기지 말라."

이때에 아난다는 부처님의 분부를 받고 곧 자리에서 일어나 부처님께 예배한 후 한 비구와 함께 쿠시나가라 성으로 가서 분부대로 했다.

그때에 말라 사람들은 이 말을 듣고 소리 높여 슬피 울고 땅에 쓰러져 기절했다가 다시 깨어났다. 이는 마치 큰 나무가 뿌리째 빠지매 가지들이 부러지는 것과 같았다. 모든 말라 사람들은 각기 집으로 돌아가 그 가족을 이끌고 또 흰 천을 갖고 쿠시나가라 성을 나와 사라나무 숲으로 가서 아난다 존자가 있는 곳에 이르렀다.

아난다 존자는 곧 모든 말라 사람들과 그 가족들을 데리고 가서 부처님을 뵙게 했다. 모든 말라 사람들은 머리를 부처님 발에 예배하고 한쪽에 앉았다. 그때에 부처님께서는 그들을 위해 무상(無常)을 설법해 가르치시니, 모든 말라 사람들은 법을 듣고 기뻐하면서 곧 오백 장의 흰 천을 부처님께 바쳤다. 부처님께서 그것을 받으시자 모든 말라 사람들은 곧 자리에서 일어나 부처님께 예배하고 떠났다. 『유행경』

아난다 존자는 부처님께서 왜 하필 큰 도시도 아니고 왕성도 아닌 이 외진 숲에서 열반에 드시려 하는지 궁금했습니다. 아난다 존자가 그 이유를 여쭈어보자 부처님은 이렇게 말씀하셨습니다.

"아난다야, 그런 소리 하지 마라. 너는 지금 쿠시나가라 성으로 가서 오늘 밤 여래가 열반에 들 것이니 여래를 친견하고 싶은 사람이나 여래에게 공양을 올리고 싶은 사람은 누구나 와서 마지막 예배를 드리라고 말해라."

만약에 부처님께서 성안이나 왕궁에서 열반에 드셨다면 여래를 친견할 수 있는 사람은 왕과 대신, 그리고 제자들뿐이었을 것입니다. 신분이 낮은 천민이나 새나 동물들은 올 수 없었을 것입니다. 부처님께서 숲 속에서 열반에 드시니 오고 싶은 사람은 누구나 다 와서 여래가 열반에 드는 모습을 볼 수 있는 것입니다.

부처님께서 열반에 드실 것이라는 소식을 들은 마을 사람들이 너무나 많이 몰려왔기 때문에 아난다 존자는 한 명씩 뵙게 하지 않고 가족끼리 친구끼리 인사를 드리게 했습니다. 그래서 원하는 사람은 누구나 부처님을 뵙고 마지막 인사를 드릴 수 있었습니다.

부처님은 시시각각으로 다가오는 열반의 시각을 느끼면서 쿠시나가라 성 사람들에게 법을 설하고자 하십니다. 육신의 힘이 다하는 순간까지 한 사람이라도 더 눈을 뜨게 해주고자 하는 부처님의 모습은 참으로 거룩합니다.

늦기 전에 고타마를 만나리라

그때에 쿠시나가라 성 중에는 수바드라라는 브라만이 있었다. 그의 나이는 이미 백스무 살이나 된 늙은 장로로서 지혜가 많았다. 수바드라는 부처님께서 오늘 밤에 사라쌍수 아래에서 열반에 드신다는 말을 듣고 생각했다.

"나는 진리에 대해 해결하지 못한 문제가 있다. 고타마라면 이 문제를 반드시 풀어줄 수 있을 것이다. 나는 때를 놓치기 전에 지금 곧 고타마를 만나러 가야겠다."

이렇게 생각한 수바드라는 밤이 깊었음에도 곧 쿠시나가라 성을 나와 사라쌍수 사이로 와 아난다 존자가 있는 곳에 이르렀다. 수바드라는 아난다 존자에게 인사를 마치고 한쪽에 서서 간청했다.

"오늘 밤에 대사문 고타마께서 열반에 드신다는 말을 듣고 여기에 이렇게 왔습니다. 나는 진리에 대한 몇 가지 의혹이 있습니다. 원컨대 고타마를 뵈옵고 나의 이 문제를 해결하고 싶습니다. 부디 뵈올 시간을 주십시오."

아난다 존자는 수바드라에게 대답했다.

"그만두시오, 수바드라여. 부처님께서는 병을 앓고 계십니다. 부처님을 번거롭게 해서는 안 될 것입니다."

수바드라는 아난다 존자에게 거듭해 세 번씩이나 간청했지만 아난다 존자 역시 같은 말로 거절했다. 『대반열반경』

말라족 사람들이 모두 부처님의 가르침을 받고 돌아갈 즈음에 성에 남아 있던 수바드라는 갈등했습니다. 그는 쿠시나가라 성안에서 존경받던 브라만으로 나이가 120살이나 되었다고 합니다.

수바드라는 브라만 신분이었으나 브라만 사상이 인간의 모든 문제를 해결해 줄 수 없다고 생각했으므로 당시에 유행하던 일반 사문들의 사상에도 깊은 관심을 가지고 있었습니다. 그러므로 브라만 사상은 물론 일반 사문들 사상에도 능통해 박학다식했습니다. 그러나 일반 사상들은 나름대로의 의미는 있지만 각각의 사상 자체가 하나의 완결된 사상 체계로 정립되어 있지 못하다는 것 또한 알고 있었습니다.

수바드라는 이처럼 브라만과 사문들의 사상이 부분적으로는 의미가 있으나 각각의 입장은 또한 저마다 한계를 갖고 있음을 파악하고 있었습니다. 그러나 그러한 것들을 전체적으로 비판하고 점검해 스스로 새롭게 정립할 능력은 없었습니다.

또한 그는 많은 사문 중에 석가족의 고타마라는 대사문이 있어 부처라 불린다는 것을 알고 있었습니다. 주변 사람들로부터 대사문 고타마의 사상이 뛰어나다는 것을 익히 들어온 수바드라는 언젠가 기회가 있으면 직접 한번 그를 만나보아야겠다는 생각을 하고 있었습니다. 그러나 직접 찾아가지는 못하고 있었습니다. 이는 수바드라가 나름대로 나이 백이십의 대브라만으로 인정을 받고 있었기 때문입니다.

그러던 차에 수바드라는 부처라고 불리는 대사문 고타마가 쿠시나가라 성 근처의 사라나무 숲에 와 있다는 소문을 들었습니다. 뿐만 아니라 오늘 밤에 대열반에 들 것이라는 말도 들었습니다. 수바드라는 성안 대부분의 사람들이 부처님을 만나러 갔다는 소리를 듣고도 아직 결단을 못 내리고 있었습니다.

그러나 밤이 깊어갈 무렵 수바드라는 크게 결심을 하고서 일어납니다. 진리를 찾고자 하는 수바드라의 구도적 열정은 어두운 밤에 혼자서 백이십의 노구를 이끌고 성 밖의 사라나무 숲으로 가게 만들었습니다. 부처님의 처소에 닿은 수바드라는 아난다 존자에게 부처님 뵈올 것을 간청했습니다.

이때에 부처님은 쿠시나가라 성 사람들에게 설법을 마치시고 곧 다가올 열반의 시간을 맞이하기 위해 잠시 쉬고 계셨습니다. 아난다 존자는 쉬고 계신 부처님을 방해해서는 안 된다며 수바드라의 청을 세 번 모두 거절했습니다.

수바드라를 위해 팔정도를 설하리라

그때에 부처님께서 아난다 존자에게 말씀하셨다.

"아난다야, 너는 그를 막아서는 안 된다. 그는 나를 귀찮게 하려는 것이 아니라 자신의 문제를 해결하려고 나를 찾아온 사람이다. 나 또한 조금도 귀찮을 것이 없으니 들어오기를 허락해 주어라. 만일 그가 내 법을 들으면 그는 반드시 법의 눈이 열릴 것이다."

수바드라는 부처님께 나아가 인사를 마치고 한쪽에 앉아 부처님께 여쭈었다.

"고타마시여, 어떻게 생각하십니까? 세간에는 서로 다른 여러 무리 사문들의 스승이 있으니 푸라나 캇사파, 막칼리 고살라, 아지타 케사캄바라, 파쿠다 캇차야나, 산자야 벨라티풋타, 니간타 나타풋타

등이 그들입니다. 그들은 모두 스스로 깨달음을 얻었다고 하는데 고타마께서는 그들의 주장을 모두 아십니까? 아신다면 그것을 어떻게 생각하십니까?"

부처님께서는 말씀하셨다.

"수바드라여, 나는 그것을 이미 다 알고 있소. 그러나 그러한 문제를 논한다는 것은 무익한 일일 뿐이오. 나는 이제 그대를 위해 깊고 묘한 법을 설하리라. 그대는 자세히 듣고 잘 생각하시오. 수바드라여, 저들의 도는 부처의 도와 다르니라. 저들은 스스로 욕망에 탐착하고 갈망하는 여덟 가지 삿된 길을 걷느니라.

첫째는 사견(邪見)이니, 이 세상과 전 세상에 지은 것을 스스로 받는 줄을 알지 못하고 점치고 제사 지내는 것으로 복을 구하느니라.

둘째는 삿된 생각이니, 생각이 애욕에 있고 다투어 성내는 마음에 있느니라.

셋째는 삿된 말이니, 허위로 아첨하고 간사하게 속이고 꾸미는 말을 하느니라.

넷째는 사행(邪行)이니, 산목숨을 죽이고 도둑질하며 음란하고 방탕함이니라.

다섯째는 삿된 생활이니, 이익과 옷이나 먹을 것 따위를 구할 적에 바른 도로써 하지 않느니라.

여섯째는 삿된 수행이니, 나쁜 짓을 끊지 않고 좋은 짓을 하지 않느니라.

일곱째는 삿된 뜻이니, 뜻으로 늘 즐거움을 탐하고 이 몸을 깨끗하다고 하느니라.

여덟째는 사정(邪定)이니, 세속의 욕망을 채우려 하고 벗어나는 길을 보지 못하느니라.

내가 본디 밟아온 길은 팔진도(八眞道)가 있으니 제일 사문과(沙門果)도 이것을 좇아 얻고 제이·삼·사의 사문과도 다 이것을 좇아 이루느니라. 만일 이 여덟 가지의 참된 도를 보지 못하면 그 사람은 사문의 네 가지 과를 얻지 못하리라.

팔진도의 첫째는 바로 보는 것이니, 이 세상에서 좋은 일을 하면 뒷세상에서 복이 있고 나쁜 일을 하면 재앙이 오는 것을 알며, 고를 알고, 고의 원인을 알며, 온갖 행을 멸하고, 도를 얻는 것이니라.

둘째는 바로 생각하는 것이니, 즐거이 집을 나가는 것을 생각하고 다투고 성내는 마음을 버리느니라.

셋째는 바른 말을 하는 것이니, 말이 진실하고 정성스러우며 부드럽고 충성하고 믿을 만한 것이니라.

넷째는 바른 행동을 하는 것이니, 살생하지 않으며 도둑질하지 않고 음란한 마음이 없는 것이니라.

다섯째는 바른 생활을 하는 것이니, 이익과 옷과 음식 따위를 구할 적에 도로써 하고 삿되게 하지 않음이니라.

여섯째는 바른 정진이니, 나쁜 행위를 억제하고 착한 뜻을 일으키는 것이니라.

일곱째는 바른 관찰이니, 몸과 느낌과 마음과 법이 떳떳함이 없으며 모두 괴로우며 주체성이 없고 부정한 것이라고 보는 것이니라.

여덟째는 바른 정이니, 항상 무위하며 4선행(禪行)을 이루는 것이니라.

사문과 브라만이 이 여덟 가지의 바른 도를 실행하면 네 가지 도를 이루어 능히 사자후를 하리라. 나의 착한 제자들은 행위에 방일함이 없으며 세속의 마음을 없애기에 아라한이 되느니라.

수바드라여, 나는 스물아홉에 도를 찾아 출가했으니, 이제 출가한 지 50년이 넘었구나. 계행과 선정과 지혜의 수행을 홀로 깊이 생각하고 닦았노라. 이제 법의 핵심을 설했으되 그 밖에는 사문의 진실한 길이 없노라."

이 말을 들은 수바드라는 아난다에게 말했다.

"쾌하도다, 아난다여. 이익이 많고 또 아름다우니 일찍이 없었던 일이로다. 상수 제자로서 이 법을 들은 것은 또한 묘한 것이 아니냐. 이제 성은을 입어 이 법을 들었으니 바라건대 집을 버리고 비구계를 받으려 하노라."

아난다는 부처님께 사뢰었다.

"외도 수바드라가 부처님 법 배우기를 원해 집을 버리고 계를 받아 사문이 되려고 하나이다."

부처님께서는 그에게 나아가 계를 주어 비구를 만들고 나서 생각하셨다.

이때에 부처님은 몇 번씩이나 간청하는 수바드라와 부처님의 건강을 생각해 제지하는 아난다 존자의 목소리를 들으셨습니다.

"아난다야, 그를 막아서는 안 된다. 그는 나를 귀찮게 하려는 것이 아니라 자신의 문제를 해결하려고 나를 찾아온 사람이다. 나 또한 조금도 귀찮을 것이 없으니 들어오기를 허락해 주어라. 만일 그가 내 법을 들으면 그는 반드시 법의 눈이 열릴 것이다."

부처님이 육신의 몸을 유지하시는 것은 오직 중생들의 고통을 해결해 주기 위한 것입니다. 중생을 구제하는 일이 아니라면 부처님이 굳이 고통스러운 육신을 유지하실 이유가 없는 것입니다.

수바드라는 부처님의 말씀을 듣고 뛸 듯이 기뻐하면서 부처님께 나아가 예배를 드린 후 평소에 정리가 안 되던 일반 사문들의 사상에 대해 부처님의 의견은 어떠한지 물어보았습니다. 수바드라는 아직까지 부처님에 대한 의구심이 있어 확인해 보고 싶었던 것입니다.

그러나 부처님은 그 모든 것에 대해 자세히 말씀하기에는 시간이 짧다는 것을 아셨습니다. 그리하여 팔정도의 입장에서 그들의 문제를 간결하게 정리해 비판합니다.

"저들의 도는 부처의 도와 다르니라. 저들은 스스로 삶을 탐하고 희망하는 생각으로 삿된 길을 걷느니라.

첫째는 사견이니, 이 세상과 전 세상에 지은 것을 스스로 받는 줄을 알지 못하고 점치고 제사지내는 것으로 복을 구하느니라.

둘째는 삿된 생각이니, 생각이 애욕에 있고 다투고 성내는 마음에 있느니라.

셋째는 삿된 말이니, 허위로 아첨하고 간사하게 속이고 꾸미는 말을 하느니라.

넷째는 사행이니, 산목숨을 죽이고 도둑질하며 음란하고 방탕함이니라.

다섯째는 삿된 생활이니, 옷이나 먹을 것, 그리고 이익을 구할 적에 바른 도로써 구하지 않느니라.

여섯째는 삿된 수행이니, 나쁜 짓을 끊지 않고 좋은 짓을 하지 않느니라.

일곱째는 삿된 뜻이니, 뜻으로 늘 즐거움을 탐하고 이 몸을 깨끗하다고 하느니라.

여덟째는 사정이니, 세속의 욕망을 채우려 하고 벗어나는 길을 보지 못하느니라."

그러고는 팔정도의 의미를 새기며 올바른 수행자의 길과 깨달음의 내용을 말씀하셨고, 이어 부처님 80년의 삶을 게송으로 읊으셨습니다.

"나는 스물아홉에 도를 찾아 출가했으니,

이제 출가한 지 50년이 넘었구나.

계행과 선정과 지혜의 수행을 홀로 깊이 생각하고 닦았노라.

이제 법의 핵심을 설했으되 그 밖에는 사문의 진실한 길이 없노라."

이 게송은 부처님께서 자신의 생애를 정리한 유일한 게송이라고 합니다.

부처님은 눈이 열린 수바드라에게 계를 주어 제자로 삼으면서 그가 부처님의 마지막 제자임을 선언하셨습니다.

위대한 열반

부처님을 회상하는 장소

그때에 아난다 존자는 오른 어깨를 드러내고 오른 무릎을 땅에 붙이고서 부처님께 여쭈었다.

"세존이시여, 지금까지는 여러 곳에 있는 수행자들이 여기에 와서 세존을 뵙고 가르침을 받아왔습니다. 부처님이 열반에 드신 후에, 그들은 가르침을 받고자 하나 받을 곳이 없고 우러러 뵐 곳이 없을 것입니다. 어찌하면 좋겠습니까?"

부처님께서는 아난다 존자에게 말씀하셨다.

"아난다야, 너무 걱정하지 말거라. 모든 불문(佛門)의 수행자들에게는 항상 생각해야 할 네 가지가 있느니라. 그 네 가지란 부처님이 나신 곳과 처음으로 도를 이룬 곳이며 법의 바퀴를 굴리신 곳과 반열반에 드신 곳이니, 이곳을 생각하고 기뻐해 보고자 하며 기억해 잊지 않고 아쉬워하고 사모하는 생각을 내는 것이다. 아난다야, 내가 반열반에 든 뒤에 모든 불문의 대중들은 '부처님이 나신 때의 공덕과 도를 증득했을 때의 신력은 어떠하며, 부처님이 법의 바퀴를 굴린 때에 사람들을 교화하신 모습과 열반에 다다라서 남긴 법은 어떠한가'라는 것을 생각하며 각각 그곳으로 돌아다니면서 모든 탑사를 예경하면 그들은 부처를 보고 가르침을 듣는 것과 다름이 없을 것이다. 그들은 살아서는 도를 이루고 죽어서는 천상에 날 것이다."

『유행경』

부처님은 병들어 노쇠한 몸을 이끌고 쿠시나가라에 이르시는 동안 부처님께서 떠난 후 수행자들이 경계해야 할 것과 받들어야 할 것들을 말씀하셨습니다. 그러나 많은 제자들은 부처님이 계시지 않으면 어찌할까 하는 걱정과 안타까운 마음에 어쩔 줄 몰라 했습니다.

그때 아난다 존자가 여쭈었습니다.

"부처님이시여, 지금까지는 여러 곳에 있는 수행자들이 여기 와서 부처님을 뵙고 가르침을 받아왔습니다. 그러나 부처님이 열반에 드시고 난 후 그들은 가르침을 받을 곳이 없고 우러러 뵐 곳이 없을 것입니다. 어찌하면 좋겠습니까?"

부처님은 제자들의 뜻을 아시고 말씀하셨습니다.

"아난다야, 내가 열반에 든 뒤에 모든 불문의 대중들은 '부처님이 나신 때의 공덕과 도를 증득했을 때의 신력은 어떠하며, 부처님이 법의 바퀴를 굴린 때에 사람들을 교화하신 모습과 열반에 이르러서 남긴 법은 어떠한가'라는 것을 생각하며 각각 그곳을 돌아다니면서 모든 탑사를 예경하면 그들은 부처님을 보고 가르침을 듣는 것과 다름이 없을 것이다."

이 말씀은 제자들에게 깊이 받아들여져 후일 발우 공양을 하면서 이 네 장소를 염합니다.

'불생 가비라, 성도 마갈다, 설법 바라나, 입멸 구시라.' 이것을 다시 설명하면 '부처님께서 카필라바스투에서 탄생하셨고, 마가다국에서 도를 이루셨고, 바라나시 성에서 법을 설하셨고, 쿠시나가라 성에서 열반에 드셨다'는 뜻입니다.

다시 말해 부처님이 태어나신 곳을 생각하면서 부처님이 이 세상에 오신 뜻을 기억하고, 도를 이루신 곳을 생각하며 부처님이 무엇을 깨달았는지를 기억하고, 법을 설하신 곳을 생각하며 부처님이 어떤 법을 설하셨는지를 기억하고, 열반에 드신 것을 생각하며 부처님 열반의 참뜻이 무엇인지를 기억하라는 것입니다.

부처님께 귀의한다는 것은 부처님의 삶을 이상적인 삶의 모델로 받아들여 우리 또한 부처님의 삶을 좇아 부처가 되고자 다짐하는 것을 말합니다. 우리가 세속의 삶 속에서 방황할 때 부처님의 출가를 생각하고, 고난을 받으며 좌절에 빠져 있을 때 부처님의 고행을 생각하며, 희망을 잃고 낙담할 때 부처님이 해탈을 증득하신 것을 생각하고, 자기만족에 빠져 있을 때 맨발에 분소의 하나로 고통 속에서 헤매는 중생을 구제하기 위해 평생을 살아가신 전법륜의 발자취를 생각하고, 죽음과 절망이 다가올 때 부처님의 열반 모습을 생각하며 그것을 좇아 살아가고자 하는 것이 곧 우리가 가진 부처의 씨앗에 물을 주고 가꾸는 일인 것입니다.

우리가 불제자가 되고자 할 때 가장 중요한 것은 교학이나 사상보다는 그분의 삶을 좇아 살아가고자 하는 마음이 아니겠습니까.

의심이 있거든 어서 물어라

그때에 부처님께서는 아난다 존자에게 말씀하셨다.

"아난다야, 너희들은 혹시 이렇게 생각할지도 모른다. '여래가 열반에 드신 뒤에는 다시 보호할 이가 없어 닦아오던 것을 잃으리라'고 생각하는가. 그런 생각을 하지 말라. 내가 부처 된 뒤로 지금까지 말한 경(經)과 계(戒)는 곧 너희들을 보호할 것이다. 아난다야, 이후부터는 소소한 계는 교단의 합의에 따라 없애도 좋으리라. 그리고 위아래는 서로 화합해 마땅히 예도(禮道)를 따르라. 이것이 출가수행자가 공경하고 순종하는 법이니라."

부처님께서는 모든 비구에게 일러 말씀하셨다.

"수행자들이여, 그대들이 만약 부처와 법과 승가에 대해서 의심이 있거나 도에 대해 의심이 있거든 마땅히 지금 물으라. 이때를 놓치면 뒷날 후회하리라. 내가 살아 있는 동안에 그대들을 위해 설명하리라."

모든 비구들은 잠자코 말이 없었다. 부처님께서는 세 번째로 말씀하셨다.

"수행자들이여, 그대들이 만일 나를 우러르기 때문에 묻지 못한다면 그것은 옳지 않다. 마땅히 벗이 벗에게 물어보듯 어서 질문하라. 이때를 놓쳐 후일에 후회하지 않도록 하라."

그러나 모든 비구들은 잠자코 있었다. 이때에 아난다 존자가 부처님께 말씀드렸다.

"세존이시여, 이 모든 무리들은 부처님과 그 법과 승가와 도에 대해 청정한 믿음을 가지고 있습니다. 어느 수행자도 부처님과 법과 승가에 대해 의심하거나 도를 의심하는 자는 없습니다." 『대반열반경』

부처님은 마지막으로 제자들을 다 불러 모아 마치 꺼져가는 촛불이 마지막 불꽃을 태우듯이 다시 원기를 회복해 말씀하셨습니다.

"부처님이 살아계실 때는 부처님을 모시고 수행 정진했지만, 여래가 없을 때에는 너희는 부처님의 가르침인 계를 스승으로 삼아야 하느니라."

부처님은 승가와 수행이 유지되기 위해서는 어떻게 해야 할 것인지를 걱정하는 제자들에게 오직 경과 계율이 승가를 유지하고 보호할 것이라고 말씀하십니다. 부처님의 가르침에 귀의한다는 것은 부처님의 사상과 삶이 우리의 삶을 올바로 이끄는 지침이라고 믿고 실천하는 것입니다. 그것이 곧 부처님을 잊지 않고 승가를 지키며 도를 지키는 길입니다.

그러나 계율은 승가의 청정성을 유지하고 화합을 이루기 위한 것이므로 화합을 위해서는 소소한 계는 합의에 따라 없애도 좋다고 말씀하십니다.

부처님은 이어서 얼마 남지 않은 육신의 기력이 다할 때까지 제자들을 위해 그들의 의문과 갈등을 해소해 주고자 말씀하십니다.

"수행자들이여, 그대들이 만약 부처와 법과 승가에 대해 의심이 있거나 도에 대해 의심이 있거든 마땅히 지금 물어라. 이때를 놓치면 뒷날 후회하리라. 내가 살아 있는 동안에 그대들을 위해 설명하리라."

마지막 생명이 꺼져가는 순간까지도 부처님은 제자들에게 의혹이 있으면 물어보라고 재촉하십니다. 촛불이 마지막 심지가 다 탈 때까지는 결코 빛을 잃지 않듯이 중생 교화를 위한 부처님의 모습은 이렇게 끝까지 변함이 없으셨습니다.

그러나 제자들은 부처님이 떠나신다는 큰 슬픔 앞에서 아무도 입을 열지 못했습니다. 부처님은 제자들의 그러한 마음을 아시기에 다시 말씀하십니다.

"수행자들이여, 그대들이 만일 나를 우러르기 때문에 묻지 못한다면 그것은 옳지 않다. 마땅히 벗이 벗에게 물어보듯 어서 질문하라. 이때를 놓쳐 후일에 후회하지 않도록 하라."

참으로 어머니의 마음같이 자상한 말씀이면서도 무서운 질책이기도 합니다. 부처님은 항상 제자들을 '벗이여!'라고 부르시며 도반으로 대하셨습니다. 그런데 이제 스승을 존경하기 때문에 혹은 스승이 죽음에 임박해 있기 때문에 의심나는 것이 있어도 묻지 못해서는 안 된다고 말씀하십니다. 제자들이 의혹을 갖고 있으면서도 묻지 못할까봐 나중에 후회하지 말고 어서 물으라고 합니다.

마치 친구가 친구에게 물어보듯이 스스럼없이 물으라고 하십니다. 제자들은 스승의 죽음이 안타깝건만 죽음을 앞둔 스승은 오히려 시간이 없음에도 의혹을 다 풀지 못한 제자들이 안타까울 뿐입니다. 아난다 존자는 부처님의 그 안타까움이 더욱 안쓰럽고 민망해서 이제 그만 하시라고 말씀드렸습니다.

끊임없이 정진하라

그때에 부처님께서는 곧 천이백의 제자들에게 말씀하셨다.

"비구들아, 내가 열반에 든 뒤에는 계율을 존중하되, 어둠 속에서 빛을 만난 듯이, 가난한 사람이 보물을 얻은 듯이 소중하게 여겨야 한다. 계율은 너희들의 큰 스승이며, 내가 세상에 더 살아 있다 해도 이와 다름이 없기 때문이다.

비구들아, 계는 해탈의 근본이니라. 이 계를 의지하면, 모든 선정이 이로부터 나오고 괴로움을 없애는 지혜가 나온다. 그러므로 비구들아, 너희는 청정한 계를 범하지 말라. 청정한 계를 가지면 좋은 법을 얻을 수 있지만, 청정한 계를 지키지 못하면 온갖 좋은 공덕이 생길 수 없다. 계는 가장 안온한 공덕이 머무는 곳임을 알아라.

비구들아, 모든 것은 쉴 사이 없이 변해가니 부디 마음속의 분별과 망상과 밖의 여러 가지 대상을 버리고 한적한 곳에서 부지런히 정진하라. 부지런히 정진하면 어려운 일이 없을 것이다.

한결같은 마음으로 방일함을 원수와 도둑을 멀리하듯이 해라. 나는 방일하지 않았기 때문에 스스로 정각을 이루었다. 마치 낙숫물이 떨어져 돌에 구멍을 내는 것과 같이 끊임없이 정진해라.

비구들아. 이것이 여래의 최후의 설법이니라." 『대반열반경』

부처님은 이제 마지막으로 제자들을 위해 말씀하셨습니다.

"수행자들이여, 내가 열반에 든 뒤에는 계율을 존중하되 어둠 속에서 빛을 만난 듯이, 가난한 사람이 보물을 얻는 듯이 소중하게 여겨야 한다. 계율은 너희들의 큰 스승이며, 내가 이 세상에 더 살아 있다 해도 이와 다름이 없기 때문이다."

우리는 흔히 계와 율을 같은 의미로 사용하기도 하고 계와 율을 구분해 사용하기도 합니다. 계는 수행자가 지켜야 할 기본적인 원칙이며, 수행자가 아니더라도 누구나가 올바로 살기 위해서는 반드시 지켜나가야 할 사항들을 불교의 가치 기준으로 설정한 것입니다. 율은 계의 기반 하에 수행자가 올바로 수행하기 위해 필요한 금지 사항과 승가 공동체의 화합을 유지하기 위한 구체적인 금지 사항들이라고 할 수 있습니다.

그러므로 부처님께서 '교단의 합의에 의해 소소한 계는 버리고 교단의 위아래가 서로 화합하라'고 하셨을 때의 그 소소한 계는 '율'의 의미를 갖는다고 보며, 교단을 보호하는 경(經)과 계(戒)나 계정혜 삼학에 있어서의 계는 근본 가치 기준으로서의 계의 의미를 갖는다고 할 수 있습니다.

그러므로 율은 공동생활을 하는 승가 공동체의 일원이 아니면 지키지 않아도 되는 것이지만, 계는 수행자이건 아니건 불교인이건 아니건 계를 받았건 받지 않았건 지켜야 합니다. 계를 지키지 않으면 타인과 자신을 고통스럽게 만들고, 계를 지킬 때 비로소 올바른 삶의 가치를 실현해 나갈 수 있기 때문입니다.

부처님은 원칙만을 거창하게 강조하는 분이 아닙니다. 올바른 원칙과 함께 세세한 일상사 속에서 제자들을 충고하고 독려하고 이끌어주는 분입니다. 부처님은 세심하게 제자들의 일거수일투족, 나아가 그들의 마음속 생각조차도 파악해서 잘못을 지적해 주셨습니다. 제자들은 부처님 앞에 모든 것을 드러내고 비판받고 교정받을 수 있었기에 항상 힘을 잃지 않고 삿된 길로 빠지지 않을 수 있었습니다.

그러므로 부처님은 부처님이 열반에 든 뒤에는 계를 스승으로 삼으라고 말씀하셨습니다. 부처님께서 살아계신다 하더라도 그와 다름이 없을 것이라고 하셨습니다.

오늘날은 계행을 별로 중요시하지 않는 경향이 팽배합니다. 중요한 것은 마음이며 뜻이지 밖으로 나타나는 행위가 아니라고들 말합니다. 사실 수행자에게 규율과 형식은 그리 중요한 것이 아닙니다. 종교적 관습에 의한 금기 등에도 얽매여서도 안 됩니다.

그러나 규율과 형식이 중요한 것이 아니라는 말은 규율을 무시하거나 형식을 무조건 부정해도 된다는 뜻이 아닙니다. 그것은 자신의 뜻이나 의지와는 상관없이 규율이나 형식에 끌려 살아가서는 안 된다는 말입니다. 스스로 자신의 삶의 가치를 올바로 설정하고 살아갈 때 저절로 규율이 필요 없게 되고 형식을 생각하지 않아도 된다는 뜻입니다. 즉 계율과 형식에 종속되지 말고 스스로의 삶 속에서 형식을 운용하며 살아가라는 것입니다.

이러한 의미에서 강한 구도적 정열로 자기중심적인 욕망을 버리고 수행하는 이들은 오히려 형식이나 규율 혹은 종교적 관습 등에 얽매이지 말아야 합니다. 그러나 아직 자기중심적인 욕망의 가치체계를 갖고 있는 이들에게 계와 율은 생명과도 같은 것입니다. 계와 율을 경시할 때 수행자는 파탄이 나고 불교는 타락할 수밖에 없습니다.

오늘날의 불교 현실에는 많은 문제점이 있고 또 그 해결 방안이 있겠습니다만, 승려들이 계를 스승과 같이 받든다면 문제될 것이 무엇이 있겠습니까. 그렇기에 부처님은 계를 부처님과 같이 받들라고 하셨습니다. 그리고 제자들에게 마지막 다짐을 하십니다.

"부디 마음속의 분별과 망상과 밖의 여러 가지 대상을 버리고 한적한 곳에서 부지런히 정진하라. 부지런히 정진하면 어려운 일이 없을 것이다. 한결같은 마음으로 방일함을 원수와 도둑을 멀리하듯이 해라. 나는 방일하지 않았기 때문에 스스로 정각을 이루었다. 마치 낙숫물이 떨어져 돌에 구멍을 뚫는 것과 같이 끊임없이 정진해라. 비구들아, 이것이 여래의 최후의 설법이니라."

이 말씀을 끝으로 부처님은 열반에 드셨습니다.

중생의 입장에서 말하면 열반은 죽음입니다. 그러나 부처님은 생사가 없으신 분이고 오고 감이 없으신 분이니 어찌 죽음이라 말하며 어찌 슬픔이라고 말할 수 있겠습니까.

마치 한 알의 밀알이 썩어서 수백 수천의 밀알을 영글게 만들 듯이, 부처님은 오로지 한 몸으로 깨닫고 교화하고 열반에 듦으로써 지금 우리의 가슴 속에서 다시 살아난 것입니다. 부처님의 한 형상을 없앰으로써 수십 수백 수천억의 새로운 부처를 이 세상에 뿌려놓은 것입니다.

그러니 우리가 진정 불법을 아는 불자라면 이렇게 말해야 되지 않겠습니까.

"여래시여, 이제 안온하게 열반에 머무십시오. 여래께서 하시려고 했던 그 모든 일을 이제 저희가 하겠습니다."

부처님께서 혼자 하신 것에 비교한다면 우리 수천수만 명이 모여서 하는 일은 하나도 어려운 일이 아닙니다.

부처님이 한겨울에 대지에 싹을 틔운 분이라면, 우리는 천지만물이 솟아나는 따뜻한 봄날에 씨앗을 뿌려 싹을 틔우는 것과 같습니다. 이제 우리가 해야 할 일은 부처님께서 제시해 준 이 길을 따라 부지런히 수행 정진해 나가는 것이고, 우리에게 닥친 과제들을 스스로 해결해 여래의 열반을 기리는 일입니다.

새로이 시작되는 부처님의 역사

중생의 가장 위대한 스승이신 부처님. 부처님은 등불이 마지막 기름 한 방울까지 모두 태우고 끝내 심지마저 태우듯, 그렇게 모든 것을 바쳐서 중생을 구원하다가 열반에 드셨습니다.

그러나 부처님은 이 세상에서 떠나신 것이 아닙니다. 열반이란 죽음이 아니라 육신의 허망함을 보여주는 것일 뿐이고, 존재의 본원으로 돌아가는 구원의 실상이며, 삶의 완성입니다. 부처님은 오히려 육신의 한계를 버림으로써 진리의 법신이 되어 중생에게 더욱 큰 광명의 빛이 되어 돌아오신 것입니다.

부처님의 생애는 끝나지 않았습니다. 육신을 가진 부처님의 생애는 다했으나 부처님의 진리의 역사는 새로이 시작됩니다.

새로운 부처님의 역사, 인간 해방의 대장정이며 생명 해방의 길이기도 한 그 길을 가야 할 사람은 바로 우리입니다. 불국 정토의 건설을 알리는 북소리에 맞춰, 새로운 부처님의 시대, 자유 평등의 용화 세계를 건설하는 행진의 대열로 함께 나서야 합니다.

수메다 행자가 발심한 이래 수천억 겁 동안 무수히 몸을 던져 보살행을 한 끝에 부처를 이루었듯이, 미륵보살은 그의 서원 이래 지금도 이 땅에서 무수한 화현으로 나타나 보살행을 닦고 있습니다. 고통받는 이들을 위해 자신의 생명을 버리고, 버림받은 이들을 위해 자신의 기득권을 버리는 사람들, 그들이 바로 장차 부처가 되리라 약속받은 미륵보살입니다.

부처님의 생애 이야기는 이것으로 끝이 납니다. 그러나 새로운 부처님의 역사는 우리 모두에 의해 이제부터 비로소 시작됩니다.

부록

연표

지도

찾아보기

연표

기원전 624년 탄생

고타마 싯다르타(Gautama Siddhartha)

북인도 카필라바스투의 슈도다나 왕과 마하마야 왕비의 아들로 카필라바스투의 동쪽 룸비니 동산(지금의 네팔 남쪽 인도 국경 인근)에서 태어남. 탄생 설화에 의하면 마하마야 왕비는 아소카나무[무우수(無憂樹)] 가지를 잡고 선 채 오른쪽 옆구리로 싯다르타를 낳았다고 함.

붓다는 태어나자마자 사방으로 일곱 걸음을 옮기며, '천상천하 유아독존(天上天下唯我獨尊) 삼계개고 아당안지(三界皆苦我當安之)'라 외침. 아기 붓다를 알현한 아시타 선인이 뒷날 전륜성왕이나 부처가 될 것임을 예언함.

탄생 이레 만에 어머니 마하마야 왕비가 죽고, 이모인 마하프라자파티가 양모가 되어 양육함.

기원전 617년 (7세)

비슈바미트라에게 인도에서 사용하는 각종 언어와 문학 등을 배움. 특히 8세 때부터 4년 동안 제왕학(帝王學)이라고 해서 왕으로서 알아야 할 여러 가지 학문과 무술 등을 크샨티데바에게 배움.

기원전 612년 (12세)

궁성 밖에서 농민의 고통, 새가 벌레를 쪼아 먹는 모습을 보고 '하나가 살기 위해서는 왜 하나가 죽어야 하나? 함께 사는 길은 없을까?' 하고 고통스런 중생의 현실에 대해 고뇌함.

기원전 605년 (19세)

야소다라 공주와 결혼함. 궁성 밖 나들이에서 생로병사(生老病死)의 고통을 목격함[사문유관(四門遊觀)].

기원전 604년 (20세)

사문유관으로 출가 결심.

기원전 595년 (29세)

야소다라 부인으로부터 아들 라훌라가 태어나자 기존의 가치와 기득권을 모두 버리고 출가함.

알라라 칼라마, 웃다카 라마풋타 등을 스승으로 모시고 선정을 닦음. 무소유처(無所有處)와 비상비비상처(非想非非想處)의 경지에 도달함. 그러나 그것이 해탈의 경지가 아님을 알고 스승 곁을 떠남.

라자그리하에서 빔비사라 왕을 만남. 정각(正覺)을 성취한 뒤 방문할 것을 약속함.

가야 근교의 우루벨라 둥게스와리에서 6년 동안 혹독하게 고행 정진함.

기원전 589년 (35세)

중도를 발견하고 고행을 풀고 나이란자나 강에서 목욕한 뒤 수자타의 공양을 받음. 보드가야의 핍팔라나무 아래에서 선정에 듦. 동쪽에서 솟아오르는 밝은 샛별을 보는 순간 무상정등정각(無上正等正覺)을 완성하여 붓다가 됨.

기원전 588년 (36세)

바라나시 녹야원에서 옛 친구 다섯 명에게 최초로 설법함[초전법륜(初轉法輪)]. 카운디냐, 바슈파, 바드리카, 마하나만, 아슈바지트 다섯 명이 붓다의 가르침을 받고 깨달음을 얻어 첫 제자가 됨. 야사와 바라나시의 네 명의 친구들 그리고 여러 나라 친구 50명이 붓다의 제자가 됨. 야사의 아버지 구리가 장자는 최초의 재가신자가 됨. 60명의 깨달은 제자(아라한)들에게 전법 선언을 함.

마가다국의 우루벨라에서 활동하던 사화외도(事火外道) 카샤파 3형제가 붓다에게 교화되어 제자가 됨. 이들을 따르던 1,000명이 모두 붓다에게 귀의함.

마가다국의 빔비사라 왕이 제티안에서 붓다에게 귀의하고 라자그리하에 불교 최초의 사원 죽림정사(竹林精舍)를 기증함.

사리푸트라와 목갈라나가 붓다의 제자가 됨. 이들에게 지도받던 200명이 모두 붓다에게 귀의함.

마하카샤파가 붓다의 제자가 됨.

기원전 586년 (38세)

코살라국의 수닷타 장자가 붓다에게 귀의하고는 슈라바스티에 기원정사(祇園精舍)를 기증함.

기원전 583년 (41세)

기원정사에서 지냄. 고국인 카필라바스투를 방문하여 석가족을 교화함. 아버지 슈도다나 왕, 아내 야소다라, 이복동생 난다 등이 붓다에게 귀의함. 아들 라훌라(12세)를 출가시켜 사미계를 받게 함.

사촌 동생 아니룻다, 바드리카, 데바닷타, 아난다 등이 붓다의 제자가 됨.

이발사 우팔리도 붓다의 제자가 됨.

콜리족과 석가족이 로히니 강을 두고 물싸움을 벌이자 이를 중재함. 양쪽에서 250명씩 출가함.

기원전 581년 (43세)

라자그리하에서 부왕 슈도다나 왕(97세)이 위독하다는 연락을 받고 카필라바스투로 가서 임종을 지켜보고 설법함. 부왕의 장례를 치름. 카필라바스투 밖 니그로다 정사에서 양모 마하프라자파티가 출가의 뜻 보임.

기원전 577년 (47세)

슈라바스티로 가서 라훌라를 위해 설법함.

기원전 575년 (49세)

라훌라 구족계를 받음(20세).

기원전 574년 (50세)

니그로다 동산에서 카필라바스투 멸망 직전의 마지막 성주 마하나만에게 설법함.

기원전 569년 (55세)

아난다가 붓다의 시자가 됨(붓다 열반 시까지 25년 동안 시봉).

기원전 568년 (56세)

살인마 앙굴리말라를 제도함.

기원전 567년 (57세)

빔비사라 왕의 태자 아자타샤트루가 후비 바히데히에게서 태어남.

기원전 551년 (73세)

마가다국의 아자타샤트루 태자가 부왕을 죽이고 왕위를 찬탈함.

기원전 548년 (76세)

코살라국의 비루다카 태자가 부왕 프라세나지트 왕을 쫓아내고 왕이 됨.
프라세나지트 왕은 아자타샤트루 왕에게 의지하려고 마가다국의 라자그리하까
지 갔으나 병사함.

기원전 545년 (79세)

아자타샤트루 왕이 밧지를 치고자 사신 우사를 붓다에게 보냈으나 '나라가 망하지 않는 일곱 가지 법'으로 바르게 교도함.

사리푸트라, 목갈라나, 마하프라자파티 입적함.

기원전 544년 (80세)

바이샬리 근교 벨루바 마을에서 3개월 뒤에 열반할 것을 예언함.

바이샬리를 떠나 말라국의 파바에 도착하여 춘다의 마지막 공양을 받음.

춘다를 위로하는 설법을 하고 카쿠타 강에서 목욕함.

쿠시나가라의 사라나무 숲 속 두 그루 사라나무 아래에서 가사를 네 겹으로 접어 깔고 열반을 예고함. 여래가 없는 세상에서 의지해야 할 것, 생각해야 할 것, 공양 올릴 곳, 스승으로 삼을 것에 대한 아난다의 질문에 최후의 설법함.

마지막 제자 수바드라가 붓다에게 귀의함.

제자들에게 남긴 마지막 말씀은, "모든 것은 변한다. 방일하지 말고 부지런히 정진하라."

지도

고대인도의 16대국

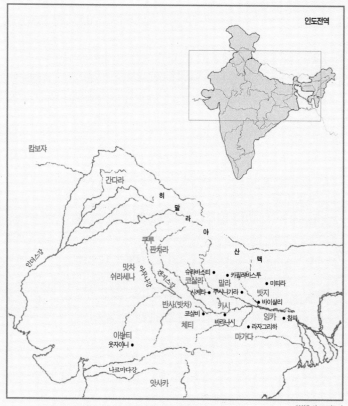

칸보자

간다라

히

말

라

야

산

맥

인더스강

쿠루

판찰라

맛차

쉬라세나

야무나강

슈라바스티 ●

코살라

사케타 ●

밀라

쿠시나가라 ●

카필라바스투 ●

미티라 ●

밧지

바이살리

● 라자그리하

잉카

참파

반사(밧차)

코삼비 ●

체티

카시

비라나시 ●

마가다

아반티

웃자야니 ●

나르마다강

앗사카

명칭은 산스크리트어

찾아보기

가밤파티(Gavāmpati) 야사의 친구로서, 야사를 따라 붓다에게 귀의하였다.

고타마 싯다르타(Gautama Siddhārtha) 석가모니(釋迦牟尼), 세존(世尊), 석존(釋尊). 고타마는 '가장 훌륭한 황소', 싯다르타는 '뜻을 이루게 하다'라는 의미이다. 붓다가 출가하기 전 태자 때의 이름이다.

고피카(Gopīkā) 붓다의 첫째 부인.

나이란자나(Nairanjana) 강 우루벨라에 있는 강. 붓다가 수자타의 공양을 받은 후 목욕한 곳이다.

난다(Nanda) 붓다의 이복동생. 약혼녀를 버리고 붓다에 귀의하였다.

녹야원(鹿野苑, Mṛgadāva) 인도 중부 바라나시 부근에 있던 동산. 붓다가 다섯 명의 옛 수행 동료를 대상으로 처음 설법한 곳이다. 이 5명은 카운디냐(Kaundinya), 바슈파(Bāṣpa), 바드리카(Bhadrika), 마하나만(Mahanāmā), 아슈바지트(Asvasit)이다.

니간타 나타풋타(Nigantha Nāthaputta) 붓다 당시의 육사외도(六師外道) 중의 한 명으로, 자이나교의 창시자(또는 개혁자)인 마하비라(Mahāvīra)다.

데바다하(Devadaha) 천비성(天臂城). 석가족의 도시.

데바닷타(Devadatta) 부처님의 사촌이자 제자. 붓다를 몰아내고 교단을 장악하려다 실패하자 수차례 붓다를 제거하려 했다. 그러나 붓다는 그를 용서해 주었다.

디팜카라붓다(Dāpamkar-buddha) 연등불(燃燈佛). 석가모니에게 미래에 성불(成佛)한다는 예언을 한 부처.

라자그리하(Rājagriha) 마가다국의 수도. 왕사성(王舍城).

라홀라(Rāhula) 라후라(羅睺羅). 석가모니의 아들. 아버지의 권유로 출가하여 계율을 엄격히 지켜 석가모니의 십대제자 가운데 '밀행(密行)제일'로 불리었다. 후에 사미(沙彌)의 시조가 되었다.

룸비니(Lumbinī) 석가모니가 태어난 곳으로 카필라바스투의 성 동쪽에 있던 꽃동산. 지금의 인도와 국경을 이루는 네팔 남부 타라이 지방에 해당한다.

마가다(Māgadhā) 기원전 6세기에서 기원전 1세기에 인도의 갠지스 강 중류에 있었던 고대 왕국. 또는 그 지역의 옛 이름. 수도는 라자그리하(Rajagriha). 고대 인도의 정치와 문화의 중심지로 불교의 발상지이다. 부처님 당시 코살라와 함께 인도 북부의 패권을 놓고 다투었다.

마하나만(Mahānāman) 부처님의 최초 제자가 된 5비구의 한 명.

마하마야(Mahā Māyā) 마야(摩耶)부인. 붓다의 어머니. 데바다하 수프라붓다의 장녀로 슈도다나 왕의 부인이 된다. 붓다를 낳은 지 이레 만에 죽어 도리천에 태어났다고 한다.

마하프라자파티(Mahāprajāpatī) 붓다의 이모이자 양모. 마야부인이 붓다를 낳은 지 이레 만에 죽자 슈도다나 왕의 정비가 되어 붓다를 양육하였다. 후에 붓다의 부인 야소다라와 함께 출가하여 최초의 비구니 승단을 형성하였다.

막칼리 고살라(Makkhali Gosāla) 붓다 당시의 육사외도(六師外道) 중의 한 명으로서, 아지비카(Ajivika)파의 우두머리.

말라(Malla) 고대 인도 북부의 부족연맹체. 일종의 공화제를 시행하고 있었다. 중심 도시는 쿠시나가라(Kusinagara).

말리카(Mallikā) 코살라국의 왕비. 독실한 불교신자.

목갈라나(Moggallāna) 목련(目連). 석가모니의 십대제자 가운데 한 사람. 마가다국의 브라만 출신으로, '신통(神通)제일'로 불리었다.

바드리카(Bhadrika) 부처님의 최초 제자가 된 5비구의 한 명.

바라나시(Varanasi) 고대 북부 인도 카시국의 수도.

비슈파(Bāspa) 부처님의 최초 제자가 된 5비구의 한 명.

바이샬리(Vaisali) 비사리(毘舍離). 고대 인도 북부 밧지(Vajji)족 연합국가의 중심 도시.

박칼리(Vakkali) 붓다의 제자.

밧지(Vajji) 고대 인도 북부의 부족 연합국가. 일종의 공화제를 실시하고 있었고, 가
장 중요한 부족은 릿차비(Licchavi)와 비데하(Videha) 족이었다. 중심 도시는 바이
샬리(Vaisali).

보드가야(Bodhgaya) 마가다국의 도시. 부처님이 깨달음을 얻은 곳.

비루다카(Virudhaka) 코살라의 왕 프라세나지트의 아들. 프라세나지트 왕의 부재를
틈타 왕위를 찬탈하였다. 아버지가 석가족에게 속아 진짜 공주 대신 궁의 시녀와
결혼해 자신을 낳은 사실에 분개하여 부처님의 만류에도 불구하고 석가족을 침공
하여 전멸시켰다.

비말라(Vimala) 야사의 친구로, 야사를 따라 붓다에게 귀의하였다.

빔비사라(Bimbisāra) 마가다국의 왕. 붓다와 돈독한 관계를 유지하였다. 최초의 불
교 사원인 죽림정사를 부처님께 지어 바쳤다.

사리푸트라(Sāriputra) 사리불(舍利佛), 사리자(舍利子). 석가모니의 십대제자 가운
데 한 사람으로 '지혜(知慧)제일'로 불린다. 석가모니의 아들 라훌라의 수계사(授
戒師)로 유명하다.

산자야 벨라티풋타(Sanjaya Belatthiputra) 붓다 당시의 육사외도(六師外道) 중의 한
명으로 불가지론자(不可知論者). 한때 사리푸트라와 목갈라나의 스승이었다.

수닷타(Sudatta) 급고독장자(給孤獨長子), 수달장자(須達長者). 슈라바스티에 살면서
고독한 사람들에게 많은 보시를 베풀었고, 코살라국 제타(Jeta, 기타(祈陀))태자가 소
유했던 동산을 매입하여 기원정사(祈園精舍. 기수급고독원이라고도 함)를 지었다.

수메다(Sumedha) 선혜(善慧). 연등불에게 수기를 받아 현세에 붓다가 되었다.

수바드라(Subhadra) 부처님의 열반 직전에 가르침을 받고 귀의한 마지막 제자.

수바후(Subāhu) 야사의 친구로, 야사를 따라 붓다에게 귀의하였다.

수부티(Subhūti) 수보리(須菩提). 석가모니의 십대제자 가운데 한 사람. '해공(解

空)제일.'

수자타(Sujātā) 우루벨라 마을의 여인. 6년 고행 끝에 붓다는 수자타의 우유쌀죽을 공양하고 힘을 얻어 깨달음에 이르는 최후의 정진에 들어간다.

수프라붓다(Supra-buddha) 선각왕(先覺王). 데바다하의 성주로, 붓다의 외할아버지.

슈도다나(Śuddhodana) 정반왕(淨飯王). 붓다의 아버지. 카필라바스투의 왕. 붓다에게 귀의하여 붓다와 그 제자들을 보호하였다. 『정반왕반열반경(淨飯王般涅槃經)』에 의하면 붓다는 슈도다나가 임종할 때 카필라바스투로 돌아와 자식의 도리를 다했다고 한다.

슈라바스티(Sravasti) 사위성(舍衛城). 코살라국의 수도.

스바스티카(Swastika) 길상(吉祥). 좋음, 좋은 일이 있을 조짐, 경사스러움이란 뜻. 목동 스바스티카는 붓다가 깨달음을 이루기 전 자신이 벤 풀을 한 아름 안아다가 핍팔라나무 아래에 정성껏 깔아드렸다. 그 인연으로 그 풀은 길상초라고 불리게 되었다.

아난다(Ānanda) 아난(阿難). 석가모니의 사촌이자 십대제자 가운데 한 사람으로 부처님이 열반하실 때까지 25년간 시중을 들었다. 석가모니 열반 후에 경전 결집에 중심이 되었으며, 여인 출가의 길을 열었다. '다문(多聞)제일.'

아니룻다(Aniruddha) 아나율(阿那律). 붓다의 사촌동생으로 석가모니 십대제자 가운데 한 사람이다. '천안(天眼)제일.'

아소카(Asoka)나무 무우수(無憂樹). 마야 부인이 이 나무 아래에서 싯다르타 태자를 안산하여 근심할 것이 없었다 하여 이렇게 이른다.

아슈바지트(Asvasit) 부처님의 최초 제자가 된 5비구의 한 명. 사리푸트라와 목갈리나에게 붓다의 가르침을 전하였다

아시타(Asita) 아기 붓다를 알현하러 간 선인. 훗날 전륜선왕이 되거나 부처가 될 것임을 예언했다.

아자타사트루(Aātaśatru) 마가다국 빔비사라 왕의 아들. 아버지를 죽이고 왕위에 올랐고, 코살라국의 왕 프라세나지트의 딸과 결혼하였다. 태자 시절 데바닷타의

후원자였으나 왕위에 오르자 자신의 잘못을 뉘우쳤다.

아지타 케사캄바라(Ajita Keśakambala) 붓다 당시의 육사외도(六師外道) 중 한 명.

알라라 칼라마(Āļāra Kālāma) 붓다 수행 시절의 스승. 그의 지도에 따라 붓다는 무소유처(無所有處)의 경지에 도달하였다.

앙굴리말라(Aṅgulimāla) 사람들을 죽여 손가락으로 목걸이를 만들었으나 붓다에게 교화되어 제자가 되었다.

야사(Yaśa) 바라나시의 구리가 장자의 아들. 재가자로서 첫 출가자가 되었다.

야소다라(Yaśodharā) 붓다의 둘째 부인. 라훌라의 어머니. 후에 붓다에 귀의하여 마하프라자파티 왕비와 함께 출가하여 최초의 비구니 승단을 형성하였다.

우루벨라(Uruvelā) 지금의 보드가야. 부처님이 깨달음을 얻은 곳.

우팔리(Upāli) 우바리(優婆離). 석가모니의 십대제자의 한 사람. '지계(持戒)제일.'

웃다카 라마풋타(Uddaka Rāmaputta) 붓다 수행 시절의 스승. 그의 지도를 받아 붓다는 비상비비상처(非想非非想處)의 경지에 도달하였다.

잠부드비파(Jambu-dvipa) 염부제(閻浮提). 잠부는 나무 이름, 드비파는 수미산 남쪽에 있다는 대륙. 인간들이 사는 곳을 뜻한다.

춘다(Chunda) 대장장이. 부처님께 마지막 공양을 하였다. 그로 인해 부처님의 병이 악화되었으나, 붓다는 춘다를 위로하는 설법을 하였다.

출라판타카(Ksullapathaka) 주리반특(周利槃特). 바보였으나, '먼지를 털고 때를 닦아라'는 부처님의 쉬운 가르침에 깨달음을 얻어 제자가 되었다.

카사파(Kāśyapa) 가섭(迦葉). 보통 마하카샤파, 대가섭이라고 불린다. 석가모니의 십대제자의 한 사람으로 욕심이 적고 엄격한 계율로 '두타(頭陀)제일'로 불린다. 붓다 열반 후 교단을 이끌었으며 제1차 결집을 주도하였다.

카시(Kāsi)국 고대 북부 인도의 왕국. 수도는 바라나시.

카운디냐(Kaundinyā) 부처님의 최초 제자가 된 5비구의 한 명.

카트야나(Katyana) 가전연(迦旃延). 석가모니의 십대제자의 한 사람. '논의(論議)제일.'

카필라바스투(Kapilavastu) 가비라(迦毘羅). 석가족의 수도. 일종의 공화제를 시행하고 있었으며, 남쪽의 코살라국에 종속되었지만, 자치권은 인정되고 있었다. 붓다가 출가한 뒤에 코살라국에 병합되었다.

코살라(Kośalā) 고대 인도 북부의 왕국. 수도는 슈라바스티. 기원전 5세기경에 마가다국에 병합되었다.

쿠시나가라(Kusinagara) 말라 부족 연맹체의 중심 도시. 부처님께서 열반에 드신 곳이다. 붓다는 이곳 두 그루의 사라나무 아래에서 열반하셨다.

크샨티데바(Kṣantideva) 어린 붓다에게 제왕학을 가르친 스승. 마야 왕비와 마하프라자파티 왕비의 형제로, 붓다의 외삼촌이다.

파피야스(Papiyas) 파순(波旬). 붓다의 수행을 방해한 마왕의 이름.

푸르나(Purāna) 부루나(富樓那). 석가모니의 십대제자 중의 한 사람으로 설법을 잘하였으며 음성이 매우 맑고 고왔다고 한다. '설법(說法)제일.'

프라세나지트(Prasenajit) 코살라의 왕. 붓다와 돈독한 관계를 유지하였으며, 붓다와 나눈 이야기들이 경전에 많이 기록되어 있다.

핍팔라(Pippala)나무 이 나무 아래에서 붓다가 깨달음을 성취하여 보리수(菩提樹)라고 한다.